은 독해 시대!
독해 DNA를 깨우자!

1 독해가 왜 중요한가?

그야말로 '독해 전성시대'입니다. 여기저기에서 독해가 중요하다고 합니다. 대학수학능력시험(수능)에서 상위권의 등급을 가르는 변수가 바로 국어 독해이기 때문이기도 하고, 독해력이 모든 교과 학습의 기초가 된다는 생각이 널리 퍼져 있기 때문이기도 하지요. 따라서 교과서를 읽어도 무슨 내용인지 이해가 가지 않는 학생이라면, 또는 시험에서 문제가 무엇을 묻는 것인지 이해가 되지 않는다면 무엇보다 먼저 독해력을 길러야 합니다.

2 독해력을 기르려면 어떻게 해야 할까?

당연히 독해를 잘하는 사람이 날 때부터 정해져 있지는 않습니다. 무턱대고 책만 많이 읽는다고 누구나 독해 고수가 되지는 않아요. 제대로 된 독해 방법을 익혀야 독해 고수가 될 수 있답니다. 중요한 것은 어떤 방법으로 독해력을 기르는 것이 가장 효과적인가 하는 것입니다.

3 현명한 선택 〈비문학 독해 DNA 깨우기〉

〈비문학 독해 DNA 깨우기〉 시리즈는 독해에 필요한 '글 분석 능력', '배경지식', '어휘력'을 효과적으로 기를 수 있도록 설계하였습니다. 풍부한 예시를 들어 독해의 원리와 기술 및 기출 유형을 친절하게 설명하였으며, '독해 실전'을 두어 반복적이고 단계적으로 '글 분석 능력'을 기를 수 있게 하였습니다. 특히 '독해 실전'에서는 인문, 사회, 과학, 기술, 예술 등 다양한 비문학 영역에서 제재를 선정·수록하였기 때문에, 자연스럽게 실전에 대비한 '배경지식'을 기를 수 있을 거예요. 또한 각 권마다 부록으로 〈미니 어휘집〉을 마련하여 '어휘력'도 꼼꼼하게 챙기도록 했지요.

자, 그럼 여러분! 이 책과 함께 우리 안의 독해 DNA를 깨우러 출발해 볼까요?

이 책을 검토해 주신 분들

기획·편집 김덕유, 김선주, 김새봄, 박소연, 우영은, 배은수, 명세진, 송보미

표지 디자인 김희정, 김지현 　 **내지 디자인** 박희춘, 이은정, 이혜진 　 **조판** 대진문화(구민범, 강성희)

해법 중학 국어

비문학
독해 DNA
깨우기

3
기출 유형

비문학 기출 유형에 따른 해결 방법을 익히고, 기출문제에 적용하며 독해 실력을 완성한다!

1 비문학 기출을 통해 실전 감각을 익힐 수 있게 하였습니다.

_ 이 책에는 고1 전국연합학력평가 기출 지문이 50% 이상 수록되어 있습니다. 이를 읽고 문제를 풀면서 실전 문제 풀이 감각을 기를 뿐만 아니라 시험에 자주 출제되는 기출 유형에 익숙해질 수 있습니다.

_ 비문학 독해 실력 향상을 위해 지문들은 인문, 사회, 과학, 기술, 예술 등의 영역에서 글감의 주제와 난이도를 고려하여 고루 선정하였습니다.

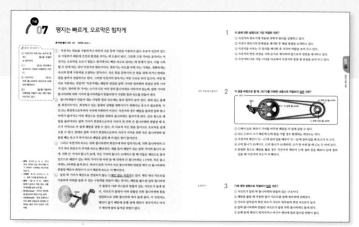

독해 실전

• 고1 전국연합학력평가 기출 지문 및 이와 유사한 난이도의 지문 수록
• 다수의 모의고사 출제진과 비문학 교재 집필진, 국어 교과서 집필진이 엄선한 문제 수록

어휘 더 쌓기 / 이야기 더 잇기

• 독해의 기초가 되는 '어휘'를 모아 한번 더 정리
• 지문과 관련한 흥미 있는 읽기 자료 수록

비판적 사고력 키우기, '찬성 vs 반대'

• 중학생 수준에서 생각해 볼 만한 사회 현상이나 문제들에서 주제를 뽑아, 이에 대한 상반된 입장의 두 글을 제시
• 주제에 대한 자신의 입장을 정리해 봄으로써, 비판적 사고력 향상 가능

2 독해 이론을 수록하여
흔들림 없는 독해력을 기를 수 있게 하였습니다.

_ 이 책에는 시험에 자주 출제되는 비문학 기출 유형에 따른 해결 방법이 담겨 있습니다. 기출 유형의 제대로 된 해결 방법을 알면 어려운 지문을 접하더라도 당황하지 않는 탄탄한 독해 실력을 갖출 수 있습니다.

_ 기출 유형은 고1 전국연합학력평가 및 모의고사를 분석하여 빈출되는 문제 유형 6가지와 그것의 해결 방법으로 구성하였습니다.

비문학 기출 유형
· 고1 전국연합학력평가와 모의고사에 자주 출제되는 문제 유형과 해결 방법 수록
· '기출로 확인하기'와 '유형 적용'을 통해 해결 방법을 직접 적용해 보며 문제 해결 능력 향상

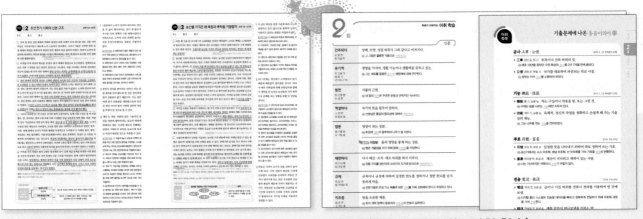

정답과 해설
· 지문에 대한 자세한 해설과 함께 지문의 핵심 내용을 한눈에 파악할 수 있는 '지문 분석하기' 수록
· 문제 해결 방법과 함께 정답과 오답의 이유를 친절하게 알려 주어, 학습자 스스로 완벽한 독해 학습 가능

부록 〈독해가 쉬워지는 어휘 학습〉
· 이 책에 나온 어휘 중 중학생 수준에서 반드시 알아야 할 것들을 연관된 한자 성어, 관용 표현 등과 함께 정리하여 미니북 형태로 제공
· 어휘집을 휴대하여 틈틈이 학습함으로써 독해의 기본이 되는 어휘력 향상

이 책의 차례

1 이 책은 이론 편과 실전 편으로 구성되어 있으며, 1일 2지문, 30일 학습을 권장합니다.

2 실전 편 각 1회는 인문, 사회, 과학, 기술, 예술의 각 영역별 2지문과 통합 1지문으로 구성하였습니다.

3 고1 학력평가 기출 지문은 제목 옆에 ★표를 하였으며, 8쪽에 자세한 기출 목록을 수록하였습니다.

독해?! 기출 유형을 정확히 알면 실전은 문제 없지!

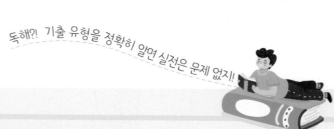

비문학 기출 유형

01 세부 정보 이해하기 유형 _ 10
　❶ 예측하기를 통해 출제 요소 파악하기　　❷ 지문을 읽고 출제 요소를 확인한 후 선택지 판단하기

02 대상 간에 비교하기 유형 _ 13
　❶ 비교 대상 파악하기　　❷ 대비되는 짝에 주목하여 정답 찾기

03 추론하기 유형 _ 17
　❶ 추론의 바탕이 되는 기본 정보 이해하기　　❷ 정보 간의 관계를 고려하여 추론하기

04 비판의 적절성 평가하기 유형 _ 19
　❶ 비판의 바탕이 되는 관점(입장) 이해하기　　❷ 비판의 대상이 되는 관점(입장) 파악하기
　❸ 관점(입장) 간의 차이를 바탕으로 하여 비판하기

05 구체적 사례에 적용하기 유형 _ 24
　❶ 사례 적용에 필요한 핵심 정보를 찾아 이해하기　　❷ 선택지나 〈보기〉의 사례를 지문의 정보에 대응시키기

06 시각 자료에 적용하기 유형 _ 27
　❶ 자료 적용에 필요한 핵심 정보를 찾아 이해하기
　❷ 선택지나 〈보기〉에 제시된 시각 자료에 지문의 정보를 대응시키기

독해 실전 1회

인문 01 요청에 응하게 만들기 _ 34　　02 삶을 지속하고자 하는 욕망, 코나투스 ★ _ 36
사회 03 기후, 문명에게 말을 걸다 _ 38　　04 범죄 발생률을 낮추기 위한 논의 ★ _ 40
과학 05 17년 매미와 13년 매미 _ 42　　06 집중 호우는 어떻게 발생할까 ★ _ 44
　● 어휘 더 쌓기, 이야기 더 잇기 _ 46
기술 07 평지는 빠르게, 오르막은 힘차게 _ 48　　08 양장에서 무선철까지, 제책의 발전 ★ _ 50
예술 09 존 케이지와 우연성 음악 _ 52　　10 엑스레이 아트 ★ _ 54
통합 11 경국대전과 유교 국가 조선의 덕치 ★ _ 56　　● 어휘 더 쌓기, 이야기 더 잇기 _ 58
　● 비판적 사고력 키우기 찬성 vs 반대 [경쟁은 발전을 가져올까?] _ 60

독해 실전 **2**회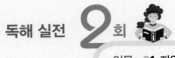

인문 **01** 자연에 대한 인간의 의무 _ 62 | **02** 조선 전기 사회의 신분 구조 ★ _ 64

사회 **03** 농산물 가격은 왜 폭등과 폭락을 거듭할까 _ 66 | **04** 물건을 산 뒤 광고를 찾아보는 이유 ★ _ 68

과학 **05** 모래가 담긴 물을 휘저으면 일어나는 일 _ 70 | **06** 세균을 잡아먹는 바이러스, 박테리오파지 ★ _ 72

● 어휘 더 쌓기, 이야기 더 잇기 _ 74

기술 **07** 컴퓨터를 진단하는 명령어, 핑 _ 76 | **08** 지구 온난화의 현실적 대안, CCS 기술 ★ _ 78

예술 **09** 2차원에서 3차원을 표현하는 방법 _ 80 | **10** 가우디의 건축물 ★ _ 82

통합 **11** 선조들이 선택한 지붕 곡면, 사이클로이드 _ 84 | ● 어휘 더 쌓기, 이야기 더 잇기 _ 86

● 비판적 사고력 키우기 찬성 vs 반대 [선거 연령을 만 18세로 낮춘 것은 타당한가?] _ 88

독해 실전 **3**회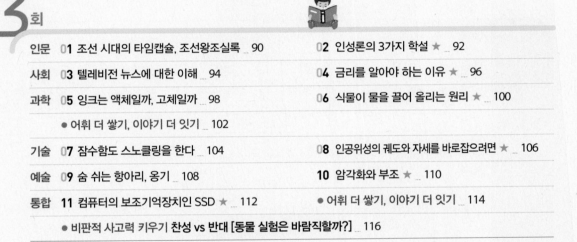

인문 **01** 조선 시대의 타임캡슐, 조선왕조실록 _ 90 | **02** 인성론의 3가지 학설 ★ _ 92

사회 **03** 텔레비전 뉴스에 대한 이해 _ 94 | **04** 금리를 알아야 하는 이유 ★ _ 96

과학 **05** 잉크는 액체일까, 고체일까 _ 98 | **06** 식물이 물을 끌어 올리는 원리 ★ _ 100

● 어휘 더 쌓기, 이야기 더 잇기 _ 102

기술 **07** 잠수함도 스노클링을 한다 _ 104 | **08** 인공위성의 궤도와 자세를 바로잡으려면 ★ _ 106

예술 **09** 숨 쉬는 항아리, 옹기 _ 108 | **10** 암각화와 부조 ★ _ 110

통합 **11** 컴퓨터의 보조기억장치인 SSD ★ _ 112 | ● 어휘 더 쌓기, 이야기 더 잇기 _ 114

● 비판적 사고력 키우기 찬성 vs 반대 [동물 실험은 바람직할까?] _ 116

독해 실전 **4**회

인문 **01** 언어의 표현과 의미의 관계 _ 118 | **02** 망각 현상 ★ _ 120

사회 **03** 관세란 무엇일까 _ 122 | **04** 알아 두면 쓸모 있는 법 이야기 ★ _ 124

과학 **05** 도넛과 머그잔이 같은 도형이다? _ 126 | **06** 북극 해빙은 왜 쉽게 녹지 않을까 ★ _ 128

● 어휘 더 쌓기, 이야기 더 잇기 _ 130

기술 **07** 환경을 생각하는 새로운 연료, 수소 _ 132 | **08** 수동적·능동적 깊이 센서 방식 ★ _ 134

예술 **09** 이중섭의 삶과 작품 세계 _ 136 | **10** 지휘자의 음악 해석 ★ _ 138

통합 **11** GPS가 위치를 파악하는 원리 ★ _ 140 | ● 어휘 더 쌓기, 이야기 더 잇기 _ 142

● 비판적 사고력 키우기 찬성 vs 반대 [우주 개발에 막대한 비용을 투자해야 할까?] _ 144

학습 계획표

학습 계획 A	권장 학습 계획표 _ 하루 두 지문, 30일 완성					
		1일	2일	3일	4일	5일	6일

비문학 기출 유형	날짜	/	/	/	/	/	/
	학습 내용	유형 01 10쪽~12쪽	유형 02 13쪽~16쪽	유형 03 17쪽~18쪽	유형 04 19쪽~23쪽	유형 05 24쪽~26쪽	유형 06 27쪽~32쪽
	점검	☺☺☺	☺☺☺	☺☺☺	☺☺☺	☺☺☺	☺☺☺

실전 1회	날짜	/	/	/	/	/	/
	학습 내용	인문 34쪽~37쪽	사회 38쪽~41쪽	과학 42쪽~47쪽	기술 48쪽~51쪽	예술 52쪽~55쪽	통합 56쪽~60쪽
	점검	☺☺☺	☺☺☺	☺☺☺	☺☺☺	☺☺☺	☺☺☺

실전 2회	날짜	/	/	/	/	/	/
	학습 내용	인문 62쪽~65쪽	사회 66쪽~69쪽	과학 70쪽~75쪽	기술 76쪽~79쪽	예술 80쪽~83쪽	통합 84쪽~88쪽
	점검	☺☺☺	☺☺☺	☺☺☺	☺☺☺	☺☺☺	☺☺☺

실전 3회	날짜	/	/	/	/	/	/
	학습 내용	인문 90쪽~93쪽	사회 94쪽~97쪽	과학 98쪽~103쪽	기술 104쪽~107쪽	예술 108쪽~111쪽	통합 112쪽~116쪽
	점검	☺☺☺	☺☺☺	☺☺☺	☺☺☺	☺☺☺	☺☺☺

실전 4회	날짜	/	/	/	/	/	/
	학습 내용	인문 118쪽~121쪽	사회 122쪽~125쪽	과학 126쪽~131쪽	기술 132쪽~135쪽	예술 136쪽~139쪽	통합 140쪽~144쪽
	점검	☺☺☺	☺☺☺	☺☺☺	☺☺☺	☺☺☺	☺☺☺

이 책을 어떻게 공부하면 좋을지 학습 계획을 세워 봅시다.

나만의 학습 계획표

✎ 나의 학습 방법 등을 고려하여 나만의 계획을 세워 보세요.

날짜	/	/	/	/	/	/
학습 내용	~	~	~	~	~	~
점검	😎 🙂 😌	😁 😋 🫨	😍 😛 😖	😗 🙂 😤	😬 😋 😈	😎 🙂 😵

날짜	/	/	/	/	/	/
학습 내용	~	~	~	~	~	~
점검	😍 😛 😖	😗 🙂 😤	😁 😋 😈	😎 🙂 😵	😎 🙂 😌	😁 😋 🫨

날짜	/	/	/	/	/	/
학습 내용	~	~	~	~	~	~
점검	😎 🙂 😌	😁 😋 🫨	😍 😛 😖	😗 🙂 😤	😁 😋 😈	😎 🙂 😵

날짜	/	/	/	/	/	/
학습 내용	~	~	~	~	~	~
점검	😎 🙂 😵	😎 🙂 😌	😁 😋 🫨	😍 😛 😖	😗 🙂 😤	😁 😋 😈

날짜	/	/	/	/	/	/
학습 내용	~	~	~	~	~	~
점검	😎 🙂 😌	😁 😋 🫨	😍 😤 😖	😗 🙂 😤	😬 😋 😈	😎 🙂 😵

이 책에 수록된 고1 학력평가 기출 목록

실전 **1**회

02 삶을 지속하고자 하는 욕망, 코나투스   2018학년도   9월 고1 학력평가 _ 인문

04 범죄 발생률을 낮추기 위한 논의   2018학년도   9월 고1 학력평가 _ 사회

06 집중 호우는 어떻게 발생할까   2013학년도   6월 고1 학력평가 _ 과학

08 양장에서 무선철까지, 제책의 발전   2017학년도   9월 고1 학력평가 _ 기술

10 엑스레이 아트   2019학년도   3월 고1 학력평가 _ 예술

11 경국대전과 유교 국가 조선의 덕치   2015학년도   9월 고1 학력평가 _ 통합(인문·사회)

실전 **2**회

02 조선 전기 사회의 신분 구조   2017학년도   6월 고1 학력평가 _ 인문

04 물건을 산 뒤 광고를 찾아보는 이유   2016학년도   3월 고1 학력평가 _ 사회

06 세균을 잡아먹는 바이러스, 박테리오파지   2016학년도   3월 고1 학력평가 _ 과학

08 지구 온난화의 현실적 대안, CCS 기술   2014학년도   3월 고1 학력평가 _ 기술

10 가우디의 건축물   2016학년도   6월 고1 학력평가 _ 예술

실전 **3**회

02 인성론의 3가지 학설   2019학년도   6월 고1 학력평가 _ 인문

04 금리를 알아야 하는 이유   2017학년도   9월 고1 학력평가 _ 사회

06 식물이 물을 끌어 올리는 원리   2019학년도   6월 고1 학력평가 _ 과학

08 인공위성의 궤도와 자세를 바로잡으려면   2014학년도   9월 고1 학력평가 _ 기술

10 암각화와 부조   2014학년도   9월 고1 학력평가 _ 예술

11 컴퓨터의 보조기억장치인 SSD   2016학년도   6월 고1 학력평가 _ 통합(과학·기술)

실전 **4**회

02 망각 현상   2016학년도   3월 고1 학력평가 _ 인문

04 알아 두면 쓸모 있는 법 이야기   2018학년도   6월 고1 학력평가 _ 사회

06 북극 해빙은 왜 쉽게 녹지 않을까   2018학년도   6월 고1 학력평가 _ 과학

08 수동적·능동적 깊이 센서 방식   2014학년도 11월 고1 학력평가 _ 기술

10 지휘자의 음악 해석   2017학년도   6월 고1 학력평가 _ 예술

11 GPS가 위치를 파악하는 원리   2019학년도   3월 고1 학력평가 _ 통합(과학·기술)

비문학, 기출 유형을 알고 대비한다!

비문학 기출 유형

01 세부 정보 이해하기 유형 _10
- ❶ 예측하기를 통해 출제 요소 파악하기
- ❷ 지문을 읽고 출제 요소를 확인한 후 선택지 판단하기

02 대상 간에 비교하기 유형 _13
- ❶ 비교 대상 파악하기
- ❷ 대비되는 짝에 주목하여 정답 찾기

03 추론하기 유형 _17
- ❶ 추론의 바탕이 되는 기본 정보 이해하기
- ❷ 정보 간의 관계를 고려하여 추론하기

04 비판의 적절성 평가하기 유형 _19
- ❶ 비판의 바탕이 되는 관점(입장) 이해하기
- ❷ 비판의 대상이 되는 관점(입장) 파악하기
- ❸ 관점(입장) 간의 차이를 바탕으로 하여 비판하기

05 구체적 사례에 적용하기 유형 _24
- ❶ 사례 적용에 필요한 핵심 정보를 찾아 이해하기
- ❷ 선택지나 〈보기〉의 사례를 지문의 정보에 대응시키기

06 시각 자료에 적용하기 유형 _27
- ❶ 자료 적용에 필요한 핵심 정보를 찾아 이해하기
- ❷ 선택지나 〈보기〉에 제시된 시각 자료에 지문의 정보를 대응시키기

세부 정보 이해하기 유형

📖 **유형 다가가기** 글의 정보를 세부적으로 정확하게 이해하는 것은 독해의 기본이다. 이를 잘하기 위해서는 정보의 성격을 고려하며 글을 읽어야 한다. 글 속의 정보들은 다양한 성격을 지니고 있다. 어떤 정보는 일반적이고, 어떤 정보는 구체적이며, 어떤 정보는 다른 정보들보다 더 중요하기도 하다. 이와 같은 정보들의 성격을 고려하여 글의 내용을 세부적으로 이해하는 능력을 길러 보자.

| **대표 발문** | • 이 글의 내용과 일치하는(일치하지 않는) 것은?
• 이 글을 읽고 알 수 있는 내용으로 적절한(적절하지 않은) 것은?
• ㉠에 대한 설명으로 적절한(적절하지 않은) 것은?

| 해결 방법 ❶ 예측하기를 통해 출제 요소 파악하기

● **예측하기**

독해 과정에서 글의 핵심 정보가 무엇인지 미리 파악하는 것을 말한다. 발문이나 선택지의 내용을 통해 글의 핵심 정보를 미리 파악하는 것이 가능하다.

글의 내용과 관련하여 발문에 제시되어 있는 말, 선택지의 앞부분에 제시된 지칭어, 반복되는 말, 개념어 등이 출제 요소가 되는 핵심 정보이다.

🖐 지문을 읽기 전 발문과 선택지를 통해 출제 요소가 되는 핵심 정보를 파악한다.

예 **이 글의 내용과 일치하지 않는 것은?**
　　　　　　　세부 정보 이해하기
① 사진은 화가들이 회화의 의미를 고민하는 계기가 되었다.
② 전통 회화는 대상을 사실적으로 묘사하는 것을 중시했다.
③ 모네의 작품은 색채 효과가 형태 묘사를 압도하는 듯한 느낌을 주었다.
　　○: 대상에 대한 세부 내용 확인하기
④ 모네는 대상의 고유한 색 표현을 위해서 전통적인 원근법을 거부하였다.
⑤ 세잔은 사물이 본질적으로 구, 원통, 원뿔의 형태로 구성되어 있다고 보았다.
　　▢: 인물의 견해·주장·입장 확인하기

유형 **tip ❶** **출제 요소 파악하기** 발문을 통해, 선택지의 내용이 지문과 일치하는지 여부를 확인하는 세부 정보 이해하기 유형임을 파악한다. 선택지의 앞부분, 특히 주어로 사람 이름이나 이론, 유파 등을 지칭하는 말이 제시되면 주로 견해·주장이 출제 요소가 된다.

● **세부 정보 이해하기 유형의 선택지 특징**

단순하게 지문과의 일치, 불일치 등을 확인하여 쉽게 정답을 판단할 수 있는 경우도 많지만, 선후, 범위, 인과 등의 논리적인 관계를 고려해야 하는 등 정답을 판단하기 쉽지 않은 경우도 있다.

유형 **tip ❷** **세부 정보 이해하기 유형의 출제 요소가 되는 주요 정보**

출제 요소	내용
계기, 배경	어떤 현상, 일이 일어난 계기나 배경을 이해했는지를 평가한다. 예 산업 혁명 이후 기계의 사용이 본격화되면서 기계의 속도에 기초하여 노동 규율이 확립되었다.
개념	개념을 정확하게 이해했는지를 평가한다. 예 진공이란 기체 압력이 대기압보다 낮은 상태를 통칭한다.
특징	대상의 특징을 세부적으로 이해했는지를 평가한다. 특히, 대비되고 있는 두 대상의 특징은 대부분 출제 요소가 된다. 예 반추위 미생물은 산소가 없는 환경에서 왕성하게 생장한다.
단계	과정이 제시되어 있을 때, 여러 단계 중 특정 단계에 대한 내용이 출제되는 경우가 있다. 예 닥나무를 큰 가마솥에 넣고 찐 후 껍질을 벗겨 건조시켜 흑피를 만든다.
기능 (역할)	제도, 장치 등을 구성하는 요소의 기능(역할)을 정확하게 이해했는지를 평가한다. 예 포커싱 렌즈는 레이저 광선을 트랙의 한 지점에 모아 준다.
관점 (입장)	특정 학자, 철학자, 이론, 유파 등의 관점(입장)을 나타내는 견해·주장이 출제 요소가 된다. 예 세종은 중국의 음악이라고 하여 반드시 바른 것은 아니라고 보았다.

| 해결 방법 ❷ 지문을 읽고 출제 요소를 확인한 후 선택지 판단하기

📖 예측한 출제 요소와 관련 있는 정보를 찾고, 이를 근거로 선택지의 적절성을 판단한다.

인상주의 화가들과 후기 인상주의 화가들의 작품 경향에 대해 설명하고 있는 글이에요. 인상주의 화가들과 후기 인상주의 화가들의 견해·주장과 그들이 창작한 작품들의 특징을 나타내는 말에 주목하여 독해하도록 해요.

예술 제재에서 관점(입장)을 나타내는 견해·주장과 특징에 관한 정보는 주요 출제 요소가 되므로 글을 읽을 때 주목하도록 해요.

세부적인 견해는 출제 요소가 되는데, 특히 '~ 아니다', '~ 않는다'에 관한 내용은 적절하지 않은 선택지로 사용될 수 있어요.

예 ❶ 사진이 등장하면서 회화는 대상을 사실적으로 재현(再現)하는 역할을 사진에 넘겨주게 되었고, 그에 따라 화가들은 회화의 의미에 대해 고민하게 되었다. 19세기 말 등장한 인상주의와 후기 인상주의는 ❷ 전통적인 회화에서 중시되었던 사실주의적 회화 기법을 거부하고 회화의 새로운 경향을 추구하였다.
<small>계기나 배경에 해당하는 정보는 세부 정보 이해의 출제 요소로 활용됨.</small>
<small>전통적인 회화의 특징. 특징에 관한 정보는 세부 정보 이해의 출제 요소로 활용됨.</small>

인상주의 화가들은 색이 빛에 의해 시시각각 변화하기 때문에 대상의 고유한 색은 존재하지 않는다고 생각하였다. <small>인상주의 화가들의 견해. 세부적인 견해는 출제 요소로 활용됨.</small> 인상주의 화가 모네는 대상을 사실적으로 재현하는 회화적 전통에서 벗어나기 위해 빛에 따라 달라지는 사물의 색채와 그에 따른 순간적 인상을 표현하고자 하였다. 모네는 대상의 세부적인 모습보다는 전체적인 느낌과 분위기, 빛의 효과에 주목했다. 그 결과 빛에 의한 대상의 순간적 인상을 포착하여 대상을 빠른 속도로 그려 내었다. ❸ 이로 인해 대상의 윤곽이 뚜렷하지 않아 색채 효과가 형태 묘사를 압도하는 듯한 느낌을 준다. <small>모네 그림의 특징.</small> 이와 같은 기법은 그가 사실적 묘사에 더 이상 치중하지 않았음을 보여 주는 것이었다. 그러나 모네 역시 대상을 '눈에 보이는 대로' 표현하려 했다는 점에서 이전 회화에서 추구했던 사실적 표현에서 완전히 벗어나지는 못했다는 평가를 받았다.

■■■: 지문을 읽기 전 선택지를 통해 파악한 출제 관련 핵심 정보

후기 인상주의 화가들은 재현 위주의 사실적 회화에서 근본적으로 벗어나는 새로운 방식을 추구하였다. 후기 인상주의 화가 세잔은 하나의 눈이 아니라 두 개의 눈으로 보는 세계가 진실이라고 믿었고, 두 눈으로 보는 세계를 평면에 그리려고 했다. ❹ 그는 대상을 전통적 원근법에 억지로 맞추지 않고 이중 시점을 적용하여 대상을 다른 각도에서 바라보려 하였고, <small>세잔의 견해</small> 이를 한 폭의 그림 안에 표현하였다. 또한 질서 있는 화면 구성을 위해 대상의 선택과 배치가 자유로운 정물화를 선호하였다. 세잔은 사물의 본질을 표현하기 위해서는 '보이는 것'을 그리는 것이 아니라 '아는 것'을 그려야 한다고 주장하였다. ❺ 그 결과 자연을 관찰하고 분석하여 사물은 본질적으로 구, 원통, 원뿔의 단순한 형태로 이루어졌다는 결론에 도달하였다. <small>세잔의 견해</small> 이를 회화에서 구현하기 위해 그는 이중 시점에서 더 나아가 형태를 단순화하여 대상의 본질을 표현하려 하였고, 윤곽선을 강조하여 대상의 존재감을 부각하려 하였다.

_ 2018학년도 3월 고1 학력평가

● 이 글의 내용과 일치하지 <u>않는</u> 것은?

① 사진은 화가들이 회화의 의미를 고민하는 계기가 되었다. → ❶을 통해 확인 가능

② 전통 회화는 대상을 사실적으로 묘사하는 것을 중시했다. → ❷를 통해 확인 가능

③ 모네의 작품은 색채 효과가 형태 묘사를 압도하는 듯한 느낌을 주었다. → ❸에서 확인 가능

✔④ 모네는 대상의 고유한 색 표현을 위해서 전통적인 원근법을 거부하였다. → 확인할 수 없음.

⑤ 세잔은 사물이 본질적으로 구, 원통, 원뿔의 형태로 구성되어 있다고 보았다. → ❺에서 확인 가능

✎ 글을 읽기 전에 선택지를 통해 ①은 계기, ②와 ③은 특징, ④와 ⑤는 관점이 출제 요소임을 파악하고, 글을 읽으며 이와 관련된 정보를 확인해 선택지의 적절성을 판단한다. ❹를 통해 전통적 원근법을 거부한 것은 세잔임을 알 수 있는데, 이는 선택지 ④가 적절하지 않음을 판단하는 근거가 된다.

㉮ 현대 산업 사회에서는 주로 대량 생산이 이루어지기 때문에 그 과정에서 결함 상품이 발생하고, 이에 따라 소비자의 피해도 발생한다. 이런 경우 피해를 입은 소비자가 구제를 받기 위해서는 제조물의 제조 과정에서 제조자의 과실이 있었고 그 과실에 따른 결함으로 피해가 발생하였음을 입증하여야 하는데 그것은 상당히 어렵다. 이에 소비자가 쉽게 피해 구제를 받을 수 있도록 하기 위해 제조물 책임법을 제정하여 시행하고 있다.

㉯ 이 법이 적용되는 제조물은 공산품, 가공 식품 등의 제조 또는 가공된 물품을 의미하는데, 일상 생활에서 사용하고 있는 거의 모든 물품이 그 범위에 포함된다. 또한 중고품, 폐기물, 부품, 원재료도 적용 대상이 된다. 그러나 미가공 농수축산물 등은 원칙적으로 제조물의 범위에서 제외된다. 그리고 손해 배상의 책임 주체인 제조업자에는 부품 또는 완성품의 제조업자, 제조물 수입을 업(業)으로 하는 자, 자신을 제조자 혹은 수입업자로 표시한 자가 포함된다. 제조업자를 알 수 없는 경우에는 제조물의 공급업자도 해당된다.

㉰ 제조물 책임은 제조물에 결함이 존재하는가 여부에 의해 결정되는데, 결함의 유형에는 제조상의 결함, 설계상의 결함, 표시상의 결함이 있다. 제조상의 결함은 제조물이 원래 의도한 설계와 다르게 제조 또는 가공됨으로써 안전하지 못하게 된 경우이며, 설계상의 결함은 제조업자가 소비자를 고려하여 합리적으로 설계했다면 피해나 위험을 줄이거나 피할 수 있었음에도 그렇게 하지 않은 경우를 말한다. 표시상의 결함은 제조업자가 합리적인 설명·지시·경고 또는 그밖의 표시를 하지 않은 경우를 말한다.

㉱ 그런데 피해자가 제조업자에게 손해 배상을 청구하려면 원칙적으로 제조물의 결함 사실과 손해 발생의 사실, 그리고 제조물의 결함과 손해 발생의 인과 관계를 입증해야 한다. 하지만 소비자의 입장에서 이를 입증하는 것은 쉽지 않다. 그래서 제조물 책임법은 소비자가 제조물을 통상적인 방법으로 사용하다가 사고가 발생했다는 사실만 입증하면 해당 제조물 자체에 결함이 있었고 그 결함으로 인하여 피해가 발생한 것으로 추정하도록 하고 있다.

● 이 글을 읽고 해결할 수 있는 질문으로 적절한 것을 〈보기〉에서 있는 대로 고른 것은?

┌─ 보기 ─
ㄱ. 제조물 책임법이 제정된 배경은 무엇인가?
ㄴ. 제조물 책임법이 적용되는 제조물과 제조업자의 범위는 어디까지인가?
ㄷ. 제조물 책임법상 피해자가 손해 배상을 청구할 수 있는 기한은 언제까지인가?

① ㄱ, ㄴ　　　　② ㄱ, ㄷ　　　　③ ㄴ, ㄷ　　　　④ ㄱ, ㄴ, ㄷ

이 문제의
해결 방법 📖 지문과 선택지의 대응을 통해 선택지의 적절성을 판단해야 한다.

발문을 통해 세부 정보 이해하기 유형에 해당함을 파악할 수 있고, 〈보기〉에서 반복되고 있는 말을 통해 '제조물 책임법'이 출제 요소가 되는 핵심 어구임을 예측할 수 있다. 지문에 출제 요소 관련 정보가 제시되므로 정확성에 유의하여 지문과 선택지를 대응시키면서 각 선택지의 적절성 여부를 판단한다.

유형 02 대상 간에 비교하기 유형

유형 다가가기 글에서 여러 대상을 설명하는 경우에는 대상들을 비교하며 글을 전개하기도 한다. 또, 하나의 대상을 다룬 글일지라도 문제의 〈보기〉에 다른 대상에 대한 설명을 제시하여 이 둘을 비교하게 하기도 한다. 따라서 비교를 통해 대상들 간의 공통점이나 차이점을 파악할 수 있는 분석적인 독해 능력을 길러야 한다.

| 대표 발문 | • ㉠~㉢에 대한 설명으로 적절한(적절하지 <u>않은</u>) 것은?
• ㉮와 〈보기〉의 ㉯를 비교한 것으로 적절한(적절하지 <u>않은</u>) 것은?
• 이 글과 〈보기〉를 함께 읽고 보인 반응으로 적절한(적절하지 <u>않은</u>) 것은?

| 해결 방법 ❶ 비교 대상 파악하기

📖 글의 화제와 관련하여 설명하고 있는 대상들을 파악한다.

> 둘 이상의 대상을 설명하는 경우, 그 대상들이 서로 대등한 관계인지를 확인하여 비교 대상을 파악하도록 해요.

> **예** 황금빛으로 번쩍이는 악기가 소리를 내면 관중들의 시선이 일순간 그곳으로 쏠린다. 주로 든든한 화음으로 음악을 받쳐 주는 이 악기들은 <u>트럼펫, 트롬본, 호른 등으로, 금관 악기</u>로 분류하는 것들이다. 이들은 일반적으로 놋쇠나 그 합금을 재료로 하는데, 그 <u>특징</u>은 <u>클라리넷, 오보에, 플루트와 같은 목관 악기</u>와의 <u>비교</u>를 통해 잘 이해될 수 있다.
> └ 앞으로 전개할 내용 ──── 비교
>
> ✎ 이 글의 화제는 '금관 악기의 특징'이다. 이와 관련하여 금관 악기의 종류를 열거한 다음, 목관 악기의 종류도 열거하며 두 대상을 비교하겠다고 밝히고 있다.

유형 tip **대상 간의 관계 확인** 비교되는 대상들은 서로 대등한 관계를 나타낸다.

| 해결 방법 ❷ 대비되는 짝에 주목하여 정답 찾기

📖 공통점이나 차이점을 나타내는 말들을 근거로 하여 정답을 선택한다.

> 대비되는 짝, 즉 차이점을 나타내는 말들은 유사한 서술 형식을 통해 제시되는 경우가 많아요. 이에 유의하여 차이점을 나타내는 말들을 출제 요소가 되는 핵심 어구로 주목하도록 해요.

> **예** 일반적으로 ㉠<u>목관 악기</u>는 나무로 만들어지는 악기인 만큼 관에 구멍이 있어 그 구멍을 막는 것으로 음높이를 조절하지만, ㉡<u>금관 악기</u>는 연주자의 입술 모양과 불어 넣는 공기의 세기로 음높이를 조절한다. 또한 <u>목관 악기</u>는 소리를 내기 위하여 <u>리드(reed)</u>를 사용하지만 <u>금관 악기</u>는 리드가 없는 대신 <u>입술의 진동</u>으로 소리를 낸다.
> 　　　 └ 목관 악기의 특징　　 └ 금관 악기의 특징
>
> ● ㉠, ㉡에 대한 설명으로 적절한 것은?
> ① ㉠은 입술 모양으로, ㉡은 구멍을 막는 것으로 음높이를 조절한다.
> ②ͯ ㉡은 ㉠과 달리 공기의 진동을 활용하여 소리를 내는 악기이다.
>
> ✎ ㉠은 구멍을 막는 것으로, ㉡은 입술 모양과 공기의 세기로 음높이를 조절한다고 하였다. 또, ㉠은 리드를 사용하여, ㉡은 입술의 진동으로 소리를 낸다고 하였으므로, ②가 적절한 설명이다.

📖 **어휘 풀이**
● **대비되다** | 대할 對, 견줄 比 | 두 가지의 차이를 밝힐 목적으로 서로 맞대어져 비교되다.

유형 tip **문장 형식 참고** 대비되는 짝은 유사한 문장 형식으로 제시되는 경우가 많으므로, 이를 고려하면 대비되는 짝을 좀 더 쉽게 찾을 수 있다.

㉮ 경매를 통한 가격 결정은 어떤 경우에 어떻게 이루어질까? 경매를 통한 가격 결정 방식은 수요자들이 해당 재화의 가치를 서로 다르게 평가하고 있거나, 해당 재화의 가치를 정확히 가늠할 수 없을 때, 그리고 구매자와 판매자의 숫자가 극단적으로 불일치할 때 사용된다.

㉯ 경매는 입찰 방식의 공개 여부에 따라 공개 구두 경매와 밀봉 입찰 경매로 구분할 수 있다. 먼

경매 참가자에게 각자의 희망 가격을 제시하게 하는 일.

저 공개 구두 경매는 경매에 참여하는 사람들을 모두 한 자리에 모아 놓고 누가 어떠한 조건으로 경매에 응하는지를 공개적으로 진행하는 방식을 말한다. 이러한 공개 구두 경매는 다시 영국식 경매와 네덜란드식 경매로 구분할 수 있다. ㉠영국식 경매는 오름 경매 방식으로 가장 낮은 가격부터 시작해서 가장 높은 가격을 제시한 사람이 낙찰자가 되는 방식이다. 이러한 영국식 경매를

경매나 경쟁 입찰 따위에서 물건이나 일을 받기로 결정된 사람.

통해 가격을 결정하고 있는 대표적인 품목으로는 와인, 최고급 생두 등이 있다. 반면에 ㉡네덜란드식 경매는 내림 경매 방식으로 판매자가 높은 가격부터 제시해 가격을 점점 낮추면서 가장 먼저 응찰한 사람을 낙찰자로 정하는 방식이다. 내림 경매 방식은 튤립 재배로 유명한 네덜란드의

입찰에 참가함.

화훼 경매 시장에서 오래전부터 이용해 온 방식이며, 국내에서도 수산물 도매 시장에서 생선 가격 결정에 이용한다.

㉰ 밀봉 입찰 경매는 경매 참여자들이 서로 어떠한 가격에 응찰했는지를 확인할 수 없는 방식이다. 이 방식은 낙찰자가 지불하는 금액을 어떻게 결정하느냐에 따라 최고가 밀봉 경매와 차가 밀봉 경매로 구분된다. 최고가 밀봉 경매는 응찰자 중 가장 높은 가격을 적어 냈을 때 낙찰이 되는 것으로 낙찰자는 자신이 적어 낸 금액을 지불한다. 차가 밀봉 경매의 낙찰자 결정 방식은 최고가 밀봉 경매와 동일하다. 그러나 낙찰자가 지불하는 금액은 자신이 적어 낸 금액이 아니라 응찰자가 적어 낸 금액 중 두 번째로 높은 금액이다.

● ㉠과 ㉡에 대한 이해로 적절하지 않은 것은?

① ㉠은 경매에 참여한 사람이 경쟁자가 제시한 입찰 금액을 알 수 있다.
② 희소성이 있는 최고급 생두는 ㉠의 방식을 통해 가격을 결정하는 대표적 품목이다.
③ ㉡ 방식에서 낙찰 가격은 경매에서 최초로 제시된 금액보다 높아질 수 없다.
④ ㉠과 ㉡ 모두 경매에 나온 재화의 낙찰 가격을 알 수 있다.
⑤ 경매에 참가한 사람이 다수일 경우 ㉠과 ㉡ 모두 가장 먼저 응찰한 사람이 낙찰자가 된다.

이 문제의

해결 방법 📖 대비되는 짝을 근거로 삼아 선택지의 적절성을 판단해야 한다.

글의 중심 화제와 관련하여 '공개 구두 경매'와 '밀봉 입찰 경매', '영국식 경매'와 '네덜란드식 경매'가 비교 대상임을 파악한 다음, 대비되는 짝에 해당하는 말들을 핵심 어구로 주목하여 독해를 한다. 그리고 그렇게 파악한 핵심 정보들을 근거로 하여 각 선택지의 적절성 여부를 판단한다.

[1~3] 다음 글을 읽고, 물음에 답하시오.

_ 2016학년도 3월 고1 학력평가

㉮　미술에서 ㉠'키네틱 아트'는 움직임을 의미하는 그리스어 키네티코스에서 유래한 말로, 움직임을 중시하거나 그것을 주요 요소로 하는 예술 작품을 뜻한다. 키네틱 아트는 산업 혁명에서 비롯된 대량 생산과 기술의 발달로 인해 급격하게 기계 문명 사회로 변화하던 시기를 배경으로 출현하였다. '키네틱'이라는 단어가 조형 예술에 최초로 사용된 것은 1920년대의 일이다.

㉯　키네틱 아트 작가들은 기계의 움직임을 예술적 요소로 수용하여 작품 전체나 일부를 움직이게 함으로써 창작 의도를 표현하고자 했다. 이러한 움직임은 바람이나 빛과 같은 외부적인 자연의 힘이나 동력 장치와 같은 내부적인 힘에 의해 구현되었다. 또한 대상을 사실적으로 재현하는 것이 아니라 추상적 구조물처럼 보이도록 창작하였다.

㉰　키네틱 아트는 '우연성'과 '비물질화'를 중요한 조형 요소로 제시하였다. '우연성'은 작품의 예측 불가능한 움직임을 통해 나타나는데 여기에는 감상자의 움직임이나 위치 등에 의한 작품의 형태 변화도 포함된다. '비물질화'는 작품이 고정되지 않고 계속 움직이는 상태를 의미한다. 정지된 물체는 고정되어 있기 때문에 물질화되어 있는 반면, '비물질화'는 물체가 계속 움직여 물체의 형태가 고정되지 않는 특성과 관련된다. 예를 들어 뒤샹의 ㉡〈자전거 바퀴〉는 감상자가 손으로 바퀴를 회전하도록 한 작품이다. 이 작품에는 감상자가 바퀴를 돌리는 속도에 따라 바퀴살이 다양한 모습으로 보이는 '우연성'과 바퀴살이 고정되지 않고 움직이는 '비물질화'가 나타난다.

㉱　키네틱 아트의 이러한 조형 요소들은 감상자들의 시각을 자극하여 작품에 주의를 집중시키는 효과를 준다. 작품이 보여 주는 다양하고 예측 불가능한 움직임으로 감상자들이 풍부한 이미지를 상상할 수 있도록 한 것이다. 이를 통해 기존 미술에서 작품 감상에 대해 수동적이었던 감상자들로 하여금 보다 능동적인 태도를 갖도록 하였다.

㉲　키네틱 아트는 작품의 움직임에 의미를 부여하고 작품과 감상자의 상호 작용을 중시함으로써 다양한 실험적 예술의 길을 열어 주었다. 1960년대에 들어서 키네틱 아트는 새로운 첨단 매체를 활용하여 변화무쌍한 움직임을 보여 주는 비디오 아트, 레이저 아트, 홀로그래피 아트 등과 같은 예술이 출현하게 되는 계기를 제공하였다.

풀이 tip
글의 중심 화제와 각 문단에 제시된 핵심 정보를 근거로 하여 선택지에 해당하는 내용이 지문에 제시되어 있는지를 파악한다.

1

이 글에서 언급된 내용이 <u>아닌</u> 것은?

① 키네틱 아트의 어원
② 키네틱 아트의 등장 배경
③ 키네틱 아트의 제작 과정
④ 키네틱 아트의 조형 요소
⑤ 키네틱 아트의 예술사적 의의

풀이 tip
키네틱 아트의 특징에 관한 정보를 파악하고 그것을 근거로 하여 선택지의 적절성을 판단한다.

2

㉠에 대해 이해한 내용으로 적절하지 <u>않은</u> 것은?

① '우연성'과 '비물질화'를 통해 감상자들의 상상력을 자극했다.
② 특정 대상을 있는 그대로의 모습대로 재현하는 것을 중시했다.
③ 계속해서 움직이는 상태를 통해 '비물질화'의 특성을 나타냈다.
④ 새로운 첨단 매체를 활용하는 예술이 출현하는 계기를 제공했다.
⑤ 기계의 움직임을 예술적 요소로 수용하여 창작 의도를 표현했다.

풀이 tip
㉡의 특징을 바탕으로 하여 ㉡과 ⓐ가 어떤 점에서 유사한 특징을 지니고 있는지를 파악한 다음, 이를 정답의 근거로 삼는다.

3

㉡과 〈보기〉의 ⓐ가 공통적으로 전제하고 있는 것은?

● 보기 ●

　　1952년 미국의 전위 예술가인 존 케이지는 새로운 피아노 작품 ⓐ〈4분 33초〉를 발표했다. 그런데 피아니스트는 피아노를 치지 않고 일정 시간에 맞춰 피아노 뚜껑을 열었다 닫았다 할 뿐이었다. 청중들은 연주를 기다리며 웅성거리다가 4분 33초가 흘러 피아니스트가 퇴장하자 크게 술렁거렸다. 존 케이지는 〈4분 33초〉를 통해 연주를 기다리는 동안 청중들의 기침 소리, 불평 소리, 각종 소음 등 공연장에서 뜻하지 않게 발생한 모든 소리가 훌륭한 연주가 될 수 있다는 생각을 나타냈다.

어휘 풀이
● 어원 | 말씀 語, 근원 源 | 어떤 말이 생겨난 근원.
● 전위 예술가 | 앞 前, 지킬 衛, 재주 藝, 꾀 術, 사람 家 | 예술에 새로운 표현 수법을 시도하는 실험적이고 혁신적인 예술가.

① 사회 구조의 변화에 따라 예술은 기계 문명에 대한 예찬을 표명해야 한다.
② 우연적 요소와 감상자의 참여가 예술을 구성하는 중요한 원리가 될 수 있다.
③ 첨단 매체를 활용해야 변화무쌍한 움직임이 강조되는 예술 작품을 만들 수 있다.
④ 제한된 시간 내에 감상이 이루어질 때, 작가와 감상자의 상호 작용이 더욱 긴밀해진다.
⑤ 작가의 창작 의도가 직접적으로 노출되었을 때, 감상자가 풍부한 상상력을 발휘할 수 있다.

유형 **03** 추론하기 유형

📖 **유형 다가가기** 글의 정보들은 다양한 관계를 맺고 있다. 이러한 관계를 단서로 활용하여 글에 드러나지 않은 내용을 미루어 짐작하는 것은 우수한 독해 능력을 갖추는 데 있어 필수적이다. 이러한 능력을 기르기 위해서는 특히 글에 숨어 있는 내용이나 원인(이유) 등을 추론할 수 있어야 한다.

| **대표 발문** ・ 이 글을 읽고 추론한(알 수 있는) 내용으로 적절한(적절하지 <u>않은</u>) 것은?
・ (문맥을 고려할 때) ㉠의 의미를 추론한 내용으로 가장 적절한(적절하지 <u>않은</u>) 것은?

| **해결 방법 ❶ 추론의 바탕이 되는 기본 정보 이해하기**

📖 추론의 바탕이 되는 기본 정보를 정확하게 이해한다.

> 이 문단의 화제는 '비교 우위 산업의 차이에 의한 무역 이익의 발생'이에요. 이와 관련하여 '비교 우위'와 '기회비용'의 개념을 제시하고 있으므로, 개념을 정확히 이해해야 해요.

예 A 국가는 이용 가능한 생산 요소를 모두 투입하여 최대 자동차 10대 혹은 신발 1,000켤레를 만들 수 있다. 한편, B 국가에서는 동일한 조건하에 자동차 3대 또는 신발 600켤레를 생산할 수 있다. 이때 국가 간 비교 우위 산업의 차이에 의해서 무역 이익이 발생할 수 있다. <u>비교 우위란 어떤 재화 생산의 기회비용이 다른 나라보다 작은 경우</u>를 의미하며, 이때 <u>기회비용이란 그 재화 생산으로 인해 포기해야 하는 다른 재화의 가치</u>를 말한다.
중심 화제
개념
개념

유형 tip ❶   **화제 파악**   글 전체나 문단의 화제를 파악하고 그것을 이해하는 것은 독해의 기본이다.

유형 tip ❷   **개념 이해**   추론의 바탕이 되는 개념과 원리·방법은 반드시 이해한다.

| **해결 방법 ❷ 정보 간의 관계를 고려하여 추론하기**

📖 기본 정보에 대한 이해를 바탕으로 하여 '일반적–구체적', '원인(이유)–결과', '전제–결론' 등의 관계를 고려하여 추론한다.

> 앞서 일반적인 서술로 비교 우위의 개념을 제시한 후, A, B 국가의 구체적 사례를 통해 비교 우위를 갖는다는 것이 어떤 의미인지 설명하고 있어요. 이러한 정보 간의 관계를 고려하여 A 국가가 자동차 생산에 비교 우위를 갖는다는 것을 이해한 다음, B 국가가 신발 생산에 대해 비교 우위를 갖는다는 것이 어떤 의미인지 추론할 수 있어야 해요.

예 위의 상황에서 A 국가가 자동차를 1대 더 생산하기 위해서는 신발 생산을 100켤레 줄여야 한다. 즉, A 국가 입장에서 자동차 1대 생산의 기회비용은 신발 100켤레와 같다. 한편, B 국가는 자동차 1대 생산의 기회비용이 신발 200켤레가 된다. 이 경우 A 국가의 자동차 생산의 기회비용이 B 국가의 그것보다 작으므로, A 국가가 자동차 생산에 있어 비교 우위를 갖는다. 반면, ㉠B 국가는 신발 생산에 있어 비교 우위를 갖게 된다.

_ 2017학년도 3월 고1 학력평가

㉠에 담긴 의미를 추론한 내용으로 적절한 것은?

✅ B 국가의 신발 생산의 기회비용이 A 국가의 신발 생산의 기회비용보다 작겠군.

② B 국가의 신발 생산의 기회비용이 자국의 자동차 생산의 기회비용보다 크겠군.

✎ '비교 우위'는 어떤 재화 생산의 기회비용이 다른 나라보다 작은 경우를 의미한다. B 국가가 신발 생산에 비교 우위를 갖는다면, B 국가의 신발 생산 기회비용은 A 국가보다 작을 것이다.

㉮ 절에서 시간을 알리거나 의식을 행할 때 쓰이는 종을 범종이라고 한다. 중국 종의 영향에도 우리나라의 범종은 독특한 조형 양식을 발전시켜 신라 때 전형적인 조형 양식이 완성되었다. 신라에서는 독창적이고 섬세한 조형 양식을 지닌 대형 종을 주조하였는데, 이는 중국의 주조 공법으로는 만들기 어려운 것이었다. 이러한 신라 종의 조형 양식은 조선 초기를 기점으로 한 ㉠큰 변화가 나타나기 전까지 후대의 범종으로 계승되었다.

㉯ 신라 종은 가운데가 불룩하게 튀어나온 모습을 하고 있다. 범종의 정상부에는 종을 매다는 용 모양의 고리인 용뉴(龍鈕)가 있는데, 신라 종의 용뉴는 쌍용 형태인 중국 종의 용뉴와는 달리 한 마리 용의 모습을 하고 있다. 용뉴 뒤에는 우리나라의 범종에서만 특징적으로 나타나는 음통이 있다. 그리고 신라의 범종에는 중국 종과 달리 상대 바로 아래 네 방향에 사다리꼴의 유곽이 있으며 그 안에 연꽃 봉우리 형상이 장식된 유두가 있다. 그리고 종의 정점부에는 타종 부위인 당좌(撞座)가 있으며, 이 당좌 사이에는 천인상(天人像)이 아름답게 장식되어 있다.

㉰ 고려 시대에는 신라 종의 조형 양식이 계승되면서 변화가 나타난다. 전기에는 종의 상판 둘레에 견대라 불리는 어깨 문양의 장식이 추가되고 유곽과 당좌의 위치가 달라지며, 천인상만 부조되어 있던 자리에 삼존불 등이 함께 나타난다. 그리고 고려 후기로 가면 전기 양식의 견대가 연꽃을 세운 모양으로 변한다. 한편, 범종이 소형화되어 신라 종의 조형 양식이 계승되면서도 그러한 조형 양식을 지닌 대형 종의 주조 공법은 사라지게 된다.

㉱ 조선 초기에는 왕실 주도로 다시 대형 종이 주조된다. 이때 조선에서는 신라의 대형 종 주조 공법을 대신하여 중국 종의 주조 공법을 도입하게 된다. 그러면서 중국 종처럼 음통이 없이 쌍용으로 된 용뉴가 등장하며, 당좌가 사라지고, 신라 종의 섬세한 장식 대신 중국 종의 전형적인 장식들이 나타나게 된다. 이후 불교 억제 정책에 따라 한동안 범종 제작이 통제되었는데, 16세기에 사찰 주도로 소형 종이 주조되면서 사라졌던 신라 종의 조형 양식이 다시 나타난다. 그 뒤에는 이러한 복고 양식이 사라지면서 우리나라의 범종은 쇠퇴기에 접어들게 된다.

● ㉠이 나타나게 된 이유로 가장 적절한 것은?

① 조선 시대에 불교를 억제하는 정책을 펴면서 범종 제작이 통제되었기 때문이다.
② 고려 시대에 범종이 소형화되면서 신라 종의 조형 양식이 계승되지 못했기 때문이다.
③ 16세기에 사찰 주도로 범종을 주조할 때 신라 종의 조형 양식을 복원하지 못했기 때문이다.
④ 중국 종의 주조 공법으로 대형 종을 만들면서 중국 종의 조형 양식을 따르게 되었기 때문이다.
⑤ 조선 초기에 사찰 주도로 대형 종을 주조하면서 섬세한 조형 양식을 지닌 신라 종을 따르고자 했기 때문이다.

이 문제의
해결 방법　📖 기본 정보 및 정보 간의 관계를 고려하여 추론해야 한다.

신라 때 제작된 범종의 우수성에 대한 이해를 바탕으로 하여, 정보 간의 선후 관계나 인과 관계를 고려해 조선에서 중국 종의 주조 공법을 도입한 것에 대해 추론을 한다. 이때 논리적 관계를 고려하여 추론을 해야 추론의 정확성이 높아진다.

유형 04 비판의 적절성 평가하기 유형

유형 다가가기 글에 제시된 특정 관점(입장)이나 내용에 대해 적절하게 비판할 수 있는지를 묻는 유형이다. 비판 대상의 의미와 가치를 인정하는 태도를 바탕으로 하여 여러 관점을 비교한 뒤 차이점을 이해하고, 근거를 토대로 하여 상대 관점의 문제점을 지적할 수 있어야 한다.

| **대표 발문** · ㉠에 대한 비판적 의문으로 가장 적절한(적절하지 <u>않은</u>) 것은?
· 이 글의 '○○○○'에 대한 비판으로 가장 적절한(적절하지 <u>않은</u>) 것은?
· 〈보기〉의 관점에서 '○○○'의 관점을 비판한 내용으로 가장 적절한(적절하지 <u>않은</u>) 것은?

| 해결 방법 **1** 비판의 바탕이 되는 관점(입장) 이해하기

📖 견해·주장을 나타내는 핵심 어구를 중심으로 하여 관점(입장)을 이해한다.

'에우다이모니아'에 대해 아리스토텔레스와 막스 뮐러가 어떤 견해나 주장을 제시했는지를 이해하는 읽기를 해야 해요. 이때 '공동체', '이성을 발휘' 등의 반복되는 말에 특히 주목하여 내용을 이해해 보세요.

> 예 그리스어인 '에우다이모니아(eudaimonia)'는 일반적으로 '행복'이라고 번역된다. 아리스토텔레스는 에우다이모니아를 인간 고유의 기능인 이성을 발휘하여 행복을 완전하게 실현한 상태라고 규정하였다.
>
> 막스 뮐러는 아리스토텔레스가 말한 에우다이모니아에 시간적 속성을 부여하여 설명하였다. '공동체적 삶을 통해 실현할 수 있는 에우다이모니아'는 공동체 속에서 인간이
> _{비판의 바탕이 되는 뮐러의 입장}
> 자유를 누리면서도 이성을 발휘하여 책임 있는 행동을 함으로써 얻게 되는데, 공동체에서의 인간의 행위는 수시로 변화하는 역사적 상황 속에서 이루어지므로 에우다이모니아는 역사적 시간에 의해 규정된다는 것이다. _2016학년도 11월 고1 학력평가

✎ '에우다이모니아'에 대한 '아리스토텔레스'와 '막스 뮐러'의 견해·주장을 제시하고 있는 글이다. 이들이 에우다이모니아에 대해 어떤 견해나 주장을 제시했는지 파악해야 한다.

유형 tip **반복되는 말에 주목** 견해나 주장을 제시할 때 반복되는 말이 있으면, 그 말을 중심으로 견해나 주장을 이해하도록 한다.

| 해결 방법 **2** 비판의 대상이 되는 관점(입장) 파악하기

📖 핵심 어구를 중심으로 하여 비판의 대상이 되는 견해·주장을 이해한다.

앞서 '에우다이모니아', 즉 행복에 대한 막스 뮐러의 견해·주장을 파악했으므로, 행복에 대한 디오게네스의 견해·주장을 파악하는 데 초점을 맞추어 독해를 하도록 해요.

> 예
> ─● 보기
> Ⓐ디오게네스는 일체의 물질적 욕심을 배제하고 최소한의 생활필수품만으로 살
> _{비판의 대상이 되는 디오게네스의 입장}
> 아가는 삶, 즉 자연에 따르는 삶을 통해 인간은 궁극적인 행복을 얻을 수 있다고 보았다. 그는 인간이 자연에 따르는 삶을 살아가기 위해서는 부끄러움을 없애고, 이를
> _{자연에 따르는 ①}
> 통해 사람들이 지켜야 할 모든 사회적 관습이나 권위에서 벗어나야 한다고 말했다.
> _{자연에 따르는 삶 ②}
> 인간의 행복은 이와 같이 자유롭고 단순한 생활에서 비롯된다고 본 것이다.

유형 tip　**공통된 대상 파악**　여러 사람의 견해·주장이 제시되어 있을 때 공통된 대상이 무엇인지 파악하고, 그것에 대한 각각의 관점(입장)을 이해한다. 비판의 바탕이 되는 관점(입장)과 비판의 대상이 되는 관점(입장)에 주목하여 관점(입장) 간의 차이를 파악해야 한다.

| 해결 방법 ❸ **관점(입장) 간의 차이를 바탕으로 하여 비판하기**

📖 비판의 바탕이 되는 관점(입장)과 비판의 대상이 되는 관점(입장)의 차이점을 파악하고, 그 차이점을 바탕으로 하여 비판한다.

비판할 때는 관점(입장) 간의 차이점을 고려해야 해요. 디오게네스는 막스 뮐러와 달리 사회적 관습을 지키지 않아야 한다고 주장했는데, 이러한 차이점에 주목하여 한계(문제점)를 지적하는 비판을 하도록 해요.

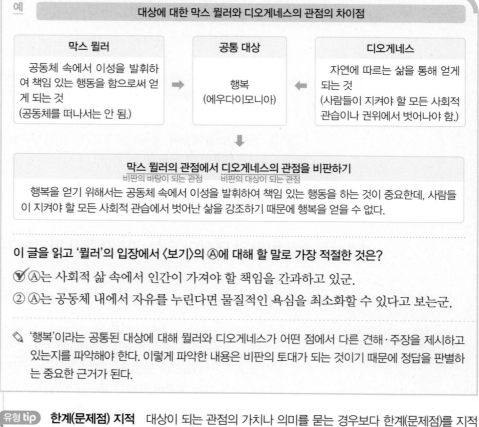

예

대상에 대한 막스 뮐러와 디오게네스의 관점의 차이점

막스 뮐러
공동체 속에서 이성을 발휘하여 책임 있는 행동을 함으로써 얻게 되는 것
(공동체를 떠나서는 안 됨.)

➡ **공통 대상**
행복
(에우다이모니아) ⬅

디오게네스
자연에 따르는 삶을 통해 얻게 되는 것
(사람들이 지켜야 할 모든 사회적 관습이나 권위에서 벗어나야 함.)

⬇

막스 뮐러의 관점에서 디오게네스의 관점을 비판하기
비판의 바탕이 되는 관점　　비판의 대상이 되는 관점
행복을 얻기 위해서는 공동체 속에서 이성을 발휘하여 책임 있는 행동을 하는 것이 중요한데, 사람들이 지켜야 할 모든 사회적 관습에서 벗어난 삶을 강조하기 때문에 행복을 얻을 수 없다.

이 글을 읽고 '뮐러'의 입장에서 〈보기〉의 Ⓐ에 대해 할 말로 가장 적절한 것은?

☑①Ⓐ는 사회적 삶 속에서 인간이 가져야 할 책임을 간과하고 있군.
②Ⓐ는 공동체 내에서 자유를 누린다면 물질적인 욕심을 최소화할 수 있다고 보는군.

✎ '행복'이라는 공통된 대상에 대해 뮐러와 디오게네스가 어떤 점에서 다른 견해·주장을 제시하고 있는지를 파악해야 한다. 이렇게 파악한 내용은 비판의 토대가 되는 것이기 때문에 정답을 판별하는 중요한 근거가 된다.

유형 tip　**한계(문제점) 지적**　대상이 되는 관점의 가치나 의미를 묻는 경우보다 한계(문제점)를 지적하는 경우가 시험에 많이 출제되고 있다. 따라서 관점(입장) 간의 차이점을 바탕으로 하여 대상이 되는 관점의 한계(문제점)를 지적할 수 있어야 한다.

사람들은 누구나 정의로운 사회에 살기를 원한다. 그렇다면 정의로운 사회란 무엇일까? 이에 대해 철학자 로버트 노직과 존 롤스는 서로 다른 견해를 보인다.

자유지상주의자인 노직은 타인에게 피해를 주지 않는 한, 개인의 모든 자유가 보장되는 사회를 정의로운 사회라고 말한다. 개인이 정당하게 얻은 결과를 온전히 소유할 수 있도록 자유를 보장하는 것이 정의라는 것이다. 그렇기 때문에 노직은 선천적인 능력의 차이와 사회적 빈부 격차를 당연한 것으로 본다. 따라서 복지 제도나 누진세 등과 같은 국가의 간섭에 의한 재분배 시도에 대해서는 강력하게 반대한다. 다만 빈부 격차를 해소하기 위한 사람들의 자발적 기부에 대해서는 인정한다.

롤스는 개인의 자유를 보장하면서도 사회적 약자를 배려하는 사회가 정의로운 사회라고 말한다. 롤스는 정의로운 사회가 되기 위해서는 세 가지 조건을 만족해야 한다고 주장한다. 첫 번째 조건은 사회 원칙을 정하는 데 있어서 사회 구성원 간의 합의 과정이 있어야 한다는 것이다. 이러한 합의를 통해 정의로운 세계의 규칙 또는 기준이 만들어진다고 보았다. 두 번째 조건은 사회적 약자의 입장을 고려해야 한다는 것이다. 롤스는 인간의 출생, 신체, 지위 등에는 우연의 요소가 많은 영향을 미칠 수 있다고 본다. 따라서 누구나 우연에 의해 사회적 약자가 될 수 있기 때문에 사회적 약자를 차별하는 것은 정당하지 못한 것이 된다. 마지막 조건은 개인이 정당하게 얻은 소유일지라도 그 이익의 일부는 사회적 약자에게 돌아가야 한다는 것이다. 왜냐하면 사회적 약자가 될 가능성은 누구에게나 있으므로, 자발적 기부나 사회적 제도를 통해 사회적 약자의 처지를 최대한 배려하는 것이 사회 전체로 볼 때 공정하고 정의로운 것이기 때문이다.

● 이 글을 이해한 학생이 '롤스'의 입장에서 〈보기〉에 대해 제기할 수 있는 비판으로 가장 적절한 것은?

ㅡ 보기 ㅡ

공리주의자인 벤담은 '최대 다수의 최대 행복'이 정의로운 것이라 주장했다. 따라서 다수의 최대 행복이 보장된다면 소수의 불행은 정당한 것이 되고, 반대로 다수의 불행이 나타나는 상황은 정의롭지 못한 것이 된다. 벤담은 걸인과 마주치는 대다수의 사람들은 부정적 감정을 느끼기 때문에, 거리에서 걸인을 사라지게 해야 한다며 걸인들을 모두 모아 한곳에서 생활시키는 강제 수용소 설치를 제안했다.

① 다수의 처지를 배려할 때 사회 전체의 행복이 증가하지 않을까요?
② 감정적 차원에서 사람을 싫어하는 것은 인간적 도리를 지키지 않은 태도가 아닌가요?
③ 문제를 강제로 해결하려고 하기보다는 스스로 해결하도록 맡겨 두어야 하지 않을까요?
④ 대다수의 사람들이 걸인에게 부정적 감정을 느낀다고 판단하는 것은 문제가 있지 않을까요?
⑤ 걸인이 된 것은 우연적 요소에 의한 것일 수도 있는데 그들을 차별하지 않아야 정의로운 것이 아닌가요?

이 문제의

해결 방법 📖 입장 간의 차이점을 바탕으로 하여 비판의 적절성을 평가해야 한다.

일반적으로 비판이 가능하기 위해서는 입장 간의 차이가 있어야 하는데, 특히 그 차이점을 중심으로 입장이 서로 대립해야 한다. 이를 알고 롤스와 벤담의 입장 간의 차이점을 파악하고, 두 입장이 대립하는 지점을 정확하게 이해하여 비판의 대상이 되는 입장의 문제점을 지적한 것을 정답으로 선택해야 한다.

[1~3] 다음 글을 읽고, 물음에 답하시오.

_ 2018학년도 3월 고1 학력평가

📝 문단 요약하기

⑦ 흄은 (　　　　　)을/를 중심으로 진리를 탐구했던 합리론을 비판하고, 모든 지식은 (　　　)에서 나온다고 주장하였다.

⑭ 흄은 경험을 (　　　　)와/과 (　　　　)(으)로 구분하였으며, 인상이 없는 관념은 과학적 지식이 될 수 없다고 보았다.

⑮ 흄은 (　　　　　) (으)로서의 인과 관계에 대해서 비판적 태도를 보였다.

⑯ 흄은 경험을 통해 얻은 과학적 지식이라도 그 (　　　) 여부는 확인할 수 없다고 보았다.

⑰ 흄은 (　　　　)조차 회의적으로 보아 (　　　)받았으나 (　　　)을/를 중심으로 진리의 문제를 탐구했다는 점에서 의의가 있다고 평가받는다.

독해 tip

흄의 견해·주장을 중심으로 독해를 하되, 흄이 비판한 입장이나 흄을 비판한 입장에 대해서도 이해해야 한다. 이때 흄의 입장과 전통적인 진리관의 입장 차이를 바탕으로 하여, 흄이 전통적인 진리관에 대해 어떤 내용으로 비판했는지를 이해한다.

📖 어휘 풀이

● 구축하다 │얽을 構, 쌓을 築│ 체제, 체계 따위의 기초를 닦아 세우다.

● 회의주의자 │품을 懷, 의심할 疑, 주될 主, 뜻 義, 사람 者│ 모든 것을 회의적으로 보아 의심하는 사람.

⑦ 18세기 경험론을 대표하는 흄은 '모든 지식은 경험에서 나온다.'라고 주장하면서, 이성을 중심으로 진리를 탐구했던 데카르트의 합리론을 비판하고 새로운 철학 이론을 구축하려 하였다. 그러나 지나치게 경험을 중시한 나머지, 그는 과학적 탐구 방식 및 진리를 인식하는 문제에 대해서도 비판하기에 이른다. 그 결과 ⊙흄은 서양 근대 철학사에서 극단적인 회의주의자로 평가받는다.

⑭ 흄은 지식의 근원을 경험으로 보고 이를 인상과 관념으로 구분하여 설명하였다. 인상은 오감(五感)을 통해 얻을 수 있는 감각이나 감정 등을 말하고, 관념은 인상을 머릿속에 떠올리는 것을 말한다. 가령, 혀로 소금의 '짠맛'을 느끼는 것은 인상이고, 머릿속으로 '짠맛'을 떠올리는 것은 관념이다. 인상은 단순 인상과 복합 인상으로 나뉘는데, 단순 인상은 단일 감각을 통해 얻은 인상을, 복합 인상은 단순 인상들이 결합된 인상을 의미한다. 따라서 '짜다'는 단순 인상에, '짜다'와 '희다' 등의 단순 인상들이 결합된 소금의 인상은 복합 인상에 해당한다. 그리고 단순 인상을 통해 형성되는 관념을 단순 관념, 복합 인상을 통해 형성되는 관념을 복합 관념이라 한다. 흄은 단순 인상이 없다면 단순 관념이 존재하지 않는다고 보았다. 그런데 '황금 소금'은 현실에 존재하지 않기 때문에 그 자체에 대한 복합 인상은 없지만, '황금'과 '소금' 각각의 인상이 존재하기 때문에 복합 관념이 존재할 수 있다. 이처럼 복합 관념은 복합 인상이 없어도 존재할 수 있다. 하지만 흄은 '황금 소금'처럼 인상이 없는 관념은 과학적 지식이 될 수 없다고 말했다.

⑮ 흄은 과학적 탐구 방식으로서의 인과 관계에 대해서도 비판적 태도를 보였다. 그는 인과 관계란 시공간적으로 인접한 두 사건이 반복해서 발생할 때 갖는 관찰자의 습관적인 기대에 불과하다고 말하였다. 즉, '까마귀 날자 배 떨어진다'라는 속담에서 '까마귀가 날아오르는 사건'과 '배가 떨어지는 사건'을 관찰할 수는 있지만, '까마귀가 날아오르는 사건이 배가 떨어지는 사건을 야기했다.'라는 생각은 추측일 뿐 두 사건의 인과적 연결 관계를 관찰할 수 없다고 주장한다. 결국 인과 관계란 시공간적으로 인접한 두 사건에 대한 주관적 판단에 불과하므로, 이런 방법을 통해 얻은 과학적 지식이 필연적이라는 생각은 적합하지 않다고 흄은 비판하였다.

⑯ 또한 흄은 진리를 알 수 있는가의 문제에 대해서도 회의적인 태도를 취했다. 전통적인 진리관에서는 진술의 내용이 사실(事實)과 일치할 때 진리라고 본다. 하지만 흄은 진술 내용이 사실과 일치하는지의 여부를 판단할 수 없다고 보았다. 예를 들어 '소금이 짜다.'라는 진술은 '내 입에는 소금이 짜게 느껴진다.'라는 진술에 불과할 뿐이다. 따라서 비록 경험을 통해 얻은 과학적 지식이라 하더라도 그것이 진리인지의 여부는 확인할 수 없다는 것이 흄의 입장이다.

⑰ 이처럼 흄은 경험론적 입장을 철저하게 고수한 나머지, 과학적 지식조차 회의적으로 바라보았다는 점에서 비판을 받기도 했다. 하지만 그는 이성만 중시했던 당시 철학 사조에 반기를 들고 경험을 중심으로 지식 및 진리의 문제를 탐구했다는 점에서 근대 철학에 새로운 방향성을 제시했다는 평가를 받는다.

풀이 tip

흄이 제시한 여러 개념을 사례와 연관 지어, 추론한 내용의 적절성을 평가한다.

1

이 글에 나타난 '흄'의 관점에서 추론한 내용으로 적절하지 않은 것은?

① 사과를 보면서 달콤한 맛을 떠올리는 것은 관념에 해당한다.

② 사과를 보면서 '빨개'라고 느끼는 것은 복합 인상에 해당한다.

③ 사과의 실제 색을 알 수 없으므로 '이 사과는 빨개.'라는 생각은 '내 눈에는 이 사과가 빨갛게 보여.'라는 의미일 뿐이다.

④ '매일 사과를 먹으니 피부가 고와졌어.'라는 생각에 드러난 인과적 연결 관계는 관찰할 수 없다.

⑤ '매일 사과를 먹으니 피부가 고와졌어.'라는 생각은 반복되는 경험을 통해 형성된 습관적 기대에 불과하다.

풀이 tip

전통적인 진리관과 흄의 입장 간의 차이점을 파악하고, 그 차이점을 바탕으로 하여 흄이 전통적인 진리관에 대해 비판한 내용을 이해한다. 그리고 그렇게 이해한 내용을 ㉠과 관련지어 선택지의 적절성을 판단한다.

2

㉣의 내용을 바탕으로 할 때, ㉠의 이유로 가장 적절한 것은?

① 인상이 없는 지식은 진리가 아니라고 보았기 때문에

② 이성만으로는 진리를 탐구할 수 없다고 보았기 때문에

③ 실재 세계의 모습은 끊임없이 변한다고 보았기 때문에

④ 주관적 판단으로 진리를 찾을 수 있다고 보았기 때문에

⑤ 경험을 통해서도 진리의 여부를 확인할 수 없다고 보았기 때문에

풀이 tip

〈보기〉의 사례가 지문의 어떤 내용과 관련이 있는지를 파악한다. 그리고 그와 관련하여 〈보기〉의 사례로 흄이 제시한 주장의 어떤 점을 문제 삼을 수 있는지를 파악한다.

3

〈보기〉의 사례를 통해 '흄'의 주장을 반박한다고 할 때, 그 내용으로 가장 적절한 것은?

> ● 보기 ●
>
> 아래 그림과 같이 무채색을 명도의 변화에 따라 나열한 도표가 있다고 가정하자. 도표의 한 칸을 비워 둔 채 어떤 사람에게 "5번 빈칸에 들어갈 색은 어떤 색인가요?"라고 질문하였다. 그 사람은 빈칸에 들어갈 색을 태어나서 한 번도 본 적이 없지만, 주변 색과 비교하여 그 색이 어떤 색인지 알아맞혔다.
>
>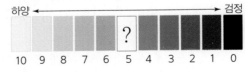

① 세계는 우리의 감각 기관과 독립하여 존재하지 않는다.

② 감각적으로 경험하지 않은 단순 관념이 존재할 수 있다.

③ 관찰과 경험을 통해서 얻은 지식은 필연성을 갖게 된다.

④ 관념을 단순 관념과 복합 관념으로 구분하는 기준은 없다.

⑤ 외부 세계가 어떤 모습인지를 객관적으로 확인할 수 있다.

구체적 사례에 적용하기 유형

📖 **유형 다가가기** 글의 정보들은 글에만 머물지 않고 우리의 생활과 밀접한 관련을 맺고 있는 경우가 많다. 이와 같은 경우 글의 정보들은 우리의 생활 속 구체적 사례(상황)에 적용되어, 사례를 분석적으로 이해하거나 문제의 해결 방안을 마련하는 데 도움을 준다.

| **대표 발문** | • ㉠('○○○')의 사례로 적절한(적절하지 않은) 것은?
•이 글을 참고할 때 〈보기〉에 대한 반응으로 적절한(적절하지 않은) 것은?
•이 글을 바탕으로 하여 〈보기〉에 대해 이해(설명)한 내용으로 적절한(적절하지 않은) 것은?

| **해결 방법 ❶ 사례 적용에 필요한 핵심 정보를 찾아 이해하기**

📖 핵심 어구를 중심으로 하여 개념, 원리·방법, 견해·주장, 특징 등을 이해한다.

> A의 보상이 B가 경기에 참여할 수 없게 된 것에 영향을 받아 크게 늘어난 사례를 제시하고 있어요. 이를 바탕으로 하여 '위치적 외부성'의 개념을 제시하고 있으므로 개념을 정확히 이해해야 해요.

예 테니스 선수 A는 201△년에 우승을 통해 거액을 벌었지만, 유독 숙적인 B에게는 계속해서 패하였다. 그러다 이듬해 『B가 사고를 당해 더 이상 경기에 참여할 수 없게 되자,
└ ╯: 경쟁자의 성과에 의해 자신의 위치적 보상이 크게 상승한 예
A는 경기 능력에 큰 변화가 없었음에도 불구하고 이후 승률이 거의 두 배 이상 상승했다.』 이에 따라 우승 상금은 물론 광고 출연 등의 부수적 이익 또한 전보다 크게 증가했다. 이런 현상은 ㉠'위치적 외부성'의 개념으로 설명된다. 한 사람의 보상이 다른 사람의
외부성의 개념
행동에 영향을 받음에도, 그에 대한 대가를 받지도 지불하지도 않는 현상을 '외부성'이라고 한다. 특히 <u>자신의 상대적 위치에 따른 보상이 다른 경쟁자의 상대적 성과에 부분적으로 의존하는 것</u>을 위치적 외부성이라고 한다. 위치적 외부성이 작용할 경우에 자신
위치적 외부성의 개념(핵심 정보)
의 상대적 위치를 향상시키는 모든 수단은 반드시 다른 경쟁자의 상대적 위치를 하락시킨다. 테니스 선수 A의 사례는 경쟁자의 성과에 의해 자신의 위치적 보상이 크게 상승했음을 보여 주는 좋은 예이다.

위치적 외부성이 개입되어 있는 상황에서 사람들은 자신의 위치를 높이는 행동을 하려고 한다. 예컨대 한 경쟁자가 성과를 향상시키기 위해 지출을 늘리면, 이는 다른 경쟁자들의 위치에 영향을 미치게 되므로 다른 경쟁자들 또한 지출을 늘리게 된다. 그러나 모든 경쟁자가 동시에 자신의 위치를 향상시키기 위해 지출을 반복적으로 늘린다면, 경쟁자 간의 실질적인 위치는 변하지 않을 가능성이 크다. 그리고 다른 경쟁자의 상대적인 성과에 따른 각 경쟁자의 위치적 보상 정도가 클수록 이와 같은 투자의 유인은 커진다.

✎ 테니스 선수 A, B의 사례를 통해 '위치적 외부성'의 개념을 설명하고 있다. '자신의 상대적 위치'를 A와 B의 경쟁 관계에, '다른 경쟁자의 상대적 성과에 부분적으로 의존하는 것'을 B가 경기를 못하게 되자 A의 수입이 크게 증가한 것에 대응시켜, '위치적 외부성'의 개념을 나타내는 핵심 어구를 정확하게 이해할 수 있어야 한다.

⊕ **출제 요소를 예측하기**
문제의 발문, 선택지, 〈보기〉 등의 내용을 훑어보고, 이것에 나타난 특징을 바탕으로 하여 출제 요소가 무엇일지 예상하는 것을 말한다.

 출제 요소를 예측하며 적극적으로 읽기 지문을 읽기 전에 문제의 선택지나 〈보기〉에 사례가 제시되어 있으면 개념, 원리·방법, 견해·주장, 특징 등이 출제 요소임을 예측할 수 있어야 한다. 이때 관련 정보를 지문에서 찾으며 적극적으로 독해를 해야 한다.

| 해결 방법 ② 문제의 선택지나 〈보기〉의 사례를 지문의 정보에 대응시키기

📖 지문에서 파악한 개념, 원리·방법, 견해·주장, 특징 등의 핵심 어구와 문제의 선택지나 〈보기〉에 제시된 사례의 내용 요소를 대응시킨다.

> '위치적 외부성'의 개념을 나타내는 핵심 어구들에 대응하는 요소를 모두 갖춘 것이 적절한 사례예요. 이때, 한 요소라도 빠져 있으면 적절하지 않은 사례이니 주의해야 해요.

예 ㉠이 나타난 사례로 볼 수 없는 것은?

① 국회 의원 선거에서 특정 후보의 사퇴가 나머지 후보들의 당선 여부에 지대한 영향을
   '다른 경쟁자'에 대응   '다른 경쟁자의 상대적 성과에 부분적으로 의존'에 대응
   미치기도 한다.

②✔ 프로 경기 식전 행사에서 유명 가수가 공연하면 관중이 크게 늘어 참가 선수들이 출
   '참가 선수들'과 경쟁 관계가 아님. – '다른 경쟁자'에 대응하지 않음.
   전 수당을 더욱 많이 받게 된다.
   A의 수입 증기와 관련 있는 것 같으나, '위치적 외부성'에 의한 것이 아님. – 함정

③ 도서관을 이용하려는 사람이 많을 경우에는 좋은 좌석을 차지하기 위해서 도서관을
   경쟁 관계로 상대적 위치를 지님.   '상대적 위치에 따른 보상'에 대응
   열기 전에 줄을 길게 서기도 한다.

④ 초등학교 취학 대상 아동이 다른 학생들보다 한두 해 늦게 입학하면 학업 성취도가
   '다른 학생들'과 상대적 위치를 지님.   '다른 경쟁자'에 대응
   상대적으로 높을 것이라고 생각하기 때문에, 부모들이 자녀의 취학을 미루려고 한다.
   '상대적 위치에 따른 보상'에 대응

⑤ 밀폐된 공간에서 여러 사람이 동시에 이야기하면 상대방이 잘 알아듣지 못하므로, 모
   서로 큰 소리로 말해야 하는 경쟁 관계로 '상대적 위치'를 지님.
   두가 남보다 더 크게 이야기하려고 하기 때문에 결국 알아듣기가 더욱 힘들게 된다.
   '다른 경쟁자의 상대적 성과에 부분적으로 의존'에 대응

🖋 '위치적 외부성'의 개념을 나타내기 위해 사용한 '자신의 상대적 위치에 따른 보상', '다른 경쟁자의 상대적 성과에 부분적으로 의존' 등의 핵심 어구의 의미를 이해하고, 이것에 대응하는 내용 요소를 각각의 선택지에서 찾아야 한다. 이들 내용 요소를 모두 지니고 있는 것은 ㉠의 사례로 적절하지만, 하나의 내용 요소라도 지니지 못한 것은 ㉠의 사례로 적절하지 않다.
②의 '유명 가수'는 '참가 선수들'과 경쟁 관계가 아니기 때문에 서로 '상대적 위치'를 지닌다고 할 수 없다. 이처럼 '위치적 외부성'의 개념에 대응하지 않는 요소가 있기 때문에 적절하지 않은 사례인 ②가 정답이다.

유형 tip ① **〈보기〉에 사례가 제시된 경우** 선택지에 사례가 제시된 경우와 마찬가지로 〈보기〉에 사례가 제시된 경우에도, 지문의 개념, 원리·방법, 견해·주장, 특징 등을 나타내는 핵심 어구와 〈보기〉의 사례를 대응시켜 본다. 이때 〈보기〉를 읽으면서 지문과 〈보기〉 간에 대응하는 요소들을 짝지어 본다. 대부분의 경우 그 짝에 관한 내용으로 선택지가 만들어지기 때문에 대응하는 요소들을 짝지으며 읽는 것을 잘하면 선택지 판단의 속도와 정확성이 모두 높아진다.

유형 tip ② **〈보기〉에 구체적인 문제 상황이 사례로 제시된 경우** 지문에 문제를 해결하기 위한 대안(방안)이 설명되어 있는 경우 〈보기〉에 구체적인 문제 상황이 사례로 제시되기도 한다. 이 경우 〈보기〉에 제시된 문제 상황에 대한 해결 방안(대안)을 지문을 통해 파악하는 것이 문제 해결에 매우 중요하다. 이러한 문제의 경우 〈보기〉에서 문제 상황, 문제의 원인 등을 정확하게 파악한 후, 지문의 정보를 근거로 하여 대안(방안)의 적절성을 판단하도록 한다.

2015학년도 11월 고1 학력평가

가 20세기 초 막스 셸러는 인간에 대한 총체적인 이해의 기틀을 마련하기 위해 '철학적 인간학'을 탄생시켰다. 철학적 인간학은 경험 과학적 연구 성과와의 밀접한 관련성을 바탕으로 다른 생명체와 차별화된 인간의 본질을 규명하고자 한 학문으로, 대표적인 학자로는 셸러 이외에 헬무트 플레스너, 아놀드 겔렌 등이 있다.

나 셸러는 동물학자 퀼러의 연구 결과를 바탕으로 인간과 동물 사이에 본질적인 차이가 있음을 밝히고자 하였다. 그는 인간이 동물과 달리 '정신'을 가지고 있고, '정신' 작용의 하나인 '자아의식'에 의해 외부 대상뿐만 아니라 자신의 내면까지도 대상화할 수 있다고 보았다. 그는 '자아의식'이라는 것이 인간이 보고 듣고 생각한다는 것을 스스로 의식하는 '정신' 작용이며, 이런 '자아의식'에 의해서 인간은 충동적인 욕구에 따라 행동하지 않고 스스로를 반성할 수도 있다고 보았다.

다 한편 플레스너는 생명체가 자신을 둘러싼 환경과 상호 작용하는 방법을 중심으로 인간의 본질을 규명하고자 했다. 그에 의하면 독립성이 없어 주변 환경에 대해 능동적으로 적응할 수 없는 식물과 달리, 독립성이 있는 인간과 동물은 자신의 상황에 따라 환경에 적응해 갈 수 있다고 보았다. 그런데 플레스너는 동물이 자신만을 중심으로 환경에 적응해 간다면, 인간은 자기중심적인 삶과 일정한 거리를 둘 수 있는 '탈중심성'을 가진다고 강조했다. 그리고 이러한 '탈중심성'이라는 인간만의 특성으로 인해 인간은 스스로를 반성하고 항상 새로운 자신을 발견하고 변화시킬 수도 있다고 보았다.

라 철학적 인간학의 또 다른 학자인 겔렌은 동물학자 포르트만의 이론에 근거를 두고 인간의 본질을 밝히고자 했다. 그는 인간을 동물과 달리 신체적인 한계를 갖고 태어나 자연에 적응하기 어려운 결핍된 존재로 보았다. 이러한 결핍을 보완하기 위해 인간은 일정한 '행위'를 하게 되며, 나아가 그런 '행위'를 통해 자신의 생존에 적합한 문화를 창조한다고 보았다. 그에 따르면 인간은 자신이 창조한 문화에 다시 영향을 받아 특정한 '행위'를 하기도 한다. 예를 들면, 문화의 한 형태인 여러 가지 사회적 제도의 영향으로 인간은 충동을 억제하는 '행위'를 하고, 인간다운 삶을 보장받기 위해 자신이 만든 제도의 틀 안에서 어느 정도 타율적 삶을 감수하는 '행위'를 하기도 하는 것이다.

● **이 글을 바탕으로 하여 〈보기〉를 이해한 내용으로 적절하지 않은 것은?**

> ● 보기 ●
>
> 희수는 습관처럼 ㉠학교 앞 횡단보도에서 신호를 무시하고 건넜다. 희수가 건너고 나서 뒤를 돌아보니 ㉡유치원 아이들이 안전하게 길을 건너기 위해 신호를 지켜 손을 들고 횡단보도를 건너고 있었다. 그 순간 희수는 아이들보다도 못한 ㉢자신의 모습에 부끄러움을 느꼈고, 그날 이후부터 ㉣무단 횡단을 하지 않기 위해 교통 규칙을 잘 지키려고 노력하고 있다.

① 셸러의 입장에서 ㉠과 ㉡의 차이는 '자아의식'의 존재 유무 때문이라고 볼 수 있겠군.
② 셸러의 입장에서 ㉢은 무단 횡단한 자신의 모습을 스스로 의식할 수 있었기 때문이라고 볼 수 있겠군.
③ 플레스너의 입장에서 ㉣은 스스로 자기 자신을 반성하는 것이 가능했기 때문이라고 볼 수 있겠군.
④ 겔렌의 입장에서는 교통 규칙이 인간다운 삶을 보장받기 위해 만든 사회적 제도라고 볼 수 있겠군.
⑤ 겔렌의 입장에서 ㉡과 같은 행위는 인간이 스스로 만든 문화에 다시 영향받은 것으로 볼 수 있겠군.

이 문제의

해결 방법 📖 지문의 내용을 〈보기〉나 선택지의 내용 요소와 대응시켜야 한다.

이 글의 핵심 내용은 동물과 다른 인간의 본질과 특징에 대한 셸러, 플레스너, 겔렌의 입장이다. 이 유형의 문제에서는 〈보기〉나 선택지의 사례를 읽을 때 지문의 핵심 정보와 대응시키도록 한다. 대응이 적합한 것은 적절한 것이고, 그렇지 않은 것은 적절하지 않은 것이다.

유형 다가가기 글을 읽을 때 그래프, 구조도, 작동 과정 등에 대해 이해해야 하는 경우가 있다. 이때 시각 자료는 글의 구체적인 내용을 정확하게 이해하는 데 도움을 준다. 효과적인 독해를 위해 글의 정보를 시각 자료에 적용하여 이해하는 능력을 길러 보자.

| **대표 발문** |
- ⊙을 나타낸 그래프로 적절한(적절하지 않은) 것은?
- 이 글의 〈그림〉에 대한 이해로 적절한(적절하지 않은) 것은?
- 이 글을 바탕으로 〈보기〉에 대해 이해(설명)한 내용으로 적절한(적절하지 않은) 것은?

| 해결 방법 **①** 자료 적용에 필요한 핵심 정보를 찾아 이해하기

📖 핵심 어구를 중심으로 하여 개념, 원리·방법, 기능(역할), 과정 등을 이해한다.

> '문제점(한계)-대안(방안)'의 서술 구조에 따라 정보를 제시하고 있어요. 기술 제재의 글에서 자주 쓰이는 서술 구조로, 이러한 글을 읽을 때에는 문제점(한계)에 관한 정보를 주목한 후, 그 문제점을 해결하는 기술의 원리·방법에 초점을 맞추어 독해해야 해요.

예 컴퓨터로 작업을 하던 중 갑작스럽게 전원이 꺼져 저장을 못 한 데이터가 사라진 경험이 있을 것이다. 이는 주 메모리로 D램을 사용하기 때문이다. D램은 <u>전원이 꺼지면 데이터가 모두 사라지는 문제점</u>을 안고 있다. 이러한 D램의 문제점을 해결하기 위한 <u>차세대 램 메모리로 가장 주목받고 있는 것이 M램</u>이다.
<small>D램의 한계</small>

M램은 <u>두 장의 자성 물질 사이에 얇은 절연막을 끼워 넣어 접합한 구조</u>로 되어 있다.
<small>M램의 구조</small>
절연막은 일반적으로 전류의 흐름을 막는 것이지만 M램에서는 <u>절연막이 매우 얇아 전류가 통과할 수 있다.</u> 그리고 자성 물질은 자석처럼 일정한 자기장 방향을 가지는데, 아
<small>M램의 특징 ①</small>
래위 자성 물질의 자기장 방향에 따라 저항이 달라진다. 자기장 방향이 반대일 경우 저항이 커져 전류가 약해지지만 자기장 방향이 같을 경우 저항이 약해져 상대적으로 강한 전류가 흐르게 된다. M램은 이 <u>전류의 강도 차이를 감지해 전류가 상대적으로 약할 때 0, 강할 때 1로 읽게 된다.</u> 자성 물질은, <u>강한 전기 자극을 가하면 자기장 방향이 바뀌는</u>
<small>M램의 특징 ②</small>   <small>자성 물질 특징</small>
데 이를 이용해 한쪽 자성 물질의 자기장 방향만 바꿈으로써 쓰기 작업도 할 수 있다. 자성 물질의 자기장 방향은 전기 자극을 가해 주지 않는 이상 변하지 않기 때문에 M램 에서는 D램에서처럼 지속적으로 전원을 공급할 필요가 없다. 그렇기 때문에 D램에 비해 <u>훨씬 적은 양의 전력을 사용하면서도 속도가 빠르며</u>, <u>전원이 꺼져도 데이터를 잃어</u>
<small>M램의 특징 ③</small>   <small>M램의 특징 ④</small>
<u>버릴 염려가 없다.</u>
_2014학년도 6월 고1 학력평가

✎ D램의 한계를 제시한 후, 그 한계를 보완한 기술이 적용된 M램에 대해 설명하고 있다. 구성 요소와 그 기능에 관한 정보를 중심으로 M램의 구조를 이해하고, 작동 원리를 파악하는 데 초점을 맞추어 독해해야 한다.

 장치나 시스템에 대해 설명하는 글 장치나 시스템에 대해 설명하는 글에서는 구성 요소에 대해 설명하기 마련이다. 이러한 글을 읽을 때에는 구성 요소를 표시하고, 구성 요소의 기능 (역할)이나 특징을 나타내는 말들을 핵심 어구로 주목해야 한다. 그리고 원리·방법에 관한 정보는 반드시 출제 요소가 되므로 정확하게 이해하도록 한다.

| 해결 방법 **②** 문제의 선택지나 〈보기〉에 제시된 시각 자료에 지문의 정보를 대응시키기

📖 지문에서 파악한 개념, 원리·방법, 기능(역할), 과정 등의 핵심 어구를 문제의 선택지나 〈보기〉에 제시된 시각 자료의 내용 요소에 대응시킨다.

> 〈보기〉에 구조도를 제시한 문제예요. 구조도가 제시되어 있으면 출제 요소는 개념, 원리·방법, 기능(역할), 과정일 때가 많아요. 이를 알고, 글을 읽을 때 관련 정보를 적극적으로 찾아 이해한 후, 구조도의 내용 요소와 지문의 내용 요소를 대응시켜야 해요.

예 이 글을 바탕으로 하여 〈보기〉에 대해 이해한 내용으로 적절한 것은?

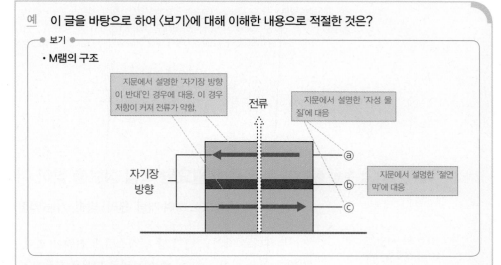

① 현재 이 메모리에 기록된 정보는 1이다.
② 현재 전류는 상대적으로 큰 저항을 받고 있다.
③ ⓑ는 전류가 원활하게 통과할 수 있게 해 준다.
④ ⓐ와 ⓒ의 자기장 방향은 전기를 가해 주었을 때만 나타난다.
⑤ 쓰기를 하려면 ⓐ와 동시에 ⓒ의 자기장 방향도 바꾸어야 한다.

✎ 〈보기〉의 그림은 두 장의 자성 물질 ⓐ, ⓒ 사이에 얇은 절연막인 ⓑ가 끼워져 있는 구조를 보여 준다. 위아래의 자성 물질의 자기장 방향이 반대이기 때문에 저항이 커져 전류가 약하게 흐르고 있는 상태이며, 따라서 정보는 0으로 읽게 된다. ⓑ는 일반적으로 전류의 흐름을 막는 역할을 하고, ⓐ, ⓒ의 자기장 방향은 전원 공급이 없어도 그대로 유지되며, 강한 전기 자극을 가해 ⓐ, ⓒ 중 한 쪽 자성 물질의 자기장 방향만 바꿈으로써 쓰기 작업을 가능하게 할 수 있다.

유형 tip ① **시각 자료로 그래프가 제시된 경우** X축, Y축에 관한 개념, 원리·방법, 과정 등이 출제 요소가 된다. 이들 정보를 지문에서 찾아 이해하고, 그래프의 내용 요소와 대응시킬 수 있어야 한다.

유형 tip ② **시각 자료로 구조도가 제시된 경우** 개념, 원리·방법, 기능(역할), 과정 등이 출제 요소가 된다. 이들 요소를 구조도 안에 제시된 정보에 대응시켜 함께 이해해야 한다.

유형 tip ③ **시각 자료로 순서도가 제시된 경우** 주로 과정을 바탕으로 한 문제가 출제 요소가 된다. 과정의 단계에 유의하여 독해하면서, 개념, 원리·방법에 관한 정보를 주목한다. 그리고 시각 자료의 각 단계에, 지문에 나타난 과정이나 각각에 활용되는 원리·방법에 대한 설명을 대응시킨다.

라면을 끓일 때, 스프를 미리 넣으면 물만 끓일 때보다 끓는 데 더 오랜 시간이 걸린다. 이것은 스프가 물에 녹으면 물의 끓는점이 높아져서 더 많은 열을 가해야 하기 때문이다. 그렇다면 스프를 넣은 물의 끓는점이 순수한 물의 끓는점보다 높은 이유는 무엇일까?

밀폐된 용기 속에 물을 담아 두면 물 분자들은 표면에서 일정한 속도로 증발한다. 이 과정에서 액체 상태의 물이 기체 상태로 변하기 때문에 물의 양은 점점 줄어든다. 그렇지만 일정 시간이 지나면 물의 양은 더 이상 줄어들지 않는다. 그 이유는 물에서 증발하는 분자 수와 물로 돌아오는 분자 수가 같아지기 때문이다. 기체 상태의 분자들이 액체로 돌아오는 과정을 응축이라 하는데, 밀폐된 용기 속에서 증발된 기체 분자 수가 많아질수록 응축 속도가 빨라져 결국 증발 속도와 같아진다. 증발 속도와 응축 속도가 같은 때를 평형 상태라고 하는데, 이때부터 물의 양은 더 이상 줄어들지 않는다. 평형 상태에서 증기가 나타내는 압력을 액체의 증기압이라고 한다.

라면 스프를 넣은 물은 일종의 용액인데, 용액의 증기압은 용액의 농도와 온도, 용매의 종류에 따라 변한다. 순수한 용매만 있을 때에는 용매의 표면 전체에서 증발이 일어난다. 그러나 용액은 표면에서 비휘발성 용질이 차지하는 부분만큼 증발이 일어나지 않아, 용액의 증기압은 순수한 용매의 증기압보다 낮아진다. 용액에 비휘발성 용질이 많이 녹아 있을수록, 즉 용액의 농도가 진할수록 표면에서 증발하는 용매 분자 수가 적어지기 때문에 용액의 증기압이 더 낮아진다. 한편 온도가 높아지면 분자의 운동이 활발해져서 증발하는 용매 분자 수가 많아지고, 이에 따라 용액의 증기압도 높아진다.

라면 스프를 넣은 물의 끓는점이 높아지는 이유는 용액의 증기압 변화를 통해 설명할 수 있다. '끓는다'는 것을 과학적으로 정의하면 액체의 증기압이 대기압과 같아져서 액체 내부에서 기체 상태로 변한 분자들(기포)이 액체의 표면 바깥으로 나오는 것이라고 할 수 있다. 그러므로 끓는점은 액체의 증기압이 대기압과 같아지는 온도로 정의할 수 있다. 비휘발성 용질을 녹인 용액은 순수한 용매보다 증기압이 낮기 때문에 더 높은 온도가 되어야 용액의 증기압과 대기압이 같아진다. 라면 스프를 넣은 물이 순수한 물에 비해 끓는점이 높은 이유는 이 때문이다. 반면 높은 산에 올라가면 대기압이 낮아지기 때문에 평지보다 액체의 증기압이 낮은 상태에서도 끓게 되는 것이다.

● 이 글을 바탕으로 하여 〈보기〉의 '선생님'이 제시한 활동을 수행한 결과로 적절한 것은?

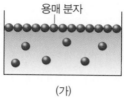

보기

선생님: 순수한 물인 (가)와 물에 비휘발성 용질을 녹인 (나)가 동일한 조건하에 있습니다.
(가)의 끓는점(㉮)과 (나)의 끓는점(㉯)을 그래프로 나타내 봅시다.

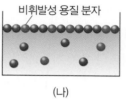

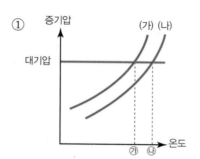

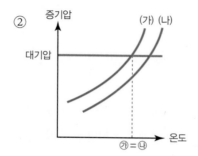

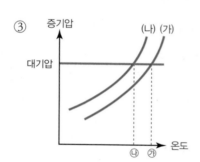

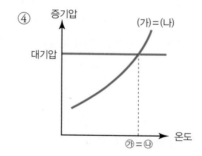

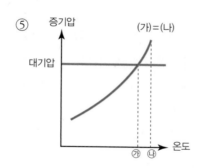

이 문제의

해 결 방 법   지문의 핵심 정보와 시각 자료의 내용 요소를 대응시켜야 한다.

'구체적 사례에 적용하기' 유형과 마찬가지로 '시각 자료에 적용하기' 유형도 지문의 핵심 정보와 시각 자료의 내용 요소를 대응시켜야 한다. 그렇기 때문에 지문에서 파악한 개념, 원리·방법, 기능(역할), 과정 등에 관한 핵심 정보와 시각 자료의 내용 요소의 대응이 적절한지를 살펴야 한다. 그러면 정답을 빠르고 정확하게 고를 수 있다.

[1~2] 다음 글을 읽고, 물음에 답하시오.

_ 2017학년도 3월 고1 학력평가

가 과학에서 관심을 갖는 대상을 '계(system)'라고 하고, 계를 제외한 우주의 나머지 부분은 '주위(surroundings)', 계와 주위 사이는 '경계(boundary)'라고 한다. 계는 주위와 에너지나 물질의 교환이 모두 일어나지 않는 '고립계', 주위와 물질 교환 없이 에너지 교환만 일어나는 '닫힌계', 주위와 물질 및 에너지 교환이 모두 일어나는 '열린계'로 나눌 수 있다.

나 열역학 제1법칙에 따르면 우주의 에너지 총량은 일정하므로, 계와 주위의 에너지 합 또한 일정하다. 계와 주위 사이에 에너지 교환이 있다면, 계의 에너지가 감소할 때 주위의 에너지는 증가하며, 계의 에너지가 증가할 때 주위의 에너지는 감소하게 된다. 계와 주위 사이에 에너지 교환이 일어날 때, 계의 에너지가 증가하면 +로, 계의 에너지가 감소하면 −로 표시한다. 한편, 계가 열을 흡수하는 과정은 흡열 과정, 계가 열을 방출하는 과정은 발열 과정이라고 하는데, 열은 에너지의 대표적인 형태이므로, 흡열 과정에 관련된 열은 $+Q$로, 발열 과정에 관련된 열은 $-Q$로 나타낼 수 있다.

다 계의 에너지는 온도, 압력, 부피 등의 열역학적 변수들에 의해 결정되므로, 열역학적 변수들이 같은 계들은 같은 '상태'에 있다고 할 수 있다. 〈그림〉과 같이 피스톤이 연결된 실린더가 있고, 실린더에는 보일−샤를의 법칙을 만족하는 기체가 들어 있다고 가정해 보자. 먼저, 피스톤을 고정하지 않은 채 실린더 속 기체의 압력이 P_1로 일정하도록 유지한 상태에서 실린더를 가열하여 실린더 속 기체의 온도가 T_1에서 T_2가 되도록 하면, 온도가 높아짐에 따라 실린더 속 기체의 부피는 증가하게 된다. 한편, 피스톤을 고정하여 실린더 속 기체의 부피를 일정하게 하고 실린더를 가열하면, 실린더 속 기체의 온도가 T_1에서 T_2가 되는 동안 실린더 속 기체의 압력은 P_1에서 P_2로 증가하는데, 온도가 T_2인 상태를 유지하면서 고정시켰던 피스톤을 풀면 실린더 속 기체의 압력이 P_1이 될 때까지 실린더 속 기체의 부피는 증가하게 된다.

피스톤
실린더
▲ 〈그림〉

라 ⊙전자의 경우를 A, ⊙후자의 경우를 B라고 하면, A는 T_1, P_1인 초기 상태에서 T_2, P_1인 최종 상태가 되었고, B는 T_1, P_1인 초기 상태에서 T_2, P_2인 상태를 거쳐 T_2, P_1인 최종 상태가 되었다고 할 수 있다. 그리고 두 계라 할 수 있는 A와 B가 같은 상태에 있으면, A와 B의 실린더 속 기체의 내부 에너지는 서로 같다고 할 수 있다.

마 이때 A의 초기 상태와 B의 초기 상태, A의 최종 상태와 B의 최종 상태는 각각 같지만, 초기 상태에서 최종 상태에 이르는 경로는 다르다. 따라서 두 계가 같은 상태에 있다고 해서 두 계가 만들어진 과정이 같다고 할 수는 없다. 또한 어떤 계의 변화가 일어나는 경로는 초기 상태에서 최종 상태로 진행하면서 거치는 일련의 상태들로 이루어져 있으며, 이 두 상태를 연결하는 경로는 무한히 많다.

문단 요약하기

가 과학에서 관심을 갖는 대상을 '(   )'(이)라고 하고, 계를 제외한 나머지 부분은 '(   )', 계와 주위 사이는 '(   )'(이)라고 한다.

나 열역학 제1법칙에 따라 우주의 에너지 총량은 (   )하므로, 계와 주위의 에너지 합 또한 (   )하다.

다 계의 에너지는 온도, 압력, 부피 등의 (   )들에 의해 결정된다.

라 열역학적 변수가 같은 계들은 같은 '(   )'에 있고, 이때 두 계의 에너지는 서로 (   ).

마 두 계가 동일한 최종 상태에 있더라도, 이 계들의 초기 상태에서 최종 상태를 연결하는 (   )은/는 무한히 많다.

독해 tip

'계', '주위', '경계' 등 관련 개념과, 계와 주위의 에너지 교환에 따른 변화에 대해 정확하게 이해하고, 이를 바탕으로 하여 변화 양상을 이해한다.

⊕ 보일−샤를의 법칙

온도가 일정할 때 기체의 압력은 부피에 반비례한다는 보일의 법칙과 압력이 일정할 때 기체의 부피는 온도의 증가에 비례한다는 샤를의 법칙을 조합하여 만든 법칙. 온도, 압력, 부피가 동시에 변화할 때 이들 사이의 관계를 나타낸다.

⊕ 기체의 내부 에너지

기체가 가지고 있는 에너지를 의미하며, 기체의 부피가 일정할 때 기체의 내부 에너지는 온도에 의해 결정된다.

풀이 tip

　〈보기〉의 사례가 지문의 어떤 내용에 대응하는지를 파악해야 한다. 지문과 〈보기〉를 대응시킨 후, 적절하게 설명한 것을 정답으로 선택한다.

1

이 글을 바탕으로 하여 〈보기〉를 이해한 내용으로 가장 적절한 것은?

> ● 보기 ●
>
> 　물이 담긴 수조에 절반 정도 잠기도록 놓인 비커 속 물에 진한 황산을 넣어서 묽은 황산 용액을 만들면, 묽은 황산 용액은 물론 비커 주위의 수조 속 물의 온도까지 높아진다. 이는 황산이 이온으로 되면서 열이 방출되고, 이 열이 수조 속 물에도 전달되기 때문이다.

① 묽은 황산 용액이 만들어지는 과정은 발열 과정으로, 이 과정과 관련된 열은 −Q로 표시되겠군.

② 진한 황산을 넣은 물은 주위와 물질 및 에너지 교환이 일어나는 고립계에 해당하겠군.

③ 비커 속 물의 에너지와 수조 속 물의 에너지는 모두 감소했겠군.

④ 묽은 황산 용액은 수조 속의 물로부터 에너지를 흡수했겠군.

⑤ 비커 속의 물과 수조 속의 물은 모두 경계에 해당하겠군.

풀이 tip

　다, 라에 나타난 과정의 단계를 파악하고, 각 단계를 〈보기〉의 그래프에 대응시켜야 한다. 지문에서 A, B 두 경우를 설명하고 있으므로, 각 경우의 초기 상태, 경로, 최종 상태를 파악하여 〈보기〉의 그래프에 대응시키며 이해하도록 한다.

2

〈보기〉는 다, 라의 내용을 그래프로 표시한 것이다. 〈보기〉를 참고하여 ㉠, ㉡을 이해한 내용으로 적절하지 않은 것은?

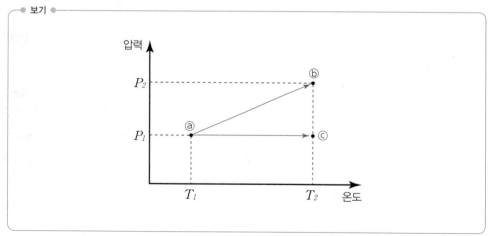

① ㉠의 경우 ⓐ 상태에서 ⓒ 상태가 되는 경로에서 실린더 속 기체의 부피가 증가한다.

② ㉡의 경우 ⓐ 상태에서 ⓑ 상태가 되는 경로에서 온도가 점차 높아진다.

③ ㉡의 경우 ⓑ 상태에서 ⓒ 상태가 되는 경로에서 실린더 속 기체의 부피가 증가한다.

④ ⓐ 상태에서 실린더 속 기체의 내부 에너지는 ㉠의 경우와 ㉡의 경우가 같을 것이다.

⑤ ⓒ 상태에서 실린더 속 기체의 내부 에너지는 ㉠의 경우보다 ㉡의 경우가 클 것이다.

실전으로 차곡차곡 익숙하게!

독해 실전 1회

인문
01 요청에 응하게 만들기 _34
02 삶을 지속하고자 하는 욕망, 코나투스 ★ _36

사회
03 기후, 문명에게 말을 걸다 _38
04 범죄 발생률을 낮추기 위한 논의 ★ _40

과학
05 17년 매미와 13년 매미 _42
06 집중 호우는 어떻게 발생할까 ★ _44

어휘 더 쌓기 ┃ 이야기 더 잇기 _46

기술
07 평지는 빠르게, 오르막은 힘차게 _48
08 양장에서 무선철까지, 제책의 발전 ★ _50

예술
09 존 케이지와 우연성 음악 _52
10 엑스레이 아트 ★ _54

통합
11 경국대전과 유교 국가 조선의 덕치 ★ _56

어휘 더 쌓기 ┃ 이야기 더 잇기 _58
비판적 사고력 키우기 [찬성 vs 반대] _60

01 요청에 응하게 만들기

⏱ **적정 풀이 시간** 6분 ㅣ **난이도** ●○○

✏️ **문단 요약하기**

① (　　　　　)은/는 다른 사람들의 요청이나 요구에 응하는 과정이다.

② '문간에 발 들여 놓기' 기법은 (　　　　) 요구에 이어 연관성 있는 더 (　　　　) 요구를 하는 것이다.

③ '면전에서 문 닫기' 기법은 들어줄 것 같지 않은 (　　　　) 요구에 이어 (　　　　) 요구를 하는 것이다.

④ '(　　　　　　)' 기법은 부담이 덜한 것에 동의하게 한 후 부담의 양을 늘리는 것이다.

⑤ '그것이 전부가 아닙니다' 기법은 (　　　　)의 요구에 상대가 반응하기 (　　　　)에 매력적인 제안을 더하는 것이다.

⑥ 응종은 상대방으로부터 불필요한 (　　　　)을/를 당하지 않기 위해서라도 알아 둘 필요가 있다.

① 우리는 생활하면서 다른 사람에게 어떤 행동을 요구하기도 하고 그들로부터 간섭을 받기도 한다. 요구나 부탁을 할 때 다른 사람들의 태도나 행동에 변화를 일으켜 자신의 요구에 잘 응하게 만드는 것이 중요한데, 다른 사람들의 요청이나 요구에 응하는 과정을 심리학에서는 응종이라 한다.

② 응종을 이끌어 내기 위해 의도적으로 사용되는 몇 가지 기법들이 있는데, 한 가지 방법은 '문간에 발 들여 놓기' 기법이다. 이 기법은 작은 요구에 이어서 더 큰 요구를 하는 것이다. 이때 작은 요구와 큰 요구는 서로 연관성이 있어야 한다. 이 기법은 왜 효과가 있을까? 이는 처음에 요구를 들어주었던 자신의 행동에 대한 합리화가 일어나기 때문에 장차 더 큰 요구를 하더라도 잘 응하게 된다는 것이다.

③ '면전에서 문 닫기' 기법도 효과가 있다. 이것은 처음에 상대방이 들어줄 것 같지 않은 큰 요구를 하고 상대방이 그 요구를 거절하면 그 다음에 작은 요구를 하는 것이다. 그렇게 되면 처음에 문을 '쾅' 하고 닫은 사람이라도 나중의 작은 요구에는 따른다는 것이다. 부탁을 하는 사람이 자신의 요구를 줄이게 되면 부탁을 받은 사람은 이제 자기가 양보할 차례라는 압력을 받게 된다. 즉 작은 요구를 받아들임으로써 상대방의 처음 부탁을 거절한 것에 대한 불편한 감정에서 벗어나게 된다.

④ ⓐ'낮은 공' 기법이라는 것도 있다. 이 용어는 야구에서 투수의 공이 낮게 들어오다가 갑자기 높아지는 것에서 비롯된 말이다. 이것은 처음에 부담이 덜한 비교적 좋은 조건을 제시하여 상대방이 동의하게끔 유도한 다음, 동의가 이루어지면 부담의 양을 늘리는 것이다. 처음 조건과 나중 조건이 다른 것이다. 예를 들어 '전 품목 90% 세일'이라고 해 놓고 막상 어떤 제품을 골랐을 때 "역시 안목이 높으시군요. 그 제품만 세일을 하지 않습니다."라고 둘러대는 식이다.

⑤ 이외에도 '그것이 전부가 아닙니다' 기법이 있다. 이 기법은 주로 물건 판매에 많이 사용되는 것으로, 처음의 요구에 상대가 반응하기 전에 매력적인 제안을 더하는 것이다. 예를 들어 판매원이 소비자에게 전기 오븐을 팔 때 제품의 장점과 가격을 설명한 후 소비자가 구입 여부를 검토하는 동안 전기 오븐을 구입하면 접시 세트를 무료로 증정한다고 말하는 것이다. 판매원은 처음부터 전기 오븐을 사면 접시 세트를 무료로 증정한다고 말할 수도 있었지만, 무료 증정에 대한 내용을 나중에 설명함으로써 소비자가 구매를 해야 할 당위성을 높여 준다.

⑥ 앞에서 살펴본 응종은 상대방을 설득하여 자신이 원하는 방향으로 행동하게 하기 위해서 필요하지만, 상대방으로부터 불필요한 설득을 당하지 않도록 스스로를 방어하기 위해서도 알아 둘 필요가 있는 개념이다.

● **응종** | 응할 應, 좇을 從 | 명령이나 요구 따위에 응하여 그대로 따름.

● **면전** | 낯 面, 앞 前 | 보고 있는 앞.

● **당위성** | 마땅할 當, 될 爲, 성질 性 | 마땅히 그렇게 하거나 되어야 할 성질.

세부 정보 이해하기 **1** **이 글을 읽고 답할 수 있는 질문이 아닌 것은?**

① 응종이란 무엇인가?

② 응종을 이끌어 내기 위해 어떤 기법들이 사용되는가?

③ '그것이 전부가 아닙니다' 기법은 주로 어떤 상황에서 사용되는가?

④ '낮은 공' 기법의 효과를 극대화하기 위해서는 어떤 방법을 사용해야 하는가?

⑤ '문간에 발 들여 놓기'와 '면전에서 문 닫기' 기법이 효과가 있는 이유는 무엇인가?

구체적 사례에 적용하기 **2** **이 글을 바탕으로 하여 〈보기〉를 읽고 보인 반응으로 적절하지 않은 것은?**

> ● 보기 ●
>
>   한 대학에서 응종에 관한 실험을 하였다. 먼저 학생들을 모집한 후, ⓐ소년원에서 2년 간 청소년 범죄자들을 상담해 달라는 첫 번째 부탁을 했는데, 학생들 대부분은 이를 거절 하였다. 그래서 다시 ⓑ반나절 동안 청소년 범죄자들을 인솔해 박물관에 다녀와 달라고 두 번째 부탁을 했는데, 첫 번째 부탁을 거절한 학생들 중 51%의 학생들이 두 번째 부탁 에는 승낙을 했다. 반면 학생들을 모집하여 첫 번째 부탁을 거치지 않고 바로 두 번째 부 탁을 한 경우에는 이를 승낙한 학생들의 수가 모집 학생의 17%에 그쳤다.

① ⓐ는 상대방이 들어주기 힘든 큰 요구에 해당하는군.

② ⓐ를 거절한 사람은 ⓑ와 같은 부탁을 받고 자신이 양보할 차례라는 압력을 받겠군.

③ ⓐ를 거절한 사람은 ⓑ를 승낙함으로써 불편한 감정에서 벗어날 수 있겠군.

④ 〈보기〉의 실험에서 사용한 기법이 효과를 발휘하기 위해서는 첫 번째 부탁과 두 번째 부탁 사이에 연관성이 있어야 하겠군.

⑤ 실험자는 이 실험을 통해 상대방을 설득하여 자신이 원하는 방향으로 행동하게 할 수 있는 방법을 알게 되었겠군.

구체적 사례에 적용하기 **3** **㉠의 사례로 가장 적절한 것은?**

① 홈쇼핑에서 냄비 하나를 사면 하나를 덤으로 더 준다는 광고를 한다.

② 마트에서 손님을 유치하기 위해 하루에 세 가지씩 상품을 정해 저렴하게 판매한다.

③ 치킨을 주문할 때마다 쿠폰 한 장을 주고, 쿠폰을 열 장 모으면 한 마리를 공짜로 준다.

④ 옷 가게에서 티셔츠 하나를 살 때보다 티셔츠와 바지를 함께 살 경우 티셔츠 가격을 낮게 책정한다.

⑤ 자동차 판매자가 구매자에게 차의 가격을 저렴하게 말해 구입 의사를 갖게 한 뒤, 에 어컨을 장착하기 위해 추가 비용을 내야 한다고 말을 한다.

삶을 지속하고자 하는 욕망, 코나투스

🕐 적정 풀이 시간 6분 | 난이도 ●●○

✏️ 문단 요약하기

① 인간은 삶을 지속하고자 하는 욕망인 (   )을/를 가지고 있으며, 이를 의식할 수 있다.

② 인간은 (   )와/과의 관계 속에서 코나투스를 증가시키기 위해 노력한다.

③ 코나투스의 관점에서 보면 인간은 자신의 (   )에 따라 선악을 판단한다.

④ 모두의 코나투스를 증가시킬 수 있는 (   )의 공동체를 형성해야 한다.

① 스피노자의 윤리학을 이해하기 위해서는 코나투스(Conatus)라는 개념이 필요하다. 스피노자에 따르면 실존하는 모든 사물은 자신의 존재를 유지하기 위해 노력하는데, 이것이 바로 그 사물의 본질인 코나투스라는 것이다. 정신과 신체를 서로 다른 것이 아니라 하나로 보았던 그는 정신과 신체에 관계되는 코나투스를 충동이라 부르고, 다른 사물들과 같이 인간도 자신을 보존하고자 하는 충동을 갖고 있다고 보았다. 특히 인간은 자신의 충동을 의식할 수 있다는 점에서 동물과 차이가 있다며 인간의 충동을 욕망이라고 하였다. 즉 인간에게 코나투스란 삶을 지속하고자 하는 욕망을 의미한다.

② 스피노자에 따르면 코나투스를 본질로 지닌 인간은 한번 태어난 이상 삶을 지속하기 위해 힘쓴다. 하지만 인간은 자신의 힘만으로 삶을 지속하기 어렵다. 인간은 다른 것들과의 관계 속에서만 삶을 유지할 수 있으므로 언제나 타자와 관계를 맺는다. 이때 타자로부터 받은 자극에 의해 신체적 활동 능력이 증가하거나 감소하는 변화가 일어난다. 감정을 신체의 변화에 대한 표현으로 보았던 스피노자는 신체적 활동 능력이 증가하면 기쁨의 감정을 느끼고, 신체적 활동 능력이 감소하면 슬픔의 감정을 느낀다고 생각했다. 또한 신체적 활동 능력이 감소하는 것과 슬픔의 감정을 느끼는 것은 코나투스가 감소하고 있음을 보여 주는 것, 다시 말해 삶을 지속하고자 하는 욕망이 줄어드는 것이라고 여겼다. 그래서 인간은 코나투스의 증가를 위해 자신의 신체적 활동 능력을 증가시키고 기쁨의 감정을 유지하려고 노력한다는 것이다.

③ 한편 스피노자는 선악의 개념도 코나투스와 연결 짓는다. 그는 사물이 다른 사물과 어떤 관계를 맺느냐에 따라 선이 되기도 하고 악이 되기도 한다고 말한다. 코나투스의 관점에서 보면 선이란 자신의 신체적 활동 능력을 증가시키는 것이며, 악은 자신의 신체적 활동 능력을 감소시키는 것이다. 이를 정서의 차원에서 설명하면 선은 자신에게 기쁨을 주는 모든 것이며, 악은 자신에게 슬픔을 주는 모든 것이다. 한마디로 인간의 선악에 대한 판단은 자신의 감정에 따라 결정된다는 것을 의미한다.

④ 이러한 생각을 토대로 스피노자는 코나투스인 욕망을 긍정하고 욕망에 따라 행동하라고 이야기한다. 슬픔은 거부하고 기쁨을 지향하라는 것, 그것이 곧 선의 추구라는 것이다. 그리고 코나투스는 타자와의 관계에 영향을 받으므로 인간에게는 타자와 함께 자신의 기쁨을 증가시킬 수 있는 공동체가 필요하다고 말한다. 그 안에서 자신과 타자 모두의 코나투스를 증가시킬 수 있는 기쁨의 관계를 형성하라는 것이 스피노자의 윤리학이 우리에게 하는 당부이다.

● **실존하다** | 실제 實, 있을 存 | 실제로 존재하다.

● **본질** | 근본 本, 바탕 質 | 본디부터 가지고 있는 사물 자체의 성질이나 모습.

● **타자** | 다를 他, 사람 者 | 자기 외의 사람. 또는 다른 것.

● **지향하다** | 뜻 志, 향할 向 | 어떤 목표로 뜻이 쏠리어 향하다.

세부 정보 이해하기

1 **이 글에 나타난 스피노자의 주장과 일치하지 않는 것은?**

① 정신과 신체는 서로 다른 것이 아니라 하나이다.

② 자신에게 기쁨을 주는 모든 것은 선으로 볼 수 있다.

③ 인간은 동물과 마찬가지로 코나투스를 의식하지 못한다.

④ 인간은 타자와 관계를 맺으며 신체적 활동 능력이 증가하거나 감소한다.

⑤ 공동체 구성원 모두의 코나투스를 증가시킬 수 있는 관계 형성이 필요하다.

대상 간에 비교하기

2 **이 글을 바탕으로 하여 〈보기〉를 이해한 내용으로 가장 적절한 것은?**

> ● 보기 ●
>
> 쇼펜하우어는 욕망을 인간과 세계의 본질로 생각했다. 그의 관점에서 보면 인간을 포함한 모든 사물은 욕망을 충족하기 위해 노력하지만, 채우고 채워도 욕망은 완전히 충족될 수 없다. 그래서 그는 삶을 욕망의 결핍이 주는 고통의 시간이라고 말했고, 이러한 고통으로부터 벗어나기 위해 욕망을 부정하면서 욕망을 절제해야 한다는 금욕주의를 주장했다.

① 쇼펜하우어는 스피노자처럼, 욕망을 부정적으로 판단하고 있군.

② 쇼펜하우어는 스피노자처럼, 인간은 욕망에 따라 행동해야 한다고 보고 있군.

③ 쇼펜하우어는 스피노자처럼, 삶을 욕망의 결핍이 주는 고통의 시간이라고 여겼군.

④ 쇼펜하우어는 스피노자와 달리, 욕망을 인간의 본질로 보고 있군.

⑤ 쇼펜하우어는 스피노자와 달리, 인간이 욕망에서 벗어나야 한다고 보고 있군.

비판의 적절성 평가하기

3 **이 글을 읽고 제기할 수 있는 비판으로 가장 적절한 것은?**

① 자신을 보존하려는 충동과 삶을 지속하고자 하는 욕망이 서로 다르다는 점은 납득하기 힘들어.

② 인간은 자신의 힘만으로는 삶을 지속할 수 없다고 했으므로 코나투스가 없다고 보아야 하지 않을까?

③ 악의 감정을 슬픔으로 치유해야만 삶이 지속된다는 주장은 지나치게 감정을 절제하라고 강요하는 것 같아.

④ 선악에 대한 판단이 자신의 감정에 따라 결정된다면 사람마다 선악을 판단하는 기준이 달라서 혼란을 겪게 될 거야.

⑤ 공동체 안에서 타자와 함께 기쁨의 관계를 형성하면 신체적 활동 능력이 감소하면서 삶을 지속하려는 욕망이 사라질지도 몰라.

03 기후, 문명에게 말을 걸다

🕐 적정 풀이 시간 5분 | 난이도 ●○○

✏️ 문단 요약하기

① (   )에 따르면 인간이 활발하게 활동할 수 있는 최적의 기후 조건을 갖춘 곳에서 (   )이/가 발생했다.

② (   )은/는 인간의 생활 및 문명의 성립과 발전에 많은 영향을 주었다.

③ 급격한 기후 변화는 문명의 (   )을/를 가져올 수도 있다.

④ (   ) 훼손으로 나타나는 (   ) 현상은 인류의 미래를 위협할 수도 있다.

① 세계 4대 문명인 이집트 문명, 메소포타미아 문명, 인더스 문명, 황허 문명의 발상지를 찾아보면 ⓐ네 곳 모두 북반구의 중위도에 있는 큰 강 유역이라는 공통점이 있다. ㉠엘스워드 헌팅턴은 자신의 저서 《문명과 기후》에서 인간이 가장 활발하게 활동할 수 있는 최적의 기후 조건을 제시하였다. 그는 연평균 기온이 10℃를 크게 벗어나지 않으면서 월평균 기온 3.3~18.3℃, 습도 70% 이하를 유지하는 지역에서 인간의 신체 활동과 뇌 활동이 가장 활발하기 때문에 문명이 발생할 수 있었다고 주장한다. 그런데 세계 4대 문명 중 이집트 문명, 메소포타미아 문명, 인더스 문명 등이 발생한 지역은 현재 건조 기후 지역으로 헌팅턴이 제시한 최적의 기후 조건에서 다소 벗어나 있다. 그러나 ⓑ문명 탄생 당시에는 그 지역이 현재보다 습윤한 기후였다는 점이 연구를 통해 밝혀지면서 헌팅턴의 주장이 힘을 얻게 되었다. 이처럼 헌팅턴의 연구는 최초로 기후와 문명의 상관관계를 탐구하였다는 점에서 의의가 있다.

② 세계 4대 문명의 공통적 특징이자 문명의 척도라 할 수 있는 청동기의 제작과 문자의 발명, 그리고 도시의 탄생은 삶의 기본 조건인 먹을거리가 풍족해야 가능하다. 기후 조건이 식물의 생장에 알맞고, 생활하기에 쾌적해야만 인간이 문명을 창조하기 위해 시간과 에너지를 할애할 수 있는 것이다. 반면, ⓒ기후가 매우 덥거나 추운 곳에서는 농업 생산성이 떨어질 뿐 아니라, 열악한 환경에 적응하여 살아가는 데 많은 시간과 에너지를 할애해야 하기 때문에 그만큼 문명의 형성이 더디게 된다. 실제로 태양이 이글거리는 적도 부근이나 눈과 얼음으로 뒤덮인 극지방에서 고대 문명이 발생하지 않았다는 것은 문명 형성이 기후 조건과 관련 있음을 보여 준다. 이처럼 ⓓ기후는 인간의 정신과 육체 및 생산 활동에 영향을 미쳤고, 문명의 성립과 발전에도 영향을 주었다.

③ 한편, ⓔ기후는 문명의 시작뿐 아니라 쇠퇴와도 관련이 있다. 기후 변화로 인한 혹한, 가뭄, 홍수 등은 문명사회를 송두리째 앗아갈 만큼 파괴적이다. 실제로 1815년 인도네시아 탐보라 화산의 폭발은 이상 기후 현상으로 이어지면서 기록적인 재앙을 초래하였다. 화산 폭발과 함께 분출된 엄청난 양의 화산재와 먼지는 태양을 가려 지구의 기온을 낮추었고, 이듬해 유럽은 '여름이 사라진 해'를 맞이하게 되었다. 여름철 이상 저온 현상이 길어지면서 흉작과 대기근이 뒤따랐으며, 약탈, 폭동 등의 범죄가 전 유럽을 휩쓸었다.

④ 이처럼 인류 문명과 역사의 흥망성쇠는 기후라는 자연 조건과 매우 밀접하게 관련되어 있다. 따라서 오늘날 무분별하게 자연을 훼손함으로써 세계 곳곳에 나타나고 있는 이상 기후 현상은 결국 인류의 미래와 무관하지 않을 것이다.

● **유역** | 흐를 流, 지경 域 | 강물이 흐르는 언저리.
● **혹한** | 독할 酷, 찰 寒 | 몹시 심한 추위.
● **흉작** | 흉할 凶, 지을 作 | 농작물의 수확이 평년작을 훨씬 밑도는 일. 또는 그런 농사.

세부 정보 이해하기   **1**   이 글을 읽고 답할 수 있는 질문이 <u>아닌</u> 것은?

① 세계 4대 문명이 시작된 곳의 공통점은 무엇일까?

② 인간의 신체 활동이 활발해지는 기후 조건은 어떠할까?

③ 급격한 기후 변화로 쇠퇴한 문명의 예로는 어떤 것이 있을까?

④ 적도 부근이나 극지방에서는 왜 고대 문명이 발생하지 못했을까?

⑤ 무분별한 자연 훼손을 막기 위한 국제 사회의 노력에는 어떤 것들이 있을까?

시각 자료에 적용하기   **2**   ⊙의 관점에서 〈보기〉에 대해 이해한 내용으로 가장 적절한 것은?

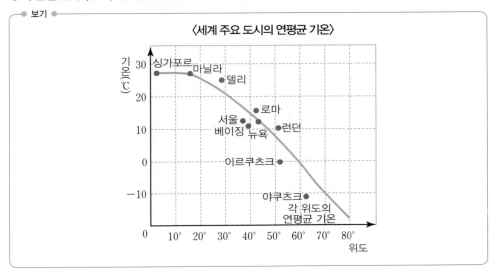

① 로마보다 델리가 인류의 생활에 필요한 최적 온도에 더 가깝다.

② 뉴욕은 마닐라에 비해 인간이 뇌 활동을 하는 데 불리한 기온이다.

③ 싱가포르는 베이징보다 문명이 발생하는 데 유리한 조건을 지녔다.

④ 야쿠츠크보다 서울의 기온이 인간의 활발한 신체 활동에 적합하다.

⑤ 이르쿠츠크는 런던보다 인간의 생산 활동에 유리한 기온을 보인다.

구체적 사례에 적용하기   **3**   ⓐ~ⓔ 중에서 〈보기〉의 질문에 대한 답을 바르게 찾은 것은?

┌─ 보기 ─
│   유프라테스강 가까운 곳에 자리 잡은 우르는 메소포타미아 문명이 잉태된 곳이다. 연
│ 강수량이 200mm 이하의 건조하고 황량한 이곳에서 어떻게 고대 문명이 발달했을까?
└─

① ⓐ   ② ⓑ   ③ ⓒ

④ ⓓ   ⑤ ⓔ

범죄 발생률을 낮추기 위한 논의

⏱ 적정 풀이 시간 6분 | 난이도 ●●○ _2018학년도 9월 고1 학력평가

✎ 문단 요약하기

① 사회와 개인의 안전에 해를 끼치는 범죄의 (   )을/를 낮추기 위해 (   )이/가 생겨났다.

② 고전주의 범죄학은 합리적인 (   )을/를 통해 범죄를 억제하고자 하였다.

③ 실증주의 범죄학은 범죄자의 개별적 범죄 (   )에 따른 교화를 주장하였다.

④ (   )은/는 환경 개선을 통해 범죄를 예방하는 관점이다.

⑤ (   )은/는 다양한 원리를 적용하여 종합적으로 범죄를 예방하는 전략이다.

① 범죄란 사회 질서를 파괴하고 타인의 육체나 정신에 고통을 주거나 재산 또는 명예에 손상을 입히는 행위로, 사회의 안녕과 개인의 안전에 해를 끼친다. 그래서 사람들은 여러 논의를 통해 범죄 발생률을 낮추려고 노력해 왔고, 그 결과 탄생한 것이 바로 '범죄학'이다.

② ㉠'고전주의 범죄학'은 법적 규정 없이 시행됐던 지배 세력의 불합리한 형벌 제도를 비판하며 18세기 중반에 등장했다. 고전주의 범죄학에서는 인간의 모든 행위는 자유 의지에 입각한 합리적 판단에 따라 이루어지므로, 범죄에 비례해 형벌을 부과할 경우 개인의 합리적 선택에 의해 범죄가 억제될 수 있다고 보았다. 고전주의 범죄학의 대표자인 베카리아는 형벌을 법으로 규정해야 한다고 강조하며 범죄를 저지를 경우 누구나 법에 의해 확실히 처벌받을 것이라는 두려움이 범죄를 억제할 것이라고 확신했다.

③ 19세기 중반 이후 사회 혼란으로 범죄율과 재범률이 증가하자, 범죄의 원인을 과학적으로 증명하려 한 ㉡'실증주의 범죄학'이 등장했다. 이는 고전주의 범죄학의 비과학성을 비판하며, 범죄의 원인을 개인의 자유 의지로는 통제할 수 없는 생물학적·심리학적·사회학적 요소에서 찾으려 했다. 이 분야의 창시자인 롬브로소는 범죄 억제를 위해서는 범죄자들의 개별적 범죄 기질을 도출하고 그에 따른 교정이나 교화, 치료를 실시해야 한다고 생각했다.

④ 이러한 범죄학의 큰 흐름들은 범죄를 억제하려는 법체계와 정책의 근간이 되어 왔다. 하지만 1970년대 이후 이러한 시도들의 범죄 감소 효과에 대한 비판이 일면서, 환경에 의한 범죄 유발 요인과 환경 개선을 통한 범죄 기회의 감소 효과 등을 연구하는 ㉢'환경 범죄학'이 주목받기 시작했다. 이러한 가운데 건축학이나 도시 설계 전문가들은 범죄의 원인과 예방의 해법을 환경과 디자인에서 찾아야 한다고 주장했다. '셉테드(CPTED)'는 건축 설계나 도시 계획 등을 통해 대상 지역의 방어적 공간 특성을 높여, 범죄 발생 가능성을 줄이고 지역 주민들이 안전감을 느끼도록 하여 삶의 질을 향상시키는 종합적인 범죄 예방 전략을 의미한다.

⑤ 셉테드는 다음의 원리로 이루어진다. 우선 '자연적 감시의 원리'는 공간과 시설물에 대한 가시권을 확보하고 잠재적 범죄자의 은폐 장소를 최소화시킴으로써 내부인이나 외부인의 행동을 주변 사람들이 자연스럽게 관찰할 수 있게 만드는 것이다. 다음으로 '접근 통제의 원리'는 보행로, 조경, 문 등을 통해 사람들의 통행을 일정한 경로로 유도하여 허가받지 않은 사람들의 출입을 통제하거나 차단하는 것을 말한다. '영역성의 원리'는 안과 밖이라는 공간 영역을 조성하여 외부인의 침범 기준을 명확히 확립하는 것을 말한다. 이 외에도 공공장소 및 시설에 대한 내부인들의 활발한 사용을 유도하여 그 근방의 범죄를 감소시킨다는 '활동의 활성화 원리', 공공장소와 시설물이 처음 설계된 대로 지속적으로 유지 및 관리되어야 한다는 '유지 및 관리의 원리'가 있다.

● 입각하다 | 설 효, 다리 脚 | 어떤 사실이나 주장 따위에 근거를 두어 그 입장에 서다.
● 근간 | 뿌리 根, 줄기 幹 | 사물의 바탕이나 중심이 되는 중요한 것.
● 은폐 | 숨을 隱, 가릴 蔽 | 덮어 감추거나 가리어 숨김.

1 이 글에 대한 설명으로 가장 적절한 것은?

① 예상되는 반론을 반박하며 주장을 강화하고 있다.

② 필자의 관점을 명시한 후 다른 관점과 비교하고 있다.

③ 핵심 개념의 가치와 효용을 비유적으로 제시하고 있다.

④ 통시적 관점에서 문제 해결을 위한 방법들을 설명하고 있다.

⑤ 두 이론의 장점을 절충하여 새로운 이론으로 통합하고 있다.

대상 간에 비교하기

2 이 글의 내용을 바탕으로 할 때, ㉠~㉢의 특징을 바르게 설명한 것은?

① ㉠과 ㉡은 범죄자의 처벌과 격리를 최선으로 여긴다.

② ㉠이 ㉡보다 합리적인 방법으로 범죄를 예방하는 관점이다.

③ ㉠에 비해 ㉡이 인간의 자유 의지를 더욱 존중하는 입장이다.

④ ㉡과 ㉢은 범죄가 일어나는 원인에 주목한다는 공통점이 있다.

⑤ ㉢은 ㉡과 다르게 범죄에 과학적으로 접근하려는 입장을 취한다.

구체적 사례에 적용하기

3 ⑤의 내용을 참고하여 〈보기〉의 사례를 설명한 것으로 적절하지 않은 것은?

> ● 보기 ●
>
> ○○학교는 개교한 지가 오래돼 다소 음침한 느낌을 주는 곳이었다. 이에 학교는 교내 외진 장소에 다양한 운동 시설을 설치해 학생들의 이용을 활성화하고 학생들의 안전을 위해 그곳에 CCTV를 설치했다. 사람들의 시선을 막고 있는 학교 담장은 철거하고, 대신 작은 나무와 꽃들을 심은 화단을 조성했다. 또한 외부인의 출입을 통제하기 위해 후문을 폐쇄하여 사람들의 통행을 정문으로 유도했고, 학생들과 교사는 환경지킴이라는 동아리를 조직하여 개선된 학교 환경을 유지하기 위한 봉사 활동을 주기적으로 실시하고 있다.

① 후문을 폐쇄한 것은 '접근 통제의 원리'를 통해 사람들의 통행을 정문으로 유도하기 위한 것이다.

② 학교 담장을 허문 것은 '자연적 감시의 원리'를 통해 학교 시설물에 대한 가시권을 확보하기 위한 것이다.

③ 봉사 동아리를 조직해 운영하는 것은 '유지 및 관리의 원리'를 통해 환경 설계 효과를 지속시키려는 것이다.

④ 다양한 운동 시설을 설치한 것은 '활동의 활성화 원리'를 통해 외진 장소에서의 범죄 발생률을 낮추려는 것이다.

⑤ 교내 외진 장소에 CCTV를 설치한 것은 '영역성의 원리'를 통해 안과 밖이라는 공간 영역을 명확하게 확립한 것이다.

17년 매미와 13년 매미

⏱ 적정 풀이 시간 5분 | 난이도 ●○○

① 매미의 성충이 울음소리를 내는 기간은 일생에서 몇 주 되지 않을 정도로 아주 짧다. 매미는 이 기간에 짝짓기를 하여 알을 낳고는 일생을 마감한다. 알에서 부화한 애벌레는 땅속 생활을 시작하는데, 매미가 땅속 생활을 하는 기간이 매미의 출현 주기로, 매미가 몇 주 남짓한 기간을 울기 위해 애벌레로 지내는 기간은 상당히 길다.

② 북아메리카에서 볼 수 있는 '17년 매미'는 이름 그대로 17년을 출현 주기로 하며, 13년이나 7년을 주기로 출현하는 매미도 있다. 우리나라에 흔한 참매미와 유자매미의 주기는 5년이다. 이 매미들의 주기인 5, 7, 13, 17에서 발견할 수 있는 공통점은 이 수들이 모두 소수라는 점이다.

③ 이에 대한 해석 중의 하나는 매미가 천적을 피하기 위해 주기가 소수가 되도록 적응해 왔다는 설이다. 매미의 주기가 소수라면 성충이 되어 땅 위로 나왔을 때 천적과 만날 가능성을 줄일 수 있기 때문이다. 예를 들어 매미의 주기가 6년이고 천적의 주기가 2년 또는 3년이라면 매미와 천적은 6년마다 만나고, 주기가 4년인 천적과는 12년마다 만난다. 그렇지만 매미의 주기가 5년이면 주기가 2년인 천적과는 10년마다, 주기가 3년인 천적과는 15년마다, 또 4년인 천적과는 20년마다 만난다. 즉 주기가 6년에서 5년으로 줄어들면 도리어 천적과 만나는 간격은 길어진다. 5는 1과 자기 자신만으로 나누어 떨어지는 소수이기 때문이다.

④ 매미의 소수 주기를 먹이 경쟁의 관점에서 설명할 수도 있다. 여러 종의 매미들이 동시에 출현하게 되면 먹이를 둘러싼 경쟁이 치열해지므로, 가능하면 주기가 겹치지 않는 것이 유리하다. 예를 들어 매미의 주기가 15년과 18년이라면 두 매미가 동시에 출현하는 시기는 15와 18의 최소 공배수인 90년에 한 번씩 돌아온다. 그런데 출현 주기가 소수인 13년 매미와 17년 매미의 경우 두 매미가 동시에 활동하는 시기는 13과 17의 최소 공배수인 221년마다 한 번씩 돌아온다. 즉 매미의 주기가 줄었는데도 만나는 시간 간격은 더 길어지게 된다. 두 소수의 최소 공배수는 두 수의 곱이 되기 때문에 상대적으로 큰 수가 되며, 그만큼 매미는 치열한 먹이 경쟁을 피해 갈 수 있다.

⑤ 원래 매미의 주기는 소수인 경우도 있고 합성수인 경우도 있었을 것이다. 그렇지만 오랜 시간에 걸쳐 진화해 오면서 합성수 주기 매미들은 천적에게 잡아먹히거나 극심한 먹이 경쟁 때문에 도태되고, 상대적으로 유리한 조건에 있는 소수 주기 매미들이 남게 된 것이다.

- **성충** | 이룰 成, 벌레 蟲 | 다 자라서 생식 능력이 있는 곤충.
- **주기** | 돌 週, 기간 期 | 같은 현상이나 특징이 한 번 나타나고부터 다음번 되풀이되기까지의 기간.
- **도태되다** | 쌀을 일(가려낼) 淘, 일(가려낼) 汰 | 여럿 중에서 불필요하거나 부적당한 것이 줄어 없어지다.

1 다음은 '신비로운 숫자의 세계'라는 글을 쓰기 위해 학생이 작성한 개요이다. ㉠~㉤ 중, 이 글을 활용하여 내용을 구성할 수 있는 것은?

- 처음: 다양한 숫자의 종류 소개 ──────── ㉠
- 중간: 숫자에 숨은 비밀
  1. 숫자에 관한 풀리지 않는 미스터리 ──── ㉡
  2. 자연 현상에서 발견할 수 있는 숫자의 신비 ── ㉢
  3. 인류 역사에서 중요한 의미를 가지는 숫자들 ── ㉣
- 끝: 숫자에 대한 관심과 탐구 촉구 ──────── ㉤

① ㉠   ② ㉡   ③ ㉢

④ ㉣   ⑤ ㉤

세부 정보 이해하기

2 이 글의 내용과 일치하지 <u>않는</u> 것은?

① 주기가 길수록 천적과 만나는 간격이 멀어지므로 생존 경쟁에서 유리해진다.

② 매미는 성충으로 지내는 기간에 비해 애벌레로 땅속 생활을 하는 기간이 길다.

③ 먹이 경쟁을 피하기 위해서는 다른 종의 매미와 주기가 겹치지 않는 것이 유리하다.

④ 우리나라에 서식하는 매미의 주기는 북아메리카에 서식하는 매미의 주기보다 짧다.

⑤ 소수 주기를 가진 매미들이 합성수 주기 매미보다 오래 살아남는 데 유리한 조건을 갖추고 있다.

추론하기

3 이 글을 읽고 나눈 대화로 적절하지 <u>않은</u> 것은?

① 참매미는 주기가 3년인 천적과 15년마다 만나게 되겠구나.

② 참매미는 17년 매미와 85년마다 만나서 먹이 경쟁을 하겠구나.

③ 7년 매미와 13년 매미가 동시에 출현하는 시기는 91년마다 돌아오겠구나.

④ 8년 주기의 매미보다 3년 주기의 매미가 4년 주기의 천적과 만나는 간격이 길겠구나.

⑤ 15년 매미는 유자매미와 동시에 출현할 경우 13년 매미에 비해 먹이 경쟁을 치열하게 하지 않아도 되겠구나.

집중 호우는 어떻게 발생할까

⏱ 적정 풀이 시간 6분 | 난이도 ●●●   _ 2013학년도 6월 고1 학력평가

✎ 문단 요약하기

① 짧은 시간 내에 많은 비가 내리는 것을 (　　　　)(이)라고 한다.

② 따뜻하고 (　　　　) 공기가 상승하면서 생성되는 구름이 차곡차곡 쌓여 형성된 구름층을 (　　　　)(이)라고 한다.

③ 새로운 적란운이 기존 적란운과 떨어진 곳에서 만들어지면 (　　　　)이/가 내린다.

④ 기존의 적란운과 가까운 곳에서 새로운 적란운이 형성되면 (　　　　)이/가 내린다.

①   일반적으로 1시간에 30mm 이상, 또는 하루에 80mm 이상의 비가 내릴 때, 그리고 연 강수량의 10%에 해당하는 비가 하루에 내릴 때, 이를 '집중 호우'라고 한다. 짧은 시간 내에 어떻게 이처럼 많은 비가 내릴 수 있을까?

②   찬 공기가 따뜻한 공기 쪽으로 이동하면 상대적으로 밀도가 낮은 따뜻한 공기는 찬 공기 위로 상승하게 된다. 이때 상승하는 공기가 충분한 수분을 포함하고 있다면 공기 중의 수증기가 냉각되어 작은 물방울이나 얼음 알갱이로 응결되면서 구름이 형성된다. 이 과정에서 열이 외부로 방출된다. 이때 방출된 열은 상승하는 공기를 더 높은 고도로 상승할 수 있게 한다. 그런데 공기에 포함된 수증기의 양이 충분하지 않으면 상승하던 공기는 더 이상 열을 공급받지 못하게 되어 주변의 대기보다 차가워지고 공기가 더 이상 상승하지 못하게 된다. 만일 상승하는 공기가 매우 따뜻하고 습한 공기일 경우에는 상승 과정에서 수증기가 방출하는 열이 공기에 지속적으로 공급되면서 일반적인 공기보다 더 높은 고도에서도 계속 새로운 구름을 만들어 낼 수 있다. 따뜻하고 습한 공기는 상승하는 과정에서 구름을 생성하고 그 구름들이 아래쪽부터 연직으로 차곡차곡 쌓이게 되어 두꺼운 구름층을 형성하게 되는 것이다. 이렇게 형성된 구름을 적란운이라고 한다.

③   일반적으로 적란운은 지표로부터 2~3km 이내에서 형성된다. 적란운에서 비가 내리면 적란운 아래에 있는 공기는 온도가 내려가 밀도가 높아지면서 밀도가 낮은 주위로 넓게 퍼져 나가게 된다. 이때 주위에 퍼진 차가운 공기가 원래의 적란운으로부터 떨어진 장소에서 다시 따뜻하고 습한 공기와 만나는 경우가 있다. 그렇게 되면 이 따뜻하고 습한 공기가 상승하면서 새로운 적란운을 만들게 된다. 이때 새로 만들어진 적란운은 기존 적란운과 떨어져 있어 각각의 적란운 바로 아래 지역에만 30분에 30mm에 못 미치는 비가 내린 후 그치게 된다. 이때 내리는 비가 바로 ㉠소나기이다.

④   집중 호우 역시 적란운에서 발생하는데, 집중 호우를 발생시키는 적란운의 공기는 일반적인 적란운의 공기보다 그 온도와 습도가 훨씬 높다. 그래서 일반적인 적란운보다 고도가 더 낮은 곳에서부터 구름이 형성될 수 있기 때문에, 지표에서 수백 미터에 불과한 높이에 적란운이 형성된다. 이렇게 형성된 적란운의 바닥과 지표 사이의 공간이 좁기 때문에 이 공간에 있는 공기의 양이 적다. 그래서 비가 내리더라도 차가워진 공기가 멀리 퍼지지 못한다. 이런 상황에서 매우 따뜻하고 습한 공기가 유입되면 이 공기가 상승하면서 기존의 적란운 바로 가까이에 새로운 적란운을 형성하게 된다. 이 과정이 반복되면서 기존의 적란운과 동일한 장소에 여러 개의 적란운들이 몰리기 때문에 특정한 지역에 엄청난 양의 비가 일시에 집중적으로 쏟아지게 된다. 이것이 ㉡집중 호우의 메커니즘이다.

● 응결되다 | 엉길 凝, 맺을 結 | 포화 증기의 온도 저하 또는 압축에 의하여 증기의 일부가 액체로 변하게 되다.

● 방출되다 | 놓을 放, 날 出 | 입자나 전자기파의 형태로 에너지가 내보내지다.

● 연직 | 납 鉛, 곧을 直 | 중력의 방향.

● 메커니즘(mechanism) | 사물의 작용 원리나 구조.

1 이 글에 대한 이해로 적절하지 <u>않은</u> 것은?

① 찬 공기는 따뜻한 공기보다 밀도가 높다.

② 구름이 생성될 때는 열의 방출이 일어난다.

③ 구름에는 작은 물방울이나 얼음 알갱이가 포함되어 있다.

④ 상승하는 공기의 온도가 주변 대기보다 낮아질수록 구름은 더 크게 발달한다.

⑤ 구름이 만들어지기 위해서는 상승하는 공기가 충분한 수분을 포함하고 있어야 한다.

2 ㉠과 ㉡에 대한 설명으로 적절하지 <u>않은</u> 것은?

① ㉠과 ㉡은 모두 적란운에서 발생한다.

② ㉠은 ㉡보다 긴 시간에 걸쳐 적은 양의 비가 내리는 것이다.

③ ㉡은 ㉠보다 낮은 고도에서 온도와 습도가 높은 공기에 의해 발생한다.

④ ㉡은 ㉠과 달리 동일한 장소에 여러 개의 구름이 몰려 있기 때문에 나타나는 것이다.

⑤ ㉠과 ㉡은 모두 대기의 상층으로 올라가는 따뜻하고 습한 공기가 있어야만 발생한다.

3 이 글을 바탕으로 하여 〈보기〉를 이해한 내용으로 적절하지 <u>않은</u> 것은?

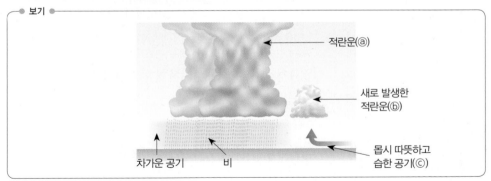

보기

적란운(ⓐ)

새로 발생한
적란운(ⓑ)

몹시 따뜻하고
습한 공기(ⓒ)

차가운 공기   비

① ⓐ의 바닥과 지표 사이의 공기의 양이 많을수록 집중 호우의 가능성이 높아지겠군.

② ⓐ의 바닥과 지표 사이의 높이가 낮다는 점은 집중 호우를 만드는 조건 중 하나이군.

③ ⓑ가 더 발달한다면 그 아래 지역에 많은 양의 비를 단시간에 내리게 할 수 있겠군.

④ ⓒ가 습기가 적고 차가운 공기라면 집중 호우 지역이 더 확대되지는 않겠군.

⑤ ⓒ가 비에 의해 식은 차가운 공기와 만났기 때문에 ⓑ가 발생한 것으로 볼 수 있겠군.

1 다음에 제시된 초성과 뜻을 참고하여 괄호 안에 들어갈 단어를 쓰시오.

(1) ㅊ ㄹ : 어떤 결과를 가져오게 함.
  예 그들의 선택이 어떤 재앙을 (　　　　　)할 것인지 모두가 걱정하고 있다.

(2) ㄷ ㅌ : 여럿 중에서 불필요하거나 부적당한 것이 줄어 없어짐.
  예 열심히 노력하지 않는 사람은 결국 경쟁에서 (　　　　　)될 수밖에 없다.

2 다음 문장에 들어갈 알맞은 단어를 말 상자에서 찾아 쓰시오.

예 그녀는 비밀을 지켜 달라는 (　　　)을/를 전했다.

(1) 그는 쉬고 싶은 (　　　　　)을/를 느꼈다.

(2) 그 책을 읽으면 고려의 (　　　　　)을/를 한눈에 살필 수 있어.

(3) 전쟁에서 이기기 위한 (　　　　　)을/를 치밀하게 세워야 한다.

(4) 실패라는 결과보다는 그동안 최선을 다한 과정에 (　　　　　)을/를 두자.

충	성	응	하	다	확	창
동	공	시	기	계	립	시
작	가	항	전	략	하	자
품	절	배	달	리	다	형
강	도	타	자	기	문	성
신	패	당	부	근	의	의
흥	망	성	쇠	퇴	치	리

3 다음 괄호 안에 공통으로 들어갈 단어로 알맞은 것은?

• 자외선이 강하니 그늘막을 설치해 햇빛을 (　　　　　) 한결 시원하겠군.
• 외부와의 소통을 지나치게 (　　　　) 사회성이 부족한 사람이 될 수도 있다.

① 규정하면　　② 부여하면　　③ 유도하면　　④ 지향하면　　⑤ 차단하면

4 다음 제시된 어휘와 유의 관계에 있는 단어를 〈보기〉에서 찾아 쓰시오.

● 보기 ●
도출	욕망	척도	교화	출현	기질

(1) 야망, 야심, 소망, 꿈, 바람 ➡ (　　　　　)

(2) 기준, 규준, 표준, 규격, 규범 ➡ (　　　　　)

(3) 성향, 성품, 성질, 성격, 바탕 ➡ (　　　　　)

이야기 더 잇기

구름 씨앗을 뿌리면 비가 내린다?

예로부터 비(雨)는 인간의 생활에 막대한 영향을 미치는 기상 현상이었다. 이 때문에 과거에는 오랫동안 비가 내리지 않으면 하늘에 비가 오기를 비는 기우제를 지내기도 하였는데, 현대에는 인공적으로 비를 내리게 하는 인공 강우의 방법이 연구되고 있다.

인공 강우는 비행기나 로켓을 이용하여 구름 속에 '구름 씨 뿌리기'를 함으로써 인공적으로 비를 내리게 하는 기술이다. 구름은 아주 작은 물방울인 구름 입자로 이루어져 있는데, 이 입자에 수증기가 응결하여 붙어 점점 커지고 무거워지면서 지표면에 비가 되어 떨어진다. 이 과정에서 구름 입자가 빗방울이 되려면 400% 정도의 높은 습도가 유지되어야 한다. 그러나 구름 입자끼리 뭉치는 데 도움을 주는 물질인 응결핵 혹은 빙정핵이 구름 속에 들어 있다면 습도가 100%만 되어도 비가 내릴 수 있다. 인공 강우는 응결핵이나 빙정핵이 적어 구름 입자가 빗방울로 성장하지 못할 때 이들 역할을 하는 '구름 씨'를 뿌려 구름이 쉽게 비를 내릴 수 있도록 돕는 기술이다. 구름 씨는 구름의 종류나 대기 상태에 따라 달라질 수 있는데 주로 아이오딘화 은(AgI)이나 드라이아이스, 염화 나트륨(NaCl), 염화 칼륨(KCl) 등이 사용된다.

인공 강우 기술은 아직까지 완벽한 기술은 아니다. 현재의 기술 수준에서 인공 강우는 수증기를 포함한 적절한 구름이 있어야 가능하기 때문에 구름 한 점 없는 곳에서 비를 내리게 하는 것은 불가능하다. 또한 인공 강우에 성공한다고 해도 강우량을 10~20% 정도 증가시키는 것에 불과해, 가뭄이나 사막화에 대한 실질적인 대안이 될 수 없다는 비판도 존재한다. 더불어 인위적으로 자연 현상을 조절하는 것이 어떤 부작용을 가져올지 알 수 없다는 우려도 있다. 인공 강우는 자연적으로 비가 내릴 만큼 발달하지 않은 구름 속의 수분을 쥐어짜 비를 억지로 내리게 하는 것이기 때문이다. 일부 과학자들은 인공 강우가 인접 지역의 구름을 사라지게 해 사막화 현상을 초래할 수도 있다고 경고하고 있다.

평지는 빠르게, 오르막은 힘차게

⏱ **적정 풀이 시간** 6분 | **난이도** ●●○

✎ **문단 요약하기**

① 자전거의 변속기는 속도와 함께 (   )을/를 조절하는 장치이다.

② (   )은/는 회전축으로부터의 거리에 비례하여 커진다.

③ 자전거의 (   )은/는 뒤쪽 톱니바퀴의 회전수에 비례하여 빨라진다.

④ (   )을/를 이용하여 구동력을 만들어 내는 체인 없는 자전거도 있다.

① 자전거는 연료를 사용하거나 외부의 다른 동력 기관을 이용하지 않고 오로지 인간의 힘으로 이동하기 때문에 건강과 환경을 지키는 데 도움이 된다. 그런데 고정 기어로 움직이는 자전거는 오르막을 오르기 힘들고 평지에서도 빠른 속도로 달리는 데 한계가 있다. 이를 극복할 수 있게 하는 것이 자전거의 변속기이다. 변속기는 속도를 바꿔 주는 기계로, 정확하게는 속도와 함께 구동력을 조절하는 장치이다. 작은 힘을 증폭시켜 큰 힘을 내게 하거나 반대로 힘을 줄여서 전달하기도 한다. 그러면 자전거의 변속기는 어떤 구조로 되어 있으며, 어떤 원리로 작동하는 것일까? 자전거에는 페달과 연결된 앞쪽 기어와 뒷바퀴와 연결된 뒤쪽 기어가 있다. 뒷바퀴 쪽 기어는 크기가 다른 여러 장의 톱니바퀴로 이루어져 있는데, 앞쪽 기어의 톱니바퀴와 뒤쪽 기어의 톱니바퀴들이 맞물리면서 다양한 힘과 속도를 만들어 낸다.

② 톱니바퀴들이 만들어 내는 다양한 힘과 속도에는 물리 법칙이 숨어 있다. 멈춰 있는 물체를 회전시키거나, 회전하고 있는 물체의 상태를 변화시키기 위해서는 토크가 필요한데, 이 토크는 회전축으로부터의 거리에 비례하여 커진다. 자전거의 경우 페달을 돌리면 앞쪽 톱니바퀴가 돌아가고 이와 체인으로 연결된 뒤쪽의 톱니바퀴도 돌아가게 된다. 같은 힘으로 페달을 돌리더라도 앞쪽 기어가 회전축으로부터 거리가 먼 뒤쪽 큰 톱니바퀴와 맞물릴 때 토크가 커지므로 더 쉽게 페달을 굴릴 수 있다. 즉 비교적 작은 힘을 들이고도 오르막을 쉽게 오를 수 있다. 반대로 앞쪽 기어가 회전축으로부터 거리가 가까운 뒤쪽 작은 톱니바퀴와 맞물릴 때는 토크가 작아지므로 페달을 굴릴 때 더 많은 힘이 들어간다.

③ 그리고 자전거의 속도는 뒤쪽 톱니바퀴의 회전수에 따라 달라지는데, 뒤쪽 톱니바퀴의 크기가 작아 회전수가 커지면 속도는 빨라진다. 예를 들어 페달이 있는 앞쪽 기어의 톱니가 30개, 뒤쪽 큰 기어의 톱니가 20개, 작은 기어의 톱니가 10개라고 할 때 이들은 체인으로 물려 있으므로 페달이 있는 쪽의 기어가 한 바퀴 돌 때 뒤쪽의 큰 톱니바퀴는 $1\frac{1}{2}$바퀴, 작은 톱니바퀴는 3바퀴를 돌게 된다. 따라서 앞쪽 기어가 작은 톱니바퀴와 맞물릴 때가 큰 톱니바퀴와 맞물릴 때보다 회전수가 크기 때문에 속도는 더 빨라진다.

④ 앞뒤 쪽 기어가 체인으로 연결되지 않는 ㉠체인 없는 자전거도 있다. 체인 대신 샤프트를 이용하여 바퀴를 돌릴 수 있는 구동력을 만들어 내는 것이다. 페달을 밟으면 앞쪽 톱니바퀴가 돌면서 이와 비스듬히 맞물려 있는 샤프트가 돌게 된다. 샤프트가 돌면서 이와 맞물린 뒤쪽 톱니바퀴에 힘을 전달하므로 뒤쪽 톱니바퀴 역시 돌게 된다. 이 자전거는 체인이 없기 때문에 운행 중에 체인이 벗겨지거나 바지가 체인에 말려 들어갈 위험이 없다.

샤프트

● **동력** | 움직일 動, 힘 力 | 전기 또는 자연에 있는 에너지를 쓰기 위하여 기계적인 에너지로 바꾼 것.

● **구동력** | 몰 驅, 움직일 動, 힘 力 | 동력 기구를 움직이는 힘.

● **증폭** | 더할 增, 폭 幅 | 사물의 범위가 늘어나 커짐. 또는 사물의 범위를 넓혀 크게 함.

● **토크(torque)** | 주어진 회전축을 중심으로 회전시키는 능력.

● **샤프트(shaft)** | 회전 운동이나 직선 왕복 운동으로 동력을 전달하는 둥근 막대 모양의 기계 부품.

1 이 글에 대한 설명으로 가장 적절한 것은?

① 자전거의 변속기에 적용된 과학적 원리를 설명하고 있다.

② 자전거 변속기의 문제점을 제시한 후 해결 방법을 모색하고 있다.

③ 자전거를 이루는 각 장치를 제시한 후 각각의 역할을 보여 주고 있다.

④ 자전거의 변천 과정을 시대 순서로 제시하며 앞으로의 전망을 제시하고 있다.

⑤ 자전거와 다른 이동 수단을 비교하여 자전거의 장점 및 단점을 보여 주고 있다.

시각 자료에 적용하기

2 이 글을 바탕으로 할 때, 〈보기〉를 이해한 내용으로 적절하지 <u>않은</u> 것은?

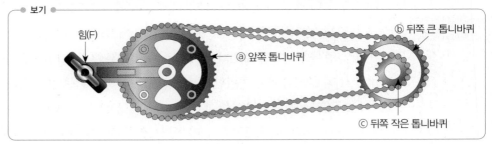

① ⓒ에서 ⓑ로 변속기 기어를 바꾸면 페달을 더 쉽게 굴릴 수 있다.

② ⓑ는 ⓒ보다 크기 때문에 ⓐ에 힘을 가할 경우 발생하는 회전수는 작다.

③ 자전거의 체인이 'ⓐ-ⓒ'에 걸려 있을 때보다 'ⓐ-ⓑ'에 걸려 있을 때 토크가 더 크다.

④ ⓐ의 톱니가 20개이고, ⓒ의 톱니가 10개라면, ⓐ가 한 바퀴 돌 때 ⓒ는 두 바퀴 돈다.

⑤ 동일한 힘으로 페달을 밟을 경우 자전거의 체인이 ⓒ에 걸려 있을 때보다 ⓑ에 걸려 있을 때 자전거의 속도가 더 빠르다.

추론하기

3 ㉠에 대한 설명으로 적절하지 <u>않은</u> 것은?

① 샤프트가 앞뒤 쪽 톱니바퀴와 맞물려 있는 구조이다.

② 페달을 밟을 때 작용한 힘이 샤프트를 통해 뒷바퀴에 전해진다.

③ 샤프트 앞부분의 회전 속도가 샤프트 뒷부분의 회전 속도보다 높다.

④ 앞쪽 톱니바퀴와 맞물린 샤프트가 돌면 뒤쪽 톱니바퀴도 돌게 된다.

⑤ 운행 중에 체인이 벗겨지거나 바지가 체인에 말려 들어갈 위험이 없다.

양장에서 무선철까지, 제책의 발전

🕐 적정 풀이 시간 5분 │ 난이도 ●○○   _2017학년도 9월 고1 학력평가

✎ 문단 요약하기

① (   )이/가 개발되면서 제책 기술의 발달이 요구되었다.

② (   )은/는 책의 내구성을 높이기 위해 표지에 가죽을 씌우거나 나무판을 덧대는 방법이다.

③ 대량 생산이 가능한 제책 기술이 요구되면서 '(   )'와/과 '(   )'(이)라 불리는 중철 방식이 개발되었다.

④ (   )이/가 개발되면서 대부분의 책은 무선철 방식으로 제작되고 있다.

① 종이가 개발되기 전, 인류는 동물의 뼈나 양피지 등에 필요한 정보를 기록해 왔다. 하지만 담긴 정보량에 비해 부피가 방대하였고 그로 인해 보존과 가독에 어려움을 겪었다. 그런데 종이의 개발로 부피가 줄어들면서 종이로 된 책이 주된 기록 매체가 되었고 책의 보존성과 가독성, 휴대성 등을 더욱 높이기 위한 제책 기술의 발달이 요구되었다.

② 서양은 종이 책을 만들기 시작했을 때 제지 기술이 동양에 비해 미숙했고 질 나쁜 종이로 책을 제작해야 했기에 책의 내구성을 높이기 위한 기술이 필요했다. 그래서 표지에 가죽을 씌우거나 나무판을 덧대는 방법을 개발했는데 이를 양장(洋裝)이라 한다. 양장은 내지 묶기와 표지 제작을 따로 한 후에 합치는 방법이다. 내지는 실매기 방식을 활용해 실로 단단히 묶고, 표지는 판지에 천이나 가죽 등의 마감 재료를 접착하여 만든다. 표지와 내지를 결합할 때는 책등과 결합되는 내지 부분에 접착제를 발라 책등에 붙인다. 또한 내지보다 두껍고 질긴 종이인 면지를 표지와 내지 사이에 접착제로 붙여 이어 줌으로써 책의 내구성을 높인다. 표지 부착 후에는 가열한 쇠막대로 앞뒤 표지의 책등 쪽 가까운 부분을 눌러 홈을 만들어 책의 펼침성이 좋도록 한다.

③ 18세기 말에 유럽은 산업 혁명으로 인쇄가 기계화되면서 대량 생산을 위한 기반이 갖추어지고, 경제의 발전으로 일부 계층에만 국한됐던 독서 인구가 확대되어 제책 기술도 대량 생산이 가능한 방식으로 발전해야 했다. 이를 위해 간편하게 철사를 사용해 매는 제책 기술이 개발되었는데 처음에는 '옆매기'라 불리는 기술을 사용하였다. 그러나 옆매기는 책장 넘김이 용이하지 않아 '가운데매기'라 불리는 중철(中綴)이 주된 방식으로 자리 잡았다. 중철은 인쇄지를 포개 놓고 책장이 접히는 한가운데 부분을 ㄷ자형 철침을 이용해 매었는데, 보통 2개의 철침으로 표지와 내지를 고정하지만 표지나 내지가 한가운데서부터 떨어지는 경우가 잦아 철침을 4개로 박기도 하였다. 중철은 광고지, 팸플릿 등 오랜 보관이 필요 없거나 분량이 적은 인쇄물에 사용해 왔으며, 중철된 책은 쉽게 펼치거나 넘길 수 있고 두루마리처럼 말아서 간편하게 휴대할 수도 있다.

④ 20세기 중반에는 화학 접착제가 개발되며 무선철(無線綴)이라는 제책 기술이 등장했다. 이름처럼 실이나 철사 없이 화학 접착제만으로 책을 묶는 방식이다. 이 방법은 자동화가 가능해 대량 생산에 더욱 적합했고, 생산 단가가 낮아지면서 판매 가격을 낮출 수 있어 책의 대중화에 기여했다. 그리고 1990년대에는 습기경화형 우레탄 핫멜트가 개발되면서 개발 초보다 내구성이 더욱 강화된 책을 만들게 되었다. 무선철 기술은 지금도 계속 보완, 발전하고 있으며 그로 인해 오늘날 대부분의 책은 무선철 방식으로 제작되고 있다.

● 제책 │ 만들 製, 책 冊 │ 낱장으로 되어 있는 원고나 화고, 인쇄물, 백지 따위를 차례에 따라 실이나 철사로 매고 표지를 붙여 한 권의 책으로 꾸미는 일.
● 내구성 │ 견딜 耐, 오랠 久, 성질 性 │ 물질이 원래의 상태에서 변질되거나 변형됨이 없이 오래 견디는 성질.
● 책등 │ 책 冊 │ 책을 매어 놓은 쪽의 겉으로 드러난 부분.
● 면지 │ 쪽 面, 종이 紙 │ 책의 앞뒤 표지 안쪽에 있는 지면.
● 국한되다 │ 판 局, 한계 限 │ 범위가 일정한 부분에 한정되다.

세부 정보 이해하기

1 이 글을 통해 확인할 수 있는 내용이 <u>아닌</u> 것은?

① 제책 기술의 등장 배경

② 제책 기술의 발전 과정

③ 철사를 이용한 제책 기술의 종류

④ 무선철 방식의 제책 기술의 장단점

⑤ 산업 혁명이 제책 기술에 끼친 영향

시각 자료에 적용하기

2 〈보기〉는 양장 에 따라 제작한 책의 단면이다. ㉠~㉤에 대한 설명으로 적절하지 <u>않은</u> 것은?

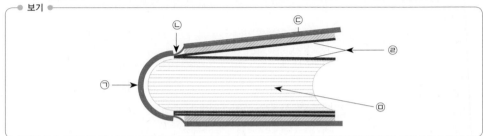

① ㉠은 접착제를 활용하여 ㉤과 결합되도록 하였다.

② ㉡은 가열한 쇠막대로 눌러 펼침성을 향상시켰다.

③ ㉢은 따로 제작한 뒤 실매기를 통해 ㉣과 결합시켰다.

④ ㉣은 ㉤보다 튼튼한 종이를 사용해 책의 내구성을 높였다.

⑤ ㉤은 실로 묶은 후 ㉣을 활용하여 ㉢과 결합시켰다.

구체적 사례에 적용하기

3 〈보기〉는 문집 제작을 위해 제책 회사에 전달한 요구 사항이다. 이 글과 〈보기〉를 고려할 때, 제책 회사가 제시할 의견으로 가장 적절한 것은?

> ● 보기 ●
>
> 올해 문집 제작을 위한 요구 사항을 말씀드립니다. 작년에 제작된 문집은 간편하게 말아서 휴대가 가능했지만 표지의 한가운데가 떨어지는 문제가 있었습니다. 이에 대한 보완이 필요하며 올해는 분량이 100쪽 이상 증가한 점과 학생들이 오래도록 문집을 보관하고 싶어 하는 점을 고려해 주시기 바랍니다. 또한 문집 제작 비용을 절감하는 방향으로 제안서를 보내 주시기 바랍니다.

① 표지가 쉽게 떨어지지 않게 철침으로 옆을 묶겠습니다.

② 분량이 증가한 점을 고려하여 내지와 표지를 별도로 제작한 후 묶겠습니다.

③ 표지와 내지의 결합력을 높이기 위해 철침을 2개에서 4개로 늘려 묶겠습니다.

④ 오래도록 보관할 수 있게 실매기를 한 후 튼튼한 면지를 접착제로 붙이겠습니다.

⑤ 책의 단가를 낮추고 내구성을 높이기 위해 성능이 좋은 화학 접착제를 사용하여 묶겠습니다.

존 케이지와 우연성 음악

⏱ 적정 풀이 시간 6분 | 난이도 ●○○

① "모든 소리는 음악이며 모든 행위는 음악이다."라는 말을 한 존 케이지는 과거의 음악 상식으로는 이해하기 힘든 음악을 창작한 예술가였다. 1938년 그는 발레의 반주 음악을 작곡하며 ㉠'프리페어드 피아노(prepared piano)'를 발명했다. 그는 나사못, 볼트, 종이, 지우개 등을 피아노 현 사이에 넣거나 피아노 해머에 부착해, 거의 들리지 않을 정도로 작은 소리가 나는 피아노를 만들었다. 케이지는 건반을 눌러 현에 끼웠던 나사못 같은 것들이 다른 현에 부딪히는 소리 역시 음악이라고 생각했던 것이다. 그의 이런 생각은 일반인에게는 잘 이해가 되지 않았지만, 음향의 모든 세계를 노출했다는 점에서 음악계로부터 획기적이라는 평가를 받았다.

② 1950년대 들어 케이지는 불확정성 음악과 기보법을 시도했다. 그가 1958년 발표한 ㉡〈피아노와 오케스트라를 위한 콘서트〉는 84종의 서로 다른 기보법으로 씌어 있었다. 오케스트라 연주자는, 단음의 음표가 널려 있고 나사못, 볼트, 지우개 등의 이름이 마치 재고 목록처럼 적힌 악보 가운데 마음에 드는 것을 임의로 골라 연주하도록 되어 있었다. 지휘자는 오케스트라의 리더가 아니라 시곗바늘처럼 팔을 돌려 시간을 지시하는 역할만 했을 뿐이었다. 이처럼 똑같이 되풀이되지 않고 우연에 의존해 연주하는 음악을 '우연성 음악'이라고 한다.

③ 케이지가 공연한 음악회 중에서 가장 '걸작'은 1952년 매사추세츠주에서 열린 '하버드 스퀘어'라고 명명한 이벤트였다. 그는 하버드 스퀘어 중앙에 피아노를 설치했다. 굉장한 야외 연주가 있는 줄 알고 사람들이 모여들자, 케이지는 스톱워치로 시간을 재기 시작했다. 그는 피아노 뚜껑은 열었지만 건반에는 손도 대지 않았다. 군중은 연주가 시작되길 기다렸는데, 시간이 지나자 그는 뚜껑을 닫고 의자에서 일어나 인사를 하며 연주의 끝을 알렸다.

④ 그 순간 군중 속에서 야유와 박수가 동시에 터져 나왔다. 도대체 무엇이 연주되었다는 말인가? 케이지의 해설에 의하면 피아노 뚜껑이 열리고 스톱워치로 시간을 재는 동안 그곳을 지나가는 자동차 소리, 행인의 소리, 발자국 소리 등 주위의 모든 소리가 곧 연주였다는 것이다. 과거에는 사람들이 그를 이상한 사람으로 여겼지만 의외로 청중은 그의 행위를 너그럽게 받아들였다. 케이지의 '침묵의 연주'에 소요된 시간은 4분 33초였으며, 그래서 ㉢〈4분 33초〉라는 제목이 붙었다.

⑤ 이 밖에도 '우연성 음악'에는 어항 곁면 유리에 오선과 높은음자리표를 그려 놓고 오선 부근에서 헤엄치는 금붕어의 움직임을 보고 연주자가 마음에 떠오르는 소리를 연주하도록 하는 것도 있었다. 이처럼 '우연성 음악'은 과거에는 볼 수 없었던 새로운 음악의 세계를 열었으며 그 중심에는 존 케이지가 있었다.

1 이 글의 제목으로 가장 적절한 것은?

① 존 케이지가 우연히 발견한 '우연성 음악'의 세계

② 새로운 음악을 시도했던 존 케이지의 창의성과 한계

③ 존 케이지의 새로운 음악 공연과 청중들의 이중적 태도

④ '우연성 음악'이라는 새로운 음악의 세계를 연 존 케이지

⑤ 기존 음악과의 상생을 추구한 '우연성 음악'의 천재, 존 케이지

2 이 글의 내용 전개 방식에 대한 설명으로 가장 적절한 것은?

① 대상의 특성이 드러나는 구체적 사례를 제시하고 있다.

② 대상의 구성 요소와 각각의 기능에 대해 설명하고 있다.

③ 대상의 구체적인 종류를 분류의 방식으로 소개하고 있다.

④ 대상이 변화하는 과정을 시간 순서에 따라 서술하고 있다.

⑤ 대상에 대한 상반된 견해를 제시한 후 이를 절충하고 있다.

구체적 사례에 적용하기 **3** 〈보기〉를 바탕으로 할 때, ㉠~㉢에 대해 보인 반응으로 적절하지 않은 것은?

> ● 보기 ●
>
> 존 케이지는 클래식 음악을 배우며 악보대로 연주하는 것을 지겨워했다. 그리고 세계적인 음악가 쇤베르크에게 음악을 배웠지만, 이때도 틀에 박힌 이론과 체계가 자신을 가두고 있다며 답답함을 느꼈다. 그리하여 그는 다양한 음향 실험을 통해 음악을 오선 악보와 정해진 악기 소리로부터 탈출시켜야 한다고 생각했다. 그는 우리가 하는 모든 것이 음악이며, 어떤 소리도 음악이 될 수 있다고 생각하고 일상의 다양한 소리를 과감하게 사용하고, 정해진 악보를 연주하는 것이 아니라 불확정적인 음향의 실현도 음악이 될 수 있다는 것을 밝히며 음악의 세계를 새롭게 확장하였다.

① ㉠은 정해진 악기의 소리만을 음악이라고 인식하는 기존의 생각에서 벗어나려는 시도라고 볼 수 있겠군.

② ㉡은 정해진 악보에 기록된 음만을 틀에 맞추어 반복적으로 연주하는 것에서 벗어나려는 시도라고 볼 수 있겠군.

③ ㉢을 들은 군중 가운데 일부가 야유를 한 것은 기존의 음악적 관념에 따라 공연을 평가했기 때문이겠군.

④ ㉠의 나사못이 현에 부딪히는 소리, ㉢의 자동차 소리 등은 기존의 관점으로는 음악의 세계에 편입시킬 수 없는 소리였겠군.

⑤ ㉡과 ㉢은 군중들이 음악에 대해 어떠한 반응을 보일지 알 수 없다는 점에서 불확정적인 우연성 음악이라고 볼 수 있겠군.

예술 10 엑스레이 아트

⏱ 적정 풀이 시간 6분 ㅣ 난이도 ●●○

_ 2019학년도 3월 고1 학력평가

✐ 문단 요약하기

① (　　　　　　　)은/는 엑스레이 사진을 활용하여 만든 예술 작품이다.

② 엑스레이 아트의 거장인 닉 베세이는 (　　　　　)을/를 활용하여 오브제 (　　　　)에 주목한 작품을 만들었다.

③ 작품의 창작 의도를 구현하기 위해서는 (　　　　)의 특성을 고려하여 촬영해야 한다.

④ 촬영한 엑스레이 사진은 컴퓨터 (　　　　) 작업을 거친다.

⑤ 엑스레이 아트는 발상의 전환으로 (　　　　)의 외연을 넓히는 데 기여하였다.

① 　최근 예술 분야에서는 과학 기술을 이용하여 새로운 장르를 개척하려는 시도가 이루어지고 있다. 이러한 배경을 바탕으로 등장한 예술의 하나가 바로 ㉠'엑스레이 아트(X-ray Art)'이다. 엑스레이 아트는 엑스레이 사진을 활용하여 만든 예술 작품을 의미한다.

② 　엑스레이 아트의 거장인 닉 베세이는 엑스레이를 활용하여 오브제 내부에 주목한 작품을 만들었다. 그는 〈튤립〉이라는 작품을 통해 꽃봉오리에 감추어진 암술과 수술을 드러냄으로써, 꽃의 보이지 않는 내부의 아름다움을 탐색하였다. 또한 〈셀피〉라는 작품을 통해 현대 사회의 외모 지상주의를 비판하기도 했다. 이 작품은 자기 얼굴을 찍는 사람의 모습을 엑스레이로 촬영한 것으로, 엑스레이로 인체를 촬영할 경우 외양이 드러나지 않는 점을 이용하여 창작 의도를 나타낸 것이다.

③ 　엑스레이 아트의 창작 의도를 구현하기 위해서는 오브제의 특성을 고려해야 한다. 이는 오브제의 재질과 두께에 따라 엑스레이의 투과율이 달라지기 때문이다. 이러한 이유로 엑스레이 아트에서는 엑스레이가 투과되지 않는 물질이 포함된 오브제를 배제하기도 하고, 역으로 이를 활용하기도 한다. 촬영을 할 때에는 오브제의 두께에 따라 엑스레이의 강도와 오브제에 엑스레이가 투과되는 시간을 조절해야 의도하는 명도의 사진을 얻을 수 있다. 또한 오브제와 근접한 거리에서 촬영해야 하는 엑스레이의 특성상, 가로 35cm, 세로 43cm인 엑스레이 필름의 크기보다 오브제가 클 경우 오브제를 여러 부분으로 나누어서 촬영한다. 한편 작품 창작 의도를 구현하는 데 오브제의 모든 구성 요소가 필요하지 않다면 오브제의 일부 구성 요소만 선택하여 창작 의도를 드러낼 수도 있다. 그리고 오브제가 겹쳐 있을 경우, 창작 의도와 다른 사진이 나올 수 있으므로 이를 고려하여 오브제를 적절하게 배치하고 촬영 각도를 결정한다.

④ 　이렇게 촬영한 엑스레이 사진은 컴퓨터 그래픽 작업을 거치는데, 창작 의도를 드러내기 위해 여러 장의 사진을 합성하기도 한다. 특히 항공기 동체와 같이 크기가 큰 대상을 오브제로 삼아 여러 날에 걸쳐 촬영할 경우, 촬영할 당시의 기온, 습도 등의 영향으로 각각의 사진들마다 명도가 다르게 나타날 수 있다. 그러므로 그래픽 작업을 통해 사진들의 명도를 보정한 뒤, 이 사진들을 퍼즐처럼 맞추어 하나의 사진으로 합성하여 작품을 완성한다.

⑤ 　엑스레이는 대상의 골격이나 구조를 노출하는 기술이라는 점에서 차가운 느낌을 주기도 한다. 하지만 이를 활용한 엑스레이 아트는 발상의 전환을 통해 감상자들에게 기존의 예술 작품과는 다른 미적 감수성을 불러일으킨다는 점에서 현대 예술의 외연을 넓히는 데 기여하였다는 평가를 받고 있다.

● **오브제(objet)** ㅣ 일상 용품이나 물건을 본래의 용도로 쓰지 않고 예술 작품에 사용하는 기법. 또는 그 물체.

● **구현하다** ㅣ 갖출 具, 나타날 現 ㅣ 어떤 내용을 구체적인 사실로 나타나게 하다.

● **동체** ㅣ 몸통 胴, 몸 體 ㅣ 항공기의 날개와 꼬리를 제외한 중심 부분.

● **외연** ㅣ 바깥 外, 끌 延 ㅣ 일정한 개념이 적용되는 사물의 전 범위.

1 이 글에 사용된 설명 방법으로 가장 적절한 것은?

① 엑스레이 아트의 발전 양상을 소개하고 있다.

② 전문가의 평을 근거로 엑스레이 아트의 예술성을 비판하고 있다.

③ 엑스레이 아트 작품을 작가의 창작 의도와 연관 지어 서술하고 있다.

④ 엑스레이 아트라는 새로운 예술 분야를 문답 형식으로 설명하고 있다.

⑤ 엑스레이 아트의 창작 방법과 다른 예술 분야의 창작 방법을 비교하고 있다.

구체적 사례에 적용하기 **2** 이 글을 바탕으로 할 때, 〈보기〉의 작품에 대해 보인 반응으로 적절하지 <u>않은</u> 것은?

> ● 보기 ●
>
> 〈버스〉는 실제 버스와 사람을 오브제로 삼아, 이를 여러 날에 걸쳐 각각 촬영한 뒤 합성한 엑스레이 아트이다. 작가는 작품의 창작 의도를 구현하는 데 필요한 바퀴나 차체 등의 일부 구성 요소들만 선택하였다. 그리고 버스의 측면이 보이도록 촬영하여 버스에 타고 있는 사람들의 여러 가지 자세와 인체 골격의 다양한 모습을 드러내고 있다.
>
>
>
> ▲ 닉 베세이, 〈버스〉

① 엑스레이 필름보다 큰 실제 크기의 오브제를 선정하였기 때문에 촬영한 여러 장의 사진을 합성한 것이겠군.

② 작품이 한 번에 촬영한 사진처럼 보이는 것은 컴퓨터 그래픽 작업을 통해 각 사진의 명도를 보정한 결과이겠군.

③ 버스의 측면이 보이도록 촬영한 것은 촬영 각도에 따라 엑스레이가 투과되지 않는 효과를 이용하기 위한 것이겠군.

④ 바퀴나 차체 등의 일부 구성 요소만 선택한 것에는 필요하지 않은 부분을 배제하려는 작가의 의도가 반영된 것이겠군.

⑤ 물체를 투과하는 엑스레이를 이용한 것은 일상적 시선으로는 볼 수 없는 인체 골격의 모습을 보여 주려는 의도였겠군.

3 ㉠의 의의로 가장 적절한 것은?

① 오브제를 찍은 사진에 의도적인 변형을 가하여 오브제의 실체를 감추는 예술이다.

② 실존하지 않는 대상을 그래픽 작업으로 만들어 사회의 병폐를 풍자하는 예술이다.

③ 인체나 사물의 외양을 있는 그대로 드러냄으로써 아름다움의 의미를 구현하는 예술이다.

④ 눈에 보이지 않을 만큼 작은 오브제를 가시화하여 대상의 본질에 대해 탐색하는 예술이다.

⑤ 겉으로 드러나지 않는 오브제의 내부를 의도적으로 보여 주어 예술의 영역을 확장한 예술이다.

경국대전과 유교 국가 조선의 덕치

🕐 적정 풀이 시간 6분 | 난이도 ●●○   _2015학년도 9월 고1 학력평가

✎ 문단 요약하기

① 서양인들은 동양의 유교 사회를 근대적인 (   )이/가 부재한 사회로 판단하였다.

② (   )은/는 조선이 법에 의해 안정적으로 운영되는 데 큰 역할을 하였다.

③ 경국대전의 내용을 볼 때 조선은 (   )을/를 수단으로 백성을 (   )(으)로 다스리려는 목적을 이루고자 한 것이라 볼 수 있다.

④ 경국대전은 지배층의 잘못을 벌하고 피지배층을 고려한 법으로 (   )의 정신이 반영되었다.

⑤ 조선은 (   )을/를 지닌 법으로 운영된 사회였다.

① 프랑스의 법률가 몽테스키외는 동양의 유교 사회를 '법이 아닌 도덕에 의해 다스려지는 사회'라고 말했다. 동양의 유교 사회를 근대적인 법이 부재하고 백성들에게 도덕만을 강조하는, 합리성이 결여된 사회로 판단한 것이다. 그렇다면 유교를 통치 이념으로 삼았던 조선도 그러한 사회였을까? 이 질문에 대한 답은 조선 시대의 법전인 《경국대전》에서 찾을 수 있다.

② 서양인들이 동양의 유교 사회에 근대적인 법이 부재한다고 판단한 근거 중 첫 번째는 법적 안정성이 떨어진다는 것이다. 경국대전이 편찬되기 전까지 조선은 왕이 바뀔 때마다 기존의 법전에 왕의 명령을 덧붙이는 방식으로 법전을 새로 편찬했다. 이로 인해 법 조항 사이에 통일성이 없어졌고 결국 안정적인 법 집행이 어려운 지경에까지 이르렀다. 이에 세조는 기존 법전과 왕들의 명령을 통일성 있게 정리해 나감과 동시에 우리 고유의 관습법을 반영하여 법 조항을 상세히 기록해 나갔다. 시대가 변하더라도 크게 바꿀 필요가 없는 법을 만들겠다는 편찬 의도대로 경국대전은 조선이 왕의 절대적인 권한을 용인하지 않고 법에 의해 안정적으로 운영되는 데 그 역할을 다했다.

③ 서양인들의 두 번째 판단 근거는 유교 사회의 법은 합목적성을 갖추고 있지 않다는 것이다. 경국대전 편찬에 참여한 학자 최항은 '사람은 욕망이 싹트면서 선한 바탕을 잃어버린다. 그래서 덕치를 이상으로 하되, 현실에서는 법을 수단으로 삼아야 한다.'고 말했다. 백성들을 옥죄어 오로지 상벌로만 다스리는 것은 유교의 이상에 부합하지 않는다고 생각하고 법이 덕치라는 이상을 위한 수단으로 사용되어야 한다는 것이다. 이에 따라 경국대전에는 사형을 집행할 때에는 세 차례에 걸쳐 상황을 참작할 자료가 있는지 조사하고 충분한 논의 후 형량을 조정하여 왕이 최종적인 판결을 내려야 한다는 '삼복 제도'가 명시되어 있다. 이는 법으로써 죄인을 처벌하는 데에만 목적을 두지 않고 법을 수단으로 하여 백성을 덕으로 다스리려는 목적을 이루고자 한 것이라 볼 수 있다.

④ 서양인들의 마지막 판단 근거는 법에 평등의 정신이 반영되어 있지 않다는 것이다. 철저한 신분제 사회 속에서 편찬되었음에도 불구하고 경국대전의 전체 처벌 규정 가운데 45%는 부패한 관리들에 대한 처벌 규정이다. 이는 지배층이라 해도 유교 이념에 어긋난 행동을 하면 처벌을 받아야 한다는 인식에서 비롯된 것으로 고려 말 지배층의 부정부패로 인한 혼란을 겪으며 얻은 교훈의 결과였다. 더불어 세금을 거두는 기준을 명확하게 제시하여 합리적으로 세금을 징수하도록 하고, 출산을 앞둔 관노비에게 80일간의 휴가를 주는 등 사회 복지적인 성격을 지닌 조항도 만들어 피지배층을 고려한 법을 만들기 위한 노력을 기울였다.

⑤ 이상의 내용을 통해 우리는 (㉠   ) 더불어 지배층의 모범을 강조하면서 현실적인 법을 통해 궁극적으로 덕치를 추구한 조선의 왕과 관리들의 노력 또한 확인할 수 있다.

● 결여되다 | 모자랄 缺, 같을 如 | 마땅히 있어야 할 것이 빠져서 없거나 모자라다.

● 합목적성 | 합할 合, 눈 目, 과녁 的, 성질 性 | 목적을 실현하는 데에 적합한 성질.

● 부합하다 | 부신 符, 합할 合 | 사물이나 현상이 서로 꼭 들어맞다.

● 참작하다 | 헤아릴 參, 헤아릴 酌 | 이리저리 비추어 보아서 알맞게 고려하다.

1

이 글의 내용과 일치하지 <u>않는</u> 것은?

① 경국대전이 편찬되기 전까지 조선 사회는 법적 안정성이 부족했다.

② 경국대전에는 판결의 오류를 줄이기 위한 법률 제도가 포함되었다.

③ 경국대전은 지배층의 부정부패를 엄격하게 처벌하여 법의 평등 정신을 지키고자 하였다.

④ 서양인들은 동양의 유교 사회가 법보다 도덕을 중시하기 때문에 비합리적이라고 판단하였다.

⑤ 조선은 왕이 바뀔 때마다 시대의 흐름을 반영하여 법을 수정하면서 통일된 법을 집행하고자 하였다.

2

이 글의 최항과 〈보기〉의 '한비자'에 대한 설명으로 적절한 것은?

> **보기**
>
> 한비자는 인간은 본래 이기적인 존재이므로 재화가 한정된 상황에서는 다툼이 발생할 수밖에 없다고 보았다. 이때 왕이 덕으로 사람들을 다스리는 것에는 한계가 있으므로 법으로 사람들을 다스릴 수밖에 없으며, 이를 통해 궁극적으로 부국강병을 이룰 수 있다고 주장하였다.

① 최항은 인간이 법으로 인해 선한 바탕을 잃는다고 보았다.

② 한비자는 법으로 인간의 본성을 회복할 수 있다고 보았다.

③ 최항과 한비자는 모두 상과 벌로만 백성을 다스리려 하였다.

④ 최항은 법의 부정적 기능을, 한비자는 긍정적 기능을 강조하였다.

⑤ 최항은 덕치를, 한비자는 부국강병을 위해 법의 필요성을 인정하였다.

3

㉠에 들어갈 내용으로 가장 적절한 것은?

① 조선이 근대성을 지닌 법으로 운영된 사회라는 것을 알 수 있다.

② 조선이 서양보다 체계적인 법이 존재한 사회라는 것을 알 수 있다.

③ 조선이 근대적인 서양의 법을 받아들인 사회라는 것을 알 수 있다.

④ 조선이 유교 사회의 특징이 반영된 법을 편찬한 사회라는 것을 알 수 있다.

⑤ 조선이 법을 통해 신분제 사회의 한계를 극복한 사회라는 것을 알 수 있다.

1 〈보기〉의 글자들을 조합하여 다음 뜻에 해당하는 단어를 만들어 쓰시오.

> ● 보기 ●
> 의 우 단 야 가 중 완 유 군 연 보 장

(1) 한곳에 모인 많은 사람. ➡ (   )

(2) 남을 빈정거려 놀림. 또는 그런 말이나 몸짓. ➡ (   )

(3) 모자라거나 부족한 것을 보충하여 완전하게 함. ➡ (   )

2 다음 문장의 괄호 안에 알맞은 단어와 그 단어의 뜻을 〈보기1〉과 〈보기2〉에서 찾아 쓰시오.

> ● 보기1 ●
> ① 노출   ② 의외   ③ 발상   ④ 골격

> ● 보기2 ●
> ㉠ 겉으로 드러나거나 드러냄.   ㉡ 어떤 생각을 해 냄. 또는 그 생각.
> ㉢ 전혀 생각이나 예상을 하지 못함.   ㉣ 동물의 체형을 이루고 몸을 지탱하는 뼈.

(1) 너 이제 보니까 (   )(으)로 겁이 많은 성격이구나? ➡ (   )

(2) 아직은 적들에게 우리의 정체가 (   )되어서는 안 된다. ➡ (   )

(3) 먼저 공룡의 전체적인 (   )을/를 파악하고 발굴해야 합니다. ➡ (   )

(4) 이번에 새로 나온 책에서는 작가의 독특한 (   )이/가 돋보이네. ➡ (   )

3 다음 괄호 안에 들어갈 단어로 알맞은 것은?

> 어제 나는 친구와 함께 요즘 인기가 많다는 영화를 보러 갔다. 기대가 너무 높아서였을까? 영화를 본 후 나는 좀 실망했다. 영화에 사회의 소외된 사람들을 바라보는 따뜻한 시선이 (   ) 있었기 때문이다.

① 결여되어   ② 국한되어   ③ 명시되어   ④ 전달되어   ⑤ 확대되어

4 다음 밑줄 친 단어와 바꾸어 쓰기에 알맞은 것은?

> 그 재판의 판결은 여러모로 잘못된 점이 많다. 피해자가 처한 상황을 충분히 <u>참작하지</u> 않고 가해자의 입장에 치우쳐 내린 결론이기 때문이다.

① 고려하지   ② 구현하지   ③ 기여하지   ④ 방대하지   ⑤ 용이하지

이야기 더 잇기

엑스레이가 불안하다고? 티레이가 있잖아!

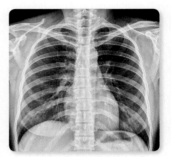
▲ 엑스레이로 촬영한 사진

1895년 독일의 물리학자 뢴트겐이 처음 발견한 이래 엑스레이(X-ray)는 질병의 진단 및 치료, 금속 재료의 내부 검사, 미술품의 감정 등 우리 생활에서 광범위하게 사용되고 있다. 그런데 투과력이 높아 다양한 용도로 쓰이고 있는 엑스레이 사용에 대한 불안도 있다. 방사선을 방출하기 때문에 과다하게 사용할 경우 인체에 좋지 않은 영향을 미칠 수도 있다는 점이다. 임산부의 엑스레이 촬영을 제한하거나 공항 검색대에서 승객에게는 엑스레이를 직접 조사(照射)하지 않는 이유도 이 때문이다.

● 조사하다 | 비칠 照, 쏠 射 | 광선이나 방사선 따위를 쬐다.

그렇다면 인체에 위험할지도 모르는 엑스레이를 대체할 방법은 없는 것일까? 엑스레이의 대안으로 제시되는 것이 바로 '티레이(T-ray)'다. 티레이는 1테라헤르츠(Terahertz)대의 전파를 이용하여 물질 내부의 모습을 보여 주는 기술로, 종이, 나무, 플라스틱, 시멘트 등 대부분의 물체를 투과하지만 물과 금속은 통과하지 못한다. 물질 내부의 정밀한 모습을 보여 준다는 점에서는 엑스레이와 비슷하지만, 에너지가 엑스레이의 100만분의 1 정도에 불과해 엑스레이보다 인체에 해를 덜 미치기 때문에 엑스레이의 대안으로 제시되고 있다.

그뿐만 아니라 티레이는 엑스레이보다 사물의 성분을 좀 더 명확하게 파악할 수 있다. 엑스레이는 물질의 경도 차이만을 검출할 수 있지만, 티레이는 물질의 전도도 특성에 따라 비전도성 물질은 잘 투과하고 전도성을 가지는 물질에는 잘 흡수되기 때문에 엑스레이로는 판별하기 어려운 가루 형태의 폭발물이나 플라스틱 흉기 등도 분별해 낼 수 있다. 또한 고체뿐만 아니라 액체의 종류까지 식별할 수 있어, 인체에 무해하다는 특성과 더해져 위험물 탐지 등 보안 분야에서 주목받고 있다.

티레이의 독특한 특성을 이용한 기술은 보안, 의료, 환경 기술에 이르기까지 그 응용 분야를 넓혀 나가고 있으며, 엑스레이 영역의 상당 부분을 대체할 것으로 예상된다.

경쟁은 발전을 가져올까?

인류가 사회를 이루고 살아온 역사와 함께 경쟁도 시작되었다. 그러나 사회가 발전하고 복잡해질수록 경쟁의 부작용과 문제점들도 심각해지고 있다. 이러한 현상이 경쟁 자체의 문제가 아니라고 보는 사람도 있는 반면, 경쟁의 효과와 필요성에 의문을 제기하는 사람들도 있다. 과연 경쟁은 사회 발전을 위해 불가피한 것일까?

찬성

경쟁은 발전을 가져온다.

사람들은 경쟁을 통해 자신의 실력을 인식하고 스스로를 더욱 향상시키려는 동기를 얻기 때문에 경쟁은 개인과 사회가 발전하는 원동력이 될 수 있다. 예를 들어 운동선수들은 서로 우위를 겨루는 과정에서 각자의 능력을 극대화하게 된다. 또한 기술 개발을 둘러싼 기업들의 경쟁은 점점 더 우수한 제품의 개발로 이어져 사회 전체의 변화와 발전을 촉진한다.

과도한 경쟁으로 인해 문제가 발생할 수는 있지만 그것이 경쟁 자체의 문제는 아니며, 경쟁을 없애는 것이 해결책이 될 수도 없다. 사유 재산을 인정하지 않고 철저히 국가의 계획에 따라 경제 활동이 이루어졌던 공산주의 사회에서, 사람들은 노력한 만큼의 결과를 얻을 수 없었기 때문에 경쟁하려 하지 않았다. 결과적으로 사회 전체의 생산성이 하락하였고, 공산주의는 몰락하였다. 이를 통해 우리는 자유로운 경쟁이 발전을 위해 불가피한 요소라는 것을 분명히 알 수 있다.

반대

경쟁은 발전을 가져오지 않는다.

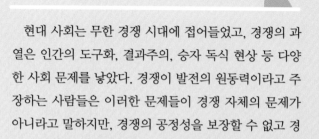

현대 사회는 무한 경쟁 시대에 접어들었고, 경쟁의 과열은 인간의 도구화, 결과주의, 승자 독식 현상 등 다양한 사회 문제를 낳았다. 경쟁이 발전의 원동력이라고 주장하는 사람들은 이러한 문제들이 경쟁 자체의 문제가 아니라고 말하지만, 경쟁의 공정성을 보장할 수 없고 경쟁의 과열을 막을 수 없는 한 경쟁의 폐해는 날로 심화될 것이다.

또한 경쟁이 정말로 발전을 가져오는지에 대해서도 생각해 볼 필요가 있다. 정보화 사회가 고도화되고 복잡해질수록 협력 사회는 경쟁 사회보다 더 큰 발전 가능성을 보인다. 우선 경쟁의 압박감을 덜어낼 수 있으므로 사회 구성원들의 행복도가 증대된다. 또한 개인들이 협력적인 분위기에서 각자의 능력을 마음껏 발휘하는 환경이 마련된다면 사회 전체의 생산성도 극대화될 것이다. 최근 첨단 산업 분야에서 폐쇄적인 경쟁을 고집하는 기업은 도태되고, 개방된 플랫폼을 공유하는 기업들이 성장하고 있다는 사실은 경쟁이 아닌 협동의 가치를 확인시켜 준다.

나의 생각은?

나는 경쟁이 발전을 가져온다는 생각에 (찬성한다 , 반대한다).

왜냐하면 _____

_____

_____

2회

인문
01 자연에 대한 인간의 의무 _62
02 조선 전기 사회의 신분 구조 ★ _64

사회
03 농산물 가격은 왜 폭등과 폭락을 거듭할까 _66
04 물건을 산 뒤 광고를 찾아보는 이유 ★ _68

과학
05 모래가 담긴 물을 휘저으면 일어나는 일 _70
06 세균을 잡아먹는 바이러스, 박테리오파지 ★ _72

어휘 더 쌓기 ┃ 이야기 더 잇기 _74

기술
07 컴퓨터를 진단하는 명령어, 핑 _76
08 지구 온난화의 현실적 대안, CCS 기술 ★ _78

예술
09 2차원에서 3차원을 표현하는 방법 _80
10 가우디의 건축물 ★ _82

통합
11 선조들이 선택한 지붕 곡면, 사이클로이드_84

어휘 더 쌓기 ┃ 이야기 더 잇기 _86
비판적 사고력 키우기 [찬성 vs 반대] _88

인문 01 자연에 대한 인간의 의무

🕐 적정 풀이 시간 6분 | 난이도 ●●○

✏️ 문단 요약하기

① 인간은 (   )을/를 소유물로 여기며 함부로 대해 왔다.

② 생태계의 모든 존재가 동등한 (   ) 지위를 누릴 수 있어야 한다.

③ 생태계의 모든 요소들은 순환을 통해 (   )(으)로 공동체를 조화롭고 안정되게 유지한다.

④ 생명 공동체의 (   )에 인간이 개입하는 것은 공동체 전체의 파괴로 이어질 수 있다.

---

① 레오폴드의 글 〈대지 윤리(The Land Ethic)〉는 오디세우스의 이야기로 시작된다. 트로이 전쟁에서 돌아온 오디세우스는 그가 없는 동안 잘못을 저질렀다고 의심되는 12명의 여자 노예를 아무런 재판 절차 없이 교수형에 처한다. 당시 노예는 소유주의 재산으로 간주되었기 때문에 아무도 그의 행위를 도덕적으로 문제 삼지 않았다. 그러나 레오폴드는 모든 인간의 도덕적 지위와 권리를 인정하는 오늘날 누군가가 오디세우스와 같은 행위를 한다면 그는 당연히 도덕적 비난과 처벌을 받을 것이라고 지적했다. 그러면서 현재 우리가 대지와 자연을 마치 오디세우스가 노예들을 대한 것과 동일한 태도로 대한다고 비판했다. 우리는 땅을 소유물로만 간주하여 땅에 대한 특권만 누릴 뿐 땅에 대한 어떤 의무도 없다고 여긴다는 것이다.

② 레오폴드에 따르면 땅은 얼마든지 건강할 수도, 아플 수도 있고 심지어 죽을 수도 있는 유기적 존재이다. 또한 땅을 단순히 흙이 아니라 토양, 식물, 동물이라는 회로를 통해 흐르는 에너지의 원천이다. 레오폴드는 이미 몇몇 동물들은 생명권을 인정받는 지위를 얻었음을 지적하면서 동물뿐 아니라 식물, 대지, 강을 포함한 생태계 전체에 이를 확대 적용해야 한다고 주장한다. 즉 도덕적 지위는 인간이나 몇몇 동물만이 누리는 것이 아니라 대지와 그것을 기반으로 살아가는 모든 생물체가 공동으로 소유한다는 것이다.

③ 이렇게 도덕적 사고의 대상을 생태계로 확대한 레오폴드는 '떡갈나무의 일생'을 예로 들어 생태계의 순환을 설명하며 생태계를 이루는 모든 요소들이 동등한 지위를 가지고 있음을 역설한다. 여름에 벼락을 맞아 떡갈나무 한 그루가 죽음을 맞이했다. 이 나무의 일부는 말려진 후 장작으로 사용되며 나머지는 그 자리에서 썩어서 흙으로 돌아간다. 장작도 결국 불탄 후 재가 되고, 재는 퇴비가 되어 대지로 돌아간다. 이것이 다시 식물의 양분으로 쓰여 빨간 사과가 되어 나타나거나, 혹은 열심히 도토리를 심는 다람쥐 덕택에 다시 떡갈나무가 되어 나타날 수도 있다. 이 과정에서 잘 드러나듯이 떡갈나무는 살아 있을 때는 물론 죽은 후에도 생명 공동체를 조화롭고 안정되게 유지하는 큰 역할을 한다. 이처럼 생명 공동체를 구성하는 모든 요소들은 생태계 안에서 끝없이 순환하며 상호 의존적으로 자신이 맡은 역할을 담당한다.

④ 레오폴드에 따르면 생명 공동체는 먹이사슬, 에너지의 순환 등 나름대로의 질서를 지닌다. 이 질서에 과도하게 간섭하여 이를 파괴하고 특히 인간에게 더욱 유용한 것으로 재편하려는 모든 시도는 그르며, 무익하고, 인간을 포함한 모든 생명 공동체의 구성원들에게 엄청난 피해를 줄 뿐이다. 생명 공동체의 질서는 나름대로 변화하지만 그 속도가 매우 느리며, 충분한 자기 규제, 자기 조절의 능력을 갖추고 있다. 그런데 이에 대한 인간의 개입 또는 간섭은 항상 급작스럽고 폭력적으로, 무자비하게 발생하기 때문에 생명 공동체의 자기 규제, 자기 조절의 능력을 넘어서고 공동체 전체의 파괴를 일으킨다는 것이 레오폴드의 생각이다.

● **간주되다** | 볼 看, 지을 做 | 상태, 모양, 성질 따위가 그와 같다고 여겨지다.

● **유기적** | 있을 有, 틀 機, 어조사 的 | 생명을 가지며 생활 기능이나 생활력을 갖추고 있는.

● **역설하다** | 힘 力, 말씀 說 | 자기의 뜻을 힘주어 말하다.

1 이 글에 나타난 레오폴드의 주장과 일치하지 <u>않는</u> 것은?

① 땅에도 생명권을 인정받는 지위를 부여해야 한다.

② 생태계를 구성하고 있는 모든 요소는 상호 의존적이다.

③ 인간은 땅에 대한 의무는 소홀히 하고 특권만 누리려 한다.

④ 땅은 유기적 존재이며, 생태계에 있어 에너지의 원천이다.

⑤ 생명 공동체의 자기 조절 능력을 최대로 향상시키는 것이 중요하다.

2 이 글의 내용을 바탕으로 하여 〈보기〉의 사례를 바르게 이해한 것은?

> **보기**
>
> 미국 애리조나주의 카이밥 고원은 옛날부터 사슴 사냥으로 유명했다. 이곳의 사슴 수가 급격히 줄어들자 정부는 사냥을 금지하고, 사슴을 해치는 늑대와 살쾡이 등의 천적을 인위적으로 제거했다. 그 결과 20년의 세월 동안 4,000마리 정도였던 사슴은 10만 마리로 늘어났고, 한정된 초지에서 식량 부족에 시달리던 사슴들은 전체의 40%가 굶어 죽었다. 인간의 개입 때문에 천적이 사라진 환경에서 사슴들은 행복하기는커녕 오히려 비극적인 재앙을 맞이하게 된 것이다.

① 사람들은 카이밥 고원에 대한 의무감을 가지고 천적을 제거했다.

② 사슴의 죽음으로 부족한 식량 문제가 해결되는 순환이 일어났다.

③ 천적이 사라진 후 사슴 수가 늘어나면서 사슴의 지위가 상승했다.

④ 처음에 사슴 수가 급격히 줄어든 것은 자기 조절 과정에 해당한다.

⑤ 인간의 인위적 간섭으로 카이밥 고원의 생명 공동체의 질서가 파괴되었다.

3 이 글을 읽고 난 후의 반응으로 적절하지 <u>않은</u> 것은?

① 우리는 땅이 아프거나 죽을 수도 있는 존재라는 사실을 그동안 간과한 것을 반성해야 해.

② 자연 보호의 필요성을 인식하기 시작했다는 것은 인간이 땅에 대한 의무를 자각한 것으로 볼 수 있지 않을까?

③ 생명 공동체가 지닌 질서를 깨뜨리지 않으면서 개별 구성 요소의 동등한 지위를 인정하고 보장하는 것이 중요한 것이구나.

④ 어떠한 경우라도 나름의 질서를 가진 생명 공동체에 인간이 개입해서 인위적으로 조절하거나 망가뜨리는 일을 해서는 안 돼.

⑤ 생명 공동체 전체의 파괴를 막기 위해서 어쩔 수 없이 뒤따르는 개별 존재의 희생과 피해는 우리 모두가 감수해야 하는 문제야.

조선 전기 사회의 신분 구조

🕐 적정 풀이 시간 6분 | 난이도 ●●○ _2017학년도 6월 고1 학력평가

✏ 문단 요약하기

① 조선 전기 국역 정책의 기본 방향은 (   )을/를 더 많이 확보하는 것이었다.

② 법제적으로 모든 사회 구성원은 (   )와/과 천인으로 나뉘었는데, (   )와/과 권리에서 차등이 있었다.

③ 양인과 천인은 인간의 기본권을 공권력으로 보장받을 수 있는지, (   )이/가 있는지에서 차이가 났다.

④ 실제 사회 구성원은 양반, 중인, (   ), 천민 계층으로 나뉘었으며, (   ) 계층은 다양한 특권을 누렸다.

⑤ 중세의 신분 구조는 법적 규범인 (   )와/과 사회 통념상 구분인 (   )이/가 섞여 있었다.

① 고려 말 중앙 집권 체제의 약화와 왕권의 쇠퇴 속에서 조선 왕조를 세운 신흥 사대부들은 지주층이었기 때문에 노비 노동력이 필요했다. 그러나 이들은 강력한 중앙 집권 체제의 확립을 위해 국역 대상인 양인 계층의 폭을 넓히려 하였다. 따라서 노비가 꼭 있어야 하더라도 되도록 양인을 더 많이 확보하려는 것이 새 왕조가 추구한 국역 정책의 기본 방향이었다.

② 이처럼 국역 대상의 확보를 새 왕조 통치 체제의 발판으로 추구하면서, 법제적으로 모든 사회 구성원을 일단 양인과 천인으로 나누었다. 이들 사이에는 의무와 권리에서 차등이 있었는데 먼저 의무 면에서 양인 남자는 국역인 군역(軍役)과 요역(徭役)의 의무가 있었다. 이에 비해 천인은 군역에서 철저히 배제되었다.

③ 권리 면에서 양인과 천인은 신체와 생명의 보호와 같은 인간의 기본권을 공권력으로 보장받을 수 있는지에서 뚜렷이 차이가 났다. 천인인 노비는 재산으로 보아 매매·상속·양도·증여의 대상이 되었으며, 사는 곳을 옮길 자유가 없었다. 노비와 양인이 싸우면 노비가 한 등급 더 무거운 벌을 받는 것은 양·천 사이의 법적 지위의 차이를 잘 보여 준다. 그보다 권리 면에서 양·천의 가장 분명한 차이는 관직 진출권이 있느냐는 것이었다. 양인 중에도 관직 진출권이 제한된 사람이 적지 않았으나 양인은 일단 관직 진출권이 있었다. ㉠더러 노비가 국가에 큰 공로를 세워 정규 관직인 유품직(流品職)을 받기도 하였으나 이때는 반드시 양인이 되는 종량(從良) 절차를 먼저 밟아야 했다.

④ 그러나 이러한 양·천 구분은 국가의 법적 구분이었지, 실제 사회 구성은 좀 더 복잡했다. 양·천이라는 법적 구분 아래 사회 구성원은 상급 신분층인 양반 계층, 의관·역관과 같은 기술관이나 서얼 등의 중인 계층, 양인 중 수가 가장 많았던 평민 계층, 노비가 주류인 천민 계층으로 나뉘었다. 조선을 양반 관료 사회라고 규정하듯이 양반은 정치·사회·경제 면에서 갖가지 특권과 명예를 독점적으로 누리면서 그 아래인 중인·평민·천민과는 격을 달리했다. 이를 반상(班常)이라는 말로 표현한다. 반상은 곧 신분을 지배자와 피지배자로 나눈 것으로서, 반상의 반(班)에는 중인이 들어가지 않았지만 상(常)에는 평민부터 노비까지 포함되었다. 이러한 구분은 법적 구분과는 달리 사회 통념상으로 최고 신분인 양반의 지배자적 위치를 돋보이게 하려는 의식에서 생겼다고 하겠다.

⑤ 이처럼 국가 차원의 법적 규범인 양천제와 당시 실제 계급 관계를 반영한 사회 통념상 구분인 반상제가 서로 섞여 중세의 신분 구조를 이루었다. 중세 사회가 발전하면서 신분 구조는 양천제라는 법제적 틀에서 차츰 사회 통념상의 신분 규범이 규정 요소로 확고히 자리 잡는 방향으로 변화했다. 이는 지주제의 확대와 발전, 그리고 조선 사회의 안정과 변동을 나타내는 것이기도 하였다.

● **국역** ‖ 나라 國, 부릴 役 ‖ 나라에서 백성들에게 지우던 부역.

● **차등** ‖ 어그러질 差, 같을 等 ‖ 고르거나 가지런하지 않고 차별이 있음. 또는 그렇게 대함.

● **요역** ‖ 부역 徭, 부릴 役 ‖ 나라에서 16세 이상 60세 미만의 남자에게 관아의 임무 대신 시키던 노동.

● **양도** ‖ 넘겨줄 讓, 건널 渡 ‖ 권리나 재산, 법률에서의 지위 따위를 남에게 넘겨줌. 또는 그런 일.

● **통념** ‖ 통할 通, 생각할 念 ‖ 일반적으로 널리 통하는 개념.

세부 정보 이해하기

1 이 글을 통해 알 수 있는 내용으로 적절하지 <u>않은</u> 것은?

① 중인은 반상제에서 '반'에 포함되지 않았다.

② 양인 가운데 평민층의 수가 양반층의 수보다 더 많았다.

③ 조선 시대 사회 구성원은 사회 통념상 네 계층으로 나뉘었다.

④ 지주제의 확대와 발전은 양천제에서 반상제로의 변화와 관련이 있었다.

⑤ 조선의 국역 정책은 노동력 확보를 위해 노비의 수를 최대한 늘리는 것을 우선시하였다.

추론하기

2 ㉠의 이유로 가장 적절한 것은?

① 상급 신분층인 양반 계층의 지배자적 지위를 돋보이게 하려는 의식 때문에

② 사회 통념상의 신분 규범이 규정 요소로 확고히 자리 잡도록 의도했기 때문에

③ 양인과 천인 사이의 법적 지위와 권리의 차이를 뚜렷이 구분하려 했기 때문에

④ 신체와 생명의 보호와 같은 인간의 기본권을 양인도 보장받을 수 있도록 했기 때문에

⑤ 국가 차원의 법적 규범인 양천제의 문제점을 해결하여 사회를 안정시키려 했기 때문에

추론하기

3 '채수'의 견해를 이 글과 관련지어 이해한 내용으로 가장 적절한 것은?

● **전지**ㅣ전할 傳, 뜻 旨ㅣ상벌 (賞罰)에 관한 임금의 명 (命)을 그 맡은 관아에 전달 하던 일.

> 사헌부 대사헌 **채수**가 아뢰었다. "어제 전지를 보니 역관, 의관을 권장하고 장려하고자 능통하고 재주가 있는 자는 동서 양반에 발탁하여 쓰라고 특별히 명령하셨다니 듣고 놀랐습니다. 무릇 벼슬에는 높고 낮은 것이 있고 직책에는 가볍고 무거운 것이 있습니다. 의관, 역관은 사대부 반열에 낄 수 없습니다. 의관, 역관 무리는 모두 미천한 계급 출신으로 사족(士族)이 아닙니다." - 《성종실록(成宗實錄)》-

① 벼슬에는 높고 낮음이 있고 직책에는 가볍고 무거운 것이 있다고 한 것은 당시 모든 사회 구성원을 양인과 천인으로 나누려는 의도로 볼 수 있군.

② 의관, 역관 무리는 모두 미천한 계급 출신으로 사족이 아니라고 한 것은 국가의 법적 규범인 양천제가 흔들릴 것에 대한 위기감을 드러낸 것이군.

③ 의관, 역관과 같은 중인을 동서 양반에 발탁하려는 임금의 조치에 반대하는 것은 양반의 지배자적 위치를 돋보이게 하려는 의식을 반영한 것이겠군.

④ 기술직을 권장하는 대책을 세우고 시행하는 데 대해 우려를 나타낸 것은 양반들이 누려 온 독점적 권력이 중인에게 집중될 것에 대한 불만을 표시한 것으로 보아야겠군.

⑤ 재주가 있는 자를 양반에 발탁하도록 한 임금의 명령에 놀라움을 드러낸 것은 신분에 따라 공권력으로 인간의 기본권을 보장받을 수 있는 범위에 대한 시각차를 보여 주는군.

농산물 가격은 왜 폭등과 폭락을 거듭할까

🕐 **적정 풀이 시간** 6분 | **난이도** ●●○

① 어떤 해 가을 한 포기에 1만 2,000원을 넘었던 배춧값이 그다음 해에는 2,500원까지 떨어지기도 한다. 이렇듯 배추와 같은 농산물은 가격이 널뛰기하듯이 크게 변화하는 일이 종종 생긴다. 그렇다면 농산물 가격이 폭등과 폭락을 반복하는 현상은 왜 발생하는 것일까?

② 농산물 가격이 폭등과 폭락을 반복하는 이유는 농산물 공급이 비탄력적이기 때문이다. 여기서 비탄력적이라는 말은 가격의 변화에 따른 수요량이나 공급량의 변화가 크지 않다는 말이다. 즉 가격이 오를 때 공산품은 즉시 공급을 늘릴 수 있는 데 반해 농산물은 자연적 제약 때문에 그것이 불가능하다. 한참을 지나서야 공급이 반응을 하는데, 이번에는 공급 과잉이 되기 쉽다. 이를 오른쪽 그래프로 설명해 보자. 수요 곡선 (D)과 공급 곡선(S)이 만나는 점 P는 수요량과 공급량이 일치하는 점이다. 그런데 가뭄, 태풍과 같은 외부 요인 때문에 배추의 공급량이 Q_1로 줄어들면 배추의 가격은 P_1로 크게 오른다. 그리고 배춧값 급등을 경험한 농부들이 이듬해 너도나도 배추를 심으면 공급량은 Q_2로 늘어나 가격은 P_2까지 떨어진다. 가격이 P_2로 떨어지면 공급자는 공급량을 Q_3으로 줄이게 된다. 공급량이 줄어들면 가격은 P_3까지 높아진다. 이처럼 농산물 가격의 등락을 수요−공급 곡선 위에 나타내면 거미집과 같이 돌고 돈다고 해서 ⊙'거미집 모형'이라고 부른다.

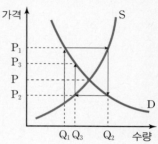

③ 거미집 모형을 적용하기 위해서는 몇 가지 전제 조건이 필요하다. 우선 농부들이 당해 연도의 배춧값에 따라 다음 연도의 배추 생산량을 정하듯 현재의 재화 가격에 따라 후기(後期)의 생산량을 결정한다는 것이다. 다음으로 해당 재화는 외국으로부터의 수입이 불가능하며, 일정 기간(분기 또는 연간)에 생산된 물량은 그 기간에 모두 판매되어 재고량이 없어야 한다. 또한 해당되는 재화를 생산하는 데 장시간이 소요되어야 하며, 마지막으로 거래 당사자는 미래의 공급과 수요에 대한 합리적 예측이 불가능하다는 전제가 설정되어 있어야 한다.

④ 그렇다면 해마다 등락을 거듭하는 농산물 가격 변동에 따른 피해를 줄일 수 있는 방법은 없을까? 밭떼기를 하면 피해를 줄일 수 있다. 밭떼기란 농사를 짓기 전이나 수확을 하기 전에 농부가 유통업자와 미리 판매 계약을 하는 것으로, 밭떼기를 하면 생산물 가격이 얼마든 농부는 미리 정해진 가격에 자기 밭에서 난 생산물을 모두 넘기게 된다. 이는 농산물 가격이 크게 하락할 경우에 가격 폭락으로 생산자가 손해를 볼 수밖에 없는 상황을 피할 수 있게 해 준다. 또 정부 차원에서 농산물 가격 변동으로 발생할 수 있는 피해를 줄이기 위해 대책을 마련하기도 한다. 정부가 당해 연도 초과 공급량에 대해 수매를 실시하는 것이다. 이러면 가격의 급락이나 급등에 어느 정도 대비할 수 있다.

● **공산품** | 공업 工, 생산할 産, 물건 品 | 원료를 인력이나 기계력으로 가공하여 만들어 내는 물품.

● **재화** | 재물 財, 재화 貨 | 사람이 바라는 바를 충족시켜 주는 모든 물건.

● **수매** | 거둘 收, 살 買 | 거두어 사들임. 또는 그런 일.

1

이 글에 대한 설명으로 적절하지 <u>않은</u> 것은?

① 도입 부분에서 구체적인 예를 통해 화제를 제시하고 있다.

② 용어의 개념을 풀이하는 방식으로 독자의 이해를 돕고 있다.

③ 질문을 던진 후 이에 답하는 방식으로 논지를 전개하고 있다.

④ 어떤 현상이 나타나는 과정을 단계별로 나누어 설명하고 있다.

⑤ 분류의 방식으로 대상을 일정 기준에 따라 나누어 설명하고 있다.

시각 자료에 적용하기 **2**

이 글을 바탕으로 할 때, 〈보기〉에 대해 보인 반응으로 적절하지 <u>않은</u> 것은?

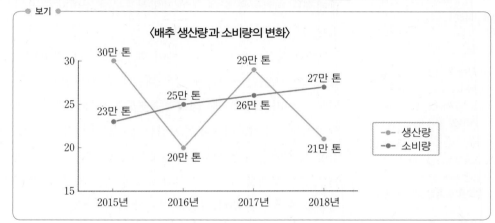

보기

〈배추 생산량과 소비량의 변화〉

① 배춧값은 2015년보다 2016년에 더 높을 것이다.

② 배춧값은 2015년에서 2018년 사이에 등락을 반복하는 모습을 보일 것이다.

③ 2017년 배추 수확물에 대해 유통업자와 밭떼기 계약을 한 농민은 손해를 보았을 것이다.

④ 정부가 농산물을 수매하여 공급량을 조절하게 되면 배춧값의 등락 폭을 줄일 수 있을 것이다.

⑤ 2016년보다 2017년에 배추 생산량이 늘어난 것은 농부들이 2017년에도 2016년의 배춧값이 유지될 것이라고 기대했기 때문이다.

구체적 사례에 적용하기 **3**

㉠으로 설명할 수 있는 현상으로 가장 적절한 것은?

① 극장에서 조조 영화나 심야 영화의 입장료를 낮게 책정한다.

② 명품의 가격을 올리자 더 많은 사람들이 그 명품을 구입하고자 한다.

③ 책이 절판된 후 구입이 힘들어지자 해당 책의 중고 거래 가격이 계속 올라간다.

④ 광우병으로 소고기의 가격이 오르자 돼지고기 수요량이 많아지고 이 때문에 돼지고기의 가격도 크게 오른다.

⑤ 부동산 가격이 오르자 건물 건축이 늘어나게 되고, 이후 건물이 완공된 시점에 공급량이 수요량을 초과하자 부동산 가격이 내려가게 된다.

물건을 산 뒤 광고를 찾아보는 이유

⏱ 적정 풀이 시간 6분 | 난이도 ●●○

_ 2016학년도 3월 고1 학력평가

✏ 문단 요약하기

① 소비자들은 제품 구매 과정에서 '(　　　　) 갈등'을 겪는데, 판매자는 (　　　　)을/를 함께 제공함으로써 이를 해소할 수 있다.

② 소비자는 제품을 구입한 행동과 자신의 선택이 최선이 아닐지도 모른다는 (　　　　) 사이의 (　　　　)을/를 겪기도 한다.

③ 소비자는 인지 부조화를 해소하기 위해 (　　　　)을/를 통해 자신의 구매 행동을 지지하는 부가 정보들을 찾으려고 한다.

④ 구매 (　　　　) 광고는 기업에게 긍정적 효과를 가져다주므로, 기업은 제품 판매 (　　　　)에도 광고를 노출할 필요가 있다.

① 소비자들은 어떤 제품이나 서비스를 선택할 때 쉽사리 결정을 내리지 못한다. 이를테면 기능은 만족스럽지만 가격이 비싸거나, 반대로 가격은 만족스러운데 기능은 그렇지 않다거나 하는 경우를 들 수 있다. 이처럼 소비자들은 구매 과정에서 흔히 갈등을 겪게 되는데, 그 중 가장 대표적인 것이 '접근-접근 갈등'이다. 이는 둘 이상의 바람직한 대안 중에서 하나만을 골라야 하는 경우에 어느 것을 선택해야 할지 결정하지 못해 발생하는 갈등이다. ㉠이때 판매자는 대안들을 함께 묶어 제공함으로써 소비자가 겪는 '접근-접근 갈등'을 해소할 수 있다.

② 그런데 다른 대안들을 함께 묶어 제공받지 못한 상태에서 하나의 대안만을 선택해야 했던 경우, 소비자들은 선택하지 않은 대안에 대한 아쉬움 때문에 심리적으로 불편함을 느끼게 된다. 소비자들은 이러한 심리적 불편함을 없애려 하는데, 이는 인지 부조화 이론으로 설명할 수 있다. 이 이론에 따르면 사람들은 자신의 생각과 태도가 자신이 한 행동과 서로 일치하기를 바라는데, 그렇지 않으면 심리적 긴장 상태가 발생하게 된다는 것이다. 이런 경우 사람들은 긴장 상태를 해소하기 위해 생각과 행동을 일치시키려 한다. 그렇다면 제품을 구입한 행동과 제품 구입 후에 자신의 선택이 최선이 아닐지도 모른다는 생각 사이의 부조화는 어떻게 극복될 수 있을까?

③ 인지 부조화 상태를 겪고 있는 소비자는 이를 해소하기 위해 선택하지 않은 제품의 단점을 찾아내거나 그 제품의 장점을 무시하기도 한다. 하지만 일반적으로는 자신의 구매 행동을 지지하는 부가 정보들을 찾아냄으로써 현명한 선택을 했다는 것을 스스로에게 확신시킨다. 특히 자동차나 아파트처럼 고가의 재화를 구매했을 경우에는 구매 직후의 인지 부조화가 심화되므로 이를 해소하려는 노력도 더 크게 나타난다. 이때 광고가 중요한 역할을 한다. 소비자들은 광고를 통해 자신이 선택한 제품의 장점을 재확인하거나 새로운 선택 이유를 찾아내려고 하는 것이다.

④ 소비자들이 구매 후에 광고를 탐색하는 것은 인지 부조화를 감소시키고자 하는 노력인데, 기업 입장에서는 또 다른 효과들을 가져오기도 한다. 구매 후 광고는 제품을 구매한 소비자들에게 자신의 구매 행동이 옳았다는 확신이나 만족을 심어 주기 때문에 회사의 이미지를 높이고 브랜드 충성심을 구축하는 데 크게 기여한다. 따라서 구매 후 광고는 재구매를 유도하거나 긍정적 입소문을 확산시켜 광고의 효과를 극대화할 수 있다. 따라서 기업은 제품을 판매한 이후에도 소비자와 제품의 우호적인 관계가 유지될 수 있도록 지속적으로 광고를 노출할 필요가 있다.

● 해소하다 | 풀 解, 꺼질 消 | 어려운 일이나 문제가 되는 상태를 해결하여 없애 버리다.
● 지지하다 | 지탱할 支, 버틸 持 | 어떤 사람이나 단체 따위의 주의·정책·의견 따위에 찬동하여 이를 위하여 힘을 쓰다.
● 우호적 | 벗 友, 좋을 好, 것 的 | 개인끼리나 나라끼리 서로 사이가 좋은 것.

1

이 글에 대한 이해로 적절한 것은?

① 소비자는 자신이 구매한 제품의 광고에는 주목하지 않는다.

② 이미 구매한 소비자를 상대로 한 광고는 기업에 효과가 없다.

③ 구매한 제품에 만족하는 소비자도 제품의 단점을 찾아내고자 한다.

④ 인지 부조화가 발생하게 되면 소비자가 어떤 제품을 구매할지 쉽게 결정하지 못한다.

⑤ 소비자는 자신의 구매 행위가 최선이었다는 확신이 없을 경우 심리적 긴장 상태를 겪게 된다.

2

㉠의 예로 가장 적절한 것은?

① 소비자는 공짜를 좋아하는 경향이 있으므로, 탄산음료를 판매할 때 두 개를 한 개 값으로 주는 1+1 전략을 활용한다.

② 소비자는 어떤 사은품을 주는지 주의 깊게 살펴보는 경우가 많으므로, 냄비를 판매하면서 사은품으로 프라이팬을 제공한다.

③ 소비자는 바지를 살 때 그에 어울리는 티셔츠를 함께 구입하려는 경향이 있으므로, 바지와 티셔츠를 인접하여 나란히 진열한다.

④ 소비자는 어떻게 하면 저렴한 가격으로 물건을 구입할 수 있을지 고심하는 경향이 있으므로, 저녁 무렵에는 야채를 반값에 판매한다.

⑤ 소비자는 중식을 먹을 때 짜장면과 짬뽕을 두고 선택을 망설이는 경우가 많으므로, 두 음식을 다 먹을 수 있는 짬짜면을 메뉴에 추가한다.

3

이 글을 바탕으로 하여 〈보기〉를 이해한 내용으로 적절하지 않은 것은?

● 보기 ●

　갑은 ⓐA 회사의 자동차를 살지, B 회사의 자동차를 살지 고민하다가 A 회사의 자동차를 구매하였다. 몇 달 후, ⓑB 회사가 자동차의 가격을 10% 인하하였다. 갑은 조금 더 늦게 B 회사의 자동차를 구입하지 않은 것을 후회하였지만 ⓒB 회사의 자동차 가격이 인하된 이유를 인터넷 뉴스를 통해 찾아본 뒤 B 회사에서 판매하는 자동차가 출고된 지 오래된 자동차임을 확인하였다. 또한 ⓓA 회사의 자동차가 구매 선호도 1위로 선정되었다는 기사와 ⓔA 회사가 자사의 자동차를 구입한 고객에게 자동차의 부품을 무료로 교체해 준다는 광고를 접하게 되었다.

① ⓐ는 갑이 '접근-접근 갈등'을 겪은 것이라고 할 수 있겠군.

② ⓑ를 확인한 후 갑이 후회를 한 것은 행동과 생각이 불일치하였기 때문이라고 할 수 있겠군.

③ ⓒ는 갑이 인지 부조화를 해소하기 위해 한 행동이라고 할 수 있겠군.

④ ⓓ를 통해 갑은 자신의 구매 행동에 대한 확신을 얻을 수 있었겠군.

⑤ ⓔ를 접하고 갑은 자신이 선택하지 않은 대안에 대한 아쉬움을 가지게 되었겠군.

모래가 담긴 물을 휘저으면 일어나는 일

🕐 적정 풀이 시간 6분 | 난이도 ●●●

① 회전하는 원판 위에 구슬을 올려놓으면 밖으로 굴러떨어진다. 구슬이 직선 운동을 하려는 관성에서 오는 '원심력' 때문이다. 그렇다면 물이 담긴 대야에 모래를 조금 넣은 후에 물이 원운동을 하도록 저어 주면 모래는 어디에 모일까? 물이 원운동을 하므로 원심력 때문에 모래가 대야 가장자리 쪽으로 몰릴 것이라고 생각하기 쉽지만, 실제로는 대야 가운데로 모여든다. 물에서는 원심력이 작용하지 않는 것일까? 그렇지는 않다. 모래 대신에 마른 나뭇잎을 넣고 물을 회전시키면, 이들은 가장자리로 밀려나서 대야 가장자리 쪽으로 모이게 된다. 그러면 모래가 가운데로 모이는 이유는 무엇일까?

② [A] 모래의 비중은 물의 비중의 두 배 이상이므로 모래는 같은 부피의 물보다 무겁다. 아르키메데스의 원리에 따르면, 모래가 물속에서 받는 부력은 모래의 부피와 동일한 부피의 물의 무게와 같다. 물체의 무게가 부력보다 크다면 그 물체는 가라앉는데, 모래의 무게는 모래가 받는 부력, 즉 모래의 부피에 해당하는 물의 무게보다 무거우므로 모래는 바닥으로 가라앉는다. 모래가 바닥에 가라앉은 후에 손을 넣어서 원형으로 저으면 대야의 물은 손이 도는 방향으로 회전을 시작한다. 이때 자세히 보면 수면의 높이가 변화하는 것을 알 수 있다. 원심력 때문에 물이 대야 가장자리 쪽으로 밀려가므로 가운데의 수면은 낮아지고 가장자리 쪽의 수면은 높아진다. 만약 물에 나뭇잎이 떠 있으면 그 잎이 가장자리 쪽으로 밀려나는 것을 볼 수 있을 것이다. 동시에 바닥에 깔려 있는 모래가 가운데로 모이는 것을 보게 될 것이다. 모래가 가장자리 쪽으로 밀려가지 않고 가운데로 모인다는 것은 원심력보다 더 큰 힘이 모래에 작용한다는 증거이다.

③ 물의 운동을 생각해 보자. 손이 저어 주는 위쪽의 물은 빨리 회전하기 때문에 원심력이 크지만, 밑에 있는 물은 젓는 손의 영향을 덜 받기 때문에 천천히 회전하므로 작용하는 원심력의 크기가 작다. 그리고 바닥에 가까운 물은 바닥과의 마찰 때문에 회전 속도가 더 느려지고, 따라서 (㉠   ) 원심력을 받는다. 물에는 원심력뿐 아니라 중력이 작용하고 있다. 즉 물은 무게가 있고, 이 무게 때문에 바닥은 압력을 받는데, 수면이 높을수록 압력이 높다. 그래서 수면이 높은 가장자리 바닥이 받는 압력은 수면이 낮은 가운데 바닥이 받는 압력보다 높다. 액체나 기체는 압력이 높은 데에서 낮은 곳으로 흐르므로 바닥에 가까운 곳에서는 물이 (㉡   ). 이곳으로 흘러온 물은 수면으로 올라와서 원심력의 영향을 받아 가장자리로 밀려나고, 가장자리에 도착한 물은 바닥으로 내려간다. 바닥에 깔려 있던 모래는 이렇게 흐르는 물을 타고 가운데로 모이지만 모래의 비중이 크기 때문에 위로 올라가는 물을 타고 위쪽으로 올라가지 못하고 바닥의 가운데에 멈추게 되는 것이다.

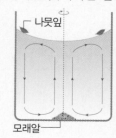
나뭇잎 / 모래알

세부 정보 이해하기

1 이 글의 내용과 일치하지 <u>않는</u> 것은?

① 물의 비중은 모래의 비중보다 작다.

② 모래가 물에서 받는 부력은 모래 무게보다 작다.

③ 물에 손을 넣고 원형으로 저으면 원심력이 발생한다.

④ 모래가 물 위로 올라가지 못하는 이유는 원심력 때문이다.

⑤ 모래가 대야 가운데로 모이는 것은 원심력보다 더 큰 힘이 모래에 작용하기 때문이다.

시각 자료에 적용하기

2 [A]를 바탕으로 하여 〈보기〉를 이해한 내용으로 적절하지 <u>않은</u> 것은?

> **●─ 보기 ●──**
>
> '아르키메데스의 원리'란 어떤 물체의 전체 또는 일부분이 물속에 잠기게 되면 잠긴 공간만큼의 물을 밀어내게 되고 그 밀어낸 물의 무게에 해당하는 크기의 부력이 생긴다는 것이다. 잠수함은 부력과 중력을 조절하여 물에 뜨거나 잠수한다. 아래 그림에서 ⓐ는 잠수함이 물 위에 떠 있는 상태이고, ⓑ는 잠수함이 잠수한 상태를 나타낸다.
>
>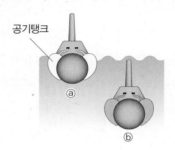
>
> 공기탱크

① ⓐ와 ⓑ에 작용하는 중력의 크기는 다르다.

② ⓐ의 경우 잠수함이 물에서 받는 부력이 중력보다 크다.

③ 잠수함 탱크 안의 물을 밖으로 내보내면 잠수함에 작용하는 중력은 점점 커진다.

④ 잠수함이 물에서 받는 부력은 잠수함의 부피와 동일한 부피의 물의 무게와 같다.

⑤ 잠수함이 ⓐ에서 ⓑ로 가기 위해서는 잠수함의 공기탱크에 바닷물을 채워 잠수함의 무게를 늘려야 한다.

추론하기

3 ㉠과 ㉡에 들어갈 말을 바르게 짝지은 것은?

	㉠	㉡
①	더 큰	가장자리에서 가운데로 흐르게 된다
②	더 큰	가운데에서 가장자리로 흐르게 된다
③	더 작은	가장자리에서 가운데로 흐르게 된다
④	더 작은	가운데에서 가장자리로 흐르게 된다
⑤	동일한	가운데에서 가장자리로 흐르게 된다

세균을 잡아먹는 바이러스, 박테리오파지

✏️ 문단 요약하기

① (　　　　　　)(이)란 숙주 세포에 기생해야만 증식할 수 있는 감염성 병원체이다.

② (　　　　　　)은/는 바이러스의 일종으로 세균을 잡아먹는 존재라는 뜻이다.

③ 박테리오파지는 머리와 꼬리, (　　　　　)(으)로 구성되어 있다.

④ 박테리오파지는 (　　　　) 속에 유전 물질을 넣어 복제하는 방법으로 증식한다.

⑤ 박테리오파지에는 (　　　　) 파지와 (　　　　) 파지가 있다.

① 　바이러스란 스스로는 증식할 수 없고 숙주 세포에 기생해야만 증식할 수 있는 감염성 병원체를 일컫는다. 바이러스는 자신의 ㉠존속을 위한 최소한의 물질만을 가지고 있기 때문에 거의 모든 생명 활동에서 숙주 세포를 이용한다. 바이러스를 구성하는 기본 물질은 유전 정보를 담은 유전 물질과 이를 둘러싼 단백질 껍질이다.

② 　1915년 영국의 세균학자 트워트는 포도상 구균을 연구하던 중, 세균 덩어리가 녹는 것처럼 투명하게 변하는 현상을 ㉡관찰했다. 뒤이어 1917년 프랑스에서 활동하던 데렐은 이질을 연구하던 중 환자의 분변에 이질균을 녹이는 물질이 포함되어 있다는 것을 발견하고, 이 미지의 존재를 '박테리오파지'라고 불렀다. 박테리오파지는 바이러스의 일종으로 '세균을 잡아먹는 존재'라는 뜻이다.

③ 　박테리오파지는 머리와 꼬리, 꼬리 섬유로 ㉢구성되어 있다. 머리는 다면체로 되어 있고, 그 밑에는 길쭉한 꼬리가, 꼬리 밑에는 갈고리 모양의 꼬리 섬유가 붙어 있다. 머리에는 박테리오파지의 핵심이라 할 수 있는 유전 물질이 있는데, 이 유전 물질은 단백질 껍질로 보호되어 있다. 꼬리는 머릿속의 유전 물질이 세균으로 이동하는 통로 역할을 하며, 꼬리 섬유는 세균에 단단히 달라붙는 기능을 한다.

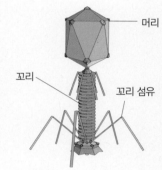

머리
꼬리
꼬리 섬유

④ 　박테리오파지는 증식을 위해 세균을 이용한다. 박테리오파지가 세균을 만나면 우선 꼬리 섬유가 세균의 세포막 표면에 존재하는 특정한 단백질, 다당류 등을 인식하여 복제를 위해 이용할 수 있는 세균인지의 ㉣여부를 확인한다. 그리고 이용이 가능한 세균일 경우 갈고리 모양의 꼬리 섬유로 세균의 표면에 단단히 달라붙는다. 세균 표면에 자리를 잡은 박테리오파지는 머리에 들어 있는 유전 물질만을 세균 내부로 침투시킨다. 세균 내부로 침투한 박테리오파지의 유전 물질은 세균 내부의 DNA를 분해한다. 그리고 세균의 내부 물질과 여러 효소 등을 이용하여 새로운 박테리오파지를 형성할 유전 물질과 단백질을 만들어 낸다. 이렇게 만들어진 유전 물질과 단백질이 조립되면 새로운 박테리오파지가 복제되는 것이다.

⑤ 　박테리오파지에는 '독성 파지'와 '용원성 파지'가 있다. '독성 파지'는 충분한 양의 박테리오파지가 복제되면 복제를 중단하고 세균의 세포벽을 파괴하는 효소를 만든다. 그리고 그 효소로 세균의 세포벽을 터뜨리고 외부로 쏟아져 나온다. 이와 달리 '용원성 파지'는 세균을 ㉤이용하는 것은 독성 파지와 같지만 세균을 파괴하지는 않는다. 대신 세균 속에서 계속 기생하여 세균이 분열함에 따라 같이 늘어난다.

● **증식하다** | 더할 增, 번성할 殖 | 생물이나 조직 세포 따위가 세포 분열을 하여 그 수가 늘어나다. 또는 그 수를 늘려 가다.

● **숙주** | 잠잘 宿, 주인 主 | 기생 생물에게 영양을 공급하는 생물.

● **분변** | 똥 糞, 오줌 便 | 사람이나 동물이 먹은 음식물을 소화하여 항문으로 내보내는 찌꺼기.

세부 정보 이해하기

1

이 글에서 언급된 '박테리오파지'에 대한 설명으로 적절하지 않은 것은?

① 세균을 숙주 세포로 삼아서 기생하는 바이러스이다.

② 머리에 있는 유전 물질은 단백질 껍질로 보호되어 있다.

③ 이질균을 녹이는 물질을 발견한 데렐에 의해 명명되었다.

④ 꼬리 섬유는 세균의 표면에 단단히 달라붙는 기능을 한다.

⑤ 세포막 표면에 존재하는 특정 단백질을 복제하여 증식한다.

시각 자료에 적용하기

2

〈보기〉는 '독성 파지'의 세균 감염 과정을 도식화한 것이다. 이 글을 바탕으로 [A]~[C]에 대해 이해한 내용으로 적절하지 않은 것은?

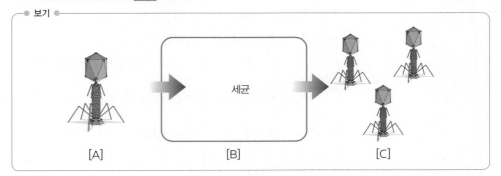

보기

[A]   [B]   [C]

세균

① [A]: 독성 파지의 꼬리 섬유가 세균의 세포막 표면에 있는 단백질 등을 인식한 결과에 따라 [B] 단계로의 진행 여부가 결정된다.

② [B]: 세균의 세포막 표면에 달라붙은 독성 파지는 자신의 머리 부분에 들어 있는 유전 물질만을 세균 내부로 침투시킨다.

③ [B]: 독성 파지의 유전 물질은 세균 내부의 DNA를 분해하여 세균이 정상적으로 기능하지 못하게 한다.

④ [B]: 세균의 내부 물질과 여러 효소 등을 이용하여 독성 파지의 유전 물질과 단백질을 만들어 새로운 독성 파지를 조립한다.

⑤ [C]: 박테리오파지는 세균 내부에 있는 효소가 스스로 세포벽을 파괴하도록 유도한 뒤에 자신은 세포벽 밖으로 빠져나간다.

3

㉠~㉣의 사전적 의미로 적절하지 않은 것은?

① ㉠: 더 낮고 좋은 상태나 더 높은 단계로 나아감.

② ㉡: 사물이나 현상을 주의하여 살펴봄.

③ ㉢: 몇 가지 부분이나 요소들을 모아서 전체를 짜 이룸.

④ ㉣: 그러함과 그러하지 아니함.

⑤ ㉤: 대상을 필요에 따라 이롭게 씀.

어휘
더 쌓기

1

다음에 제시된 초성과 뜻을 참고하여 괄호 안에 들어갈 단어를 쓰시오.

(1) ㅊ ㄷ : 고르거나 가지런하지 않고 차별이 있음. 또는 그렇게 대함.
예 우리 회사는 올해부터 성과급을 (   ) 지급한다.

(2) ㅂ ㅂ : 사람이나 동물이 먹은 음식물을 소화하여 항문으로 보내는 찌꺼기.
예 고양이 (   ) 처리 통을 새로 구입하였다.

2

다음 밑줄 친 단어의 뜻을 〈보기〉에서 찾아 번호를 쓰시오.

┌─ 보기 ─
① 자기의 뜻을 힘주어 말하다.
② 체제, 체계 따위의 기초를 닦아 세우다.
③ 어려운 일이나 문제가 되는 상태를 해결하여 없애 버리다.
└─

(1) 광범위한 정보의 데이터베이스를 구축했다. ➡ (   )

(2) 스트레스를 해소하기 위해 매운 음식을 먹었다. ➡ (   )

(3) 친구는 운동의 중요성에 대해 아침마다 역설했다. ➡ (   )

3

다음 밑줄 친 단어와 바꾸어 쓰기에 알맞은 것은?

┌─
우리 학교 학생회는 올해 축제가 성공적으로 마무리되었다고 여긴다.
└─

① 간주한다   ② 시작한다   ③ 용납한다   ④ 처리한다   ⑤ 표출한다

4

사다리타기에 따라, 빈칸에 들어갈 단어의 뜻을 〈보기〉에서 골라 번호를 쓰시오.

┌─ 보기 ─
① 기생 생물에게 영양을 공급하는 생물.
② 원료를 인력이나 기계력으로 가공하여 만들어 내는 물품.
③ 권리나 재산, 법률에서의 지위 따위를 남에게 넘겨줌. 또는 그런 일.
④ 어떤 물질의 질량과 그것과 같은 부피의 표준 물질의 질량과의 비율.
└─

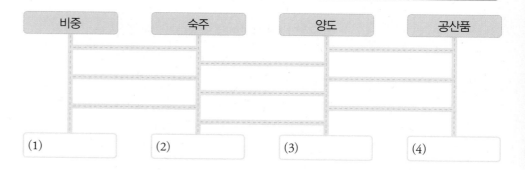

비중	숙주	양도	공산품
(1)	(2)	(3)	(4)

족보에는 모두 사실만 기록되어 있을까

　족보는 한 가문의 계통과 혈통 관계를 적어 기록한 책이다. 족보를 통해 우리는 집안의 시조가 누구이고, 그 할아버지의 아들, 또 그 손자들은 어떤 사람들이었는지 확인할 수 있다. 그런데 족보에 수록된 내용은 모두 사실일까? 만약 그 내용이 모두 사실이라면 조선 시대에 살았던 우리 조상들이 전부 양반이었다는 말이 될 것이다. 그만큼 족보에 우리 조상들의 신분 대부분이 양반으로 많이 기록되어 있다는 뜻이다. 하지만 역사 시간에 우리는 조선 시대에 양반 외에도 중인, 평민, 천민의 계층이 있음을 배웠다. 따라서 현재 존재하는 족보의 일부는 가짜라고 할 수 있다. 그렇다면 가짜 족보는 어떻게 만들어지게 된 것일까?

　족보가 본격적으로 출현한 것은 조선 시대이다. 조선 시대에 족보를 가진다는 것은 그 자체가 양반임을 의미하는 것이었다. 그리고 양반들은 자신들의 신분적 특권은 고귀한 혈통과 뛰어난 조상에서 연유하는 것으로 생각하였다. 따라서 일부 양반 가문에서는 왕실이나 이름난 귀족들을 시조로 삼거나 이들의 계보에 들어가기 위해 족보를 편찬하면서 슬쩍 본관을 바꾸거나 조상의 계보를 조작·윤색하기도 하였다. 더욱이 18, 19세기에 와서야 새로 족보를 편찬하게 된 신흥 가문의 경우에는 이러한 현상이 더 빈번하게 일어났다.

　가짜 족보가 생기게 된 또 하나의 중요한 이유는 조선 시대에 성씨와 본관이 끊임없이 고쳐진 데에서 찾을 수 있다. 문벌 의식이 높아지면서 저명한 조상이 없는 가문에서는 기성의 명문거족(名門巨族)에 편입하기 위하여 성과 본관을 바꾸는 일까지 일어났다. 더욱이 조선 후기에 이르러서는 성이 없던 천민층이 양인화되면서 성을 새로 갖게 되었다. 16세기까지만 하더라도 성이 없는 사람이 전체 인구의 40% 정도였으나 이들이 기존의 유명 성씨를 자신들의 성으로 받아들여 족보에 기록함으로써 김, 이, 박, 최, 정 등의 성씨가 크게 늘어나게 되었다. 결국 지금도 약 40% 정도의 사람들은 혈연적으로 아무런 관련이 없는 성씨의 족보에 그들의 이름을 올리고 있는 셈이다.

▲ 전주 이씨 족보

컴퓨터를 진단하는 명령어, 핑

⏱ 적정 풀이 시간 6분 | 난이도 ●●○○

✎ 문단 요약하기

① (   )은/는 컴퓨터 네트워크 상태를 점검하고 진단하는 명령어이다.

② 핑 명령어의 출력 결과를 통해 대상 컴퓨터의 작동 상태, 대상 컴퓨터와의 (   ) 연결 상태를 진단할 수 있다.

③ 핑 명령어를 통해 패킷 송수신의 (   ) 및 지체, 대상 컴퓨터의 작동 불능 등을 점검할 수 있다.

④ 핑 명령어에 대한 출력 메시지에 표시되는 (   )을/를 통해 대상 컴퓨터의 운영 체제 종류, 버전을 짐작할 수 있다.

⑤ 무분별한 핑 명령어의 사용은 컴퓨터 또는 웹 사이트에 치명적인 (   )을/를 유발할 수 있다.

① 컴퓨터 명령어 중 핑(Ping) 명령어는 컴퓨터 네트워크 상태를 점검, 진단하는 명령어이다. 핑 명령어는 네트워크 상태를 확인하려는 대상 컴퓨터 혹은 네트워크 기기에 일정 크기의 패킷을 보낸 후 대상 컴퓨터가 이에 대한 응답 메시지를 보내면 이를 수신하고 분석하여 대상 컴퓨터가 작동하는지, 대상 컴퓨터까지 도달하는 네트워크 상태가 어떠한지 파악할 수 있도록 한다. 이때 전송할 수 있는 패킷의 최대 길이는 각 시스템에 따라 다른데, 최대 길이를 초과하는 데이터는 몇 개의 패킷으로 분할하여 전송된다.

② 핑 명령어는 운영 체제에서 보조프로그램 안의 '명령 프롬프트'를 통해 실행할 수 있다. 핑 명령어 바로 뒤에 공백을 두고 대상 컴퓨터의 IP 주소나 웹 사이트 등의 도메인 이름을 입력하는 것이다. 예를 들어, 대상 컴퓨터의 IP 주소가 123.123.123.123이면, 'ping 123. 123.123.123'이라 입력 후 실행하면 결과가 출력된다. 출력 결과 중 위로부터 4줄은 핑 명령에 대한 대상 컴퓨터의 응답 상태를 나타낸다. '바이트=32　시간=1ms'라는 응답 메시지를 받았다면 32바이트 크기의 패킷을 보냈더니 대상 컴퓨터가 1ms(1/1000초) 만에 응답을 보냈다는 의미이다. 이를 통해 대상 컴퓨터가 정상적으로 작동하고 대상 컴퓨터와의 네트워크 연결 상태도 원활하다고 판단할 수 있다.

③ 만약 응답 시간이 길어졌다면 패킷 송수신에 병목 또는 지체가 발생하는 것이다. 핑 명령 수행 후 '요청 시간이 만료되었습니다.'라는 메시지가 출력됐다면, 대상 컴퓨터가 작동 불능이거나 대상 컴퓨터까지 네트워크 연결이 불가능하다는 것을 의미한다. 혹은 입력한 IP 주소, 도메인 주소가 틀렸을 수도 있다. 또한 자신의 컴퓨터에도 문제가 있을 수 있다. 혹시 자신의 컴퓨터에 문제가 있는 것으로 의심된다면 자신의 컴퓨터 IP 주소로 핑 명령을 수행하여 상태를 점검할 수 있다.

④ 핑 명령어에 대한 수신 메시지에는 TTL이라는 것이 표시된다. TTL은 대상 컴퓨터에 보낸 응답 요청 패킷이 네트워크를 통해 전해져 제 역할을 수행할 수 있는 시간을 의미한다. TTL은 대상 컴퓨터 및 네트워크 상태와는 무관하고, 시간을 기준으로 산출된다. TTL 값은 각 운영 체제마다 다르기 때문에 대상 컴퓨터의 운영 체제 종류와 버전도 짐작할 수 있다.

⑤ 그런데 무분별한 핑 명령어의 사용은 컴퓨터 또는 웹 사이트에 치명적인 장애를 유발할 수 있다. 만약 수십 대에서 수백 대 이상의 컴퓨터에서 특정 컴퓨터 또는 웹 사이트로 집중하여 핑 명령을 실행하면 해당 컴퓨터 또는 사이트는 정상적인 작동이 불가능해진다.

● 분할하다 | 나눌 分, 나눌 割 | 나누어 쪼개다.

● 병목 | 병 瓶 | 시스템의 전체 성능이나 용량이 하나 혹은 소수 개의 구성 요소나 자원에 의해 제한받는 것.

● 만료되다 | 찰 滿, 마칠 了 | 기한이 다 차서 끝나다.

● 산출되다 | 계산 算, 날 出 | 계산되어 나오다.

1

이 글에 대한 설명으로 가장 적절한 것은?

① 핑 명령어의 기능을 설명하고 핑 명령어를 활용할 수 있는 구체적 사례를 열거하고 있다.

② 핑 명령어가 발전해 온 과정에 대해 설명하고 핑 명령어가 컴퓨터 발전에 기여한 바에 대해 밝히고 있다.

③ 핑 명령어의 개념을 설명하고 핑 명령어의 출력 결과를 통해 확인할 수 있는 내용에 대해 알려 주고 있다.

④ 핑 명령어를 구성하는 요소에 대해 설명하고 핑 명령어를 구성하기 위한 과정을 단계적으로 서술하고 있다.

⑤ 핑 명령어가 등장하게 된 경위를 설명하고 핑 명령어를 잘못 사용하여 발생할 수 있는 문제점을 제시하고 있다.

세부 정보 이해하기

2

이 글의 내용과 일치하지 않는 것은?

① 핑 명령어를 통해 스스로의 컴퓨터를 점검할 수도 있다.

② 핑 명령어는 보조프로그램의 명령 프롬프트를 통해 실행할 수 있다.

③ 핑 명령어를 통해 대상 컴퓨터까지 도달하는 네트워크 상태를 파악할 수 있다.

④ 전송할 수 있는 패킷의 최대 길이를 초과하는 데이터는 핑 명령어를 통해 전송할 수 없다.

⑤ 수백 대의 컴퓨터가 특정 웹 사이트에 집중적으로 핑 명령어를 실행하면 해당 사이트는 정상적으로 작동하지 않게 된다.

구체적 사례에 적용하기

3

이 글을 바탕으로 하여 〈보기〉를 이해한 내용으로 적절하지 않은 것은?

> ● 보기 ●
>
> (가)~(다)는 핑 명령어를 실행하여 받은 수신 메시지의 일부이다.
>
> (가) 100.101.102.103의 응답: 바이트=32   시간=1ms   TTL=255
> (나) 요청 시간이 만료되었습니다.
> (다) 1100.101.102.103의 응답: 바이트=64   시간=1ms   TTL=246

① (가)에서 핑 명령의 대상 컴퓨터는 정상적으로 작동하고 있음을 알 수 있겠군.

② (나)에서 핑 명령의 대상 컴퓨터가 정상적으로 작동하고 있지 않은 상황일 수 있음을 알 수 있겠군.

③ (나)에서 핑 명령의 대상 컴퓨터가 패킷을 송수신할 때 병목이 발생하고 있는 상황임을 알 수 있겠군.

④ (다)에서 핑 명령으로 64바이트 크기의 패킷을 보냈더니 대상 컴퓨터가 1/1000초 만에 응답을 보냈음을 알 수 있겠군.

⑤ (가), (다)에서 핑 명령 대상 컴퓨터의 운영 체제가 서로 다르다는 것을 알 수 있겠군.

지구 온난화의 현실적 대안, CCS 기술

⏱ 적정 풀이 시간 6분 │ 난이도 ●●○   _2014학년도 3월 고1 학력평가

✏ 문단 요약하기

① (　　　　　　　　)은/는 대량의 이산화 탄소를 고농도로 포집한 후 땅속에 저장하는 기술이다.

② CCS 기술에는 연소 후, 연소 전, 순산소 연소 포집 기술이 있는데, (　　　　　　　　)이/가 핵심 분야로 떠오르고 있다.

③ 연소 후 포집 기술은 흡수, 재생, (　　　　), (　　　　), 저장 등의 다섯 공정으로 진행된다.

④ CCS 기술은 (　　　　　　)을/를 높이는 방향으로 연구가 진행되고 있다.

① 이산화 탄소에 의한 지구 온난화로 기상 이변이 빈번해지면서 최근 이산화 탄소 포집 및 저장 기술인 CCS(Carbon Capture & Storage) 기술이 주목을 받고 있다. CCS 기술은 화석 연료를 사용하는 화력 발전소, 제철소 등에서 발생하는 대량의 이산화 탄소를 고농도로 포집한 후 땅속에 저장하는 기술이다.

② CCS 기술에는 '연소 후 포집 기술', '연소 전 포집 기술', '순산소 연소 포집 기술'이 있다. 연소 후 포집 기술은 화석 연료가 연소될 때 생기는 배기가스에서 이산화 탄소를 분리하는 방법이고, 연소 전 포집 기술은 화석 연료에 존재하는 이산화 탄소를 연소 전 단계에서 분리하는 방법이다. 순산소 연소 포집 기술은 화석 연료를 연소시킬 때 공기 대신 산소를 주입하여 고농도의 이산화 탄소만 배출되게 함으로써 별도의 분리 공정 없이 포집할 수 있는 기술이다. 이 중 연소 후 포집 기술은 이산화 탄소 발생원에 직접 적용할 수 있는 방법으로 화력 발전소를 중심으로 실용화되기 시작하면서 CCS 기술의 핵심 분야로 떠오르고 있다. 연소 후 포집 기술은 흡수, 재생, 압축, 수송, 저장 등의 다섯 공정으로 나뉘어 진행된다.

③ 배기가스에는 물, 질소, 10~15% 농도의 이산화 탄소가 포함되어 있다. 이 배기가스는 먼저 흡수탑 하단으로 들어가서, 흡수탑 상단에서 주입되는 흡수제와 접촉하게 된다. 흡수제에는 기공(미세 구멍)이 무수히 많이 뚫려 있는데 이 기공에 이산화 탄소가 유입되면 화학 반응을 일으키면서 달라붙게 된다. 흡수제가 배기가스에서 이산화 탄소만을 선택적으로 포집하면 물과 질소는 그대로 굴뚝을 통해 대기 중으로 배출된다. 흡수제가 이산화 탄소를 포집할 수 있는 한계, 즉 흡수 포화점에 다다르면 흡수제는 연결관을 통해 재생탑 상단으로 이동하여, 여기에서 고온의 열처리 과정을 거치게 된다. 흡수제에 달라붙어 있던 이산화 탄소는 130℃ 이상의 열에너지를 받으면 기공 밖으로 빠져나오게 되고, 이산화 탄소와 분리된 흡수제는 다시 이산화 탄소를 포집할 수 있는 원래의 상태로 재생된 후, 흡수탑 상단으로 보내져 재사용된다. 이처럼 흡수제가 이산화 탄소를 포집하고 흡수제가 다시 재생되는 흡수와 재생 공정을 반복하면 90% 이상 고농도의 이산화 탄소를 모을 수 있게 되는데, 이렇게 모아진 이산화 탄소는 이송에 편리하도록 압축기에서 압축 공정을 거치게 된다. 압축된 이산화 탄소는 수송 시설을 통해 땅속의 저장소로 이송되고, 저장소로 이송된 이산화 탄소는 800m 이상의 깊이에 있는 폐유전이나 가스전 등에 주입되어 반영구적으로 저장된다.

④ 오늘날 CCS 기술은 지구 온난화를 막을 수 있는 가장 현실적인 대안으로 인정받고 있다. 하지만 공정을 진행하는 과정에서 많은 에너지가 소요되는 것은 극복할 과제이다. 이에 따라 현재 진행되고 있는 연소 후 포집 기술의 핵심적 연구는 흡수 포화점이 향상된 흡수제를 개발하여 경제성이 높은 이산화 탄소 포집 기술을 구현하는 방향으로 진행되고 있다.

● **이변** │ 다를 異, 변할 變 │ 예상하지 못한 사태나 괴이한 변고.

● **포집** │ 사로잡을 捕, 잡을 執 │ 여러 가지 방법으로 일정한 물질 속에 있는 미량의 성분을 분리하여 잡아 모으는 일.

● **연소** │ 사를 燃, 사를 燒 │ 물질이 산소와 화합할 때에, 많은 빛과 열을 내는 현상.

● **공정** │ 일 工, 단위 程 │ 한 제품이 완성되기까지 거쳐야 하는 하나하나의 작업 단계.

1 **이 글에서 알 수 있는 내용으로 적절하지 <u>않은</u> 것은?**

① CCS 기술의 개념   ② CCS 기술의 종류

③ CCS 기술의 필요성   ④ CCS 기술의 개발 과정

⑤ CCS 기술이 극복해야 할 과제

2 **이 글을 바탕으로 하여 〈보기〉를 설명한 내용으로 적절하지 <u>않은</u> 것은?**

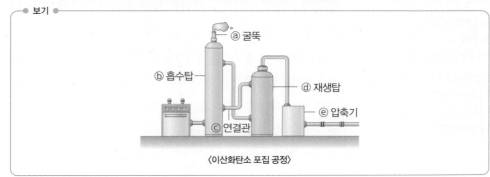

〈이산화탄소 포집 공정〉

① ⓐ로 배출되는 배기가스에는 물과 질소가 포함되어 있다.

② ⓑ에서는 화학 반응을 통해 이산화 탄소가 흡수제에 달라붙는다.

③ ⓒ는 흡수 포화점에 다다른 흡수제가 이동하는 통로이다.

④ ⓓ에서는 흡수제가 이산화 탄소의 열을 흡수하면서 재생된다.

⑤ ⓔ에서는 고농도의 이산화 탄소가 이송에 편리하도록 압축된다.

3 **이 글을 읽은 독자의 반응으로 가장 적절한 것은?**

① 흡수제의 흡수 포화점이 낮아지면 흡수와 재생 공정이 반복되는 횟수를 줄일 수 있겠군.

② 흡수제에 달라붙어 있는 이산화 탄소를 분리하기 위해서는 별도의 냉각 장치가 필요하겠군.

③ 폐유전이나 가스전 등에 주입된 고농도의 이산화 탄소는 일정 시간이 지나면 재사용할 수 있겠군.

④ 화석 연료의 배기가스가 배출되는 장소와 이산화 탄소를 저장하는 장소가 가까울수록 이산화 탄소의 압축률을 높이는 게 좋겠군.

⑤ 화석 연료가 연소될 때 다른 공기를 차단하고 산소만 주입하면 배기가스에서 이산화 탄소만을 분리하는 공정을 생략할 수 있겠군.

2차원에서 3차원을 표현하는 방법

⏱ 적정 풀이 시간 5분 | 난이도 ●○○

문단 요약하기

① 동서양 회화에서 (　　　　)을/를 표현하기 위해 사용한 방법에는 차이가 있다.

② 서양 회화에서 주로 사용한 방법은 (　　　　)(으)로, 소실점으로 모여드는 평행선을 이용해 입체감을 극대화하였다.

③ 동양 회화에서 입체감은 고원법, 평원법, (　　　　) 등의 방법을 통해 표현되었다.

④ 동양 회화에서 (　　　　)의 특징이 한 화면에 동시에 나타나는 것은 (　　　　)의 특징을 잘 드러내기 위한 것이다.

① 동서양을 막론하고 회화에서 공간감을 표현하는 것은 중요하면서도 어려운 과제였다. 3차원의 공간에 존재하는 입체적인 대상을 2차원인 평면에 묘사하여 3차원의 입체감이 느껴지도록 하는 것은 쉬운 일이 아니었기 때문이다. 그래서 동서양의 회화에서는 입체감을 표현하기 위해 다양한 시도를 하였는데, 동서양에는 방법적인 차이가 있었다.

② 서양 회화에서 주로 사용한 방법은 ⊙'투시 원근법'으로, 르네상스 시대에 체계화되었다. 우리의 눈앞에 수직으로 나란히 놓인 평행선은 우리의 눈에서 계속 멀어지면 결국 수평선에서 하나의 점으로 만나게 된다. 철로나 도로 등에서 쉽게 볼 수 있는 이런 시각적 현상에 서양 화가들은 오래전부터 주목해 왔는데, 르네상스 시대에 이르러 소실점으로 모여드는 평행선을 이용해 입체감을 극대화한 투시 원근법을 사용하게 되었다. 투시 원근법적인 화면 구성은 실제 우리 눈에 보이는 것과 매우 유사해서 사실적인 느낌을 줄 뿐만 아니라 화면 구성에 통일성을 부여하기도 쉽기 때문에, 서양 미술에서 원근감을 표현하는 데 매우 유용하게 사용되어 왔다.

③ 한편, 동양 회화에서 입체감은 고원법, 평원법, 심원법 등의 방법을 통해 표현되었다. 고원법은 밑에서 위를 올려다본 상태, 즉 산 아래에서 산의 정상을 올려다볼 때 생기는 원근감을 표현한 것으로, 경관의 웅장함과 위압감을 효과적으로 표현하는 데 이용되었다. 평원법은 대상을 수평적 시각에서 보는 것으로, 평평한 공간의 넓이감을 표현하여 자연의 광활함이 잘 느껴질 수 있도록 하는 데 유리하였다. 그리고 심원법은 위에서 아래를 내려다보는 것과 같은 느낌을 주는 표현법으로, 자연의 깊이감을 느끼게 하였다. 이와 같이 동양 회화는 서양 회화와는 다른 방법을 통해 입체감을 드러냄으로써 독특한 공간감을 표현할 수 있었다.

④ 그런데 동양 회화에서는 삼원법의 특징들이 한 화면에 동시에 나타나기도 하고, 대상에 따라 시점을 달리하여 표현하기도 하였다. 이것은 '나'를 중심에 놓기보다 바라보는 대상의 특징을 보다 잘 드러내려는 사고가 반영된 것이라고 할 수 있다. 이것은 서양 회화의 투시 원근법이 관찰자의 고정된 눈을 중심으로 대상의 멀고 가까움을 표현하려 했던 것과는 분명히 다른 점이라고 할 수 있다.

● 투시 | 통할 透, 볼 視 | 막힌 물체를 환히 꿰뚫어 봄. 또는 대상의 내포된 의미까지 봄.

● 원근법 | 멀 遠, 가까울 近, 방법 法 | 일정한 시점에서 본 물체와 공간을 눈으로 보는 것과 같이 멀고 가까움을 느낄 수 있도록 평면 위에 표현하는 방법.

● 소실점 | 꺼질 消, 잃을 失, 점 點 | 실제로는 평행하는 직선을 투시도상에서 멀리 연장했을 때 하나로 만나는 점.

1 이 글의 제목으로 가장 적절한 것은?

① 동서양 회화 양식의 차이점 – 투시 원근법을 중심으로

② 회화에서 공간감을 표현하는 법 – 동서양의 차이를 중심으로

③ 원근을 표현하는 다양한 방법들 – 서양화의 원근 표현을 중심으로

④ 다양한 원근 표현의 중심 원리 – 산수화의 과학적 원리를 중심으로

⑤ 평면 위에 표현하는 3차원의 세계 – 미술사의 전개 과정을 중심으로

세부 정보 이해하기

2 ㉠에 대한 설명으로 적절하지 않은 것은?

① 르네상스 시대 이후에 체계를 갖추어 사용되었다.

② 원근 표현을 위해 서양 회화에서 주로 사용해 왔다.

③ 관찰자의 시각을 다양하게 하여 입체감을 극대화하였다.

④ 실제 우리 눈에 보이는 것과 유사한 화면 구성이 가능하다.

⑤ 소실점으로 모여드는 평행선을 이용해 입체감을 표현하였다.

시각 자료에 적용하기

3 이 글을 바탕으로 하여 〈보기〉를 이해한 내용으로 가장 적절한 것은?

보기

[A]

▲ 정선, 〈인왕제색도〉

[B]
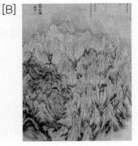
▲ 정선, 〈금강전도〉

① [A]는 고원법을 사용하여 위에서 산을 내려다본 것처럼 표현한 것이겠군.

② [B]는 산을 수평적 시각에서 보도록 하여 산의 웅장함과 위압감이 잘 표현되도록 하였군.

③ [A]와 달리 [B]에 깊이감이 잘 표현된 것은 밑에서 위를 올려다본 상태에서 입체감을 표현했기 때문이겠군.

④ [A]와 [B]는 모두 관찰자를 중심으로 표현하여 대상의 역동성이 잘 표현되도록 하였군.

⑤ [A]와 [B]는 모두 삼원법을 복합적으로 활용하여 서양 회화와는 구별되는 공간감을 표현하였군.

가우디의 건축물

⏱ 적정 풀이 시간 5분 | 난이도 ●○○

✏ 문단 요약하기

① (   )은/는 기존 건축의 어떠한 흐름에도 얽매이지 않은 창의적인 건축가였다.

② 1900년대 바르셀로나에서 추진된 에이샴플라는 블록 모퉁이에 지어진 집의 (   )와/과 통풍 문제를 남겼다.

③ 가우디는 (   )(으)로 건물을 디자인함으로써 블록 (   )에 지어진 집이 가지는 문제점을 해결하였다.

④ 바르셀로나에는 (   )에서 (   )을/를 따온 다양한 가우디의 건축물이 남아 있다.

⑤ 가우디는 자연을 본뜨는 것에 그치지 않고 자연의 (   )을/를 합리적으로 사고하여 건축물을 설계하였다.

① 근대 건축에서 빼놓을 수 없는 인물이 안토니오 가우디이다. 가우디는 기존 건축의 어떠한 흐름에도 얽매이지 않은 역사상 가장 창의적인 건축가였다. 그는 아이디어의 원형을 자연에서 찾아 바르셀로나에 합리적이고 아름다운 건축물들을 만들어 냈다.

② 그가 살았던 1900년대 바르셀로나에서는 위생적이지 못한 도시 환경을 개조하기 위해 '에이샴플라'라는 이름의 도시 계획 공모전을 열었고 바르셀로나 전체를 그림과 같이 20m 폭의 도로로 둘러싼 정사각형 모양의 주거 블록으로 채우는 획기적인 결정을 했다. 블록의 높이는 모든 건물에 빛이 45도로 내리쬘 수 있도록 6층 높이 이하로 제한했다. 이로써 도심 주택에 어느 정도 채광과 환기가 이루어졌지만 ㉠블록 모퉁이에 지어진 집은 햇빛과 바람이 잘 들지 않았다.

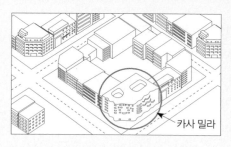

카사 밀라

③ 밀라는 모퉁이에 지을 자신의 집을 가우디에게 의뢰했다. 가우디는 이 문제를 해결하기 위해 수직과 수평에 근거한 고전적인 건축의 엄격함을 벗어던지고, 자유로운 형태로 건물을 디자인함으로써 역동감과 활기가 느껴지는 자연스러운 건물을 설계했다. 그는 지붕을 햇빛 방향에 따라 비스듬하게 설계하고 옥상 난간을 반투명 철망으로 만들어 주택 안으로 빛과 바람이 최대한 들어올 수 있게 하였다. 그뿐만 아니라 철골 구조를 적절하게 이용함으로써 석조 건물의 유기적인 형태를 만들어 냄과 동시에 당시 스페인에 하나도 없었던 철근 콘크리트 건물이라는 새로운 주거 환경을 마련하였다.

④ 바르셀로나에는 카사 밀라(밀라의 집) 말고도 다양한 ㉡가우디의 건축물이 남아 있다. '뼈로 지은 집'이라는 별명이 있는 '카사 바트요'는 창문과 창살이 뼈 모양으로 디자인되어 있다. '구엘 공원'에는 자연을 돌 자체로 묘사해 놓은 '돌로 만든 세상'이 펼쳐져 있기도 하다. '사그라다 파밀리아 성당'의 기둥에는 플라타너스 나무의 모습을 덧입혔다. 이와 같은 가우디의 건축물들은 '자연은 나의 스승이다'라는 그의 말처럼 자연에서 작품의 모티프를 따와 대부분 직선이 없고 포물선과 나선 등 수학적인 곡선이 주를 이룬다.

⑤ 그렇다고 가우디가 단순히 자연을 흉내만 낸 것은 아니다. 그는 10여 년의 세심한 관찰과 실험을 통해 다중 현수선 모형을 고안하여 중력까지 치밀하게 계산한 건축 모형을 만들었다. 그 결과 고딕 건축에서 필수적인 버팀벽 없이 날렵하고 균형 잡힌 건축물을 설계할 수 있었다. 이러한 기술력과 창의성의 결합체인 사그라다 파밀리아 성당은 거대한 조각품과 같은 예술성을 보여 준다. 그는 자연을 본뜨는 것에 그치지 않고 중력이라는 자연의 본성을 합리적으로 사고함으로써 건축에 감성을 담아낼 수 있었다.

● **개조하다** | 고칠 改, 지을 造 | 고쳐 만들거나 바꾸다.

● **채광** | 캘 採, 빛 光 | 창문 따위를 내어 햇빛을 비롯한 광선을 받아 들임.

● **모티프(motif)** | 예술 작품을 표현하는 동기가 된 작가의 중심 사상.

● **나선** | 소라 螺, 선 線 | 평면 위에 있어서의 소용돌이 모양의 곡선.

● **현수선** | 매달 懸, 드리울 垂, 선 線 | 실 따위의 양쪽 끝을 고정하고 중간 부분을 자연스럽게 늘어뜨렸을 때, 실이 이루는 곡선.

세부 정보 이해하기

1 ⓐ의 문제점을 해결하기 위한 가우디의 방안을 모두 고른 것은?

● 보기 ●
ㄱ. 지붕 설계: 비스듬하게 설계한다.
ㄴ. 건물의 높이: 6층 이하로 제한한다.
ㄷ. 주변 환경: 20m 폭의 도로로 둘러싼다.
ㄹ. 옥상 난간 재질: 반투명 철망으로 제작한다.

① ㄱ, ㄴ   ② ㄱ, ㄹ   ③ ㄴ, ㄷ
④ ㄴ, ㄹ   ⑤ ㄷ, ㄹ

세부 정보 이해하기

2 ⓑ에 담긴 정신을 계승한 건축물을 만들려고 할 때 고려할 점과 가장 거리가 먼 것은?

① 수학적인 곡선이 주를 이룬 자연스러움
② 자연물의 모양을 디자인에 반영한 새로움
③ 수직과 수평을 조화시켜 만들어 낸 역동감
④ 고전적인 건축의 엄격함에서 벗어난 자유로움
⑤ 중력까지 치밀하게 계산한 건축 모형의 참신함

대상 간에 비교하기

3 안토니오 가우디 와 ⓐ의 공통점으로 가장 적절한 것은?

● 보기 ●
ⓐ몬드리안은 예술과 과학에 공통적으로 적용할 수 있는 불변의 법칙을 찾기 위해 그림을 그렸다. 그는 선과 색채로 순수한 추상적 조형을 나타내고자 사물을 있는 그대로 재현하는 방법을 버렸다. 그는 수직은 남성성으로, 수평은 여성성으로 보고 수직선을 나무에서, 수평선을 바다의 수평선에서 모티프를 찾아 대상을 단순화하였다.

① 주요 활동 무대
② 작품 표현의 도구
③ 작품 제작의 목적
④ 모티프 선정의 근거
⑤ 수직과 수평을 바라보는 관점

11 선조들이 선택한 지붕 곡면, 사이클로이드

🕐 적정 풀이 시간 6분 | 난이도 ●●○

✏ 문단 요약하기

① 한옥 지붕에는 한국다운 곡선미뿐만 아니라 (   )을/를 고려한 선조들의 지혜가 담겨 있다.

② 선조들은 집중 호우가 많은 우리나라의 (   )을/를 고려해 유연한 (   )의 지붕을 만들어 빗물을 빨리 흘려보냈다.

③ (   ) 곡선은 사이클로이드 곡선의 형태를 띠고 있다.

④ (   )은/는 직선보다 빠른 곡선이다.

⑤ 사이클로이드 모양을 띤 기왓골 곡선은 한옥의 (   )을/를 보완하기 위한 것으로 조상들의 지혜가 발휘된 것이다.

① 한옥 지붕의 조형미는 단연 매끄러운 곡선에 있다. 한국다운 곡선미의 대표적인 예로, 한 획을 휙 그은 서예의 부드러운 힘 같기도 하고 북소리에 맞춰 돌아가는 가락 같기도 하다. 곡선으로 휘었지만 정면에서 보면 갓을 눌러쓴 선비의 절제된 몸가짐을 보여 준다. 한옥 지붕에는 이러한 아름다움뿐만 아니라 자연환경을 고려한 선조들의 지혜 또한 담겨 있다.

② 비가 오는 날 지붕의 주된 역할은 떨어진 빗물을 서둘러 아래로 흘려보내는 것이다. 우리나라처럼 집중 호우가 많은 곳에서 빗물을 빨리 흘려보내지 못하면 지붕으로 물이 스며들게 되고, 결국 목조가 썩어 구조적으로 안정성이 떨어질 수 있다. 선조들은 유연한 경사면의 지붕을 만들었고, 여기에 암키와와 수키와를 번갈아 얹어 놓음으로써 비가 오면 유연한 곡면이 만든 기왓골의 곡선을 따라 빗물이 아래로 흐르도록 했다.

③ 빗물이 흘러내리는 ㉠기왓골 곡선은 사이클로이드 곡선의 형태를 띠고 있다. 사이클로이드는 바퀴라는 의미의 그리스어로, 원 위에 점을 하나 찍고 원을 직선 위에 굴렸을 때 그 점이 그리는 자취를 말한다.

④ 그렇다면 기왓골 곡선에 굳이 사이클로이드를 적용한 이유는 무엇일까? 직선과 사이클로이드의 경사로로 만든 미끄럼틀 위에서 동시에 공을 굴려 보는 실험을 했을 때, 직선 경사로에 놓인 공이 경사로의 길이가 짧아서 더 빨리 내려갈 것이라는 예상과 달리, 사이클로이드 경사로를 따라 내려간 공이 더 빨리 내려갔다. 이는 중력과 관련이 있다. 사이클로이드 경사로를 따라 막 출발한 초기에는 중력 가속도가 커서 빠르게 윗부분을 통과하고, 아랫부분의 완만한 지점에서는 관성으로 내려가게 된다. 즉 사이클로이드 곡선 위의 각 지점에서의 속도는 모두 다르며, 사이클로이드는 직선보다 더 먼 거리를 돌아가면서도 더 빨리 도착하게 되는 것이다. 한마디로 사이클로이드는 '직선보다 빠른 곡선'인 셈이다.

⑤ 직선처럼 급하게 질러가지도, 그렇다고 너무 돌아가지도 않으면서 가장 빨리 도착점에 도달하는 가장 이상적인 경로! 선조들은 특별한 성질을 가지고 있는 사이클로이드를 단순히 멋을 내기 위한 것이 아닌, 수백 년에 걸쳐 한옥이 가진 취약점을 보완하는 과정에서 가장 적절한 모양으로 선택한 것이었다. 목조 건물이기에 비가 왔을 때 빗물이 최대한 빨리 떨어지도록 해야 했던 조상들의 지혜가 발휘된 것으로, 이는 한옥이 자연환경을 고려한 건축물이었음을 보여 주는 특징적인 사례이기도 하다.

● **조형미** | 지을 造, 형상 形, 아름다울 美 | 어떤 모습을 입체감 있게 예술적으로 형상하여 표현하는 아름다움.

● **단연** | 끊을 斷, 그럴 然 | 확실히 단정할 만하게.

● **암키와** | 지붕의 고랑이 되도록 젖혀 놓는 기와.

● **수키와** | 두 암키와 사이를 엎어 잇는 기와.

1 **이 글의 내용 전개 방식으로 가장 적절한 것은?**

① 한옥 지붕에 적용된 원리를 구체적으로 설명하고 있다.

② 한옥 지붕의 발전 과정을 시간 순서대로 제시하고 있다.

③ 한옥 지붕을 다른 대상과 비교하며 장단점을 설명하고 있다.

④ 한옥 지붕의 다양한 종류를 일정 기준에 따라 분류하고 있다.

⑤ 한옥 지붕의 유용성을 설명하며 앞으로의 전망을 제시하고 있다.

세부 정보 이해하기

2 **㉠에 대한 설명으로 적절하지 않은 것은?**

① 우리나라 날씨의 특성을 고려한 것이다.

② 목조 건물의 단점을 보완하기 위한 것이다.

③ 한국다운 곡선미의 대표적인 예에 해당한다.

④ 실용성보다 예술성을 극대화하기 위한 것이다.

⑤ 자연의 법칙대로 빗물이 아래로 흐르도록 하였다.

시각 자료에 적용하기

3 **㉣의 내용을 바탕으로 하여, 〈보기〉를 이해한 것으로 적절하지 않은 것은?**

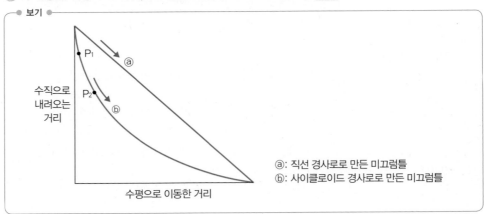

보기

수직으로
내려오는
거리

수평으로 이동한 거리

ⓐ: 직선 경사로 만든 미끄럼틀
ⓑ: 사이클로이드 경사로 만든 미끄럼틀

① ⓐ의 길이는 ⓑ의 길이보다 짧다.

② ⓑ의 각 지점에서의 속도는 모두 동일하다.

③ 공을 굴렸을 때 바닥에 먼저 공이 닿는 것은 ⓑ이다.

④ ⓑ에서 공이 완만한 지점을 지날 때 관성의 영향을 받는다.

⑤ ⓑ에서 공이 P_1과 P_2를 지날 때의 중력 가속도는 나머지 지점을 지날 때의 중력 가속도보다 크다.

어휘 더 쌓기

1 다음에 제시된 초성과 뜻을 참고하여 괄호 안에 들어갈 단어를 쓰시오.

(1) ㄷ ㅇ : 확실히 단정할 만하게.
   예 축구 경기에서 우리 반 학생들의 실력이 (   ) 앞섰다.

(2) ㅊ ㄱ : 창문 따위를 내어 햇빛을 비롯한 광선을 받아 들임.
   예 이사 갈 집은 (   )이/가 좋아 불을 밝히지 않아도 환했다.

(3) ㅁ ㅌ ㅍ : 예술 작품을 표현하는 동기가 된 작가의 중심 사상.
   예 그는 학창 시절에서 (   )을/를 얻어 글을 쓰기 시작했다.

(4) ㅇ ㄱ ㅂ : 일정한 시점에서 본 물체와 공간을 눈으로 보는 것과 같이 멀고 가까움을 느낄 수 있도록 평면 위에 표현하는 방법.
   예 (   )을/를 구체적으로 회화에 처음 도입한 사람은 이탈리아의 화가 마사초라고 추정된다.

2 다음 괄호 안에 공통으로 들어갈 단어로 알맞은 것은?

> • 도서관에서 빌린 책의 대출 기간이 (   ).
> • 그녀는 회사와의 전속 계약이 지난주에 (   ).

① 만료되었다　② 발휘되었다　③ 산출되었다　④ 짐작되었다　⑤ 판단되었다

3 다음 밑줄 친 단어와 바꾸어 쓰기에 알맞은 것은?

> 집 내부를 리모델링하며 부엌을 거실로 <u>바꾸었다</u>.

① 개조하였다　② 마련하였다　③ 변장하였다　④ 점검하였다　⑤ 치장하였다

4 다음의 뜻에 알맞은 단어를 서로 연결하시오.

(1) 예상하지 못한 사태나 괴이한 변고.　　　　　　　　　　• 　• ① 공정

(2) 물질이 산소와 화합할 때에, 많은 빛과 열을 내는 현상.　• 　• ② 연소

(3) 한 제품이 완성되기까지 거쳐야 하는 하나하나의 작업 단계.　• 　• ③ 이변

(4) 어떤 모습을 입체감 있게 예술적으로 형상하여 표현하는 아름다움.　• 　• ④ 조형미

죽어서도 집을 짓고 있는 건축가, 가우디

　안토니오 가우디는 1852년 에스파냐 북동부 카탈루냐의 레우스에서 태어났다. 가우디의 집안은 대대로 대장장이 일을 하였으나 그는 가업을 물려받는 대신 바르셀로나로 가서 건축 학교에 입학하였다. 가우디는 교수의 말을 그대로 따르는 학생은 아니었는데, 그는 묘지 입구를 설계하라는 과제를 받으면 설계에 슬픈 장례 행렬과 조문객의 슬픔까지 집어넣으려고 노력했다. 건축물이 그 건축물을 보는 사람 또는 그 건축물에 사는 사람과 마음을 나눈다고 생각했기 때문이다. 교수들은 그의 이런 주장을 얼토당토않은 것으로 여겼는데, 가우디가 졸업할 때 건축 학교의 학장 로헨트가 "오늘 우리는 천재 아니면 바보를 앞에 두고 있다."라고 말할 정도였다. 하지만 후대 사람들은 로헨트를 가리켜 '천재를 눈앞에 뒀던 바보'라고 말했다.

　가우디의 건축물 중 역작으로 꼽히는 것은 성(聖) 가족 성당이라는 뜻의 사그라다 파밀리아 성당이다. 원래는 가우디의 스승인 비야르가 설계하여 1882년 착공하였으나 1년 뒤 가우디가 건축 감독을 맡으면서 설계를 크게 변경하였다. 가우디는 자신이 사망할 때까지 40년 이상을 성당 건축에 몰두했지만 완성을 보지는 못하였으며, 공사를 시작한 지 100년이 훨씬 넘은 지금까지도 공사는 계속되고 있다. 가우디가 살아생전에 직접 건축에 참여한 부분은 지하 예배실과 '탄생의 파사드'인데, 예배실에는 가우디의 유해가 안치되어 있어 지금도 공사가 잘 진행되고 있는지 지켜보고 있다.

　사그라다 파밀리아 성당의 '탄생의 파사드'와 예배실을 비롯하여 구엘 공원, 카사 밀라, 카사 바트요 등 가우디의 건축물은 20세기 초의 건축 발전에 창조적으로 기여했음을 인정받아 유네스코 세계문화유산으로 등재되었다.

◀ 사그라다 파밀리아 성당

선거 연령을 만 18세로 낮춘 것은 타당한가?

2019년 12월 공직선거법 개정안이 통과되면서 현재 우리나라에서는 만 18세부터 선거가 가능하다. 이에 따라 2020년 4월에 치러진 21대 국회 의원 선거에서부터 만 18세가 된 일부 고교생들이 선거에 참여하였다. 그러나 선거 연령을 만 18세로 낮춘 것과 관련해서는 청소년의 기본권 보장 측면과 교실의 정치화 이슈가 대립하면서 아직 의견이 분분하다. 선거 연령을 하향 조정하는 것은 과연 타당한가?

찬성

만 18세로 낮춘 것은 타당하다.

만 18세 정도면 자기의 의사를 표현하고, 그것을 책임지기에 충분히 성숙한 나이이다. 정치·사회의 민주화, 교육 수준의 향상, 인터넷 등 다양한 매체를 통한 정보 교류로 인하여 만 18세에 도달한 청소년은 성인 못지않게 독자적인 신념과 정치적 판단에 기초하여 선거권을 행사할 수 있는 능력과 소양을 갖추고 있다. 그리고 이 의견은 2016년 중앙선거관리위원회가 선거 연령 인하에 대한 공직선거법 개정 의견을 제출하였을 때 제시한 근거 중 하나이기도 하다.

또한 현재 시행되고 있는 우리나라 법에 따르면, 만 18세가 되면 운전면허를 취득할 수 있고, 결혼을 할 수 있으며, 공무원이 될 수도 있다. 그뿐만 아니라 국가에 대한 군사적 의무나, 세금을 내는 등의 의무가 부과된다. 이렇듯 도로교통법, 병역법 등에서는 연령 기준을 만 18세 이상으로 하는데, 선거권의 경우만 만 19세 이상을 기준으로 하고 있었다. 이와 같이 만 18세 청소년들에게 각종 의무를 부과하면서 선거에 관해서는 자격을 주지 않은 것은 청소년에 대한 '차별'이라고도 볼 수 있다.

반대

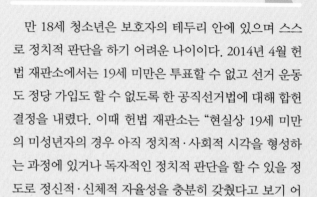

만 18세로 낮춘 것은 타당하지 않다.

만 18세 청소년은 보호자의 테두리 안에 있으며 스스로 정치적 판단을 하기 어려운 나이이다. 2014년 4월 헌법 재판소에서는 19세 미만은 투표할 수 없고 선거 운동도 정당 가입도 할 수 없도록 한 공직선거법에 대해 합헌 결정을 내렸다. 이때 헌법 재판소는 "현실상 19세 미만의 미성년자의 경우 아직 정치적·사회적 시각을 형성하는 과정에 있거나 독자적인 정치적 판단을 할 수 있을 정도로 정신적·신체적 자율성을 충분히 갖췄다고 보기 어렵다."고 밝혔다.

이와 같은 헌법 재판소의 판결을 참고할 때, 만 18세의 청소년들을 사회적 독립성이나 판단 능력을 가진 성숙한 존재로 보는 것은 어려우며, 따라서 청소년들에게 선거권을 주는 것은 너무 이르다고 할 수 있다. 그리고 선거 연령을 만 18세로 낮추면 고교생까지도 선거에 참여하게 되는 문제가 생긴다. 학업에 집중해야 할 시기에 학교가 정치 논쟁의 장소가 될 수 있다는 점에서 우려되는 부분이 있으므로 선거 연령 하향과 관련해서는 좀 더 신중한 판단이 필요하다.

나의 생각은?

나는 선거 연령을 만 18세로 낮춘 것에 (찬성한다 , 반대한다).
왜냐하면

실전으로 차곡차곡 익숙하게!

독해
실전

3회

인문
01 조선 시대의 타임캡슐, 조선왕조실록 _90
02 인성론의 3가지 학설 ★ _92

사회
03 텔레비전 뉴스에 대한 이해 _94
04 금리를 알아야 하는 이유 ★ _96

과학
05 잉크는 액체일까, 고체일까 _98
06 식물이 물을 끌어 올리는 원리 ★ _100

어휘 더 쌓기 ｜ 이야기 더 잇기 _102

기술
07 잠수함도 스노클링을 한다 _104
08 인공위성의 궤도와 자세를 바로잡으려면 ★ _106

예술
09 숨 쉬는 항아리, 옹기 _108
10 암각화와 부조 ★ _110

통합
11 컴퓨터의 보조기억장치인 SSD ★ _112

어휘 더 쌓기 ｜ 이야기 더 잇기 _114
비판적 사고력 키우기 [찬성 vs 반대] _116

01 조선 시대의 타임캡슐, 조선왕조실록

⏱ 적정 풀이 시간 6분 | 난이도 ●○○

✎ **문단 요약하기**

① 《조선왕조실록》은 조선의 역사를 서술한 공식 국가 기록으로, (   )(으)로 등록되었다.

② 실록의 자료로 (   ), 시정기 등을 수집하였으며, 사초는 초초, (   ), 정초의 작업 과정을 거쳐 실록에 수록되었다.

③ 업무의 중요 사항을 기록한 (   )의 활용으로 실록은 왕 중심의 기록에서 벗어날 수 있었다.

④ 실록은 사관의 (   )을/를 보장하기 위해 왕의 열람을 금지하였으며, 완성 후 봉안 의식을 거쳐 사고에 보관하였다.

⑤ 실록은 조선 전기에는 서울 춘추관과 지방 (   )의 사고에, 후기에는 지방(   )의 사고에 보관하였다.

⑥ 실록은 (   ), 공정성, 보관의 안정성이 지켜져 후대에 전해질 수 있었다.

① 《조선왕조실록》은 조선 태조부터 25대 철종에 이르는 472년간의 역사를 서술한 공식 국가 기록이다. 규장각에 소장되어 있는 완질은 약 6,400만 자에 이르는 방대한 분량으로 조선의 정치, 외교, 경제, 군사, 법률, 생활 등 각 방면의 역사적 사실을 망라하고 있으며, 유네스코 세계 기록 유산으로 등록되어 그 가치를 인정받고 있다.

② 실록의 편찬 과정은 다음과 같다. 왕이 승하하면 임시로 실록청을 설치하고 영의정 이하 주요 관리들이 실록 편찬을 집행한다. 실록청에서는 사관들이 전 왕대에 작성한 사초(史草)와 시정기(時政記) 등을 광범위하게 수집해 실록 편찬에 착수한다. 사초는 여러 자료들 중에서 중요한 사실을 추려 작성한 초초(初草)와, 초초의 내용을 수정하고 정리한 중초(中草), 중초를 재수정하고 문장을 통일하는 정초(正草)의 작업 과정을 거쳐 실록에 수록되었다. 실록이 완성되면 초초와 중초는 물에 씻어 그 내용을 모두 없앴는데, 이를 세초(洗草)라고 하였다.

③ 시정기는 춘추관의 사관이 서울과 지방의 각 관청에서 시행한 업무를 문서로 보고받아 중요 사항을 기록으로 남긴 것이다. 시정기는 매년 책으로 편집되었으며 실록의 주요 자료로 활용되었다. 시정기의 활용으로 실록은 왕 중심의 기록에서 벗어나, 천재지변, 의녀, 코끼리 등 왕과 직접 관련이 없는 내용까지 담을 수 있었다.

④ 조선 시대의 주요 책들은 편찬이 완료되면 왕에게 바쳤지만 실록은 예외였다. 총재관이 완성 여부만 왕에게 보고한 뒤 봉안 의식을 거행한 후 사고에 보관했다. 왕의 열람을 허용할 경우 실록 편찬을 담당하는 사관의 독립성이 보장되지 못해 역사적 진실이 왜곡될 것을 우려했기 때문이다.

⑤ 실록은 봉안 의식을 치른 후 서울의 춘추관과 지방의 사고에 1부씩 보관했다. 조선 전기에는 춘추관을 비롯해 충주, 전주, 성주 등 지방의 중심지에 실록을 보관했으나 지방의 중심지는 화재와 약탈의 위험이 적지 않았다. 실제로 임진왜란을 겪으며 전주 사고본을 제외한 모든 실록이 소실되자 사고를 험준한 산지로 옮기게 되었다. 임진왜란 이후 사고는 춘추관, 강화도 마니산, 평안도 영변의 묘향산, 경상도 봉화의 태백산, 강원도 평창의 오대산에 설치되었다. 그 후 춘추관 소장 실록이 불탔는데 복구되지 않아 춘추관에서는 실록을 보관하지 않게 되었고, 묘향산 사고를 전라도 무주의 적상산으로, 마니산 사고를 인근의 정족산으로 옮기면서 조선 후기에는 정족산, 적상산, 태백산, 오대산의 4대 사고가 운영되었다. 이는 조선 왕조가 끝날 때까지 그대로 지속되었다.

⑥ 이처럼 실록의 객관성과 공정성을 유지하기 위해 제도적 장치를 마련하고 실록의 안전한 보관을 위해 분산 보관의 원칙을 철저히 지킨 ㉠우리 선조들의 지혜는, 《조선왕조실록》이라는 세계적 기록 유산을 남겨 후대의 사람들이 역사를 연구하는 데 크게 기여하였다.

● **완질** | 완전할 完, 책갑 帙 | 한 질을 이루고 있는 책에서 권수가 완전하게 갖추어진 책.

● **춘추관** | 봄 春, 가을 秋, 객사 館 | 조선 시대에 둔, 시정의 기록을 맡아보던 관아.

● **봉안** | 받들 奉, 편안할 安 | 신주(神主)나 화상(畵像)을 받들어 모심.

● **사고** | 역사 史, 곳집 庫 | 고려 말기부터 조선 후기까지 실록 따위의 중요한 서적을 보관하던 서고.

1 **이 글의 내용과 일치하지 않는 것은?**

① 조선 후기의 지방의 4대 사고는 모두 산에 위치해 있었다.

② 임진왜란 때에 지방 사고에 소장된 실록이 모두 소실되었다.

③《조선왕조실록》에는 왕과 직접 관련이 없는 내용도 기록되어 있다.

④ 실록을 제외한 조선 시대의 주요 책들은 편찬이 끝나면 왕에게 바쳤다.

⑤ 시정기는 매년 춘추관에서 기록해 둔 업무의 중요 내용을 편집한 것이다.

2 **〈보기〉는 실록의 편찬 과정을 나타낸 것이다. ⓐ～ⓔ에 대한 설명으로 적절하지 않은 것은?**

보기

실록청 설치 ⓐ ➡ 초초 작성 ⓑ ➡ 중초 작성

정초 작성 ⓒ ⬆

봉안 의식 ⓓ ⬅ 정초 작성

사고 보관 ⓔ ⬅ 봉안 의식 ⓓ ⬅

① ⓐ: 왕이 승하한 뒤 임시로 설치하였다.

② ⓑ: 실록 편찬 자료로 사초와 시정기 등을 폭넓게 수집하였다.

③ ⓒ: 이전의 내용을 수정해 최종적으로 수록할 내용을 작성한다.

④ ⓓ: 총재관이 왕에게 실록이 완성되었음을 보고한 후 이루어진다.

⑤ ⓔ: 조선 전기에는 서울을 제외한 지방 여러 곳의 사고에 분산 보관하였다.

3 **㉠의 구체적인 내용으로 적절하지 않은 것은?**

① 실록이 후대에 전해지지 못할 것을 염려하여 똑같은 실록을 여러 부 만들어 위험에 대비하였다.

② 사관이 객관적이고 공정한 자세로 역사를 기록할 수 있도록 왕이 실록을 열람하는 것을 허용하지 않았다.

③ 천재지변이나 전란에 의해 실록이 훼손되거나 사라질 것에 대비하여 서로 다른 지역에 실록을 보관하였다.

④ 왕이 실록의 내용에 대해 불만을 품거나 임의로 수정하는 것을 방지하기 위해 실록 편찬의 자료를 모두 파기하였다.

⑤ 지방 중심지에 위치한 사고는 화재와 약탈에 노출되기 쉬워 실록이 훼손될 가능성이 높으므로 험준한 산지로 사고를 이전하였다.

인문 02 인성론의 3가지 학설

문단 요약하기

① 인간 (　　　　　)에 대한 이론적 탐구에서 시작한 (　　　　)은/는 사회·정치적 관점에서 변형되어 왔다.

② 성선설은 (　　　　　)에 저항하기 위한 논거로, 성악설은 국가 공권력을 (　　　　)하는 논거로 사용되었다.

③ 고자의 (　　　　　)은/는 인간 본성을 역동적인 것으로 간주하였다.

④ 맹자는 인간이 선천적으로 (　　　　　) 네 가지의 본성을 지니고 있으며 (　　　　) 을/를 통해 이를 실현할 수 있다고 보았다.

⑤ 순자는 외적인 (　　　　) 와/과 사회 규범이 없으면 사회는 (　　　　) 상태로 전락할 것이라 보았다.

① 중국 역사에서 전국 시대는 전쟁으로 점철된 시대였다. 여러 사상가들은 혼란한 정국을 수습하기 위한 대안을 마련하고자 하였는데, 이 과정에서 그들의 이론을 뒷받침할 형이상학적 체계로서의 인성론이 대두되었다. 인성론은, 인간의 본성은 선하다는 성선설, 인간의 본성이 악하다는 성악설, 인간의 본성에는 애초에 선과 악이라는 구분이 전혀 없다는 성무선악설 등으로 분류될 수 있다. 맹자와 순자를 비롯한 사상가들은 인간 본성에 대한 이론적 탐구에서 더 나아가 사회적·정치적 관점으로 인성론을 구성하고 변형시켜 왔다.

② 맹자의 성선설이 국가 공권력에 저항하기 위해 호족들 및 지주들이 선한 본성을 갖춘 자신들을 간섭하지 말라는 이념적 논거로 사용되었다면, 순자나 법가의 성악설은 군주가 국가 공권력을 정당화할 때 그 논거로서 사용되었다. 성선설에서는 개체가 외부의 강제적인 간섭 없이도 '정치적 질서'를 낳고 유지할 수 있다고 본 반면, 성악설에서는 외부의 간섭이 없을 경우 개체는 '정치적 무질서'를 초래할 뿐인 존재라고 본 것이다.

③ 한편 ㉠고자는 성무선악설을 통해 식욕과 같은 자연적인 욕구는 인간의 본성이므로 이를 정치적·윤리적인 범주로서의 선과 악의 개념으로 다룰 수 없다고 주장했다. 그는 인간의 본성을 '소용돌이치는 물'로 비유했으며, 소용돌이처럼 역동적인 삶의 의지를 지닌 인간을 규격화함으로써 그 역동성을 마비시키려는 일체의 외적 간섭에 저항하는 입장을 취하였다.

④ ㉡맹자는, 인간의 본성을 역동적인 것으로 간주한 고자의 인성론을 비판하였다. 맹자는 살아 있는 버드나무와 그것으로 만들어진 나무 술잔의 비유를 통해, 나무 술잔으로 쓰일 수 있는 본성이 이미 버드나무 안에 있다고 보았다. 맹자는 인간이 선천적으로 지닌 이러한 본성을 인의예지 네 가지로 규정하였다. 고통에 빠진 타인을 측은히 여기는 동정심, 즉 측은지심은 인간의 의식적 노력에서 나온 것이 아니라 불쌍한 타인을 목격할 때 저절로 내면 깊은 곳에서 흘러나온다고 본 것이 맹자의 관점이었다. 다시 말해 인간은 스스로의 노력으로 본성을 실현할 수 있는 존재, 즉 타인의 힘이 아닌 자력으로 수양할 수 있는 존재라고 보았다.

⑤ 이러한 맹자의 성선설을 ㉢순자는 사변적이고 낙관적이며 현실 감각이 결여된 주장으로 보았다. 선한 인간이 되기 위해서 인간은 국가 질서, 학문 등과 같은 외적인 것에 의존할 필요가 없다고 본 맹자의 논리는 현실 사회에서 국가 공권력과 사회 규범의 역할을 전적으로 부정하는 논거로도 사용될 수 있었기 때문이다. 인간에게 외적인 공권력과 사회 규범이 없는 경우를 가정한다면 인간들은 자신들의 욕망 충족에 있어 턱없이 부족한 재화를 놓고 일종의 전쟁 상태에 빠지게 될 것이고, 그 결과 사회는 걷잡을 수 없는 무질서 상태로 전락하게 될 것이라 본 순자는 맹자의 성선설이 비현실적일 뿐만 아니라 정치적 질서를 해칠 가능성이 있다고 생각한 것이다.

● **점철되다** | 점찍을 點, 이을 綴 | 관련이 있는 상황이나 사실 따위가 서로 이어지다.

● **정국** | 정사 政, 판 局 | 정치의 국면. 또는 정치계의 형편.

● **대두되다** | 들 擡, 머리 頭 | 어떤 세력이나 현상이 새롭게 나타나게 되다.

● **사변적** | 생각 思, 분별할 辨, 것 的 | 경험에 의하지 않고 순수한 이성에 의하여 인식하고 설명하는 것.

1

이 글에 대한 설명으로 가장 적절한 것은?

① 인성에 대한 세 견해의 장단점을 비교하고 있다.

② 인성론의 등장 배경과 다양한 견해를 소개하고 있다.

③ 인성론의 역사적 의의와 한계에 대해 분석하고 있다.

④ 인성론이 등장한 시대적 상황을 구체적 자료를 통해 제시하고 있다.

⑤ 인성에 대한 두 견해를 제시하며 이를 절충한 이론을 소개하고 있다.

세부 정보 이해하기

2

이 글의 내용과 일치하는 것은?

① 성악설은 외부의 간섭이 정치적 무질서를 초래한다고 보았다.

② 맹자의 성선설은 국가 공권력을 정당화하는 논거로 사용되었다.

③ 성무선악설은 인간의 욕구를 윤리적 범주로 다룰 것을 주장하였다.

④ 순자는 호족들 및 지주들의 권리를 옹호하는 근거로 자신의 견해를 내세웠다.

⑤ 맹자는 자율적 의지에 의한 수양을 통해 본성을 실현할 수 있다고 주장하였다.

구체적 사례에 적용하기

3

㉠~㉢의 관점에서 〈보기〉를 이해한 것으로 적절하지 않은 것은?

> **보기**
>
> 가난과 배고픔 때문에 빵을 훔친 장발장은 체포되어 19년 동안 감옥 생활을 한다. 출소한 장발장은 신분증에 전과가 적혀 있어 잠잘 곳도, 일자리도 구할 수 없게 된다. 오직 미리엘 주교만은 이런 그를 따뜻하게 맞아 주었으나, 장발장은 은촛대를 훔치다가 경관에게 붙잡힌다. 하지만 미리엘 주교는 은촛대는 장발장이 훔친 것이 아니라 자신이 선물로 준 것이라고 말하며 사랑을 베풀어 주었고, 이에 감동받은 장발장은 정체를 숨기고 선행을 베풀며 살아간다.

① ㉠: 장발장이 배가 고파 빵을 먹고 싶은 것은 인간의 자연스러운 욕구에서 비롯된 것으로 이해할 수 있다.

② ㉠: 미리엘 주교가 은촛대를 장발장에게 준 선물이라고 말한 것은 역동적 삶의 의지를 규격화하려는 행위로 볼 수 있다.

③ ㉡: 미리엘 주교가 장발장에게 편히 쉴 곳을 마련해 준 것은 불쌍한 사람을 측은히 여기는 마음에 따른 것으로 이해할 수 있다.

④ ㉡: 장발장이 선행을 베풀며 살아가는 모습은 스스로의 노력으로 선한 본성을 실현하는 것으로 볼 수 있다.

⑤ ㉢: 장발장이 체포되어 수감된 것은 본성을 바로잡기 위한 사회 규범에 의거한 것으로 볼 수 있다.

텔레비전 뉴스에 대한 이해

⏱ 적정 풀이 시간 6분 | 난이도 ●○○

① 　사회가 점차 복잡해지고 그 영역이 확대되어 가고 있다. 이러한 상황에서 우리는 텔레비전을 통해 간접적으로 다양한 정보를 얻는다. 텔레비전 정보 중 특히 뉴스는 우리가 현실을 인지하고 받아들이는 데 지대한 영향을 끼친다. 이런 점에서 뉴스는 '세계를 향해 열린 창'이라고 표현된다. 텔레비전 뉴스는 시청자들의 관심을 끌 만한 영상과 음성의 결합으로 생동감 넘치는 보도가 가능하며, 빠르게 전파될 수 있고, 여러 사람이 동시에 시청할 수 있다. 이러한 현장성, 속보성, 동시성은 텔레비전 뉴스의 영향력을 끊임없이 키워 주고 있으며, 이에 따라 텔레비전 뉴스의 사회적 책임 또한 날로 커지고 있다.

② 　그런데 텔레비전 뉴스는 신문 매체와는 다른 특성이 있다. 신문은 독자가 제목을 보고 관심 있는 뉴스만 골라서 읽고 싶은 순서대로 읽을 수 있지만, 텔레비전 뉴스는 시청자가 관심 있는 뉴스만 선택해서 보고 싶은 순서대로 볼 수 있는 여지가 적으며 방영 시간에도 제약이 있다. 또한 텔레비전 뉴스는 뉴스를 전하는 앵커나 아나운서 등 전달자의 이미지가 시청자에게 큰 영향을 미칠 수 있는데, 앵커가 뉴스를 전달하는 순간의 어조나 어감과 같은 청각적 요소와 함께 외모와 표정 등의 시각적 요소가 메시지로 전달될 수 있기 때문이다. 또 뉴스 전달자의 이미지는 시청자가 뉴스의 권위나 신뢰성을 판단하는 데 영향을 주기도 한다.

③ 　텔레비전 뉴스의 이러한 특성 때문에 ⊙뉴스를 '만들어지는' 혹은 '제작되는' 것이라고 보는 입장이 있다. 이러한 입장에서 뉴스를 통해 제공되는 현실은 드라마와 같이 일정한 제작 과정을 거쳐 의미 있는 것으로 만들어지는 것이다. 터크만은 뉴스란 이 세상의 수많은 사건과 무한한 세부 사항들 가운데 단편들을 선택하고 해석한 것이며, 따라서 뉴스는 단순한 사실들의 집합이나 사회상의 반영이 아닌 '구성된 현실'이라고 했다.

④ 　이와 반대로 ⓒ텔레비전 뉴스가 사회적 현실을 가감 없이 그대로 전달할 수 있다는 입장도 있다. 이러한 입장은 텔레비전 뉴스가 드라마나 코미디처럼 가공된 세상이나 허구적 내용을 다루지 않고, 있는 그대로의 실제 세상을 다룬다는 점을 강조한다. 또한 이러한 입장에서는 텔레비전 뉴스가 객관적이고 공평하게 사회적 현실을 전하는 임무를 수행할 수 있다고 믿는다. 따라서 객관적이고 공평한 뉴스 전달을 해치는 요인들이 무엇이고 그것을 어떻게 제거할 것인가에 관심을 둔다.

⑤ 　텔레비전 뉴스에 대한 상반된 입장은 텔레비전 뉴스를 대하는 우리의 태도를 돌아보게 한다. 우리는 텔레비전 뉴스를 통해 전달되는 현실의 모습, 해석 등을 비판적이고 주체적인 태도로 받아들여야 할 것이다.

1 이 글을 통해 알 수 있는 내용이 <u>아닌</u> 것은?

① 텔레비전 뉴스의 영향력

② 텔레비전 뉴스의 감각적 특성

③ 텔레비전 뉴스와 신문의 차이점

④ 텔레비전 뉴스에 대한 터크만의 견해

⑤ 텔레비전 뉴스의 제작을 방해하는 요인

2 이 글을 읽고 〈보기〉에 대해 보인 반응으로 적절하지 <u>않은</u> 것은?

> ● 보기
> • 우리나라는 분단의 특수성과 민주화 과정에서 겪은 사건들 때문에 남북문제나 이념 문제에 대한 뉴스의 집중이 심하다. 이러한 편중으로 인해 환경, 노동, 의료, 사회적 소수자 등에 대한 주제는 소홀히 취급되었다.
> • 텔레비전 뉴스의 경우 뉴스로서의 가치가 높다 하더라도 '보여 줄 만한' 영상이 없을 때는 보도에서 배제해 버릴 수 있으며, 뉴스로서의 가치가 낮다 하더라도 '관심을 끌 만한' 영상이 있을 때는 가치 있는 뉴스로 취급할 수 있다.

① '보여 줄 만한' 영상이 없는 뉴스가 보도에서 배제되는 것은 뉴스가 일정한 제작 과정을 거쳐 만들어진다는 것을 나타낸다고 할 수 있어.

② 분단의 특수성이나 민주화 과정에서 겪은 사건들에 대한 뉴스의 집중이 심한 것은 뉴스 전달자의 권위와 신뢰성을 약화시켜 왔다고 할 수 있어.

③ 뉴스의 주제가 남북문제나 이념 문제에 집중되는 것은 텔레비전 뉴스가 일정한 의도에 따라 선택적으로 구성될 수 있음을 보여 준다고 할 수 있어.

④ '관심을 끌 만한' 영상이 있을 때는 중요한 뉴스로 취급할 수 있다는 것은 텔레비전 뉴스에서는 생동감을 주는 영상이 뉴스의 가치를 높인다고 할 수 있어.

⑤ 환경, 노동, 의료, 사회적 소수자 등에 대한 주제가 소홀히 취급된 것은 방영 시간의 한계로 사회적 현실을 객관적이고 공평하게 전달하지 못한 것이라고 할 수 있어.

3 ㉠, ㉡에서 세계를 향해 열린 창을 이해한 내용으로 적절한 것은?

① ㉠에 따르면 여러 사람에게 동시에 뉴스를 전파하는 텔레비전 뉴스의 특성을 강조한 말이겠군.

② ㉠에 따르면 뉴스를 통해 접하는 세계는 창의 모양이나 방향에 따라 달라질 수 있음을 강조한 말이겠군.

③ ㉠에 따르면 뉴스에 의해 현장성, 속보성이 확보되어 텔레비전 정보가 중요해질 수 있음을 강조한 말이겠군.

④ ㉡에 따르면 뉴스의 사회적 책임과 임무를 부여하는 매체의 특성을 강조한 말이겠군.

⑤ ㉡에 따르면 객관적이고 공평한 뉴스 전달을 방해하는 요소일 수 있음을 강조한 말이겠군.

금리를 알아야 하는 이유

⏱ 적정 풀이 시간 7분 | 난이도 ●●● _2017학년도 9월 고1 학력평가

① 금리는 이자 금액을 원금으로 나눈 비율로 '이자율'이라고 한다. 자금의 수요자에게는 자금을 빌린 대가로 지급하는 비용이 발생하며, 공급자에게는 현재의 소비를 희생한 대가로 이자 수익이 생긴다. 금융 시장에서 금리는 자금의 수요자와 공급자를 연결시키는 역할을 한다.

② 금리는 일반적으로 '명목 금리'와 '실질 금리'로 구분한다. 명목 금리는 금융 자산의 액면 금액에 대한 금리이며, 실질 금리는 물가 상승률을 감안한 금리로 명목 금리에서 물가 상승률을 빼면 알 수 있다. 물가 상승률이 높아지면 돈의 실제 가치인 실질 금리는 낮아지고, 물가 상승률이 낮아지면 실질 금리는 높아진다. 예를 들어 1년 만기 정기 예금의 명목 금리가 6%인데 1년 사이 물가가 7% 올랐다면, 실질 금리는 -1%로 예금 가입자는 돈의 가치인 구매력에서 손해를 본 셈이다.

③ 그리고 명목 금리보다는 일정 기간 실현된 실제의 이자 수익률인 '실효 수익률'을 따져 보아야 한다. 실효 수익률은 이자의 계산 방식에 따라 달라진다. 예를 들어 보통 '만기 1년의 연리 6%'는 돈을 12개월 동안 은행에 예치할 경우 6%의 이자가 붙는다는 의미이다. 정기 예금은 목돈인 100만 원을 납입하고 1년 뒤에 이자로 6만 원을 받지만, 매월 일정액을 불입해 목돈을 만드는 정기 적금은 계산법이 다르다. 정기 적금은 첫째 달에 불입한 10만 원은 만기까지 12개월 분 6%의 이자가 붙지만, 둘째 달에 불입한 10만 원은 11개월의 이자 5.5%만 받는다. 돈의 예치 기간이 줄면 이자도 줄어 실효 수익률은 3.9%에 불과하다. 이런 이자 계산의 방식은 대출 금리도 유사하다. 1년 뒤에 원금을 한 번에 갚는다면, 대출 금리가 연 6%일 경우 6만 원을 이자로 내야 한다. 하지만 원금을 12개월로 나누어 갚으면, 줄어든 원금만큼 매월 이자도 적어진다.

④ 또 예금이나 적금의 기간이 길어서 이자를 여러 번 받는다면, 매번 지급된 이자가 원금이 되어서 이자에 이자가 붙는 복리인지, 원금에 대한 이자만 붙는 단리인지도 살펴야 실효 수익률을 알 수 있다. 여기에 이자는 금융 소득이어서 소득세 14.0%와 주민세 1.4%를 내야 한다는 것도 생각해야만 실제로 내 손에 들어오는 이자 금액이 나온다.

⑤ 결국 돈을 어떻게 쓰고, 모으고, 굴리고, 빌릴지의 선택 상황에서 정확한 계산을 해야 손해를 보지 않는다. 현재의 소비를 늦추고 미래를 계획하는 사람이라면, 자신의 자산을 안전하게 형성할 필요가 있다. 금리에 대한 정확한 이해와 계산이 현재의 소비와 미래의 소비를 결정하는 중요한 기준이라는 점을 잊지 말아야 한다.

세부 정보 이해하기

1 **다음은 이 글을 읽은 학생이 정리한 메모이다. 적절하지 <u>않은</u> 것은?**

◆ 금리: (이자 금액 ÷ 원금) × 100 ····································· ①
◆ 실질 금리: 금융 자산의 액면 금액 − 물가 상승률 ··········· ②
◆ 실효 수익률: 일정 기간 실현된 실제 이자 수익률 ··········· ③
◆ 복리: 이자도 원금이 되어 이자가 붙는 방식 ···················· ④
◆ 금융 소득의 세금: 소득세 + 주민세 ····························· ⑤

세부 정보 이해하기

2 **이 글을 이해한 내용으로 적절하지 <u>않은</u> 것은?**

① 현재의 소비를 희생한 대가로 실제 이자 수익을 기대하려면 실질 금리가 높아야겠군.

② 목돈을 일정 기간 동안 예금해 둔다면 단리보다는 복리를 적용했을 때 수익이 크겠군.

③ 명목 금리가 높다고 하여도 물가 상승률이 더 높다면 예금 가입자는 구매력에서 손해를 보겠군.

④ 목돈을 대출했다면 원금을 한 번에 갚는 것보다 매달 나누어 갚는 것이 이자를 줄이는 방법이겠군.

⑤ 동일한 금액을 예치할 때 정기 예금과 정기 적금의 명목 금리가 같다면 1년 뒤 실제 수익은 정기 적금이 많겠군.

구체적 사례에 적용하기

3 **이 글을 참고할 때, 〈보기〉의 [A]에 들어갈 내용으로 가장 적절한 것은?**

● 보기 ●

　영수는 자영업을 하는 부모님을 도와드리며 용돈으로 매월 15만 원을 받고, 5만 원을 학용품비로 사용하고 있다. 학교에서 금융 교육을 받고 380만 원 정도인 대학 입학 등록금을 혼자 힘으로 마련할 생각으로, 은행의 저축 상품을 알아보았다. 현재 연 6% 금리의 3년 만기 정기 적금과 정기 예금이 있으며, 모두 단리로 계산된다고 한다. 영수가 따져 보았더니, 정기 적금의 실효 수익률은 9.25%이었다. 영수의 상황을 들은 아버지가 [　A　] 라고 조언하였다.

① 용돈 5만 원을 매월 정기 적금에 넣으면, 3년 뒤에는 목돈이 생겨 대학 입학 등록금을 낼 수 있어.

② 용돈 15만 원 전부를 3년 동안 매월 정기 적금에 넣어도 은행 금리가 낮아서, 대학 입학 등록금은 마련할 수 없어.

③ 쓰고 남은 용돈 10만 원을 매월 정기 예금에 넣으면, 3년 후에 원금과 이자를 받아 380만 원이 넘는 목돈이 되네.

④ 3년 동안 매월 10만 원씩 내는 정기 적금에 들면, 20만 원이 넘는 이자가 생겨서 대학 입학 등록금을 충당할 수 있지.

⑤ 정기 예금의 실효 이자율이 정기 적금보다 높으니, 3년 동안 매월 10만 원을 정기 예금에 넣으면 대학 입학 등록금을 마련할 수 있어.

잉크는 액체일까, 고체일까

🕐 **적정 풀이 시간** 6분 | **난이도** ●●○

✏ **문단 요약하기**

① (   )이/가 연속적인 성질의 분산매에 흩어져 있는 상태를 (   )(이)라고 한다.

② 콜로이드의 종류는 (   )가지가 될 수 있으나 G_1/G_2의 분산계는 따로 구분하지 않는다.

③ 콜로이드는 현탁액, (   ), 에멀션, 액체 거품, 고체 거품, 응집체, (   ), 액체 에어로졸이 있다.

④ 콜로이드 용액에 빛을 비추면 빛의 (   )이/가 뚜렷이 보이는 (   )이/가 일어난다.

⑤ 콜로이드의 성질을 이용하여 (   )을/를 정제하는 (   )을/를 할 수 있다.

① 　잉크, 마요네즈 등 우리 주변에는 콜로이드 상태의 물질이 가득하다. 어떤 물질이 분산계에 속하면 교질(膠質), 다른 말로 콜로이드라고 한다. 분산계란 어떤 고체 입자나 액체 방울, 혹은 기포 같은 분산질이 연속적인 성질의 분산매에 흩어져 있는 상태를 말한다. 여기서 분산되어 있는 입자를 분산질, 그것을 둘러싸고 있는 것을 분산매라고 한다.

② 　콜로이드 입자는 보통의 현미경으로 볼 수 없으며 거름종이로 거를 수 없는 입자이다. 콜로이드는 흔히 '1이 2에 분산된 상태'라고 설명하거나 '1/2'라고 나타낸다. 여기서 1과 2의 물리적 상태는 고체(S), 액체(L), 기체(G) 가운데 어느 하나이다. 그러므로 콜로이드의 종류는 9가지가 될 수 있다. 하지만 모든 기체는 언제나 서로 쉽게 섞이기 때문에 G_1/G_2의 분산계는 따로 구분하지 않는다.

③ 　잉크를 현미경으로 관찰하면 고체 색소 입자가 액체 용매에 녹아서 흩어져 있는 상태를 확인할 수 있다. 잉크는 흔히 액체라고 생각하지만 정확하게 말하면 콜로이드인 것이다. 따라서 잉크는 고체가 액체에 분산된 S/L, 즉 현탁액에 속한다. 액체가 고체에 분산된 L/S는 젤, 액체가 다른 액체에 분산된 L_1/L_2는 에멀션, 기체가 액체에 분산된 G/L은 액체 거품, 기체가 고체에 분산된 G/S는 고체 거품이다. 그리고 고체가 다른 고체에 분산된 S_1/S_2는 고체 상태의 에멀션으로, 이를 응집체라고 말한다. 고체가 기체에 분산된 S/G와 액체가 기체에 분산된 L/G는 각각 고체 에어로졸과 액체 에어로졸이다.

④ 　콜로이드 용액에 빛을 비추면 빛의 진로가 뚜렷이 보이는 현상이 일어나는데, 이를 틴들 현상이라 한다. 틴들 현상은 크기가 큰 콜로이드 입자들이 가시광선을 산란시키기 때문에 일어나는 것으로, 먼지가 가득한 극장의 영사기에서 나오는 빛이나 어두운 방에서 문틈으로 들어오는 햇빛의 진로가 보이는 것이 대표적인 예이다.

⑤ 　콜로이드의 성질을 이용하여 콜로이드를 정제할 수도 있는데, 이를 투석이라고 한다. 투석은 용질이나 용매는 투과시키고 콜로이드 입자는 통과시키지 못하는 투석막을 이용해 콜로이드 용액 내의 콜로이드를 분리하는 과정이다. 녹말과 소금의 혼합물을 투석막의 일종인 셀로판지 주머니를 이용해 투석하면 콜로이드 입자인 녹말은 셀로판지 주머니 밖으로 나오지 못하고, 옥소늄 이온, 나트륨 이온, 염화 이온 등만 셀로판지 주머니 밖으로 빠져나오는 것이 그 예이다.

● **용매** | 녹을 溶, 매개 媒 | 어떤 액체에 물질을 녹여서 용액을 만들 때 그 액체를 가리키는 말.

● **가시광선** | 옳을 可, 볼 視, 빛 光, 선 線 | 사람의 눈으로 볼 수 있는 빛.

● **산란** | 흩을 散, 어지러울 亂 | 파동이나 입자선이 물체와 충돌하여 여러 방향으로 흩어지는 현상.

1 이 글의 내용과 일치하지 <u>않는</u> 것은?

① 잉크는 고체도 액체도 아닌 콜로이드라고 할 수 있다.

② 콜로이드 용액에서 콜로이드를 분리하는 것은 가능하다.

③ 틴들 현상은 작은 입자들이 가시광선을 산란시키기 때문에 일어난다.

④ 콜로이드의 종류는 9가지가 될 수 있지만 일반적으로는 8개로 구분한다.

⑤ 분산질이 연속적인 성질의 분산매에 흩어져 있는 상태를 분산계라고 한다.

2 이 글을 이해한 내용으로 가장 적절한 것은?

① 은이 물에 녹아 있는 은 수용액은 L/S로 표시할 수 있겠군.

② 물속에 기름이 분산되어 있는 마요네즈는 S/L로 표시할 수 있겠군.

③ 두 가지 액체 성분이 섞여 있는 스킨 로션은 콜로이드라고 말할 수 없겠군.

④ 미세한 고체 입자가 분산되어 있는 연기는 액체 에어로졸이라고 할 수 있겠군.

⑤ 금 입자를 유리질 고체에 분산시켜 만든 크랜베리 유리는 응집체라고 할 수 있겠군.

3 이 글을 바탕으로 하여 〈보기〉를 이해한 내용으로 가장 적절한 것은?

> ● 보기 ●
>
> 소금과 녹말을 각각 10g씩 셀로판지 주머니 속에 넣은 다음 증류수가 들어 있는 비커 A, B에 각각 매달아 두었다. 30분이 지난 다음 비커 A의 증류수를 시험관에 따르고 이 시험관에 질산 은 용액을, 비커 B의 증류수를 시험관에 따르고 이 시험관에 아이오딘 용액을 떨어뜨렸다. 그랬더니 첫 번째 시험관에는 소금과 질산 은이 반응하여 염화 은이 만들어졌고, 두 번째 시험관에서는 녹말과 아이오딘 용액이 만났을 때 보라색이 나타나는 반응이 일어나지 않았다.

① 소금 주머니를 매달아 놓은 비커 A에 빛을 비추면 빛의 진로가 뚜렷하게 나타나겠군.

② 소금 주머니를 매달아 놓은 비커 A에는 액체가 다른 액체에 분산된 콜로이드 용액이 담겨 있겠군.

③ 비커 B에 녹말 주머니를 매달아서 콜로이드 용액을 만들어 낸 것이라고 할 수 있겠군.

④ 비커 B의 증류수를 관찰하면 고체 입자가 액체 용매에 흩어져 있는 상태를 확인할 수 있겠군.

⑤ 비커 B의 증류수를 따른 시험관에서 보라색 반응이 나타나지 않은 것은 셀로판지 주머니가 투석막으로 기능했기 때문이겠군.

식물이 물을 끌어 올리는 원리

⏱ 적정 풀이 시간 6분 | 난이도 ●●○   _ 2019학년도 6월 고1 학력평가

① 식물의 생장에는 물이 필수적이다. 식물은 잎에서 광합성을 통해 생장에 필요한 양분을 만들어 내는데, 물은 바로 그 원료가 된다. 물은 중력을 받기 때문에 높은 곳에서 낮은 곳으로 흐르지만, 식물은 지구 중심과는 반대 방향으로 자란다. 따라서 식물이 줄기 끝에 달려 있는 잎에 물을 공급하려면 중력의 반대 방향으로 물을 끌어 올려야 한다. 그러면 식물은 어떤 힘을 이용하여 물을 끌어 올릴까? 식물이 물을 뿌리에서 흡수하여 잎까지 보내는 데는 뿌리압, 모세관 현상, 증산 작용으로 생긴 힘이 복합적으로 작용한다.

② 수세미의 잎을 모두 떼어 내고 뿌리와 줄기만 남기고 자른 후 뿌리 끝을 물에 넣어 보면, 잘린 줄기 끝에서는 물이 힘차게 솟아오르지는 않지만 계속해서 올라온다. 뿌리털을 둘러싼 세포막을 경계로 안쪽은 땅에 비해 여러 가지 유기물과 무기물들이 더 많이 섞여 있어서 뿌리 바깥보다 용액의 농도가 높다. 다시 말해 뿌리털 안은 농도가 높은 반면, 흙 속에 포함되어 있는 물은 농도가 낮다. 이때 농도의 균형을 맞추기 위해 흙 속에 있는 물 분자는 뿌리털의 세포막을 거쳐 물 분자가 상대적으로 적은 뿌리 내부로 들어온다. 이처럼 농도가 낮은 흙 속의 물을 농도가 높은 뿌리 쪽으로 이동시키는 힘이 생기는데, 이를 뿌리압이라고 한다. 즉 뿌리압이란 뿌리에서 물이 흡수될 때 밀고 들어오는 압력으로, 물을 위로 밀어 올리는 힘이다.

③ 물이 담긴 그릇에 가는 유리관을 꽂아 보면 유리관을 따라 물이 올라가는 것을 관찰할 수 있다. 이처럼 가는 관과 같은 통로를 따라 액체가 올라가거나 내려가는 것을 ㉠모세관 현상이라고 한다. 모세관 현상은 물 분자와 모세관 벽이 결합하려는 힘이 물 분자끼리 결합하려는 힘보다 더 크기 때문에 일어난다. 따라서 관이 가늘어질수록 물이 올라가는 높이가 높아진다. 식물체 안에는 뿌리에서 줄기를 거쳐 잎까지 연결된 물관이 있다. 물관은 말 그대로 물이 지나가는 통로인데, 지름이 75 ㎛(마이크로미터)로 너무 가늘어 눈으로는 볼 수 없다. 이처럼 식물은 물관의 지름이 매우 작기 때문에 모세관 현상으로 물을 밀어 올리는 힘이 생긴다.

④ 식물의 잎 뒤쪽에는 기공이라는 작은 구멍이 있다. 기공을 통해 공기가 들락날락하거나 잎의 물이 공기 중으로 증발하기도 한다. 이처럼 식물체 내의 수분이 잎의 기공을 통하여 수증기 상태로 증발하는 현상을 ㉡증산 작용이라고 하고, 이때 물이 주변의 열을 흡수한다. 기공의 크기는 식물의 종류에 따라 다른데 보통 폭이 8 ㎛, 길이가 16 ㎛ 정도밖에 되지 않는다. 증산 작용은 물을 식물체 밖으로 내보내는 작용으로, 물이 줄기를 거쳐 잎까지 올라가는 원동력이다. 물 분자들은 서로 잡아당기는 힘으로써 연결되는데, 이는 물 기둥을 형성하는 것과 같다. 사슬처럼 연결된 물 기둥의 한쪽 끝을 이루는 물 분자가 잎의 기공을 통해 빠져나가면 아래쪽 물 분자가 끌어 올려지는 것이다. 증산 작용에 의한 힘은 잡아당기는 힘으로 식물이 물을 끌어 올리는 요인 중 가장 큰 힘이다.

세부 정보 이해하기

1 이 글을 읽고 답할 수 있는 질문이 **아닌** 것은?

① 식물의 잎에 있는 기공의 역할은 무엇인가?

② 식물에서 뿌리압이 생기는 원리는 무엇인가?

③ 식물의 생장에 물이 필수적인 이유는 무엇인가?

④ 식물의 종류에 따라 물이 증산하는 양은 어떻게 다른가?

⑤ 물관 내에서 물이 위로 이동하는 힘의 원리는 무엇인가?

대상 간에 비교하기

2 ㉠과 ㉡에 대한 설명으로 적절하지 **않은** 것은?

① ㉠은 관의 지름에 따라 물이 올라가는 높이가 달라진다.

② ㉡이 일어나면 물이 식물체 내에서 빠져나와 주변의 온도를 낮춘다.

③ ㉠에 의해서는 물의 상태가 바뀌지 않고, ㉡에 의해서는 물의 상태가 바뀐다.

④ ㉠으로 물을 위로 밀어 올리는 힘이, ㉡으로 물을 위에서 잡아당기는 힘이 생긴다.

⑤ ㉠에 의해 식물이 물을 밀어 올리는 힘보다 ㉡에 의해 식물이 물을 끌어 올리는 힘이 더 작다.

구체적 사례에 적용하기

3 한 학생이 〈보기〉와 같은 실험을 하였다. 이 글을 바탕으로 할 때, 〈보기〉에 대해 보인 반응으로 적절한 것은?

⎯ 보기 ⎯

크기와 종류가 같은 식물 셋을 (가)는 줄기만, (나)는 줄기와 잎만을 남겨 비닐을 씌운다. (다)는 뿌리, 줄기, 잎을 그대로 둔다. 셋을 물에 담아 햇빛 등이 동일한 조건에서 변화를 관찰하였다.

(가)   (나)   (다)

① (가)보다 (나)의 비닐 안쪽 면에 물방울이 덜 맺힐 것이다.

② (가)의 용기에 담긴 물이 (나), (다)의 용기에 담긴 물보다 더 많이 줄어들 것이다.

③ (나)에서는 한 가지 힘이, (다)에서는 두 가지 힘이 작용하여 물이 이동한다.

④ (가), (나), (다) 모두 물 분자들이 연결된 물 기둥이 형성될 것이다.

⑤ (가), (나), (다) 모두 공기가 식물 내부로 출입하는 현상이 일어나지 않는다.

어휘 더 쌓기

1 다음 제시된 초성과 뜻을 참고하여 괄호 안에 들어갈 단어를 쓰시오.

(1) ㅂ ㅇ : 신주나 화상을 받들어 모심.
㉖ 빈소에 위패를 (   )했다.

(2) ㅈ ㄱ : 정치의 국면. 또는 정치계의 형편.
㉖ 대통령의 현명한 결정으로 (   )이/가 안정되었다.

(3) ㅈ ㅊ ㅈ : 어떤 일을 실천하는 데 자유롭고 자주적인 성질이 있는 것.
㉖ 인간은 저마다 (   )인 존재로 스스로 판단하고 그 결정에 책임을 진다.

(4) ㅁ ㄷ : 한몫이 될 만한, 비교적 많은 돈.
㉖ 적은 비용을 투자해서 (   )을/를 만들었다.

(5) ㄱ ㅅ ㄱ ㅅ : 사람의 눈으로 볼 수 있는 빛.
㉖ 빛은 자외선, (   ), 적외선으로 나누어 볼 수 있다.

2 다음 괄호 안에 공통으로 들어갈 단어로 알맞은 것은?

- 그가 바쁜 것을 (   ) 일정을 짰다.
- 그녀의 경력을 (   ) 승진을 결정했다.

① 가정하여   ② 감안하여   ③ 감정하여   ④ 계획하여   ⑤ 상당하여

3 다음 밑줄 친 단어와 바꾸어 쓰기에 알맞은 것은?

아름다움을 최고의 가치로 여기는 탐미주의는 19세기 후반 영국을 비롯한 유럽에서 나타난 문예 사조이다.

① 개발된   ② 고안된   ③ 대두된   ④ 발족된   ⑤ 편찬된

4 다음의 뜻에 알맞은 단어를 서로 연결하시오.

(1) 돈을 내다.   • ① 점철되다

(2) 어떤 일에 손을 대다.   • ② 왜곡되다

(3) 사실과 다르게 해석되거나 그릇되게 되다.   • ③ 불입하다

(4) 관련이 있는 상황이나 사실 따위가 서로 이어지다. • • ④ 착수하다

은행의 기원

　은행은 언제 생겨났을까? 은행의 기원에 대해서는 여러 가지 설이 있는데 많은 문헌에서 유럽의 금 세공업자로부터 은행이 탄생했다고 전하고 있다. 과거 귀중한 금을 스스로 보관하기가 어려운 사람들은 튼튼한 금고를 가지고 있는 금 세공업자에게 사례금을 주고 금을 맡겨 두었고, 금을 맡긴 증거로 보관증을 받았다. 그리고 금을 거래할 일이 생기면 금을 찾아 직접 건네는 것보다 보관증을 주고받으면 훨씬 더 편리하다는 사실을 깨달았다. 금 보관증은 오늘날의 지폐나 수표인 셈이다.

　금 세공업자의 튼튼한 금고 속에는 사람들이 맡긴 많은 양의 금이 쌓여 갔다. 맡긴 금을 다시 찾아가기도 했지만 모두 일시에 몰려와 찾아가지는 않았기 때문이다. 그러자 금 세공업자는 자신이 발행한 보관증만큼의 금을 반드시 보유하고 있을 필요가 없음을 깨달았다. 그리고 어차피 금고 속에서 잠자고 있을 금이라면, 원하는 사람에게 빌려주고 수수료를 받으면 더욱 좋을 것이라고 생각했다. 더군다나 금을 빌리려는 모든 사람에게 진짜 금을 내줄 필요조차 없었다. 금 보관증을 발행하면 금을 꾸어 준 것과 똑같은 효과를 낼 수 있기 때문이다.

　금 세공업자들은 이 방법으로 상당한 이득을 얻었으며, 나중에는 아예 금세공이 아니라 금을 빌려주는 것을 본업으로 하기 시작했다. 더 많은 금을 빌려주고 수수료 수입을 얻으려면 우선 금을 많이 보관하고 있어야 하는데, 그러기 위해서 금을 맡기는 사람에게 사례금을 받는 것에서 사례금을 주는 것으로 방법을 바꾸었다. 사례금은 오늘날의 은행이 예금에 대해 지급하는 이자인 셈이다.

잠수함도 스노클링을 한다

⏱ 적정 풀이 시간 5분 | 난이도 ●●○

① 여름휴가 기간에 바다에 나가 수영을 하다 보면 머리를 물속에 두고 수면 위로 뻗은 긴 빨대로 호흡을 하는 것을 본 적이 있을 것이다. 이때 사용되는 긴 빨대를 '스노클'이라고 하고, 이를 이용해 수중의 아름다운 모습을 감상하며 수영하는 것을 '스노클링'이라고 한다. 그런데 스노클링은 사람만 하는 것이 아니라 잠수함도 한다.

② 제1차 세계 대전 중 독일 잠수함에 시달린 경험이 있는 영국은 제2차 세계 대전에서는 항공기에 레이더를 장착해 독일 잠수함을 성공적으로 공격했다. 레이더를 통해 멀리서 수상의 잠수함을 탐지하고 빠른 속도로 접근해 잠수함을 공격했던 것이다. 이에 독일은 잠수함이 수중에 계속 머물러 있을 수 있도록, 수중에 있는 잠수함에서 수면 위로 뻗은 공기 흡입관, 즉 '스노클'을 개발해 설치함으로써 피해를 줄일 수 있었다.

③ 스노클 항해는 얕은 수심에서 스노클 마스트를 수면으로 내밀고 항해하는 것을 말한다. 디젤 잠수함은 스노클 마스트를 수면으로 노출시켜 공기를 흡입한 후 이 공기로 디젤 발전기를 가동해 전기를 발생시키고 이를 축전지에 충전한다. 스노클 항해 시에는 스노클 마스트를 수면 위로 올리기 때문에 육안으로 식별되기 쉽고, 디젤 발전기의 소음으로 인해 잠수함이 탐지될 가능성이 높아진다. 따라서 최단 시간 내에 스노클 항해를 종료해야 한다.

④ 스노클 항해 시에는 최단 시간에 최대의 전력을 축전지에 충전해야 하므로 저속으로 항해한다. 축전지에 충전되는 전기는 잠수함 추진에 소모되고 남은 전기가 충전되며, 디젤 발전기의 출력이 한정되어 있기 때문에 저속으로 항해하지 않으면 축전지 충전에 많은 시간이 걸린다. 잠수함의 디젤 발전기는 공기와 연료를 연소시키기 때문에 스노클 항해 시에만 가동한다. 발전기가 작동하면 외부 공기가 잠수함 내로 유입되고 이산화 탄소와 같은 연소 가스는 함 외부로 배출된다. 유입된 공기는 함 내를 순환한 후 발전기로 흡입되므로, 스노클 항해는 잠수함 내부를 환기하는 기능도 한다. 하지만 제한된 관을 통해 공기를 흡입하므로 함 내의 공기를 완전히 신선한 공기로 교체하기는 어렵다.

⑤ 스노클 항해 시에는 수면 가까이에서 항해를 하므로 거센 파도나 바람에 의해 수면 상태가 불안정할 경우, 잠수함이 흔들려 승조원들이 어려움을 겪는다. 그리고 적에게 발각될 위험이 크기 때문에 언제든지 긴급하게 잠항을 할 수 있도록 긴장감을 유지해야 한다. 스노클 항해를 통해 잠수함은 전력을 충전하고 신선한 공기도 얻을 수 있지만 그만큼 다양한 위험을 감수해야 하는 것이다.

1 이 글을 통해 알 수 있는 내용이 <u>아닌</u> 것은?

① 스노클 항해 시 주의해야 할 점

② 잠수함의 스노클이 개발된 배경

③ 스노클 항해 시 잠수함 내의 공기 순환

④ 잠수함 디젤 발전기의 단점과 개선 방향

⑤ 잠수함에서 디젤 발전기를 가동하는 목적

2 이 글을 바탕으로 하여 〈보기〉에 대해 이해한 내용으로 적절하지 <u>않은</u> 것은?

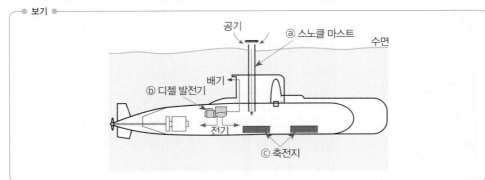

① ⓐ는 바다에서 수영할 때 사용하는 스노클과 유사한 기능을 한다.

② ⓑ는 스노클 항해 시 육안으로 식별되기 쉬운 특성이 있다.

③ ⓒ를 최대한 충전하려면 잠수함이 저속으로 항해해야 한다.

④ ⓐ를 수면 위로 올려야만 ⓒ를 충전할 수 있다.

⑤ ⓒ에는 ⓑ에서 생산된 전기의 일부만 충전된다.

3 이 글을 바탕으로 할 때, 〈보기〉의 밑줄 친 부분에 들어갈 내용을 추론한 것으로 가장 적절한 것은?

> ● 보기 ●
>
> **건우:** 잠수함이 스노클 항해를 하지 않는 수중에서 디젤 발전기를 작동시키지 않는 이유
> 는 무엇일까?
>
> **지우:** 그것은 _____.

① 잠수함은 수면 위의 거센 파도나 바람에 의해 함 자체가 크게 흔들리기 때문이야.

② 디젤 발전기의 작동 소음이 커서 수상에 있는 적에게 탐지될 가능성이 크기 때문이야.

③ 잠수함 내부의 혼탁한 공기를 완전히 신선한 공기로 교체하는 것은 대단히 어렵기 때문이야.

④ 디젤 발전기가 잠수함 내의 공기를 연소시키고 이산화 탄소와 같은 연소 가스를 발생시키기 때문이야.

⑤ 잠수함이 수중에 있는 상태에서 스노클 마스트만 수면 위로 올릴 경우 적이 탐지하기 어렵기 때문이야.

인공위성의 궤도와 자세를 바로잡으려면

⏱ 적정 풀이 시간 6분 | 난이도 ●●○

_2014학년도 9월 고1 학력평가

① 지구 궤도를 도는 인공위성은 지구 중력의 변화, 태양으로부터 오는 작은 미립자와의 충돌 등으로 궤도도 변하고 자세도 변한다. 힘이 작용하여 운동 방향과 상태가 변하는 것이다. 뉴턴은 이를 작용 반작용의 법칙으로 설명할 것이다.

② 한 물체가 다른 물체에 힘을 작용하면 그 힘을 작용한 물체에도 크기가 같고 방향은 반대인 힘이 동시에 작용한다는 것이 작용 반작용의 법칙이다. 예를 들어 바퀴가 달린 의자에 앉아 벽을 손으로 밀면 의자가 뒤로 밀리는데, 사람이 벽을 미는 작용과 동시에 벽도 사람을 미는 반작용이 있기 때문이다. 이 법칙은 물체가 정지하고 있을 때나 운동하고 있을 때 모두 성립하며, 두 물체가 서로 떨어져 힘이 작용할 때에도 항상 성립한다.

③ 인공위성의 상태가 변하면 본연의 임무를 달성하기 위해 궤도와 자세를 바로잡아야 한다. 지구 표면을 관측하는 위성은 탐사 장비를 지구 쪽을 향하도록 자세를 고쳐야 하고, 인공위성에 전력을 제공하는 태양 전지를 태양 방향으로 끊임없이 조절해야 한다. 이때 위성의 궤도와 자세를 조절하는 방법도 모두 작용 반작용을 이용한다.

④ 가장 간단한 방법은 로켓 엔진과 같은 추력기를 외부에 달아 이용하는 것이다. 추력기는 질량이 있는 물질인 연료를 뿜어내며 발생하는 작용과 반작용을 이용하여 위성을 움직인다. 위성에는 궤도를 수정하기 위한 주추력기 이외에 ㉠소형의 추력기가 각기 다른 세 방향 (x, y, z 축)으로 여러 개가 설치되어 있는데, 이를 이용해 자세를 수정하는 것이다. 문제는 10년이 넘게 사용할 위성에 자세 제어용 추력기가 사용할 연료를 충분히 실을 수 없다는 것이다.

⑤ 최근에는 ㉡반작용 휠을 이용한 방법도 사용되고 있다. 위성에는 추력기처럼 세 방향으로 설치된 3개의 반작용 휠이 있어 회전수를 조절하면 위성의 자세를 원하는 방향으로 맞출 수 있다. 위성 내부에 부착된 반작용 휠은 전기 모터에 휠을 달고, 돌리는 속도를 높여 주거나 낮춰 주어서 위성을 회전시켜 자세를 바꾼다. 일반적으로 물체가 한 방향으로 돌 때 그 반대 방향으로 똑같은 힘이 발생한다. 반작용 휠이 돌면 위성에는 반대 방향으로 도는 힘이 발생하는데, 이 힘을 이용하는 것이다. 다만 궤도 수정과 같은 위성의 위치 변경은 할 수 없다.

⑥ 하지만 반작용 휠은 자세 제어용 추력기를 이용하는 것보다 훨씬 유리하다. 추력기를 이용하면 연료가 있어야 하고, 그만큼 쏘아 올려야 할 위성의 무게도 증가한다. 반작용 휠을 이용하면 필요한 것은 전기이며 태양 전지를 이용해 얼마든지 얻을 수 있다.

1 이 글에 대한 설명으로 적절하지 <u>않은</u> 것은?

① 추력기와 반작용 휠을 사용할 때의 한계를 지적하고 있다.

② 사례를 통해 작용 반작용의 개념에 대한 이해를 돕고 있다.

③ 인공위성의 궤도와 자세를 조절하는 여러 방법을 병렬적으로 설명하고 있다.

④ 인공위성의 궤도 변화와 자세 변화를 뉴턴의 작용 반작용의 법칙과 관련지어 설명하고 있다.

⑤ 인공위성의 궤도와 자세를 바로잡아야 하는 이유를 대조적인 두 상황을 비교하며 설명하고 있다.

대상 간에 비교하기

2 ㉠과 ㉡에 대한 설명으로 가장 적절한 것은?

① ㉠은 위성의 내부에, ㉡은 외부에 설치된다.

② ㉠과 달리 ㉡을 작동하면 위성 전체의 질량이 변화한다.

③ ㉡과 달리 ㉠은 물체의 회전 운동을 이용하고 있다.

④ ㉡과 달리 ㉠은 x, y, z 축의 세 방향으로 설치되어 있다.

⑤ ㉠과 ㉡은 모두 반작용을 이용해 위성의 자세를 제어한다.

구체적 사례에 적용하기

3 이 글을 참고할 때, 〈보기〉의 상황에서 '관제 센터'의 판단과 해결 방안으로 적절한 것은?

> ● 보기 ●
>
> 주추력기, 자세 제어용 추력기, 반작용 휠이 모두 장착된 인공위성 A가 (가)에서 (나)로 궤도가 변하고 자세도 달라졌다. 그래서 관제 센터에서는 원래의 궤도와 자세로 수정하기 위해 노력하고 있다.
>
>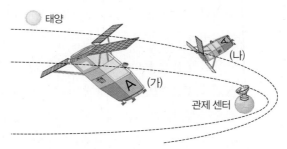

① A가 (가)에서 (나)로 변한 원인을 위성의 주추력기가 계속 작동하지 않았기 때문이라고 판단한다.

② (가)의 궤도로 (나)에 있던 A를 움직이기 위해 세 방향의 자세 제어용 추력기를 가동한다.

③ A의 궤도를 (가)로 고치려고 태양 전지를 태양에 맞추고 반작용 휠을 작동한다.

④ 주추력기로 (나)에서 (가)로 궤도 수정을 한 후에 반작용 휠의 회전수를 조절하여 A의 자세를 제어한다.

⑤ A는 궤도가 한번 변하면 수정을 할 수 없어 (나)에서 추력기와 반작용 휠을 이용해 A의 자세만 조정한다.

숨 쉬는 항아리, 옹기

⏱ 적정 풀이 시간 6분 | 난이도 ●○○

✏ 문단 요약하기

① 옹기는 예부터 일상생활에서 중요한 (　　　　)(으)로 사용되었다.

② 옹기는 (　　　　)와/과 (　　　　)을/를 통틀어 이르는 말이다.

③ 옹기에 나타난 (　　　　)들은 단순한 (　　　　)을/를 이용해서 그린 것으로 옹기만의 미(美)를 보여 준다.

④ 우리의 음식 문화와 관련이 깊은 옹기는 (　　　　), 통기성, (　　　　), (　　　　), 자연 환원성의 특성을 지닌다.

① 된장, 고추장, 김치 등 우리나라 특유의 발효 음식과 함께 생활 용기의 역할을 해 온 그릇이 있다. 흙으로 빚어 고온에서 구워 낸 도자기의 일종인 옹기가 바로 그것이다. 언제부터 옹기가 쓰였는지는 정확히 알 수 없지만, 삼국 시대 이후 그릇을 만드는 기술이 발달하면서 점차 단단하고 가벼운 도기로 옹기가 만들어지고 사용되었다. 고려와 조선 시대를 거치면서 청자, 분청사기, 백자와 같은 새로운 도자기가 만들어졌지만, 일상생활에서는 여전히 옹기가 중요한 생활 그릇으로 사용되었다.

② 옹기는 질그릇과 오지그릇을 통틀어 이르는 말인데, 질그릇과 오지그릇은 그릇을 굽는 방식에 따라 구분된다. 질그릇은 유약을 입히지 않고, 가마에서 구울 때 검댕을 입혀 겉면에 윤기가 없고 짙은 회색을 띤다. 질그릇의 한 종류로 푸레그릇이 있는데, 질그릇을 구울 때 가마 아궁이에 소금을 뿌려 만드는 것으로 유약을 입힌 듯 윤택을 갖게 된다. 오지그릇은 초벌 후 오짓물을 입혀 다시 구운 그릇으로 윤이 나고 단단한 것이 특징이다.

③ 옹기에 나타난 문양들은 옹기만의 미(美)를 보여 준다. 이는 어떤 형식이나 사고에 의해 그려진 그림이 아닌 단순한 손놀림을 이용해서 그린 문양인데, 이러한 작업을 흔히 '환을 친다'라고 말한다. 이 손가락 그림은 기물을 만들고 잿물을 입힌 후 잿물이 마르기 전에 손가락을 이용해서 그림을 그려 넣는 방법으로 표현된다. 그 내용에는 꽃과 동물, 산 등 자연을 소재로 한 것들이 많았다. 이 중 어떤 물체의 형태를 그대로 본떠 그린 그림과는 달리 장인이 손가락 가는 대로 그리는 문양들이 있는데, 대나무잎 문양, 물결 문양, 용수철 문양 등이 대표적이다.

④ 우리의 음식 문화와 깊은 관련이 있는 옹기는 저장성, 통기성, 방부성, 보온성, 자연 환원성의 특성을 지닌다. 옹기에 담긴 음식물이 맛있는 이유는 미생물의 활동을 조절해서 발효를 돕고 음식이 오래 보존되도록 하기 때문인데, 이는 옹기가 숨을 쉬기 때문이다. 옹기는 고운 흙으로 만든 청자나 백자와는 달리 작은 알갱이가 섞여 있는 질(점토)로 만들어지는데, 가마에서 소성될 때 질이 녹으면서 미세한 구멍이 형성된다. 이 미세한 구멍으로 공기, 미생물, 효모 등이 통과할 수 있는 것이다. 그뿐만 아니라 온도와 습도도 조절할 수 있어서 발효 식품을 썩지 않게 오랫동안 숙성 저장하는 데 가장 큰 장점을 지니고 있다. 또한 단열에도 뛰어나 여름철의 직사광선이나 겨울철의 한랭한 바깥 온도에도 적정한 온도를 유지한다. 그리고 깨어진 옹기를 땅에 버려두고 오랜 시간이 지나면 파편으로 남지 않고 흙으로 다시 돌아간다. 이렇듯 옹기는 (　　　　　　　ㄱ　　　　　　　)

● 도기 │ 질그릇 陶, 그릇 器 │ 붉은 진흙으로 만들어 볕에 말리거나 약간 구운 다음, 오짓물을 입혀 다시 구운 그릇. 검붉은 윤이 나고 단단하다.

● 유약 │ 광택 釉, 약 藥 │ 도자기의 몸에 덧씌우는 약.

● 검댕 │ 그을음이나 연기가 엉겨 생기는, 검은 물질.

● 오짓물 │ 흙으로 만든 그릇에 발라 구우면 그릇에 윤이 나는 잿물.

● 기물 │ 그릇 器, 만물 物 │ 살림살이에 쓰는 그릇.

● 소성되다 │ 불사를 燒, 이룰 成 │ 가마에서 벽돌 따위가 구워져 만들어지다.

세부 정보 이해하기

1 **이 글의 내용과 일치하는 것은?**

① 오지그릇은 윤기가 없고 짙은 회색을 띠는 것이 특징이다.

② 옹기에 담긴 음식이 맛있는 이유는 미세한 구멍 때문이다.

③ 질그릇과 푸레그릇의 공통점은 검은색 유약을 바른다는 것이다.

④ 옹기의 자연 환원성은 발효 식품을 썩지 않게 저장하는 데 도움을 준다.

⑤ 조선 시대에 새로운 도자기가 등장하면서 옹기는 일상생활에서 덜 사용되었다.

대상 간에 비교하기

2 **③의 내용을 바탕으로 하여 〈보기〉에 대해 이해한 내용으로 적절하지 않은 것은?**

> ● 보기 ●
>
> 옹기에서는 어느 한국 공예품에서도 볼 수 없는 자유분방한 곡선문을 발견할 수 있다. 대부분의 문양은 원으로 모아지는 단조로운 형태이다. 문양을 그리는 도공은 옹기에 양 손을 활짝 펴면서 손자국을 남기는 빠르고 간결한 손놀림으로 문양을 그린다. 옹기의 크 기가 클 경우 옹기 주위를 돌면서 한 손으로 자유자재로 문양을 그리기도 한다.
>
>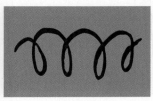
>
> ▲ 초화(草花) 문양　　　　　▲ 대나무잎 문양　　　　　▲ 용수철 문양

① 〈보기〉의 문양들은 손가락으로 그린 문양이라고 할 수 있겠군.

② 〈보기〉의 대나무잎 문양은 장인이 손가락 가는 대로 환을 친 문양이겠군.

③ 〈보기〉의 문양들은 단순함과 자유분방함이라는 옹기만의 미(美)를 드러낸다고 볼 수 있겠군.

④ 잿물이 마르기 전에 〈보기〉의 문양을 그려야 하기 때문에 도공의 손놀림은 빠르고 간결해야겠군.

⑤ 〈보기〉의 초화 문양과 용수철 문양은 자연을 소재로 한 문양으로 문양이 원으로 모아 지는 형태를 띠는군.

추론하기

3 **㉠에 들어갈 말로 가장 적절한 것은?**

① 시대의 변화를 반영하여 계속해서 진화하였다.

② 예술성이 가장 뛰어난 공예품이라고 할 수 있다.

③ 도자기의 아름다움이 가장 잘 반영된 그릇이라고 말할 수 있다.

④ 우리나라의 풍토에 가장 적합한 그릇이며, 그 쓰임에 있어서 옹기를 넘볼 그릇이 없을 것이다.

⑤ 세련된 아름다움으로 서민들뿐만 아니라 지배층에게까지 사랑을 받은 공예품이라고 말할 수 있다.

예술

10 암각화와 부조

✏ **문단 요약하기**

① (　　　　　)와/과 부조상은 돌에 형상을 새긴 것이라는 공통점이 있다.

② (　　　　　)와/과 요조는 암각화의 표현 방법이며, 선으로 표현했다는 점에서 암각화는 조각이 아닌 (　　　)(으)로 볼 수 있다.

③ 부조는 벽면 같은 곳에 부착된 형태로 도드라지게 (　　　　)을/를 만드는 것으로 (　　　　)와/과 회화의 성격을 모두 띤다.

④ 부조의 특성을 잘 살린 대표적인 예로 (　　　　　)이/가 있다.

⑤ 부조는 (　　　　) 제한성에도 불구하고 (　　　　) 효과를 극대화한 특징을 가진다.

① 울산 울주에는 한국 미술사의 첫 장을 장식하는 암각화가 있다. 이것에는 넓고 평평한 돌 위에 상징적인 기호와 사실적으로 표현된 동물들의 모습이 새겨져 있다. 한편 한국 조형 미술을 대표하는 것으로 금강역사상과 같은 석굴암의 부조상들이 있다. 이것들 또한 돌에 형상을 새긴 것이다. 이들의 표현 방법에 대해 살펴보도록 하자.

② 암각화에는 선조와 요조가 사용되었다. 선조는 선으로만 새긴 것을 말하며, 요조는 형태의 내부를 표면보다 약간 낮게 쪼아 내어 형태의 윤곽선을 표현한 것이다. 이러한 점에서 요조는 쪼아 낸 면적만 넓을 뿐이지 기본적으로 선조의 범주에 든다고 하겠다. 따라서 선으로 대상을 표현했다는 점에서 암각화는 조각이 아니라 회화라고 볼 수 있다.

③ 한편 조각과 회화의 성격을 모두 띠고 있는 것으로 부조가 있다. 부조는 벽면 같은 곳에 부착된 형태로 도드라지게 반입체를 만드는 것이다. 평면에 밀착된 부분과 평면으로부터 솟아오른 부분 사이에 생기는 미묘하고도 섬세한 그늘은 삼차원적인 공간 구성을 통한 실재감을 주게 된다. 빛에 따라 질감이 충만한 부분과 빈 부분이 드러나서 상대적인 밀도를 지각할 수 있게 되는 것이다. 이처럼 부조는 평면 위에 입체로 대상을 표현하므로 중량감을 수반하게 되고 공간과 관련을 맺는다. 이것이 부조에서 볼 수 있는 조각의 측면이다.

④ 이러한 부조의 특성을 완벽하게 소화하여 평면에 가장 입체적으로 승화시킨 것이 석굴암 입구 좌우에 있는 금강역사상이다. 이들은 제각기 다른 자세로 금방이라도 벽 속에서 튀어나올 것 같은 착각을 준다. 팔이 비틀리면서 평행하는 사선의 팽팽한 근육은 힘차고, 손가락 끝은 오므리며 온 힘이 한곳에 응결된 왼손의 손등에 솟은, 방향과 높낮이를 달리하는 다섯 갈래 뼈의 강인함은 실로 눈부시다.

⑤ 부조는 신전의 벽면을 장식하기 위한 목적으로 제작되기 시작했다. 그리스 신전과 이집트 피라미드 등에서는 부조로 벽면을 장식하여 신비스러운 종교적 분위기를 형성하고 있다. 이처럼 이차원적 제한성에도 불구하고 삼차원적 효과를 극대화한 부조는 제작 환경과 제작 목적에 맞게 최적화된 독특한 조형 미술의 양식이다.

▲ 〈금강역사상〉

● **윤곽선** | 바퀴 輪, 둘레 廓, 선線 | 사물의 테두리를 잇는 선.

● **지각하다** | 알 知, 깨달을 覺 | 감각 기관을 통하여 대상을 인식하다.

● **수반하다** | 따를 隨, 짝 伴 | 어떤 일과 더불어 생기다. 또는 그렇게 되게 하다.

● **승화시키다** | 오를 昇, 빛날 華 | 어떤 현상을 더 높은 상태나 수준으로 발전하게 하다.

1 **이 글의 서술 방식으로 가장 적절한 것은?**

① 미술 작품의 감상 방법을 작품의 소재에 따라 소개하고 있다.

② 미술 작품이 주는 느낌을 다양한 이론에 따라 분석하고 있다.

③ 미술 기법에 따른 효과를 구체적인 사례를 통해 설명하고 있다.

④ 미술 기법에 대한 전문가의 견해를 인용하여 작품의 특성을 제시하고 있다.

⑤ 미술 기법의 발전 과정을 시간에 따라 나열하여 미술사적 의미를 밝히고 있다.

세부 정보 이해하기

2 **이 글의 내용과 일치하지 않는 것은?**

① 선조는 입체감을 강조한 조형 양식이다.

② 요조는 표면보다 낮게 표현한다.

③ 요조는 표현 방법 면에서 회화에 가깝다.

④ 부조는 종교 건축물의 장식에 사용되었다.

⑤ 부조는 공간과 관련을 맺어 조각의 성격을 띤다.

대상 간에 비교하기

3 **〈보기〉와 '금강역사상'을 비교하여 이해한 내용으로 적절하지 않은 것은?**

▲ 〈울산 울주 반구대 암각화〉 중 일부

① 금강역사상이 〈보기〉보다 빛에 비춰 봤을 때 실재감이 더 크겠어.

② 금강역사상보다 〈보기〉가 회화의 특징이 더 두드러진다고 하겠어.

③ 금강역사상은 〈보기〉와 달리 형상을 평면보다 돌출시켜 역동성을 표현하려 했군.

④ 금강역사상과 〈보기〉는 모두 이차원적인 성질을 지니고 있겠군.

⑤ 금강역사상과 〈보기〉는 모두 배경이 되는 면에 붙여서 작품을 제작하였겠군.

11 컴퓨터의 보조기억장치인 SSD

✎ 문단 요약하기

① CPU, (   ), 보조기억장치는 컴퓨터를 구성하는 핵심 3요소이다.

② (   ) 재질의 CPU나 램과 달리 (   )을/를 이용하는 HDD는 동작 속도가 느리다.

③ (   )의 대안으로 반도체를 이용해 데이터를 저장하는 (   )이/가 제시되었다.

④ SSD는 (   ), 메모리, (   ), 버퍼 메모리로 구성되며, 램 기반, 플래시메모리 기반 SSD로 나뉜다.

⑤ (   ) SSD는 빠른 속도가 장점이나, 전원이 꺼지면 (   )이/가 사라지는 단점이 있다.

⑥ (   ) 기반 SSD는 (   )보다 속도는 느리지만 전원이 꺼져도 데이터가 보존된다.

① 컴퓨터를 구성하고 있는 여러 가지 장치 중에서 가장 핵심적인 역할을 담당하고 있는 3가지 요소는 중앙처리장치(CPU), 주기억장치, 보조기억장치이다. 보통 주기억장치로 '램'을, 보조기억장치로 'HDD(Hard Disk Drive)'를 쓴다. 이 세 장치의 성능이 컴퓨터의 전반적인 속도를 좌우한다고 할 수 있다.

② CPU나 램은 내부의 미세 회로 사이를 오가는 전자의 움직임만으로 데이터를 처리하는 반도체 재질이기 때문에 고속으로 동작이 가능하다. 그러나 HDD는 원형의 자기디스크를 물리적으로 회전시키며 데이터를 읽거나 저장하기 때문에 자기디스크를 아무리 빨리 회전시킨다 해도 반도체의 처리 속도를 따라갈 수 없다. 게다가 디스크의 회전 속도가 빨라질수록 소음이 심해지고 전력 소모량이 급속도로 높아지는 단점이 있다. 이 때문에 CPU와 램의 동작 속도가 하루가 다르게 향상되고 있는 반면, HDD의 동작 속도는 그렇지 못했다.

③ 그래서 HDD의 대안으로 제시된 것이 바로 'SSD(Solid State Drive)'이다. SSD의 용도나 외관, 설치 방법 등은 HDD와 유사하다. 하지만 SSD는 HDD가 자기디스크를 사용하는 것과 달리 반도체를 이용해 데이터를 저장한다는 차이가 있다. 그리고 물리적으로 움직이는 부품이 없기 때문에 작동 소음이 작고 전력 소모가 적다. 이런 특성 때문에 휴대용 컴퓨터에 SSD를 사용하면 전지 유지 시간을 늘릴 수 있다는 이점이 있다.

④ SSD는, 컴퓨터 시스템과 SSD 사이에 데이터를 주고받을 수 있도록 연결하는 부분인 '인터페이스', 데이터를 저장하는 '메모리', 그리고 인터페이스와 메모리 사이의 데이터 교환 작업을 제어하는 '컨트롤러', 외부 장치와 SSD 간의 처리 속도 차이를 줄여 주는 '버퍼 메모리'로 이루어져 있다. 이 중에 주목해야 할 것이 데이터를 저장하는 메모리다. 이 메모리를 무엇으로 쓰는지에 따라 '램 기반 SSD'와 '플래시메모리 기반 SSD'로 나뉜다.

⑤ 램 기반 SSD는 매우 빠른 속도를 발휘하는데, 이것을 장착한 컴퓨터는 전원을 켠 후 1~2초 만에 윈도 운영 체제의 부팅을 끝낼 수 있을 정도다. 다만 램은 전원이 꺼지면 저장 데이터가 모두 사라지기 때문에 컴퓨터의 전원을 끈 상태에서도 SSD에 계속해서 전원을 공급해 주는 전용 전지가 반드시 필요하다. 이런 단점 때문에 램 기반 SSD는 많이 쓰이지 않는다.

⑥ 그래서 일반적으로 SSD는 플래시메모리 기반 SSD를 지칭한다. 플래시메모리는 전원이 꺼지더라도 기록된 데이터가 보존되기 때문에 HDD를 쓰던 것처럼 쓰면 된다. 그리고 플래시메모리 기반 SSD를 장착한 컴퓨터는 램 기반 SSD를 장착한 컴퓨터보다 느리긴 하지만 ㉠HDD를 장착한 동급 사양의 컴퓨터보다 최소 2~3배 이상 빠른 부팅 속도와 프로그램 실행 속도를 기대할 수 있다.

● 회로 | 돌 回, 길 路 | 여러 개의 회로 소재(전자 회로의 구성 요소가 되는 낱낱의 부품)를 서로 접속하여 구성한 전류가 흐르는 통로.

● 반도체 | 반 半, 이끌 導, 몸 體 | 상온에서 전기 전도율이 도체(전도율이 비교적 큰 물체)와 절연체의 중간 정도인 물질.

● 컴퓨터 시스템(computer system) | CPU, 램 등 컴퓨터를 동작시키는 장치의 집합체.

● 인터페이스(interface) | 서로 다른 두 시스템, 장치, 소프트웨어 따위를 서로 이어 주는 부분. 또는 그런 접속 장치.

1 이 글에서 확인할 수 있는 내용으로 적절하지 <u>않은</u> 것은?

① HDD의 발전 과정

② SSD의 구성 요소

③ 컴퓨터 속도를 결정하는 주요 장치

④ 램과 HDD의 데이터 처리 방식 차이

⑤ SSD를 휴대용 컴퓨터에 쓰면 좋은 이유

2 ㉠의 이유로 가장 적절한 것은?

① HDD에 비해 SSD를 설치하는 방법이 간단하기 때문에

② HDD와 달리 SSD는 반도체를 이용해 데이터를 저장하기 때문에

③ HDD에 비해 SSD는 데이터를 읽을 때 자기디스크의 회전 속도가 빠르기 때문에

④ HDD와 달리 SSD는 계속해서 전원을 공급해 주는 전용 전지가 필요하기 때문에

⑤ HDD에 비해 SSD는 자기디스크의 회전 속도가 빨라질수록 전력 소모량이 높기 때문에

3 이 글을 바탕으로 하여 〈보기〉에 대해 이해한 내용으로 적절하지 <u>않은</u> 것은?

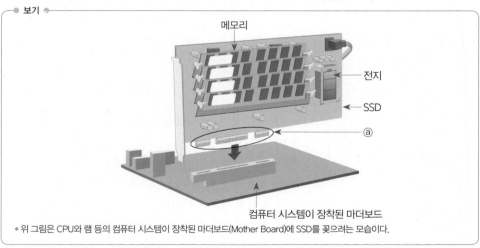

● 보기 ●

메모리

전지

SSD

ⓐ

컴퓨터 시스템이 장착된 마더보드

* 위 그림은 CPU와 램 등의 컴퓨터 시스템이 장착된 마더보드(Mother Board)에 SSD를 꽂으려는 모습이다.

① 〈보기〉의 SSD에는 컨트롤러와 버퍼 메모리 장치가 있다.

② ⓐ는 SSD가 컴퓨터 시스템과 데이터를 주고받는 부분이다.

③ 〈보기〉의 SSD는 전지가 있는 것으로 보아 일반적으로 쓰이는 것이다.

④ 〈보기〉의 SSD는 다른 종류의 SSD에 비해 데이터 처리 속도가 빠르다.

⑤ 〈보기〉의 SSD에 전지가 없다면 컴퓨터 전원이 꺼졌을 때 메모리에 있는 데이터가 다 지워질 것이다.

어휘 더 쌓기

1 다음 밑줄 친 단어의 뜻을 〈보기〉에서 찾아 번호를 쓰시오.

> ● 보기 ●
> ① 상온에서 전기 전도율이 도체와 절연체의 중간 정도인 물질.
> ② 안경이나 망원경, 현미경 따위를 이용하지 아니하고 직접 보는 눈.
> ③ 행성, 혜성, 인공위성 따위가 중력의 영향을 받아 다른 천체의 둘레를 돌면서 그리는 곡선의 길.

(1) 그 정도 거리에서는 <u>육안</u>으로 식별이 가능하다. ➡ (　　　)

(2) 지구는 태양의 바깥 <u>궤도</u>를 도는 행성 중 하나이다. ➡ (　　　)

(3) 우리나라의 주요한 수출 품목 중에는 <u>반도체</u>가 포함된다. ➡ (　　　)

2 다음 괄호 안에 들어갈 단어로 알맞은 것은?

> 울창하게 우거진 숲속은 너무 캄캄해서 방향을 (　　　　) 수도 없었다.

① 지각할 　　② 지급할 　　③ 지배할 　　④ 지위할 　　⑤ 지지할

3 다음 밑줄 친 부분과 바꾸어 쓰기에 알맞은 것은?

> 투기는 손해를 볼 수 있는 위험 <u>부담이 함께 생기기도</u> 한다.

① 부담을 수반하기도 　　② 부담에 수반하기도 　　③ 부담으로 수반하기도
④ 부담이 수반하기도 　　⑤ 부담의 수반하기도

4 사다리타기에 따라, 빈칸에 들어갈 단어의 뜻을 〈보기〉에서 골라 번호를 쓰시오.

> ● 보기 ●
> ① 도자기의 몸에 덧씌우는 약.
> ② 어떤 현상을 더 높은 상태나 수준으로 발전하게 하다.
> ③ 알려지지 않은 사물이나 사실 따위를 샅샅이 더듬어 조사함.
> ④ 드러나지 않은 사실이나 물건 따위를 더듬어 찾아 알아내다.

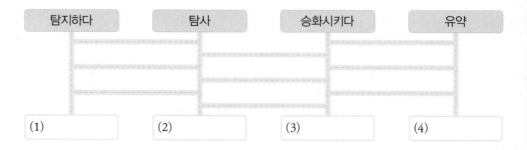

탐지하다	탐사	승화시키다	유약
(1)	(2)	(3)	(4)

뉴턴의 법칙

뉴턴은 1687년 《자연 철학의 수학적 원리》라는 책을 통해 물체의 운동에 관한 법칙 3가지를 발표하였다. 뉴턴의 제1법칙은 관성의 법칙, 제2법칙은 가속도의 법칙, 제3법칙은 작용 반작용의 법칙이다. 이 중 뉴턴의 제3법칙은 밀고 당기는 두 물체 사이의 상호 작용과 관련된 법칙이다. 예를 들어 갑이 을을 미는 경우를 가정해 보자. 갑이 을에게 힘을 작용하면 을도 반드시 갑에게 힘을 미칠 뿐 아니라 이 두 힘의 크기는 반드시 같고 방향은 반대라는 것이다. 이를 수식으로 표현하면

$$F_{작용} = -F_{반작용}$$

으로 나타낼 수 있다. 이때 마이너스 기호(−)는 반대 방향을 의미한다.

▲ 뉴턴의 작용과 반작용

여기서 한 가지 주의할 점이 있다. 작용과 반작용, 이 두 힘은 같은 물체에 작용하는 힘이 아니라는 것이다. 갑이 을에 미친 힘을 작용이라고 한다면 반작용은 갑에 미치고 있는 것이다. 작용과 반작용은 처음부터 정해지는 것이 아니고 둘 중 어느 하나를 작용이라고 하면 나머지 하나가 반작용이 된다. 만일 이 두 힘이 같은 물체에 작용한다고 가정하면

$$F_{작용} + (-F_{반작용}) = 0$$

이 되어 아무런 힘이 미치지 않는 결과가 될 것이다. 이렇게 된다면 어떤 물체에 미치는 힘은 항상 0이 되어 고려할 필요도 없게 되는 모순에 빠진다.

> 모든 작용에는 언제나
> 그에 상반되는 같은 크기의 반작용이 일어난다.
> – 아이작 뉴턴

동물 실험은 바람직할까?

동물 실험은 교육이나 연구, 신약 개발 등 과학적 목적을 위해 동물을 대상으로 실시하는 실험을 말한다. 의약품뿐만 아니라 화장품이나 생활용품의 효능 및 안정성을 확인하기 위해서도 동물 실험이 이루어지고 있다. 하지만 동물의 권리가 주목받기 시작하면서 동물 실험의 실효성과 윤리적 정당성에 관한 논란이 이어지고 있다. 동물 실험은 바람직한 것일까?

찬성

동물 실험은 바람직하다.

동물 실험은 질병 연구와 의학의 발전에 많은 기여를 해 왔다. 소아마비, 결핵, 홍역의 백신이나 당뇨병 치료제인 인슐린은 모두 동물 실험을 통해 개발되었다. 아직 해결하지 못한 질병과 바이러스는 수없이 많고, 이에 대한 연구에서 동물 실험은 아주 중요하다. 새로운 의약품을 개발하고 안정성을 검증하는 데 동물 실험은 반드시 필요하다.

또한 이러한 연구에 있어서 동물 실험은 가장 효율적인 방법이기도 하다. 동물 실험에 가장 많이 쓰이는 동물은 쥐를 비롯한 설치류인데, 설치류는 사람과의 유전적 유사성이 80% 정도로 높은 편이다. 과학의 발달로 동물 실험을 대체할 수 있는 다양한 방법들이 나오고 있긴 하지만 완전히 대체할 정도는 아니며, 시간과 비용적인 측면에서도 동물 실험이 효율적이다. 동물 실험을 무조건 규제하기보다는 엄격한 규칙에 따라 꼭 필요한 경우에만 동물 실험을 시행하는 것이 바람직하다.

반대

동물 실험은 바람직하지 않다.

인간의 생명이 소중하듯 동물의 생명도 소중하다. 호주의 철학자 피터 싱어는 동물 역시 인간과 마찬가지로 쾌락과 고통을 느끼므로 인간과 동등하게 배려되어야 한다고 말했다. 엄연한 생명체인 동물을 단지 인간의 유익을 위해 희생하는 것은 잔인하고 비인간적인 행동이다.

또한 실험동물의 고통을 상쇄할 만큼 동물 실험이 유용하다고 볼 수 없다. 인간에게 있는 질병 3만 가지 가운데 동물과 공유하는 질병은 1.16%밖에 되지 않으며, 인간과 동물의 신체 구조와 대사 기능은 분명히 다르다. 이러한 이유 때문에 동물 실험을 통해 안전성을 검증받은 약품이라도 인간에게는 부작용을 보이는 사례가 많다.

최근에는 과학 기술의 발달에 따라 동물 실험을 대체할 방법들이 계속 개발되고 있다. 인간의 장기 세포를 추출해 작은 칩에 구현하는 장기칩(Organ on a Chip)은 실제로 동물 실험을 대체할 수준에 이른 것으로 평가된다. 동물 실험을 실행하기보다는 다양한 대안을 개발하여 더 안전하고, 더 정확한 실험 결과를 얻는 것이 바람직하다.

나는 동물 실험에 (찬성한다 , 반대한다).
왜냐하면

실전으로 차곡차곡 익숙하게!

독해 실전 4회

인문
01 언어의 표현과 의미의 관계 _118
02 망각 현상 ★ _120

사회
03 관세란 무엇일까 _122
04 알아 두면 쓸모 있는 법 이야기 ★ _124

과학
05 도넛과 머그잔이 같은 도형이다? _126
06 북극 해빙은 왜 쉽게 녹지 않을까 ★ _128

어휘 더 쌓기 | 이야기 더 잇기 _130

기술
07 환경을 생각하는 새로운 연료, 수소 _132
08 수동적·능동적 깊이 센서 방식 ★ _134

예술
09 이중섭의 삶과 작품 세계 _136
10 지휘자의 음악 해석 ★ _138

통합
11 GPS가 위치를 파악하는 원리 ★ _140

어휘 더 쌓기 | 이야기 더 잇기 _142
비판적 사고력 키우기 [찬성 vs 반대] _144

언어의 표현과 의미의 관계

⏱ **적정 풀이 시간** 5분 | **난이도** ●●○

① 우리가 언어를 통하여 대상을 이해하거나 타인의 생각을 읽어 낼 수 있다고 보는 것은 언어가 대상을 직간접적으로 지칭하고 있다고 보기 때문이다. 여기서 지칭이란 어떤 대상을 가리키는 언어적 표현 또는 명칭을 말하며, 이러한 명칭이 특정 대상을 가리키는 것이 어떻게 가능한지에 대해 정리한 것이 지칭 이론이다.

② 그런데 지칭 이론에서 지시 대상이 없는 명칭의 경우 논란이 야기된다. 예를 들어 "미국의 왕은 대머리다."라는 문장에서 미국에는 왕이 없으므로 '미국의 왕'은 아무것도 지칭할 수가 없다. 이 문제에 대해 독일의 논리학자 프레게는 의미와 뜻을 구별하여 '미국의 왕'은 대응되는 지시 대상이 없기 때문에 외연을 가진 '의미'를 갖지는 않지만, 내포적 '뜻'은 지니고 있다고 하였다. 이와 달리 영국의 철학자 러셀은 지시를 좀 더 넓은 의미로 설정하였다. '미국의 왕'은 지시 대상은 없지만, '미국'과 '왕'이라는 단어의 의미를 결합하여 '미국의 왕'이라는 말이 새로운 의미를 지닐 수 있다는 것이다. 러셀은 언어 뒤에 어떤 개념이 존재한다고 가정했다.

③ 이런 문제에 관해 오그던과 리처즈는 언어 기호와 개념, 지시 대상의 관계에 대한 이해를 돕기 위해 삼각형 모양의 그림을 제시하였다. 삼각형 그림을 통해 기호, 개념, 지시 대상 간의 삼각 구도를 이해할 수 있다. 특히 AC를 점선으로 표시함으로써 기호(A)와 지시 대상(C) 간의 관계는 개념(B)을 매개로 한 간접적 관계라는 사실을 드러낸다. 이것은 기호가 지시 대상을 직접 가리키는 것이 아니라 중간에 개념을 통해 연결된다는 뜻이다.

④ 오그던과 리처즈의 이러한 생각은 소쉬르의 생각을 보완한 것이다. 소쉬르에 따르면 언어는 '시니피앙'과 '시니피에'로 이루어져 있는데, 시니피앙은 '소리'에 해당하며 시니피에는 소리를 듣고 떠올리는 '개념'에 해당한다. 시니피앙과 시니피에가 결합하여 의미가 만들어진다는 것이다. 언어는 소리와 개념을 임의로 결합시키기 때문에 소리와 의미 간의 관계는 어떠한 필연성도 갖지 않은 심리적 결합으로, 자의적이다. 이때 ㉠소리란 발화된 음이 고막에 와 닿는 물리적 음이 아니라 우리의 감각의 직관에 새겨진 음의 표상, 심리적 음이다. 따라서 기호란 사물의 순수한 심리적 측면인 개념과 음성의 순수한 심리적 측면인 소리가 서로 관계를 맺고 있는 것이며, 사물 자체는 완전히 배제된다고 할 수 있다.

● **필연성** | 반드시 必, 그럴 然, 성질 性 | 사물의 관련이나 일의 결과가 반드시 그렇게 될 수밖에 없는 요소나 성질.
● **표상** | 겉 表, 형상 象 | 외부 세계의 대상을 마음속에 나타내는 것.

1

이 글의 내용과 일치하지 <u>않는</u> 것은?

① 지칭 이론에서는 지시하는 대상과 대상의 명칭이 갖는 관계를 따진다.

② 소쉬르는 소리와 개념이 필연적인 이유로 결합하여 언어가 된다고 생각하였다.

③ 논리학자 프레게는 지시하는 대상이 없더라도 내포적 '뜻'을 지닐 수 있다고 하였다.

④ 철학자 러셀은 지칭하는 대상이 없더라도 말이 새로운 의미를 지닐 수 있다고 하였다.

⑤ 오그던과 리처즈는 소쉬르의 생각을 바탕으로 하여 기호, 개념, 지시 대상의 관계를 설명하였다.

2

ⓒ의 내용을 바탕으로 하여 다음 ㉮에 대해 바르게 이해한 내용을 〈보기〉에서 찾아 적절한 것끼리 골라 묶은 것은?

● 보기 ●

ㄱ. ㉮를 '토끼'라고 부른다면 이를 통해 머릿속에 떠올린 개념은 실제 토끼에 해당하겠군.

ㄴ. ㉮를 보고 오리를 떠올렸다면 '오리'라는 기호가 ㉮라는 지시 대상을 직접 가리킨 것이겠군.

ㄷ. ㉮를 '토끼오리'라고 부른다면 '토끼오리'는 기호에 해당하겠군.

ㄹ. ㉮를 '오리토끼'라고 부른다면 '오리토끼'라는 기호를 지시 대상으로 간주하는 것이겠군.

① ㄱ, ㄴ   ② ㄱ, ㄷ   ③ ㄴ, ㄷ   ④ ㄴ, ㄹ   ⑤ ㄷ, ㄹ

3

㉠에 해당하는 예로 가장 적절한 것은?

① 미국인들은 달, 딸, 탈의 의미를 이해한다.

② 한국인들은 [l]과 [r]을 모두 [ㄹ]로 인식한다.

③ 일본인들은 받침이 있는 글자를 읽는 데 어색하다.

④ 중국인들은 말의 높낮이에 따라 단어의 의미를 구분한다.

⑤ 프랑스인들은 무성 자음을 유성 자음으로 소리 내는 데 능숙하다.

02 망각 현상

🕐 적정 풀이 시간 6분 | 난이도 ●●○

① 망각이란 기억과 반대되는 개념으로 일종의 기억 실패에 해당한다. 기억은 외부의 정보를 기억 체계에 맞게 부호로 바꾸어 저장 및 인출하는 것으로 부호화 단계, 저장 단계, 인출 단계로 나뉜다. 심리학에서는 기억 실패가 기억의 세 단계 중 어느 단계에서 일어난다고 보느냐에 따라 망각 현상을 각기 다르게 설명한다.

② ㉠부호화 단계와 관련하여 망각을 설명하는 입장에서는 외부 정보가 부호화되는 과정에서 정보의 일부가 생략되거나 왜곡되어 망각이 일어난다고 본다. 부호화란 외부 정보를 기억의 체계에 맞게 변환하는 과정으로, 부호에는 <u>음운 부호</u>와 <u>의미 부호</u> 등이 있다. 음운 부호는 외부 정보가 발음될 때 나는 소리에 초점을 둔 부호이고, 의미 부호는 외부 정보의 의미에 초점을 둔 부호이다. 가령 '8255'라는 숫자를 부호화할 때, [팔이오오]라는 소리로 부호화하는 것은 전자에 해당하고, '빨리 오오.'와 같이 의미로 부호화하는 것은 후자에 해당한다. 의미 부호는 외부 정보가 갖는 의미에 집중하여 부호화하는 것이므로, 음운 부호에 비해 정교화가 잘 일어난다. 정교화는 외부 정보를 배경지식이나 상황 맥락 등의 부가 정보와 밀접하게 관련시키는 것이다. 부호화 단계에서 망각을 설명하는 학자들은 정교화가 잘된 정보가 그렇지 않은 정보보다 기억에 유리하여 망각이 잘 일어나지 않는다고 주장한다.

③ ㉡저장 단계에서 망각이 일어난다고 보는 입장에서는 망각을 저장 단계에서 정보가 사라지는 현상으로 설명한다. 즉 망각은 부호화가 되어 저장된 정보 중 사용하지 않는 정보가 시간의 경과에 따라 상실된다는 것이다. 독일의 심리학자 에빙하우스는 학습을 통해 저장된 단어가 시간의 경과에 따라 망각되는 양상을 알아보는 실험을 하였다. 그 결과 학습이 끝난 직후부터 망각이 일어나기 시작해서 1시간이 지나자 학습한 단어의 약 44% 정도가 망각되었다. 이를 근거로 학자들은 망각은 저장 단계에서 일어나는 현상이며 시간의 흐름에 비례하여 나타난다고 주장하였다. 그리고 학습 직후 복습을 해야 학습 효과가 높다는 것을 강조하였다.

④ ㉢인출 단계에서 망각이 일어난다고 보는 입장에서는 망각을 저장된 정보가 제대로 인출되지 못하여 나타나는 현상으로 설명한다. 즉 망각은 저장된 정보가 사라지는 것이 아니라, 이를 밖으로 끄집어내지 못해서 나타난다는 것이다. 저장된 정보를 인출해 내기 위해서는 적절한 인출 단서가 필요하다. 일반적으로 저장된 정보와 인출 단서가 밀접할 경우 인출이 잘 되지만, 그렇지 않으면 인출 실패로 망각이 일어날 가능성이 크다. 가령 '사랑'이라는 단어를 인출할 때 이와 의미상 연관이 큰 '애인'이라는 단어를 인출 단서로 사용하면 인출이 잘 되지만, 관련이 먼 '책상'이라는 단어를 인출 단서로 사용하면 인출이 잘 되지 않는다. 인출 단계에서의 망각은 저장된 정보를 인출할 만한 단서가 부족하거나 부적절해서 나타나는 현상이므로, 시간이 흐르더라도 적절한 인출 단서만 제시되면 저장된 정보가 떠오를 수 있다.

● **망각** | 잊을 忘, 물리칠 却 | 어떤 사실을 잊어버림.

● **인출하다** | 끌 引, 날 出 | 끌어서 빼내다.

● **부호화** | 맞을 符, 표지 號, 될 化 | 주어진 정보를 어떤 표준적인 형태로 변환하거나 거꾸로 변환함.

● **맥락** | 줄기 脈, 이을 絡 | 사물 따위가 서로 이어져 있는 관계나 연관.

1 이 글의 표제와 부제로 가장 적절한 것은?

① 망각을 극복하는 방법 – 기억 과정을 중심으로

② 심리학에서 말하는 망각의 과정 – 부호화 과정을 중심으로

③ 기억 실패와 망각의 차이 – 기억의 세 가지 단계를 중심으로

④ 기억에 대한 심리학의 상반된 견해 – 부호화, 저장, 인출 단계의 공통점을 중심으로

⑤ 망각이 일어나는 기억 단계에 대한 세 가지 입장 – 부호화, 저장, 인출 단계에서의 기억 실패를 중심으로

대상 간에 비교하기

2 음운 부호와 의미 부호에 대한 설명으로 적절한 것은?

① '음운 부호'는 외부 정보를 배경지식이나 맥락에 따라 수정한 것이다.

② '음운 부호'는 외부 정보를 그것에서 연상되는 의미로 처리하는 부호이다.

③ '의미 부호'는 외부 정보를 기억의 체계에 맞게 전환하는 데 필요한 부가 정보이다.

④ '음운 부호'와 달리 '의미 부호'로 입력된 정보는 망각되지 않는다.

⑤ '의미 부호'는 '음운 부호'에 비해 부호화 과정에서 정교화가 잘 이루어진다.

실전 4회

정답과 해설 44쪽

구체적 사례에 적용하기

3 ㉠~㉢에서 단어 학습과 관련된 〈보기〉의 대화를 설명한다고 할 때, 그 내용으로 적절하지 <u>않은</u> 것은?

> ● 보기 ●
>
> **다련:** 단어를 외울 때 기존에 알고 있는 단어와 연관 지어서 암기하면 좀 더 오래 기억할 수 있어.
>
> **수민:** 단어를 소리로 외우지 않고 용례를 보며 의미에 집중하여 외우는 것이 오래 기억되지만, 시간이 많이 걸린다는 것이 흠이야.
>
> **예린:** 단어 시험 볼 때는 다 맞았는데, 시험이 끝난 후 며칠 뒤에 다시 보니 그 단어들이 기억나지 않아 속상해.
>
> **서정:** 외운 단어를 잊어버리지 않으려면, 학습 직후부터 반복적으로 복습을 하는 것이 최고인 것 같아.
>
> **석현:** 좀 전까지도 알고 있는 단어였는데, 갑자기 말하려니까 혀끝에서만 빙빙 돌 뿐 생각이 나지 않아 답답해.

① ㉠: 다련은 단어를 정교화하는 것이 기억에 효과적이라는 것을 언급하고 있다.

② ㉠: 수민은 단어를 음운 부호로 부호화하는 과정이 시간이 많이 걸린다는 것을 말하고 있다.

③ ㉡: 예린이 단어들을 기억하지 못하는 것은 시간의 경과에 따라 저장 단계에서 망각이 일어났기 때문이다.

④ ㉡: 서정이 복습을 중요하게 여기는 이유는 학습 직후부터 망각이 시작되기 때문이다.

⑤ ㉢: 석현에게 단어와 관련이 큰 적절한 인출 단서를 주면 단어가 생각날 수도 있다.

관세란 무엇일까

⏱ 적정 풀이 시간 6분 | 난이도 ●●○

✎ 문단 요약하기

① 관세는 (   ) 확
보, (   ) 보호를 목
적으로 (   )을/를
출입하는 물품에 대하여 징수하
는 세금이다.

② 관세는 (   )을/를
기준으로 (   )와/과
(   )(으)로 나누는데,
일반적으로 관세는 수입세를 의
미한다.

③ 관세는 (   )을/를
기준으로 (   )와/과
(   )(으)로 나눈다.

④ 관세는 (   )와/
과 조세 부담자가 일치하지 않는
(   )(으)로, 세금의
(   )이/가 일어난다.

⑤ 관세는 (   )(이)나
(   )에 의거하여 징수
되어야만 한다.

① 관세란 관세 영역을 출입하는 물품에 대하여 징수하는 세금이다. 여기서 관세 영역이란 국가의 영역 전체를 말하는 것이 일반적이나 자유 지역과 같은 특수한 구역에서는 관세를 부과하지 않고 있으므로 관세 영역이 반드시 국가의 전체 영역과 일치하는 것은 아니다. 국가가 관세를 책정하고 부여하는 목적은 재정 수입을 확보하고 자국의 산업을 보호하는 데 있다.

② 관세는 과세 기회(상품의 이동 방향)를 기준으로 수입세, 수출세로 나눌 수 있다. 수입세는 보편적인 관세 형태로서 수입되는 물품에 대해 부과한다. 수출세는 수출 상품에 부과하는 관세이다. 브라질의 커피, 태국의 쌀, 쿠바의 담배 등과 같은 ㉠독점적 상품의 경우 관세를 부과하더라도 물품을 판매하는 데 지장이 없기 때문에 수출세를 매기기도 한다. 그러나 오늘날 수출세가 적용되는 상품은 그 숫자가 매우 적으므로 일반적으로 관세는 수입세를 의미한다.

③ 관세는 과세 방법을 기준으로 종가세와 종량세로 나눌 수 있다. 종가세는 물품 가격에 세율을 곱한 값을 세액으로 산출해 부과하는 것이고, 종량세는 물품의 수량을 기준으로 세금을 매기는 것이다. 종가세는 물품의 시장 가격이 등락하면 이에 맞게 과세된다는 장점이 있으나 수출국에 따라 세율이 달라 관세 부담에 차이가 있다는 문제가 있다. 종량세는 과세 방법이 간단하여 행정상 편리하지만 계량하는 단위를 어떻게 정할 것인지 하는 문제, 물가가 상승해도 관세 수입은 고정되는 문제가 있다. 국가에 따라 종가세와 종량세를 적절하게 융합하여 세액을 산출하는 혼합세를 적용하기도 하고, ㉡선택 관세를 부과하는 경우도 있다. 선택 관세는 종량세와 종가세를 정해 놓고 그중 세액이 높은 쪽에 관세를 부과하는 것이다.

④ 관세는 세금을 납부할 의무를 가진 납세 의무자와 실제로 세금을 부담하는 조세 부담자가 일치하지 않기 때문에 간접세로 분류한다. 간접세는 직접세와 달리 납세 의무자가 부담해야 할 금액을 조세 부담자에게 떠넘기는 전가가 일어나는데, 이는 관세에서도 마찬가지이다. 세금 납부의 의무를 가진 수입업자가 도매업자에게, 도매업자는 소매업자에게, 소매업자는 소비자에게 세금을 전가하여 실제로 세금을 부담하는 조세 부담자는 소비자가 된다.

⑤ 관세는 법률이나 조약에 의거하여 징수되어야만 한다. 한 나라의 법률에 의해 정한 관세율에 따라 부과하는 세금을 국정 관세, 한 나라가 다른 나라와의 조약에 의거하여 정한 관세율에 따라 부과하는 세금을 협정 관세라고 한다. 일반적으로 협정 관세는 국정 관세보다 우선하는 것으로, 관세율이 국가의 수출입에 지대한 영향을 주는 현대 사회에서는 나라 간의 조약을 통해 관세율을 정하는 일이 많다.

● **과세** | 매길 課, 세금 稅 | 세
금을 정하여 그것을 내도록
의무를 지움.
● **의거하다** | 기댈 依, 근거 據 |
어떤 사실이나 원리 따위에
근거하다.

이 글의 내용과 일치하지 않는 것은?

① 관세는 법률이나 조약에 의거하여 징수되어야 한다.

② 자국의 산업을 보호하기 위해 관세를 부과할 수 있다.

③ 관세는 보편적으로 수출세보다 수입세를 의미하는 경우가 많다.

④ 국가의 영역 안에서 관세를 부과하지 않는 지역이 있을 수 있다.

⑤ 일반적으로 관세를 매길 때는 국가 간의 협정으로 결정된 관세율보다 국정 관세율을 우선적으로 적용한다.

㉠과 ㉡의 공통된 이유로 가장 적절한 것은?

① 특정 물품에 대한 독점의 폐해를 방지하기 위해

② 관세를 부과함으로써 국가의 재정 수입을 늘리기 위해

③ 물품의 시장 가격에 맞게 합리적으로 과세를 하기 위해

④ 관세를 책정하고 부여하는 행정적 어려움을 줄이기 위해

⑤ 납세 의무자와 조세 부담자가 다른 문제를 해결하기 위해

이 글을 바탕으로 하여 〈보기〉를 이해한 내용으로 적절하지 않은 것은?

> ● 보기 ●
>
>   A 국가는 B 국가에서 수입되는 상품 C에 관세를 책정하여 부과하고자 한다. 상품 C의 제조업자는 B 국가 내에서 상품 C의 가격을 1만 원에 책정하여 판매하고 있으며, A 국가에 수출할 때는 상품 C의 가격을 9천 원에 관세를 덧붙여 책정하기로 하였다. A 국가는 현재 상품 C에 대해 관세율을 12%로 정하는 1안, 1개당 관세로 900원을 부과하는 2안을 마련하고 있다.

① A 국가가 상품 C에 관세율을 12%로 적용하기로 한다면 종가세를 채택하게 된 것이로군.

② 상품 C와 동일한 품질을 가진 A 국가의 국내 제품의 가격이 1만 원이라면 상품 C의 제조업자는 종량세가 적용되기를 바라겠군.

③ A 국가가 상품 C에 관세율을 12%로 적용하기로 한다면 A 국가에서 상품 C의 가격은 B 국가에서 상품 C의 가격보다 저렴하겠군.

④ 상품 C를 수입함으로써 A 국가가 얻는 관세 수입은 상품 C의 제조업자가 아닌 상품 C를 구입하는 소비자가 내는 것이라고 할 수 있겠군.

⑤ A 국가가 상품 C 1개당 관세로 900원을 부과하기로 했을 때 상품 C의 수입량이 달라지지 않는다면 상품 C로 인한 관세 수입이 일정하겠군.

알아 두면 쓸모 있는 법 이야기

⏱ 적정 풀이 시간 6분 | 난이도 ●●○

_ 2018학년도 6월 고1 학력평가

✎ 문단 요약하기

① 사회 구성원들의 (   )
에 의해 만들어지고 (   )
을/를 지닌 규칙인 (   )
은/는 몇 가지 특징이 있다.

② 사람들 간의 (   )
을/를 다루는 법률인 (   )
은/는 개인의 (   )
에 대한 지배를 인정한다.

③ (   )와/과 형벌을 규
정하는 법률인 (   )은/
는 (   )을/를 기
본 원칙으로 한다.

④ (   )을/를 위반한 범
죄는 특정한 절차를 밟아서 처리
한다.

① 인간은 집단생활을 하기 때문에 분쟁이 발생할 수밖에 없다. 그래서 문제가 발생하는 것을 예방하거나 문제를 원만히 해결하기 위해 규칙을 만든다. 여러 규칙 중 사회 구성원들의 합의에 따라 만들어지고 강제성을 가진 규칙을 법이라고 한다. 이러한 법은 몇 가지 특징이 있는데 먼저 법은 국민의 자유와 권리를 보호한다. 만약 법이 없다면 권력자나 국가 기관이 멋대로 권력을 휘두를 수 있을 것이다. 또한 법은 최소한의 간섭만 한다. 만약 개인이 처리해도 되는 일까지 법이 간섭한다면 사람들은 숨이 막혀 평온하게 살기 힘들 것이다.

② 대표적인 법에는 민법과 형법이 있다. 민법은 국가 기관이 아닌, 사람들 간의 권리관계를 다루는 법률로서 재산 관계와 가족 관계로 구성되어 있다. 근대 사회에서 형성된 민법의 원칙은 오늘날까지도 중요하게 여겨지고 있다. 중요 원칙 중 하나는 개인의 사유 재산에 대해 절대적 지배를 인정하고 국가를 비롯한 단체나 개인은 다른 사람의 사유 재산 행사에 간섭하지 못한다는 것이다. 그리고 다른 사람에게 끼친 손해는 그 행위가 위법이고 동시에 고의나 과실에 의한 경우에만 책임을 진다는 원칙도 있다. 그런데 이 원칙들은 경제적 강자가 경제적 약자를 지배하는 수단으로 악용되기도 하여 20세기에 들면서 제한이 생겼다. 그 결과 개인의 사유 재산에 대한 지배는 여전히 보장되지만 공공복리에 적합하도록 행사해야 한다는 것과 같은 수정된 원칙들이 적용되고 있다.

③ 반면, 형법은 범죄와 형벌을 규정하는 법률로서 ㉠'죄형법정주의'라는 기본 원칙이 있다. 죄형법정주의는 범죄의 행위와 그 범죄에 대한 처벌을 미리 법률로 정해 두어야 한다는 것이다. 그래서 범죄 발생 당시에는 없었던 법이 나중에 생겨도 그것을 소급해서 적용할 수 없다.

④ 형법을 위반한 범죄가 발생하면, 먼저 수사 기관이 수사를 한다. 수사를 개시하는 단서로는 고소, 고발, 인지가 있는데, 이 중 고소는 피해자가 하는 반면 고발은 제3자가 한다. 일반적으로 범죄는 수사 기관이 인지하는 것만으로도 수사를 시작할 수 있다. 하지만 명예훼손죄, 폭행죄 등은 수사를 진행했더라도 피해자가 원하지 않으면 처벌하지 않는다. 수사 결과 피의자가 죄를 범했다고 의심할 만한 충분한 이유가 있다면 구속 영장을 받아 체포해 구속한다. 만약 범죄를 실행 중인 경우는 구속 영장 없이 체포 가능한데, 이 경우 48시간 이내에 구속 영장을 신청해야 하고, 법원은 신청서가 접수된 시간으로부터 48시간 이내에 구속 영장의 발부 여부를 결정해야 한다. 수사 결과 범죄 혐의가 인정되면 검사는 재판을 청구하는데 이를 기소라고 한다. 이때 검사는 피의자의 나이, 환경, 동기 등을 참작하여 기소를 하지 않을 수 있다. 기소로 재판 절차가 시작되면 법원은 사건을 심리하여 범죄 사실이 확인된 경우 유죄를 선고한다. 유죄가 인정되면 법원이 형을 선고하고 집행 절차에 들어간다.

● **소급하다** | 거슬러 올라갈 遡, 미칠 及 | 과거에까지 거슬러 올라가서 미치게 하다.

● **발부** | 필 發, 줄 付 | 증명서 따위를 발행하여 줌.

● **혐의** | 의심할 嫌, 의심할 疑 | 범죄를 저질렀을 가능성이 있다고 봄. 또는 그 가능성.

● **심리하다** | 살필 審, 다스릴 理 | 재판의 기초가 되는 사실 관계 및 법률관계를 명확히 하기 위하여 법원이 증거나 방법 따위를 심사하다.

1

이 글의 내용과 일치하지 <u>않는</u> 것은?

① 사회 구성원의 합의에 의해 만들어진 '법'은 강제성을 지닌다.

② 개인이 처리해도 되는 일에 법이 간섭하는 것은 바람직하지 않다.

③ 수사 개시의 단서 중 인지는 수사 기관에 의해 이루어지는 것이다.

④ 수사를 한 검사의 기소 여부에 따라 피의자를 구속할지가 결정된다.

⑤ 민법의 수정 원칙에 따르면 사유 재산을 공공복리에 적합하도록 행사해야 한다.

2

㉠과 관련 있는 말로 적절한 것은?

① 철학 없는 법학은 출구 없는 미궁이다.

② 법률이 없으면 범죄도 없고 형벌도 없다.

③ 형법의 반은 이익보다는 해를 끼칠지 모른다.

④ 법의 생명은 논리에 있는 것이 아니라 경험에 있다.

⑤ 착한 사람은 법이 필요 없고 나쁜 사람은 법망을 피해 간다.

3

㉡의 내용을 바탕으로 하여 〈보기〉를 이해한 내용으로 적절한 것은?

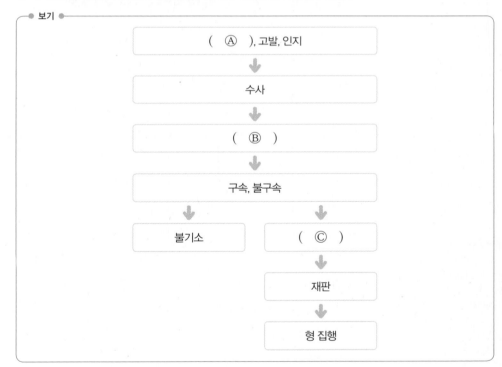

● 보기 ●

(ⓐ), 고발, 인지

↓

수사

↓

(ⓑ)

↓

구속, 불구속

↓   ↓

불기소   (ⓒ)

↓

재판

↓

형 집행

① ⓐ는 범죄의 피해자와 연관이 있는 제3자가 한다.

② 명예훼손죄, 폭행죄는 ⓐ가 없어도 수사를 진행할 수 있다.

③ 범죄를 실행 중인 범인을 ⓑ하였을 경우 48시간 이내에 구속 영장을 발부받아야 한다.

④ 범죄 혐의가 인정될 경우 반드시 ⓒ를 해야 한다.

⑤ 재판에서 심리를 담당하는 주체가 ⓒ의 여부를 결정한다.

도넛과 머그잔이 같은 도형이다?

⏱ **적정 풀이 시간** 5분 ┃ **난이도** ●○○

✏ **문단 요약하기**

① 쾨니히스베르크의 다리 문제를 처음으로 해결한 사람은 수학자 (   )였다.

② 오일러에 따르면 (   )의 개수가 (   ) 또는 2개일 때 (   )이/가 가능하다.

③ 쾨니히스베르크의 다리 문제에서 홀수점의 개수는 (   )(이)므로 한붓그리기가 불가능하다.

④ 위상 수학에서 (   )을/를 통해 만들 수 있는 도형들을 (   )의 관계에 있다고 한다.

① 　옛날 쾨니히스베르크라는 도시에 프레겔강이 흐르고 있었는데, 〈그림 1〉처럼 이 강에는 두 개의 섬이 있고, 7개의 다리가 놓여 있었다. 어느 날 한 시민이 "이 모든 다리를 빠짐없이 단 한 번씩만 건널 수 있는 방법은 없을까?"라는 문제를 내걸었는데, 이 문제를 처음으로 해결한 사람은 수학자 오일러였다.

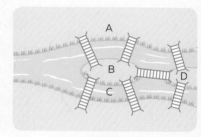

▲ 〈그림 1〉

② 　몇 개의 선과 그 끝점으로 이루어져 있고 전체가 연결되어 있는 도형에서 어떤 점에 모인 선의 수가 짝수일 때 그 점을 짝수점이라 하고, 홀수일 때는 홀수점이라 한다. 오일러는 연구를 통해 홀수점의 개수가 0개일 때는 어느 짝수점에서 출발해도 같은 점에서 한붓그리기가 끝나며, 홀수점의 개수가 2개일 때는 한 홀수점에서 출발하여 다른 홀수점에서 한붓그리기가 끝나게 된다는 것을 증명했다. 즉 어느 도형에서 선을 한 번도 떼지 않으면서 모든 선을 한 번씩만 지나는 한붓그리기가 가능하려면 홀수점이 0개이거나 2개여야만 한다는 것이다. 이를 '오일러의 정리'라고 한다.

③ 　오일러는 프레겔강으로 분할되는 쾨니히스베르크의 네 지역을 A, B, C, D라는 점으로 생각하고, 이 네 지역을 연결하는 다리들을 각 점을 연결하는 선이라고 생각했다. 그러면 〈그림 2〉와 같은 도형을 그릴 수 있는데, 이 도형의 경우 네 개의 점이 모두 홀수점이므로 한붓그리기가 불가능하다. 따라서 모든 다리를 빠짐없이 단 한 번씩만 건널 수 있는 방법은 없다는 결론에 이를 수 있는 것이다.

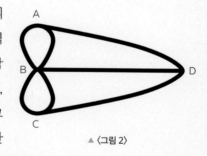

▲ 〈그림 2〉

④ 　도형의 크기나 복잡성에 상관없이 도형을 구성하는 점들의 연속적 위치 관계에만 주목한 오일러의 새로운 발상은 위상 수학의 출발점이 되었다. 위상 수학에서는 도형을 이리저리 변형하였을 때 불변하는 기하학적 성질 등을 연구한다. 가령 고무찰흙으로 만들어진 머그잔은 자르거나 이어 붙이거나 구멍을 뚫지 않고도 길이와 모양만을 변형하여 도넛처럼 만들 수 있다. 위상 수학에서는 이러한 변환을 '위상 변환'이라 하고, 위상 변환을 통해 만들 수 있는 도형들을 '위상적 동형'의 관계에 있다고 한다. 일상생활 속에 있는 여러 도형들도 위상적 동형의 관계를 갖는데, 도형에 뚫려 있는 구멍의 수만으로도 위상적 동형을 쉽게 찾을 수 있다. 구멍이 하나도 안 뚫려 있는 공, 벽돌, 접시 등이 하나의 위상적 동형이고, 구멍이 하나만 뚫려 있는 도넛, 머그잔, 빨대 등도 하나의 위상적 동형이다.

● **불변하다** ┃ 아닐 不, 변할 變 ┃ 사물의 모양이나 성질이 변하지 아니하다. 또는 변하게 하지 아니하다.

● **기하학적** ┃ 몇 幾, 무엇 何, 배울 學, 어조사 的 ┃ 기하학(도형 및 공간의 성질에 대하여 연구하는 학문)에 관련이 있거나 바탕을 두고 있는.

● **머그잔(mug盞)** ┃ 손잡이가 있고 받침 접시는 딸려 있지 않은 원통형의 잔.

● **동형** ┃ 같을 同, 형상 形 ┃ 사물의 성질, 모양, 형식 따위가 서로 같음.

세부 정보 이해하기

1

이 글의 내용과 일치하지 않는 것은?

① 오일러의 정리는 위상 수학의 출발점이 되었다.

② 오일러는 한붓그리기가 가능한 도형의 특징을 발견하였다.

③ 오일러는 쾨니히스베르크의 다리 문제를 처음으로 해결하였다.

④ 오일러는 도형의 복잡성에 주목해 오일러의 정리를 완성하였다.

⑤ 오일러는 프레겔강으로 분할된 지역을 네 개의 점으로 표현하였다.

구체적 사례에 적용하기

2

이 글을 바탕으로 하여 〈보기〉에 대해 이해한 내용으로 가장 적절한 것은?

> ● 보기 ●
>
> 　어느 강에 (가)와 같이 두 개의 섬과 세 개의 다리가 있었다. 그런데 최근에 이 강에 (나)와 같이 두 개의 다리가 추가로 건설되었다.

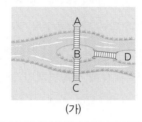 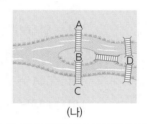

(가)　　　　　　　　(나)

① 홀수점이 0개로 줄어 '한붓그리기'가 가능해진다.

② 홀수점이 2개로 줄어 '한붓그리기'가 가능해진다.

③ 홀수점이 2개로 늘어 '한붓그리기'가 가능해진다.

④ 홀수점의 개수가 변하지 않아 '한붓그리기'가 가능하다.

⑤ 홀수점의 개수가 변하지 않아 '한붓그리기'가 불가능하다.

추론하기

3

이 글을 참고할 때 〈보기〉의 ⓐ~ⓓ에 대한 설명으로 적절하지 않은 것은?

> ● 보기 ●

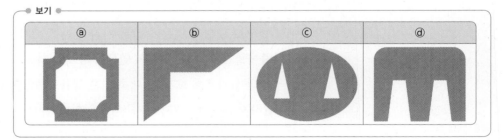

① 빨대는 ⓐ와 위상적 동형이겠군.

② ⓑ와 ⓓ는 위상적 동형으로 볼 수 있겠군.

③ ⓐ를 위상 변환해도 ⓑ를 만들 수는 없겠군.

④ ⓒ를 위상 변환하면 도넛 모양을 만들 수 있겠군.

⑤ ⓒ를 한 번 자르면 ⓐ와 위상적 동형이 될 수 있겠군.

북극 해빙은 왜 쉽게 녹지 않을까

⏱ 적정 풀이 시간 7분 │ 난이도 ●●●   _ 2018학년도 6월 고1 학력평가

✎ 문단 요약하기

① 북극 (   )은/는 냉수 속 얼음과 달리 한여름에도 다 녹지 않는다.

② 해빙의 수명이 긴 이유는 물속 얼음에 작용하는 (   )의 전달과 관련이 있다.

③ 얼음이 물과 접촉한 (   )이/가 같고, 얼음의 (   )이/가 동일하다면 녹는 시간은 동일하다.

④ 얼음이 물과 접촉하는 면적이 좁아지면 전달되는 (   )의 양이 줄어 녹는 시간이 길어진다.

⑤ 좁은 (   )와/과 거대한 (   )의 영향으로 북극 해빙은 잘 녹지 않는다.

① 냉수 속 얼음은 1시간을 넘기지 못하고 모두 녹아 버리지만 북극 해빙은 10℃가 넘는 한여름에도 다 녹지 않고 바다에 떠 있다. 왜 해빙의 수명은 냉수 속 얼음보다 긴 걸까?

② 해빙의 수명이 긴 이유를 알기 위해서는 냉수 속 얼음에 작용하는 열에너지의 전달에 관한 두 가지 원리를 살펴볼 필요가 있다. 첫째, 열에너지는 온도가 높은 곳에서 낮은 곳으로 전달되는데, 이 때문에 온도가 다른 물체들이 서로 접촉하면 '열적 평형'을 이루려고 한다. 예를 들어 3℃인 냉장고 속에 얼음이 든 냉수를 오랜 시간 동안 두면, 냉수와 얼음의 온도는 모두 3℃가 되어 얼음이 모두 녹아 버릴 것이다. 둘째, 열에너지는 두 물체 사이의 접촉면을 통해서만 전달되며, 접촉면이 클수록 전달되는 열에너지의 양은 커진다. 앞서 말한 상황에서는 얼음이 냉수와 더 많이 맞닿을수록 전달되는 열에너지도 커진다.

③ 그러면 얼음이 모두 녹아 물로 변하는 데에는 시간이 얼마나 걸릴까? 이를 알아내기 위해서 3℃로 유지되는 냉수 속에 정육면체인 얼음 하나를 완전히 잠기게 해서 공기와 접촉할 수 없는 상황을 설정해 보자. 실험 결과 한 변의 길이가 1cm인 정육면체 얼음이 완전히 녹는 시간은 약 2시간이다. 한편, 같은 냉수 속에 한 변의 길이가 1cm인 정육면체 얼음 8개를 담근다고 해 보자. 이때에도 얼음이 완전히 녹는 데에 걸리는 시간은 여전히 약 2시간이다. 왜냐하면 각각의 얼음 주변을 물이 완전히 둘러싸고 있어 각각의 얼음이 접촉한 면적은 모두 같으며, 각각의 얼음의 부피는 동일하기 때문이다.

④ 그런데 한 변의 길이가 1cm인 정육면체 8개를 붙여 한 변의 길이가 2cm인 정육면체 하나로 만들 경우에는 어떻게 될까? 총 부피는 8cm³로 같지만, 물과 접촉한 정육면체 얼음의 총 면적이 달라지므로 그 결과도 달라진다. 한 변의 길이가 1cm인 정육면체 얼음 8개가 각각 물에 잠겨 있다고 할 때의 물에 접촉하는 얼음의 총 면적은 48cm²이지만, 이것을 붙여 각 변의 길이를 2cm로 만든 정육면체 얼음이 물과 접촉하는 총 면적은 24cm²이다. 물과 접촉하는 면적이 절반으로 줄었기 때문에 같은 시간 동안 물에서 얼음으로 전달되는 열에너지의 양도 반으로 줄어들게 된다. 따라서 이 얼음이 다 녹는 데 필요한 시간은 (㉠   )

⑤ 이를 북극 해빙에 적용해 보자. 이때 해빙은 정육면체이며 공기와 접촉하지만 공기와 열에너지를 교환하지 않는다고 가정하자. 해빙은 바다 위에 떠 있기에 물에 잠긴 정육면체 얼음과 달리 바닥 부분만 바닷물과 접촉하고 있다. 이는 정육면체의 여섯 면 중 한 면만 닿는 것이기 때문에, 같은 부피의 해빙은 물에 잠긴 정육면체 얼음덩어리보다 녹는 시간이 6배 오래 걸린다. 북극 해빙이 쉽게 녹지 않는 또 다른 이유는 부피와 면적 간의 관계 때문이다. 얼음이 녹는 시간은 부피가 클수록 길어지고 물에 닿는 면적이 클수록 짧아짐을 알 수 있다. 여기서 길이가 L배 커지면 면적은 L^2, 부피는 L^3만큼 비례하여 커진다는 '제곱-세제곱 법칙'을

● 해빙 │ 바다 海, 얼음 氷 │ 바닷물이 얼어서 생긴 얼음.
● 열적 평형 │ 더울 熱, 어조사 的, 평평할 平, 저울대 衡 │ 접촉한 물체의 온도가 같아져 열의 흐름이 정지되는 상태.
● 접촉면 │ 접할 接, 닿을 觸, 낯 面 │ 서로 맞닿는 면.

적용하면 얼음이 녹는 시간은 L배만큼 길어짐을 알 수 있다. 북극 해빙의 면적은 수천만km²가 넘지만 부피는 이보다 계산하기 어려울 정도로 매우 크기 때문에 해빙이 녹는 시간은 그만큼 늘어나는 것이다.

1 이 글의 서술 방식으로 가장 적절한 것은?

① 기존의 주장을 반박하면서 새로운 관점을 보여 주고 있다.

② 설명하고자 하는 대상들 사이의 공통점과 차이점을 밝히고 있다.

③ 문제 상황을 제시하고 이를 해결할 수 있는 방안을 다양하게 제시하고 있다.

④ 과학적 현상에 대해 질문을 던지고 이를 풀어 나가는 과정을 보여 주고 있다.

⑤ 핵심 개념의 변천 과정을 중심으로 시간의 흐름에 따른 관점의 변화를 논리적으로 분석하고 있다.

추론하기

2 이 글의 내용으로 미루어 볼 때 ㉠에 들어갈 내용으로 옳은 것은?

① 변함없이 동일하다.   ② 2배로 줄어들게 된다.

③ 2배로 늘어나게 된다.   ④ 4배로 줄어들게 된다.

⑤ 4배로 늘어나게 된다.

추론하기

3 이 글과 〈보기〉를 통해 추론할 수 있는 내용으로 적절한 것은?

> **보기**
>
> 일반적으로 동물이 생산하는 열에너지는 동물의 무게와 부피에 비례한다. 코끼리는 무게와 부피가 육상 동물 중 가장 크다. 그래서 코끼리는 때때로 커다란 귀를 흔들어 부채질을 해야만 체온을 일정하게 유지할 수 있는데, 이는 귀에 수많은 모세혈관이 있어 귀를 흔들면 혈액의 온도를 낮출 수 있기 때문이다.

① 코끼리는 외부 기온이 체온보다 높아지면 체온을 유지하기가 쉬울 것이다.

② 코끼리는 다른 육상 동물에 비해 몸에서 만들어 내는 열에너지가 부족할 것이다.

③ 더운 지역에 사는 코끼리는 다른 지역에 사는 코끼리보다 귀의 면적이 작을 것이다.

④ 코끼리는 다른 육상 동물에 비해 열에너지 방출에 필요한 피부 면적이 충분하지 않을 것이다.

⑤ 평균보다 몸무게가 많이 나가는 코끼리는 평균적인 코끼리보다 귀를 펄럭거리는 횟수가 적을 것이다.

1 다음 제시된 초성과 뜻을 참고하여 괄호 안에 들어갈 단어를 쓰시오.

(1) ㅍ ㅇ ㅅ : 사물의 관련이나 일의 결과가 반드시 그렇게 될 수밖에 없는 요소나 성질.
　　예 사건의 (　　　　　　　)을/를 강조하다.

(2) ㅁ ㄹ : 사물 따위가 서로 이어져 있는 관계나 연관.
　　예 그 문제는 문화적인 (　　　　　　　)에서 생각해야 한다.

(3) ㄱ ㅅ : 세금을 정하여 그것을 내도록 의무를 지움.
　　예 입국 시 국내로 반입하는 물품 가격이 면세 한도를 초과하면 (　　　　　　)이/가 이루어진다.

(4) ㅎ ㅇ : 범죄를 저질렀을 가능성이 있다고 봄. 또는 그 가능성.
　　예 그 사람은 범죄 (　　　　　　)(으)로 경찰서에서 조사를 받았다.

2 다음 제시된 단어의 뜻을 참고하여 괄호 안에 알맞은 단어를 〈보기〉에서 찾아 쓰시오.

> **보기**
>
> 　　　　망각　　발부　　연속적　　지장

(1) 연달아 이어지는.
　　예 이번 사건으로 인해 우리 사회에는 (　　　　　　　) 변화가 나타났다.

(2) 어떤 사실을 잊어버림.
　　예 치매에 걸린 할머니께서는 점점 (　　　　　　)이/가 심해지셨다.

(3) 증명서 따위를 발행하여 줌.
　　예 피의자에 대한 구속 영장 (　　　　　　) 요청이 기각되었다.

(4) 일하는 데 거치적거리거나 방해가 되는 장애.
　　예 컴퓨터가 고장이 나 업무에 막대한 (　　　　　　)이/가 있다.

3 다음 괄호 안에 공통으로 들어갈 단어로 알맞은 것은?

> • 업체 측은 천재지변이 없는 한 일정은 (　　　　　　) 것이라고 밝혔다.
> • 약육강식의 세계에서 강한 자가 살아남는 것은 (　　　　　　) 진리이다.

① 구현하다　　② 불변하다　　③ 인정하다　　④ 유지하다　　⑤ 작용하다

이야기 더 잇기

보호 무역과 자유 무역

국가 간에 필요한 것을 사고파는 활동을 무역이라고 한다. 국가들은 무역을 하면서 서로 의존하고 경쟁하기도 한다. 따라서 개별 국가들은 무역을 통해서 이익을 얻기 위하여 여러 가지 정책을 펼치고 있다.

보호 무역이란 자국의 산업을 보호하고 발전시키기 위하여 외국 상품의 수입을 제한하는 무역의 형태를 말한다. 보호 무역을 실시하는 국가들은 외국 상품의 수입을 제한하기 위해 관세를 부과하거나 상품의 품질이나 수입량을 제한하는 등의 여러 가지 무역 장벽을 사용한다. 수입한 상품에 관세가 붙으면 그 상품의 가격이 비싸지기 때문에 상품을 사려는 사람들이 줄어들게 되어 비슷한 상품을 생산하는 국내 산업을 보호할 수 있다. 하지만 다른 나라 상품을 수입하지 않으면 다른 나라도 우리나라의 상품을 사 주지 않기도 하고, 국내의 기업은 더 이상 수입 상품과 경쟁을 하지 않아도 된다는 생각에 기술 개발을 게을리할 수도 있다.

반면 자유 무역이란 외국과의 상품이나 서비스 거래를 정부의 간섭 없이 자유롭게 하는 것으로, 자유로운 무역을 원하는 나라들은 자유 무역 협정(FTA)을 맺어 무역 장벽을 없애고 자유롭게 무역을 한다. 우리나라의 경우 미국, EU, 칠레 등과 자유 무역 협정을 맺고 자유 무역을 실시하고 있다. 이로 인해 경쟁력이 강한 우리나라의 반도체나 자동차 관련 산업 등은 수출을 통해 더 많은 이익을 얻고 있다. 하지만 칠레보다 경쟁력이 약한 농업이나 어업 등은 수출이 어려워 기존의 산업이 약화되고 새로운 활로를 모색해야 하는 상황에 놓이기도 하였다.

국가 간의 자유 무역 협정으로 더 많은 물건을 수출할 수 있지만 동시에 우리나라가 취약한 산업 분야에서는 수입이 늘어나고 관련 국내 산업이 약화될 수 있다. 그러므로 자유 무역 협정을 맺을 때에는 우리 경제에 미치는 영향을 신중하게 고려해야 한다.

실전 4회

환경을 생각하는 새로운 연료, 수소

⏱ 적정 풀이 시간 5분 ┃ 난이도 ●●○

✎ 문단 요약하기

① 수소 에너지는 화석 연료와 달리 유해한 (   )을/를 남기지 않아 (   )인 에너지로 주목받고 있다.

② 연료 전지는 (   )와/과 산소를 화학 반응시켜 전기를 생성하는 에너지 변환 장치이다.

③ 수소가 (   )을/를 대체할 (   )을/를 갖기 위해 연구가 더 필요하다.

① 전통적으로 사용해 온 화석 연료에는 대부분 탄소가 포함되어 있어서, 이 연료가 산소와 반응하게 되면 환경에 유해한 이산화 탄소가 부산물로 발생하게 된다. 그래서 탄소를 포함하지 않는 새로운 연료를 찾게 되었는데, 그중 하나가 바로 수소이다. 물을 전기 분해하면 수소와 산소로 나뉘는데, 이것을 역으로 이용하여 수소와 산소를 결합하면 이 두 물질이 반응하면서 물이 만들어지고, 이때 많은 전기 에너지가 방출된다. 따라서 수소 에너지는 유해한 부산물을 남기지 않는 환경친화적인 에너지로 주목받게 된 것이다.

② 이처럼 수소를 산소와 화학 반응시켜 전기를 생성하는 에너지 변환 장치를 '연료 전지'라고 한다. 일반적인 전지가 외부에서 생산한 전기를 화학 에너지로 보관하고 있다가 필요할 때 전기 에너지로 전환하여 사용하는 것과 달리, 연료 전지는 직접 화학 반응을 일으켜 전기를 발생시키는 장치이다. 기본적인 연료 전지의 구조는 전극이 각각 음극(−극)과 양극(+극)을 구성하고, 그 사이에 전해질이 채워져 있다. 연료 전지에 주입된 수소는 음극에서 수소 이온과 전자로 분해되는 산화 반응이 일어나는데, 분해된 수소 이온은 전해질막을 통과하여 양극으로 이동하고 전자는 외부 회로를 통해 양극으로 전달된다. 양극에서는 수소 이온과 전자가 공기 중의 산소와 만나 물을 생성하는 환원 반응이 일어나는데, 이 두 반응 때문에 생긴 양극과 음극의 전위차에 의하여 전기가 발생한다.

③ 연료 전지는 수소와 산소가 공급되는 한 반영구적으로 사용할 수 있으며 발전 효율도 높다. 하지만 수소는 자연 상태 속에서는 단일 물질로 존재하지 않고 화합물의 형태로만 존재하기 때문에 먼저 수소를 분리해야 하는 어려움이 있다. 수소를 분리하기 위해 높은 온도에서 천연가스와 수증기를 반응시키는 방법을 많이 사용하는데, 이 과정에서 상당한 양의 에너지가 소비된다. 또한 수소를 상온에서 기체 상태로 저장하려면 매우 큰 연료 탱크가 필요하기 때문에 부피를 줄이기 위해서는 액체 상태로 저장해야 한다. 그런데 수소의 끓는점이 영하 253℃로 굉장히 낮기 때문에 액체 상태를 유지하기 위해서는 많은 냉각 비용도 필요하다. 따라서 수소가 화석 연료를 대체할 경제성을 갖기 위해서는 이러한 문제들을 해결하기 위한 연구와 노력이 계속되어야 한다.

● **부산물** ┃ 곁들일 副, 낳을 産, 만물 物 ┃ 주산물의 생산 과정에서 더불어 생기는 물건.
● **전해질** ┃ 번개 電, 풀 解, 바탕 質 ┃ 물 따위의 용매에 녹아서, 이온화하여 음양의 이온이 생기는 물질.
● **환원** ┃ 돌아올 還, 으뜸 元 ┃ 산화물에서 산소가 빠지거나 어떤 물질이 수소와 결합하는 것.

1 이 글에서 언급된 내용이 <u>아닌</u> 것은?

① 연료 전지의 구조
② 연료 전지와 일반 전지의 차이점
③ 연료 전지 개발에 토대가 된 과학 이론
④ 연료 전지에서 전기가 만들어지는 과정
⑤ 연료 전지의 경제성을 높이기 위한 과제

2 이 글을 바탕으로 하여 〈보기〉를 이해한 내용으로 적절하지 <u>않은</u> 것은?

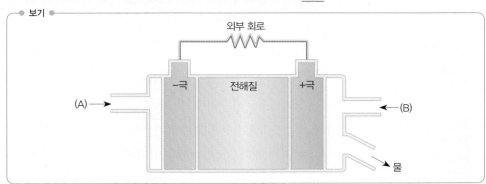

① −극에서는 산화 반응이, +극에서는 환원 반응이 일어난다.
② −극에서 분해된 수소 이온은 외부 회로를 통해 이동한다.
③ 전기를 지속적으로 생산하려면 (A)에 계속 수소를 주입해야 한다.
④ 수소 이온과 전자가 산소와 만나도록 (B)에 공기를 주입해야 한다.
⑤ 화학 반응으로 인한 −극과 +극의 전위차에 의해 전기가 발생한다.

3 이 글을 바탕으로 할 때, 〈보기〉에 대한 반응으로 적절하지 <u>않은</u> 것은?

> ● 보기 ●
>
> 　지구 대기권 밖을 탐험했던 스페이스 셔틀은 우주여행에 필요한 에너지를 얻기 위해 연료 전지를 이용했다. 그래서 스페이스 셔틀은 100만 리터의 액체 수소와 50만 리터의 액체 산소를 싣고 우주여행을 하게 되었다.

① 우주에서는 산소를 구하기 어려우므로 액체 산소도 싣고 간 것이겠군.
② 수소를 액체 상태로 싣고 간 것은 연료의 부피를 줄이기 위한 것이겠군.
③ 우주선에서 필요한 물은 연료 전지에서 부산물로 나오는 물을 이용할 수 있겠군.
④ 수소의 에너지 효율을 높이기 위해 높은 온도에서 천연가스와 수증기를 반응시켰겠군.
⑤ 액체 수소를 보관하기 위해서는 영하 253℃ 이하의 온도를 유지할 수 있는 냉각 장치가 필요했겠군.

수동적·능동적 깊이 센서 방식

⏱ 적정 풀이 시간 7분 ㅣ 난이도 ●●●

_ 2014학년도 11월 고1 학력평가

① 　최근 컴퓨터로 하여금 사람의 신체 움직임을 3차원적으로 인지하게 하여, 이 정보를 기반으로 인간과 컴퓨터가 상호 작용하는 다양한 방법들이 연구되고 있다. 리모컨 없이 손짓으로 TV 채널을 바꾼다거나 몸짓을 통해 게임 속 아바타를 조종하는 것 등이 바로 그것이다. 이때 컴퓨터가 인지하고자 하는 대상이 3차원 공간 좌표에서 얼마나 멀리 있는지에 대한 정보가 필수적인데 이를 '깊이 정보'라 한다.

② 　깊이 정보를 획득하는 방법으로 우선 수동적 깊이 센서 방식이 있다. 이는 사람이 양쪽 눈에 보이는 서로 다른 시각 정보를 결합하여 3차원 공간을 인식하는 것과 비슷한 방식으로, 두 대의 카메라로 촬영하여 획득한 2차원 영상들로부터 깊이 정보를 추출하는 것이다. 하지만 이 방식은 두 개의 영상을 동시에 처리해야 하므로 시간이 많이 걸리고, 또한 한쪽 카메라에는 보이지만 다른 카메라에는 보이지 않는 부분에 대해서는 정확한 깊이 정보를 얻기 어렵다. 두 카메라가 동일한 수평선상에 정렬되어 있어야 하고, 카메라의 광축도 평행을 이루어야 한다는 제약 조건도 따른다. 그래서 최근에는 능동적 깊이 센서 방식인 TOF(Time of Flight) 카메라를 통해 깊이 정보를 직접 획득하는 방법이 주목받고 있다. TOF 카메라는 LED로 적외선 빛을 발사하고, 그 신호가 물체에 반사되어 돌아오는 시간 차를 계산하여 거리를 측정한다. 한 대의 TOF 카메라가 1초에 수십 번 빛을 발사하고 수신하는 것을 반복하면서 밝기 또는 색상으로 표현된 동영상 형태로 깊이 정보를 출력한다.

③ 　⊙TOF 카메라는 빛을 발사하는 조명과, 대상으로부터 반사되어 돌아오는 빛을 수집하는 두 개의 센서로 구성된다. 그중 한 센서는 빛이 발사되는 동안만, 나머지 센서는 빛이 발사되지 않는 동안만 활성화된다. 전자는 A 센서, 후자는 B 센서라 할 때 TOF 카메라가 깊이 정보를 획득하는 과정은 다음과 같다. 먼저 조명이 켜지면서 빛이 발사된다. 동시에, 대상으로부터 반사된 빛을 수집하기 위해 A 센서도 켜진다. 일정 시간 후 조명이 꺼짐과 동시에 A 센서도 꺼진다. 조명과 A 센서가 꺼지는 시점에 B 센서가 켜진다. 만약 카메라와 대상 사이가 멀어서 반사된 빛이 돌아오는 데 시간이 걸려 A 센서가 활성화되어 있는 동안에 A 센서로 다 들어오지 못하면 나머지 빛은 B 센서에 담기게 된다. 결국 대상으로부터 반사된 빛이 A 센서와 B 센서로 나뉘어 담기게 되는데 이러한 과정이 반복되면서 대상과 카메라 사이가 가까울수록 A 센서에 누적되는 양이 많아지고, 멀수록 B 센서에 누적되는 양이 많아진다. 이렇게 A, B 각 센서에 누적되는 반사광의 양의 차이를 통해 깊이 정보를 얻을 수 있는 것이다.

④ 　TOF 카메라도 한계가 없는 것은 아니다. 적외선을 사용하기 때문에 태양광이 있는 곳에서는 사용하기 어렵고, 보통 10m 이내로 촬영 범위가 제한된다. 하지만 실시간으로 빠르고 정확하게 깊이 정보를 추출할 수 있기 때문에 다양한 분야에서 응용되고 있다.

1

이 글에 대한 설명으로 가장 적절한 것은?

① '깊이 정보'의 다양한 종류를 제시한 후 장단점을 비교하고 있다.

② '깊이 정보'를 측정하는 카메라의 다양한 종류에 대해 설명하고 있다.

③ '깊이 정보'가 적용된 사례를 열거하고 가치와 의의에 대해 서술하고 있다.

④ '깊이 정보'를 측정하는 기술이 발전해 온 과정을 시간 순서대로 소개하고 있다.

⑤ '깊이 정보'의 개념을 설명한 후 이를 얻기 위한 기술적 원리를 분류하여 설명하고 있다.

시각 자료에 적용하기

2

〈보기〉는 TOF 카메라의 깊이 정보 측정 과정을 나타낸 것이다. 이에 대한 이해로 적절하지 <u>않은</u> 것은?

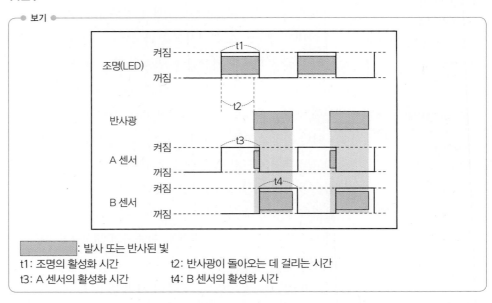

① 카메라와 물체 사이의 거리가 멀어지면 t2는 길어진다.

② t1과 t2가 같다면 반사광은 t4 동안 B 센서에만 담긴다.

③ 조명이 켜지고 t1의 종료 지점에서 B 센서가 활성화된다.

④ t2에서는 A 센서와 B 센서 모두 반사광을 감지할 수 없다.

⑤ 카메라와 물체 사이의 거리가 0이라면 t2와 t3가 같아진다.

세부 정보 이해하기

3

이 글을 읽은 학생이 ㉠에 대해 이해한 내용으로 적절한 것은?

① 대상의 깊이 정보를 수치로 표현하겠군.

② 햇빛이 비치는 밝은 실외에서 더 유용하겠군.

③ 빛 흡수율이 높은 대상일수록 깊이 정보 획득이 용이하겠군.

④ 손이나 몸의 상하좌우뿐만 아니라 앞뒤 움직임도 인지하겠군.

⑤ 사물이 멀리 있을수록 깊이 정보를 더욱 정확하게 측정하겠군.

이중섭의 삶과 작품 세계

⏱ **적정 풀이 시간** 5분 | **난이도** ●○○

✎ **문단 요약하기**

① 이중섭의 그림을 제대로 이해하기 위해서는 그의 (　　　)을/를 함께 살펴볼 필요가 있다.

② (　　　) 유학 시절 만난 아내와 결혼한 이중섭은 가난한 생활을 이어 갔다.

③ 종이에 (　　　)(으)로 그린 그림은 이중섭의 (　　　)을/를 극대화하였다.

④ (　　　)은/는 상감 기법이 적용된 것으로, (　　　)에 정통한 이중섭의 면모를 확인할 수 있다.

⑤ 이중섭은 불우한 삶에도 불구하고 (　　　)을/를 긍정적으로 바라보았다.

① 　한 화가의 그림을 제대로 이해하기 위해서는 그가 그려 낸 그림만 보아서는 안 되고, 그가 왜 그 그림을 그리게 되었는지, 화풍의 진행 과정 속에 어떤 사연이 있는지를 알아야 한다. 특히 서구의 미술 사조나 당시의 화풍을 그대로 따르지 않았던 이중섭의 그림은 더욱 그러하다. 이중섭이 우리 민족의 흔적을 되찾아 내는 방식으로 그림을 그렸다는 점을 이해하기 위해서는 그의 생애를 함께 살펴볼 필요가 있다.

② 　1916년 평안남도 평원군에서 태어난 이중섭은 평양 종로보통학교와 오산고등보통학교를 거쳐 일본의 도쿄제국미술학교와 동경문화학원에서 유학을 한다. 동경문화학원에 다니던 중 아내가 될 야마모토 마사코를 만나게 되고 1945년 한국에서 결혼식을 올린다. 그러나 이중섭의 삶은 너무도 가난했다. 결혼을 하고 얼마 되지 않아 둘째까지 생겼는데, 6·25 전쟁이 일어나 집은 폭격으로 무너지고 남쪽으로 피난을 다녀야 했다. 이중섭은 가족의 생계를 위해 막일을 하기도 하고, 언 밭에 버려진 배춧잎을 주워 끼니를 때우기도 했다.

③ 　이런 열악한 환경 속에서도 그는 그림을 그리기를 포기하지 않았다. 유화 물감 몇 개만 가지고도 그림을 그렸고, 물감이 모자랄 때에는 페인트를 섞어 그렸다. 페인트를 섞어 그린 그림은 뜻하지 않은 효과를 냈는데, 종이의 표면을 미끄러지는 붓의 속도가 매우 빨라져 선의 탄력과 추상적 즉흥성이 배가된 것이다. 그의 대표작 〈흰 소〉에서 확인할 수 있듯이 이런 효과는 야수파적인 그림을 즐겼던 이중섭의 개성을 극대화시켰으며, 그만의 독창적인 스타일로 인정받고 있다.

④ 　또한 이중섭은 도화지를 살 돈조차 없게 되자 미군들이 피는 담뱃갑 은박지를 얻어 그 위에 못이나 이쑤시개로 그림을 그리고 물감으로 선을 채웠다. 이런 방식은 고려 시대의 상감 기법에 해당하는 것으로, 이중섭이 고미술에 정통했으며 서구의 화풍이나 경향을 따르려던 당시 화단의 모습과는 달랐음을 보여 준다. 은지화 중 군동화에서는 가족에 대한 절절한 그리움과 소통에 대한 바람을 느낄 수 있는데, 가족이 떠나고 홀로 남은 그의 심정이 반영된 것이라 할 수 있다. 당시 전쟁을 피해 부산에 도착한 이중섭의 가족은 정부의 난민 소개 정책에 따라 제주도로 이주하였으나, 얼마 안 가 아내 마사코가 아이들을 데리고 일본으로 돌아가면서 이중섭 홀로 남게 된 것이다.

⑤ 　은지화 〈가족에게 둘러싸여 그림을 그리는 화가〉를 보면 동글동글한 얼굴과 장난기 어린 아이들의 자세, 무엇엔가 집중하고 있는 아이들의 해맑은 모습이 보인다. 이는 세상을 너무 심각하게만 보지 말고 아이들처럼 걱정을 날려 버릴 것을 권하는 이중섭의 마음이 반영된 것이다. 고통과 고난, 좌절이 많은 삶 속에서도 세상을 향한 그의 따뜻한 생각과 소망이 담겨 있다고 할 수 있다.

● **즉흥성** | 곧 即, 일어날 興, 성질 性 | 그 자리에서 바로 일어나는 감흥이나 기분에 따라 하는 성질.

● **야수파** | 들 野, 짐승 獸, 갈래 派 | 20세기 초 프랑스에서 일어난 회화의 한 유파. 강렬한 순수 색채를 사용한 것이 특징이다.

● **정통하다** | 능통할 精, 통할 通 | 어떤 사물을 깊고 자세하게 알다.

● **군동화** | 무리 群, 아이 童, 그림 畫 | 모여 있는 아이들의 그림.

1 이 글에 대한 설명으로 가장 적절한 것은?

① 이중섭의 그림이 갖는 미술사적 의의를 고찰하고 있다.

② 이중섭의 화풍이 영향을 끼친 미술 사조를 밝히고 있다.

③ 이중섭의 그림에 사용된 다양한 기법들을 대조하고 있다.

④ 이중섭의 생애를 그의 그림 기법과 관련지어 설명하고 있다.

⑤ 이중섭의 그림에 등장하는 소재들의 상징적 의미를 분석하고 있다.

세부 정보 이해하기

2 이 글의 내용과 일치하지 <u>않는</u> 것은?

① 이중섭은 일본에서 유학을 하던 중 아내가 될 사람을 만났다.

② 이중섭은 우리 민족의 흔적을 되찾아 내는 방식으로 그림을 그렸다.

③ 이중섭은 홀로 남겨져 일본으로 떠난 아내와 아이들을 원망하였다.

④ 이중섭은 가난했기 때문에 페인트나 은박지를 사용하여 그림을 그렸다.

⑤ 이중섭은 정부의 난민 소개 정책에 따라 부산을 거쳐 제주도에 이르게 되었다.

대상 간에 비교하기

3 이 글을 바탕으로 하여 〈보기〉의 [A], [B]를 이해한 내용으로 적절하지 <u>않은</u> 것은?

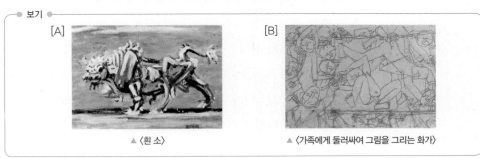

보기

[A]

▲ 〈흰 소〉

[B]

▲ 〈가족에게 둘러싸여 그림을 그리는 화가〉

① [A]는 종이에 페인트로 그려서 선의 탄력과 추상적 즉흥성이 돋보인다고 할 수 있겠어.

② [A]는 강렬한 인상과 거친 형태를 지향했던 이중섭의 개성이 드러난다고 할 수 있겠어.

③ [B]에는 세상을 향한 작가의 따뜻한 생각과 소망이 담겨 있다고 할 수 있겠어.

④ [B]에는 해맑은 아이들의 얼굴과 장난기 어린 자세가 잘 표현되어 있다고 할 수 있겠어.

⑤ [B]는 은박지에 못이나 이쑤시개로 선을 그리고 물감을 채워 표현한 것으로, 서구의 화풍을 따른 결과라고 할 수 있겠어.

지휘자의 음악 해석

⏱ 적정 풀이 시간 6분 | 난이도 ●●◇ _2017학년도 6월 고1 학력평가

① 　지휘자와 오케스트라가 작곡가의 악보를 소리로 바꾸는 과정에서 ⃞음악 해석⃞이라는 것이 이루어진다. 지휘자는 자신의 음악적 관점을 리허설을 통해 전달하고, 여러 가지 몸짓과 표정으로 감정을 표현하거나 음악의 느낌을 단원들에게 전달해 연주를 이끌어 낸다. 그 순간 지휘자는 음악을 해석하고 있는 것이다. 작곡가가 아무리 악보를 정교하게 작성한다 해도 연주자들에게 자신이 의도한 음악을 정확하게 전달해 낼 수 없다. 이것이 바로 '악보의 불완전성'이며 이는 다양한 음악 해석의 원인이 된다.

② 　그럼 베토벤의 〈교향곡 5번〉이 지휘자의 관점에 따라 얼마나 다르게 연주될 수 있는지 살펴보자. 베토벤 〈교향곡 5번〉 1악장 도입부의 '따따따딴~'이라는 네 개의 음은 베토벤의 운명이 문을 두드리는 소리라고 해서 흔히 '운명의 동기'라고 불린다. 운명의 동기가 나타나는 1악장 첫 페이지에 베토벤은 '알레그로 콘 브리오' 즉 '빠르고 활기 있게' 연주하라고 적었다. 그리고 그 옆에는 정확한 템포를 지시하기 위해 2분 음표를 메트로놈 108로 연주하라고 적어 놓았다. 1악장은 2/4박자의 곡이므로 2분 음표의 템포는 곧 한 마디의 템포인 셈인데, 한 마디를 메트로놈 108의 속도로 연주한다는 것은 연주자들에게 매우 빠른 템포이다.

③ 　하지만 정확하고 무자비하기로 유명한 지휘자 토스카니니는 정확하게 베토벤이 원하는 템포 그대로 운명의 동기를 연주한다. 그리고 운명의 동기를 반복적으로 구축하며 운명이 추적해 오는 것 같은 뒷부분도 사정없이 몰아친다. 그의 해석으로 베토벤 음악의 추진력은 더욱 돋보인다.

④ 　반면 음악을 주관적으로 해석하기로 유명한 푸르트벵글러는 베토벤이 적어 놓은 메트로놈 기호에 별로 신경을 쓰지 않았다. 그의 지휘로 재탄생한 운명의 노크 소리는 매우 느린 템포로 연주된다. 그럼에도 불구하고 한 음 한 음 힘 있고 또렷하게 표현된 그 소리는 그 어느 노크 소리보다 가슴을 울리는 웅장함을 담고 있다. 두 번째 노크 소리의 여운이 끝나기가 무섭게 시작되는 '운명의 추적' 부분에서도 푸르트벵글러는 이 작품에 대한 독특한 시각을 보여 준다. 그는 여기서 도입부의 느린 템포와는 전혀 다른 매우 빠른 템포로 음악을 이끌어 가면서 웅장하게 표현된 운명의 동기와는 대조적으로 긴박감 넘치는 운명의 추적을 느끼게 하여, 베토벤 음악이 지닌 웅장함과 역동성을 더욱 잘 부각시키고 있다.

⑤ 　그렇다면 악보에 충실하고자 했던 토스카니니와 악보 너머의 음악적 느낌에 더 충실하고자 했던 푸르트벵글러 중 누가 옳은 것일까? 음악에서는 틀린 음을 연주하는 것 이외에 틀린 것이란 없다. 틀린 것이 아니라 다른 것이다. 여러 가지 '다름'을 허용하는 것이야말로 클래식 음악을 더욱 생동감 넘치는 현재의 음악으로 재현하는 원동력이 된다.

1 이 글을 통해 알 수 있는 내용으로 가장 적절한 것은?

① 악보가 있는 음악의 연주에서는 틀린 음이 존재할 수 없다.

② 토스카니니는 악보와 상관없이 연주하는 것을 중시하는 지휘자이다.

③ 지휘자는 음악을 해석하는 사람이 아니라 소리를 재현하는 사람이다.

④ 푸르트뱅글러는 음악을 주관적으로 해석하기로 유명한 지휘자이다.

⑤ 베토벤 〈교향곡 5번〉의 1악장은 매우 느리게 연주하도록 악보에 기록되어 있다.

2 음악 해석에 대한 이해로 적절하지 <u>않은</u> 것은?

① 동일한 곡이라도 지휘자마다 연주자에게 다른 요구를 할 수 있다.

② 악보를 통해 작곡가의 의도를 연주자에게 완벽하게 전달하기는 어렵다.

③ 작곡가가 악보에 자신의 의도를 정확하게 담았다면 음악 해석은 불필요하다.

④ 음악 해석은 지휘자나 연주자가 작곡가의 악보를 소리로 재현할 때 이루어진다.

⑤ 지휘자는 동작이나 표정을 통해 연주자들에게 자신이 해석한 음악의 느낌을 전달한다.

3 이 글을 바탕으로 할 때, 〈보기〉에 대해 보인 반응으로 적절하지 <u>않은</u> 것은?

> **보기**
>
> 베토벤 당시의 호른으로는 재현부에서 C장조로 낮아진 제2주제의 팡파르를 연주할 수 없었다. 그래서 베토벤은 자신의 〈교향곡 5번〉 1악장 재현부에서 제2주제 팡파르를 호른과 음색이 가장 유사한 목관 악기인 바순으로 연주하도록 했다. 그러나 19세기에 관악기의 개량이 이루어지면서 어떤 음이든 연주할 수 있는 호른이 널리 보급되었다. 그러자 어떤 지휘자들은 베토벤 〈교향곡 5번〉 1악장의 재현부에서 제2주제 팡파르를 호른으로 연주해야 한다고 주장했다. 하지만 어떤 지휘자들은 베토벤이 악보에 적어 놓은 그대로 바순의 연주를 고집했다.

① 베토벤은 당시 악기의 한계 때문에 자신이 의도한 바를 정확하게 구현하지 못했겠군.

② 토스카니니는 베토벤이 악보에 적어 놓은 그대로 바순으로 연주하는 데 동조했겠군.

③ 자신의 음악 해석에 따라 호른이나 바순 이외의 악기로 연주하는 지휘자도 있을 수 있겠군.

④ 호른으로 연주를 해야 한다고 주장한 지휘자들은 악보에 충실한 음악 해석을 중요시했겠군.

⑤ 이 글의 글쓴이는 바순과 호른 중 어떤 악기로 연주해도 그 지휘자의 연주가 틀렸다고는 생각하지 않겠군.

GPS가 위치를 파악하는 원리

⏱ **적정 풀이 시간** 7분 | **난이도** ●●●

✏️ **문단 요약하기**

① 신호가 이동하는 데 걸린 시간에 (　　　　　)을/를 곱하면 위성과 수신기 사이의 (　　　　　)을/를 구할 수 있다.

② (　　　　　)의 시간이 지표면의 시간보다 빠르기 때문에 일치하도록 조정하여 위성과 수신기 사이의 정확한 거리를 구한다.

③ (　　　　　)을/를 활용하면 위성과 수신기 사이의 거리를 통해 수신기의 위치를 구할 수 있다.

④ 실제 공간에서는 두 개의 교점이 생기는데, 수신기는 이 중 지구 표면 (　　　　　)에 있는 지점을 자신의 현재 위치로 파악한다.

① 　우리는 GPS(Global Positioning System)를 이용해 자신의 위치 정보를 알 수 있다. 그렇다면 GPS는 어떻게 위치 정보를 파악하는 것일까? 현재 지구를 도는 약 30개의 GPS 위성은 일정한 속력으로 정해진 궤도를 돌면서, 자신의 위치 정보 및 시각 정보를 담은 신호를 지구로 송신한다. 이 신호를 받은 수신기는 위성에서 신호를 보낸 시각과 자신이 신호를 받은 시각의 차이를 근거로, 위성 신호가 수신기까지 이동하는 데 걸린 시간을 계산하여 위성과 수신기 사이의 거리를 구한다. 위성이 보낸 신호는 빛의 속력으로 이동하므로, 신호가 이동하는 데 걸린 시간(t)에 빛의 속력(c)을 곱하면 위성과 수신기 사이의 거리(r)를 구할 수 있다. 이를 식으로 표시하면 'r = t × c'이다.

② 　그런데 상대성 이론에 따르면 대상이 빠르게 움직일수록 시간은 느리게 흐르고, 대상에 미치는 중력이 약해질수록 시간은 빠르게 흐른다. 실제로 위성은 지구의 자전 속력보다 빠르게 지구 주변을 돌고 있기 때문에 지표면에 비해 시간이 느리게 흘러, 위성의 시간은 하루에 약 7.2μs(마이크로초)씩 느려지게 된다. 또한 위성은 약 20,000km 이상의 상공에 있기 때문에 중력이 지표면보다 약하게 작용해 지표면에 비해 시간이 하루에 약 45.8μs씩 빨라지게 된다. 그 결과 ㉠GPS 위성에 있는 원자시계의 시간은 지표면의 시간에 비해 매일 약 38.6μs씩 빨라진다. 이러한 차이는 하루에 약 11km의 오차를 발생시킨다. 이를 방지하기 위해 GPS는 위성에 탑재된 원자시계의 시간을 지표면의 시간과 일치하도록 조정하여 위성과 수신기 사이의 거리를 정확하게 구하게 된다.

③ 　이렇게 계산된 거리는 수신기가 자신의 위치를 파악하는 데 활용되는데, 이때 삼변 측량법이 사용된다. 삼변 측량법은 세 기준점 A, B, C의 위치와, 각 기준점에서 대상 P까지의 거리를 이용하여 P의 위치를 측정하는 방법이다. 가령, 〈그림〉과 같이 평면상의 A(0, 0)에서 거리가 5만큼 떨어진 지점에, B(4, 0)에서 거리가 3만큼 떨어진 지점에, C(0, 3)에서 거리가 4만큼 떨어진 지점에 P(x, y)가 있다고 하자. 평면상의 한 점에서 같은 거리에 있는 점을 모두 연결하면 원이 된다. 그러므로 A를 중심으로 반지름이 5인 원, B를 중심으로 반지름이 3인 원, C를 중심으로

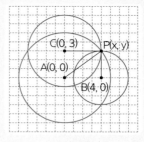

▲ 〈그림〉

반지름이 4인 원을 그리면 세 원이 교차하는 지점이 하나 생기는데, 이 지점이 바로 P(4, 3)의 위치가 된다. 이때 세 개의 점 A, B, C를 GPS 위성으로 본다면 이들의 좌표 값은 위성의 위치 정보이고, P의 좌표 값은 GPS 수신기의 위치 정보가 된다.

④ 　그러나 실제 공간은 3차원 입체이기 때문에 GPS 위성으로부터 동일한 거리에 있는 점들은 원이 아니라 구(球)의 형태로 나타난다. 그 결과 세 개의 GPS 위성을 중심으로 하는 세

● **수신기** | 받을 受, 소식 信, 기계 機 | 외부로부터 신호를 받아 필요한 정보를 얻는 장치.

● **마이크로초(micro秒)** | 컴퓨터 연산 속도의 단위. 1마이크로초는 1초의 100만분의 1이다. 기호는 μs.

● **오차** | 그릇할 誤, 어그러질 差 | 실지로 셈하거나 측정한 값과 이론적으로 정확한 값과의 차이.

● **교차하다** | 서로 交, 엇갈릴 叉 | 서로 엇갈리거나 마주치다.

개의 구가 겹치는 지점은 일반적으로 두 군데가 된다. 하지만 이 중 한 지점은 지구 표면 가까이에 위치하게 되고, 나머지 한 지점은 우주 공간에 위치하게 된다. GPS 수신기는 이 두 교점 중 지구 표면 가까이에 있는 지점을 자신의 현재 위치로 파악하게 된다.

1 이 글의 내용 전개 방식으로 가장 적절한 것은?

① GPS에 적용된 원리를 구체적으로 설명하고 있다.

② GPS의 발전 과정을 시간의 순서로 제시하고 있다.

③ GPS를 다른 대상과 비교하며 장단점을 설명하고 있다.

④ GPS의 다양한 종류를 일정 기준에 따라 분류하고 있다.

⑤ GPS의 유용성을 설명하며 앞으로의 전망을 제시하고 있다.

추론하기

2 문맥을 고려할 때, ㉠의 이유로 가장 적절한 것은?

① GPS 위성에는 지구의 중력이 지표면에 비해 강하게 작용하기 때문이다.

② GPS 위성이 지구를 도는 속력이 지구가 자전하는 속력보다 느리기 때문이다.

③ GPS 위성이 지구를 도는 방향과 지구가 자전을 하는 방향이 동일하기 때문이다.

④ GPS 수신기가 GPS 위성의 신호를 받는 과정에서 시간의 차이가 생기기 때문이다.

⑤ GPS 위성의 이동 속력으로 인한 시간의 변화보다 중력으로 인한 시간의 변화가 더 크기 때문이다.

구체적 사례에 적용하기

3 이 글을 바탕으로 하여 〈보기〉에 대해 이해한 내용으로 적절하지 <u>않은</u> 것은?

▶ 보기 ◀

* P_1, P_2, P_3: GPS 위성.
* r_1, r_2, r_3: GPS 위성과 GPS 수신기 P_x와의 거리.
  (단, 현재 $r_1 < r_2$, $r_2 = r_3$임. 시간과 속력에 영향을 미치는 다른 요소는 고려하지 않음.)

① P_1~P_3 중 P_x와 가장 가까운 곳에 있는 것은 P_1이다.

② 삼변 측량법으로 P_x의 위치를 측정하려면 P_1과 P_2, P_2와 P_3 사이의 거리를 알아야 한다.

③ P_1~P_3에서 P_x로 보낸 신호를 분석하면 P_1~P_3에서 신호를 보낸 각각의 시각을 알 수 있다.

④ r_1~r_3를 반지름으로 하는 세 개의 구가 서로 겹치는 지점은 일반적으로 두 군데에서 형성된다.

⑤ P_1과 P_x 사이의 거리를 빛의 속력으로 나누면 P_1에서 보낸 신호가 P_x에 도달하는 데 걸린 시간이 된다.

1 다음 제시된 단어의 뜻을 참고하여 괄호 안에 알맞은 단어를 〈보기〉에서 찾아 쓰시오.

┌─ 보기 ────────────────────────────────┐
│   경향   여운   오차   템포   │
└──────────────────────────────────────┘

(1) 현상이나 사상, 행동 따위가 어떤 방향으로 기울어짐.
　　예 최근 들어 패션의 복고주의 (　　　　　　)이/가 뚜렷하다.

(2) 악곡을 연주하는 속도나 박자.
　　예 길거리에서 노래를 부르는 밴드가 빠른 (　　　　　　)의 음악을 연주하기 시작했다.

(3) 소리가 그치거나 거의 사라진 뒤에도 아직 남아 있는 음향.
　　예 종소리의 (　　　　　　)이/가 아직도 귓가에 쟁쟁하다.

(4) 실지로 셈하거나 측정한 값과 이론적으로 정확한 값과의 차이.
　　예 이 수치는 표본 조사를 통해 산출한 것이므로 어느 정도 (　　　　　　)이/가 발생할 수 있다.

2 다음 밑줄 친 부분과 바꾸어 쓸 수 있는 단어를 고르시오.

(1) 수십여 년 전의 모습을 내 앞에 다시 <u>나타내고</u> 있었다.
　　① 복제하고　　② 재현하고　　③ 출현하고　　④ 포함하고　　⑤ 해석하고

(2) 이렇게 파손된 자료에서는 정보를 <u>뽑아내기</u> 어렵다.
　　① 검색하기　　② 발견하기　　③ 설명하기　　④ 수집하기　　⑤ 추출하기

(3) 신형 잠수함에 <u>실린</u> 미사일의 위력은 어마어마하다.
　　① 격추된　　② 발사된　　③ 비축된　　④ 정착된　　⑤ 탑재된

3 다음의 뜻에 알맞은 단어를 서로 연결하시오.

(1) 목표를 향하여 밀고 나아가는 힘.　　　　　　　　　・　　　　・① 추진력

(2) 주산물의 생산 과정에서 더불어 생기는 물건.　・　　　　・② 수신기

(3) 외부로부터 신호를 받아 필요한 정보를 얻는　・　　　　・③ 부산물
　　장치.

(4) 그 자리에서 바로 일어나는 감흥이나 기분에　・　　　　・④ 즉흥성
　　따라 하는 성질.

연료 전지, 어디에 쓰이나

　연료 전지는 화석 연료를 연소시켜 에너지를 생성하는 내연 기관과 달리 화학적 반응에 의해 전기를 발생시켜 무공해 에너지를 생산하는 특징이 있다. 그래서 연료 전지는 주로 연소에 의한 전기의 생성이 어려운 곳에서 활용되어 왔다.

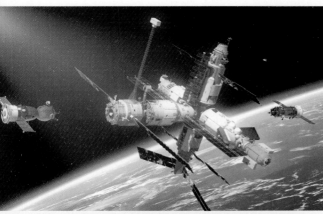

　과거 연료 전지가 본격적으로 연구·활용된 분야는 우주 개발이었다. 우주선은 공기가 없는 우주에 머물기 때문에 화석 연료를 연소시켜 동력이나 전기를 발생시킬 수 없다. 그러한 이유로 1950~1960년대 미국과 소련을 중심으로 우주 개발이 본격화되면서 우주선에 필요한 전기를 생산하는 수단으로 연료 전지가 활용되었다. 하지만 우주선에 수소와 산소를 액체 상태로 보관하는 기술을 실현하는 데 많은 어려움을 겪기도 하였다.

　다음으로 1980~1990년대 들어 잠수함에도 연료 전지가 사용되기 시작했다. 디젤 잠수함의 경우 수중에서 잠수함 이동의 동력원으로 전기를 사용하는데, 잠수함에 설치된 디젤 발전기는 수중에서 가동할 경우 밀폐된 잠수함 내의 산소를 순식간에 소모해 버리기 때문에 잠항 시에는 사용할 수 없었다. 그래서 잠수함은 물 위로 부상하여 발전기를 가동해 축전지를 충전하는데 이 과정에서 적에게 탐지될 위험성이 매우 높아진다. 그래서 최근에는 연료 전지를 활용하여 수중에서 전기를 발생시켜 축전지를 충전하고 동력원으로 사용하는 잠수함이 개발되어 사용되고 있다.

　그리고 최근에는 환경 오염에 대응하기 위한 에너지원으로서 연료 전지가 주거용, 자동차용, 휴대용 에너지 공급원으로 개발되고 있다. 특히 연료 전지는 화석 연료의 연소에 의해 생성되는 환경 오염 물질을 배출하지 않기 때문에 주택 밀집 지역이나 도심 지역에서 친환경 에너지를 공급할 수 있는 수단으로 개발되어 상용화되고 있다. 그리고 가까운 미래에는 개인의 휴대용 전자 기기에 사용되는 동력원으로 발전할 것이라고 전망되고 있다.

우주 개발에 막대한 비용을 투자해야 할까?

달과 화성에 탐사선을 보내는 등 인류는 천문학적인 비용을 투자해 우주 개발에 나서고 있다. 하지만 많은 사람들은 당장 아무 의미가 없어 보이는 우주 개발에 비용을 쓰느니, 차라리 그 비용으로 지구인들의 삶을 윤택하게 만드는 편이 낫다고 생각하기도 한다. 막대한 비용을 들여서라도 우주 개발을 해야 할까?

찬성

막대한 비용을 투자해서라도 우주 개발을 해야 한다.

우주 개발과 우주 탐사는 우주에 대한 이해의 폭을 넓히고 인간의 본질적인 지적 호기심을 충족시키기 위해 시작된 것이고, 더불어 과학과 첨단 기술 개발이라는 현실적인 이유가 결합하여 추진된 것이다. 그 결과 우리는 우주에 대해 더 깊이 이해하게 되었을 뿐만 아니라 우주 탐사에서 얻은 새로운 첨단 과학 기술을 다양한 산업 분야와 실생활에 이용함으로써 삶의 편의를 향상시켜 왔다.

특히 우주 탐사선이나 관련 장비를 개발하고자 하는 목적으로 연구된 우주 기술은 과학뿐만 아니라 산업, 통신, 의학 등에 혁신적인 변화를 가져왔다. 예를 들어 인공위성 기술은 휴대 전화, 위성항법장치(GPS)를 비롯해 기상 데이터 산업 등에 활발히 사용되고 있다. 또한 인체 내부를 보는 컴퓨터단층촬영(CT), 자기공명영상(MRI)과 같은 의료 기기 등도 우주 탐사에서 활용했던 기술이 응용된 것이다. 이처럼 우주에 대한 이해, 탐사 기술의 실생활 응용을 목적으로 하는 우주 개발은 그 결과 삶의 질 향상 및 인류와 국가 발전의 원동력이 될 수 있으므로, 막대한 비용이 들더라도 우주 개발은 계속되어야 한다.

반대

우주 개발에 막대한 비용을 투자하는 것은 옳지 않다.

우주 개발에는 천문학적인 돈이 든다. 2017년 세계 각국 정부의 우주 분야 투자 규모는 762억 달러(한화 약 88조 원)로, 그중 미국의 투자 비용은 433억 달러(한화 약 50조 원)에 달했으며, 우리나라의 경우 약 5억 8천만 달러(한화 약 6,700억 원)를 지출하였다. 하지만 이와 같은 비용을 투입해도 우주 개발로 얻는 성과는 미미하다. 우주 개발을 위해 연구하던 기술이 우리의 실생활에 접목되어 유용하게 활용되는 경우도 있지만, 이는 비효율적인 투자이다. 처음부터 지구인들에게 필요한 부분에 대해, 지구에서 사용할 목적으로 만든다면 개발 비용은 훨씬 줄어들 수 있기 때문이다.

또한 석유나 석탄과 같은 자원 고갈 및 인구 문제·가난·질병·환경 파괴 등 인류를 위협하는 문제들을 해결하기 위해 우주 개발을 논하는 경우도 많다. 하지만 우주 개발에 들어가는 금액을 새로운 대체 에너지원 개발과 환경 문제나 기아 문제를 해결하는 데 먼저 투자한다면 이러한 문제를 상당 부분 해결할 수 있을 것이므로 우주 개발에 막대한 비용을 투자하는 것은 옳지 않다.

나는 우주 개발에 막대한 비용을 투자하는 것에 (찬성한다 , 반대한다).
왜냐하면

중학 DNA 깨우기 시리즈

문학 DNA 깨우기

(예비중~중3)

기본 개념/감상 원리/기출 유형
교과서 작품을 활용한 문학 독해서

비문학 독해 DNA 깨우기

(예비중~중3)

독해 기초/독해 원리/독해 기술/기출 유형
기초부터 심화까지 단계별 독해 원리

문법 DNA 깨우기

(중1~중3)

중학 교과서 필수 문법 총정리

어휘 DNA 깨우기

(중1~중3)

기본/실력
퀴즈로 익히는 1,347개 중학 필수 어휘

비문학 **독해 DNA** 깨우기

정답과 해설

유형 01 세부 정보 이해하기 유형

● ①

- **해제** 제조물 책임법을 제정하고 시행하게 된 배경을 제시한 후, 제조물 책임법에서 규정하는 제조물과 제조업자의 개념과 범위에 대해 설명하고 있는 글이다.
- **문단 요약**

  ㉮ 제조물 책임법의 제정 배경

  ㉯ 제조물과 제조업자의 개념과 범위

  ㉰ 제조물의 결함 유형

  ㉱ 제조물 결함의 입증 책임

- **주제** 제조물 책임법의 주요 내용

● 〈보기〉의 ㄱ~ㄷ의 물음에 대한 답을 지문에서 찾을 수 있는지 확인한다. ㄱ은 ㉮의 두 번째 문장에서 답을 확인할 수 있고, ㄴ은 ㉯에서 확인할 수 있다. ㄷ과 관련한 내용은 지문에 언급되어 있지 않다.

유형 02 대상 간에 비교하기 유형

● ⑤

- **해제** 경매를 통해 가격 결정이 이루어지는 경우를 설명한 후, 경매의 방식을 구분하여 제시하고 있는 글이다. 경매는 입찰 방식의 공개 여부에 따라 공개 구두 경매와 밀봉 입찰 경매로 구분하는데, 공개 구두 경매에는 영국식 경매와 네덜란드식 경매가 있다. 영국식 경매는 오름 경매 방식이며, 네덜란드식 경매는 내림 경매 방식이다. 밀봉 입찰 경매는 낙찰자가 지불하는 금액을 어떻게 결정하느냐에 따라 최고가 밀봉 경매와 차가 밀봉 경매로 구분한다.
- **문단 요약**

  ㉮ 경매를 통해 가격 결정이 이루어지는 경우

  ㉯ 공개 구두 경매의 두 가지 방식

  ㉰ 밀봉 입찰 경매의 두 가지 방식

- **주제** 경매가 이루어지는 경우와 그 종류

● 영국식 경매는 오름 경매 방식으로, 낮은 가격부터 시작해서 가장 높은 가격을 제시한 사람이 낙찰자가 되는 방식이다. 그러나 네덜란드식 경매는 판매자가 높은 가격부터 제시해 가격을 낮추면서 가장 먼저 응찰한 사람이 낙찰자로 정해지는 방식이다. 따라서 ⑤는 적절하지 않다.

오답 풀이 ① 영국식 경매는 공개 구두 경매로, 누가 어떠한 조건으로 경매에 응하는지 공개적으로 진행된다고 하였으므로 적절한 설명이다.

② 영국식 경매의 대표적인 품목으로 와인과 최고급 생두 등이 있다고 ㉯에 나타나 있다.

③ 네덜란드식 경매는 내림 경매 방식으로, 판매자가 높은 가격부터 제시해 가격을 점점 낮추면서 진행이 된다고 하였으므로 적절한 설명이다.

④ ㉠과 ㉡ 모두 공개 구두 경매에 속한다 하였으므로 경매에 나온 재화의 낙찰 가격을 알 수 있다는 설명은 적절하다.

1 ③   **2** ②   **3** ②

[1~3]

- **해제** 이 글은 키네틱 아트의 개념과 등장 배경, 표현 방법, 조형 요소와 그 효과, 예술사적 의의를 설명하는 글이다. 키네틱 아트는 산업 혁명 이후 기계 문명 사회로 변화하던 시기를 배경으로 출현하였고, 기계적 움직임을 예술적으로 수용하여 작가의 창작 의도를 표현하고자 했다. 또한 우연성, 비물질화를 조형 요소로 제시하고, 작품의 움직임에 의미를 부여하여 작품과 감상자의 상호 작용을 중시함으로써 다양한 실험적 예술의 길을 열어 주었다.
- **문단 요약**

  ㉮ 키네틱 아트의 개념 및 등장 배경

  ㉯ 키네틱 아트의 창작상의 특징

  ㉰ 키네틱 아트의 조형 요소

  ㉱ 키네틱 아트의 조형 요소가 감상자에게 미치는 영향

  ㉲ 키네틱 아트의 예술사적 의의

- **주제** 조형 요소를 중심으로 한 키네틱 아트의 특징과 의의

가 미술에서 ⊙'키네틱 아트'는 움직임을 의미하는 그리스어 키네티코스에서 유래한 말로, 「움직임을 중시하거나 그것을 주 요 요소로 하는 예술 작품」을 뜻한다. 키네틱 아트는 산업 혁명 에서 비롯된 대량 생산과 기술의 발달로 인해 급격하게 기계 문명 사회로 변화하던 시기를 배경으로 출현하였다. '키네틱' 이라는 단어가 조형 예술에 최초로 사용된 것은 1920년대의 일이다.

▶ (키네틱 아트)는 움직임을 중시하는 예술로, 산업 혁명 이후 (기계 문명 사회)로 변화하던 시기를 배경으로 출현하였다.

나 키네틱 아트 작가들은 기계의 움직임을 예술적 요소로 수 용하여 작품 전체나 일부를 움직이게 함으로써 창작 의도를 표현하고자 했다. 이러한 움직임은 바람이나 빛과 같은 외부 적인 자연의 힘이나 동력 장치와 같은 내부적인 힘에 의해 구 현되었다. 또한 대상을 사실적으로 재현하는 것이 아니라 추 상적 구조물처럼 보이도록 창작하였다.

▶ 키네틱 아트 작가들은 기계적 (움직임)을 예술적 요소로 수용하였으며, 대상을 (추상적) 구 조물처럼 보이도록 창작하였다.

다 키네틱 아트는 '우연성'과 '비물질화'를 중요한 조형 요소 로 제시하였다. '우연성'은 작품의 예측 불가능한 움직임을 통 해 나타나는데 여기에는 감상자의 움직임이나 위치 등에 의한 작품의 형태 변화도 포함된다. '비물질화'는 작품이 고정되지 않고 계속 움직이는 상태를 의미한다. 정지된 물체는 고정되 어 있기 때문에 물질화되어 있는 반면, '비물질화'는 물체가 계속 움직여 물체의 형태가 고정되지 않는 특성과 관련된다. 예를 들어 뒤샹의 ⓛ〈자전거 바퀴〉는 감상자가 손으로 바퀴 를 회전하도록 한 작품이다. 이 작품에는 감상자가 바퀴를 돌 리는 속도에 따라 바퀴살이 다양한 모습으로 보이는 '우연성' 과 바퀴살이 고정되지 않고 움직이는 '비물질화'가 나타난다.

▶ 키네틱 아트의 조형 요소로는 '(우연성)'과 '(비물질화)'가 있다.

라 키네틱 아트의 이러한 조형 요소들은 감상자들의 시각을 자극하여 작품에 주의를 집중시키는 효과를 준다. 작품이 보 여 주는 다양하고 예측 불가능한 움직임으로 감상자들이 풍부 한 이미지를 상상할 수 있도록 한 것이다. 이를 통해 기존 미 술에서 작품 감상에 대해 수동적이었던 감상자들로 하여금 보 다 능동적인 태도를 갖도록 하였다.

▶ 키네틱 아트의 조형 요소는 감상자의 (주의)를 집중시켜 능동적인 태도를 갖게 한다.

마 키네틱 아트는 작품의 움직임에 의미를 부여하고 작품과 감상자의 상호 작용을 중시함으로써 다양한 실험적 예술의 길 을 열어 주었다. 1960년대에 들어서 키네틱 아트는 새로운 첨 단 매체를 활용하여 변화무쌍한 움직임을 보여 주는 비디오 아트, 레이저 아트, 홀로그래피 아트 등과 같은 예술이 출현하 게 되는 계기를 제공하였다.

▶ 키네틱 아트는 다양한 실험적 예술의 길을 열어 주었으며, (첨단 매체)를 활용한 예술이 출현 하는 계기를 제공하였다.

1 이 글에서는 키네틱 아트의 개념과 등장 배경, 창작상의 특 징, 조형 요소와 그 효과, 예술사적 의의를 설명하고 있다. ⊙의 키네틱 아트의 제작 과정은 이 글에서 다루고 있지 않 은 내용이다.

오답 풀이 ①, ②는 **가** 에서 언급되어 있다.

④ **다** 에 관련 내용이 나타나 있다.

⑤ **마** 에 키네틱 아트의 예술사적 의의가 나타나 있다.

2 **나** 에서 키네틱 아트는 대상을 사실적으로 재현하는 것이 아니라 추상적 구조물처럼 보이도록 창작하였다고 했다. 따라서 키네틱 아트가 '특정 대상을 있는 그대로의 모습대 로 재현하는 것을 중시했다'고 한 ②는 키네틱 아트에 대해 이해한 내용으로 적절하지 않다.

오답 풀이 ① **다** 와 **라** 에서 확인할 수 있는 내용이다.

③ 비물질화는 물체가 계속 움직여 물체의 형태가 고정되지 않는 특 성과 관련된다고 **다** 에 나타나 있다.

④ **마** 의 마지막 문장에 '키네틱 아트는 새로운 첨단 매체를 활용하여 변화무쌍한 움직임을 보여 주는 ~ 예술이 출현하게 되는 계기를 제공하였다.'고 직접 제시되어 있다.

⑤ **나** 의 첫 문장에 '키네틱 아트 작가들은 기계의 움직임을 예술적 요소로 수용하여 작품 전체나 일부를 움직이게 함으로써 창작 의 도를 표현하고자 했다.'고 직접 언급되어 있다.

3 〈보기〉의 ⓐ는 공연장에서 뜻하지 않게 발생하는 모든 소 리가 훌륭한 연주가 될 수 있다는 생각을 나타낸 작품이다. ⓛ 역시 감상자가 손으로 바퀴를 회전하도록 한 작품으로, 감상자가 바퀴를 돌리는 속도에 따라 나타나는 모습이 달 라지는 작품이다. 따라서 ⓛ과 〈보기〉의 ⓐ는 감상자의 참 여가 예술을 구성하는 중요한 원리가 될 수 있음을 전제로 하여 창작된 작품이라 할 수 있다.

오답 풀이 ① 키네틱 아트가 기계 문명 사회로 변화하던 시기에 출 현하긴 하였지만, 기계 문명을 예찬하고 있다는 내용은 나와 있지 않다.

③ ⓛ 〈자전거 바퀴〉와 〈보기〉의 ⓐ〈4분 33초〉에 쓰인 소재는 자전 거 바퀴와 피아노이다. 이들 작품의 소재를 고려하였을 때 첨단 매 체 활용을 전제로 하였다는 설명은 적절하지 않다.

④ ⓐ에는 제한된 시간이 있지만 이것을 감상의 시간으로 보기는 어 렵다. 또, 키네틱 아트는 작품과 감상자의 상호 작용이 일어나는 것이지, 작가와 감상자의 상호 작용이 일어나는 것이 아니다.

⑤ 〈보기〉에서 청중이 피아노 연주를 기다리며 당황해하고 있는 것으 로 보아 작가의 창작 의도가 직접 노출되었다고 볼 수 없다. 만약 노출되었다면 의도하지 않은 여러 소리들로 작품을 완성하기 어 려웠을 것이라 짐작할 수 있다.

유형 03 추론하기 유형

기출로 확인하기   본문 18쪽

● ④

- **해제** 우리나라 범종의 전형이 된 신라 시대 범종의 조형 양식과 그 계승 양상을 설명하고 있는 글이다. 절에서 시간이나 의식을 알릴 때 쓰이는 종을 범종이라고 하는데, 신라의 범종은 중국과는 다른 독창적이고 섬세한 조형 양식을 지니고 있었다. 고려 시대에는 신라 종의 조형 양식이 계승되면서 변화가 나타났으며, 범종이 소형화되었다. 조선 초기에는 왕실의 주도로 다시 대형 종이 주조되었는데, 이때 중국 종의 주조 공법을 도입하게 된다. 그러면서 신라 종의 섬세한 장식 대신 중국 종의 전형적인 장식들이 나타나게 된다. 그러다 16세기에 사찰 주도로 소형 종이 주조되면서 사라졌던 신라 종의 조형 양식이 다시 나타나게 되고, 그 뒤에는 이러한 복고 양식이 사라지면서 우리나라 범종은 쇠퇴기에 접어들게 된다.

- **문단 요약**

  가 신라 범종의 특징과 후대로의 계승 양상

  나 신라 종의 다양한 특징

  다 고려 시대 종의 신라 종 조형 양식의 계승과 변화

  라 종 제작과 관련하여 조선 시대에 나타난 변화

- **주제** 우리나라 범종의 조형 양식과 계승

● 마지막 문단인 **라**를 보면, 조선 초기에 왕실 주도로 대형 종이 주조되었으며, 신라의 대형 종 주조 공법을 대신하여 중국 종의 주조 공법을 도입하게 되었다고 설명하고 있다. 따라서 조선 초기를 기점으로 '큰 변화'가 나타난 것은 중국 종의 주조 공법으로 대형 종을 만들면서 중국 종의 조형 양식을 따르게 되었기 때문이라고 할 수 있다.

  오답 풀이 ▶ ① **라**의 내용을 통해 선후 관계를 고려하여 이해하면, 불교 억제 정책에 따라 범종 제작이 통제된 것은 ⊙ 이후에 나타난 일임을 추론할 수 있다.

  ② **다**의 마지막 문장에 고려 시대에 범종이 소형화되어 신라 종의 조형 양식이 계승되었다고 나타나 있다.

  ③ 16세기에 사찰 주도로 소형 종이 주조된 것은 ⊙ 이후의 일로, 이때 사라졌던 신라 종의 조형 양식이 다시 나타난다고 **라**에 직접 제시되어 있다.

  ⑤ **라**에서 조선 초기에는 왕실 주도로 대형 종이 주조되었으며, 이때 신라 종의 섬세한 장식 대신 중국 종의 주조 공법을 도입하여 중국 종의 전형적인 장식들이 나타나게 되었다고 설명하고 있다. 따라서 섬세한 조형 양식을 지닌 신라 종을 따르고자 했다는 ⑤는 적절하지 않은 내용이다.

유형 04 비판의 적절성 평가하기 유형

기출로 확인하기   본문 21쪽

● ⑤

- **해제** 이 글은 '정의로운 사회란 무엇인가'에 대하여 철학자 노직과 롤스의 견해를 비교·대조하여 설명하고 있다. 노직과 롤스는 개인의 자유가 보장된 사회를 정의로운 사회라 공통적으로 여기고 있다. 그러나 사회적 약자의 불평등 해결 방식에 관해 차이를 보이는데, 노직은 선천적인 능력의 차이와 사회적 빈부 격차를 당연한 것으로 보고, 빈부 격차를 해소하기 위한 국가의 개입을 반대하고 사람들의 자발적 기부를 인정하는 입장을 보인다. 그러나 롤스는 사회적 약자를 배려하는 사회를 정의로운 사회로 보고, 사회적 제도를 통해 약자를 배려하는 것이 사회 전체로 볼 때 공정하고 정의로운 것이라고 주장한다.

- **문단 요약**

  가 정의로운 사회에 대한 노직과 롤스의 견해 차이

  나 정의로운 사회에 대한 노직의 입장

  다 정의로운 사회에 대한 롤스의 입장

- **주제** 정의로운 사회에 대한 노직과 롤스의 입장

● 롤스의 입장이 비판의 바탕이 되는 입장이고, 〈보기〉의 벤담의 입장이 비판의 대상이 되는 입장이다. 벤담은 '최대 다수의 최대 행복'이 정의로운 것이라 주장하며, 대다수의 사람들에게 부정적 감정을 일으키는 걸인들을 강제 수용소에 보내야 한다고 하였다. 그러나 롤스는 누구나 우연에 의해 사회적 약자가 될 수 있기 때문에 사회적 약자를 차별하는 것은 정당하지 못하다고 보았다. 따라서 롤스의 입장에서 벤담의 입장을 비판한다고 할 때, ⑤와 같이 걸인들을 차별하지 않아야 정의롭다고 말하는 것이 적절하다.

  오답 풀이 ▶ ① 〈보기〉의 내용을 통해, 다수의 처지를 배려할 때 사회 전체의 행복이 증가한다고 주장하는 것은 벤담의 입장임을 알 수 있다. 따라서 ①은 〈보기〉의 내용을 비판한 것으로 적절하지 않다.

  ② 〈보기〉에서 벤담은 다수의 불행이 나타나지 않도록 사람들에게 부정적 감정을 느끼게 하는 걸인들을 한곳에서 생활시키는 강제 수용소를 만들어야 한다고 주장했음을 알 수 있다. 그런데 ②와 같이 롤스가 인간적 도리를 지키는 것을 중시했는지 여부는 이 글을 통해 알 수 없다. 따라서 인간적 도리를 지키지 않은 태도를 비판하는 것은 롤스의 입장으로 볼 수 없다.

  ③ 이 글의 마지막 문장을 통해 롤스는 '자발적 기부'나 '사회적 제도'를 통해 사회적 약자를 배려해야 한다고 생각했음을 알 수 있다. 따라서 ②는 롤스의 입장에 맞지 않으므로 롤스의 입장에서 〈보기〉를 비판한 내용으로 적절하지 않다.

④ 〈보기〉에서 벤담은 대다수의 사람들이 걸인에게 부정적 감정을 느낀다고 지적하였음을 알 수 있는데, 걸인에게 부정적 감정을 느끼는지 여부는 롤스와 벤담의 입장이 대립하는 지점이 아니다. 따라서 ④ 역시 롤스의 입장에서 〈보기〉의 내용을 비판하는 것이라 볼 수 없다.

유형 적용　　　　　　　　　　　본문 22~23쪽

1 ②　　　**2** ⑤　　　**3** ②

[1~3]

• 해제 경험론의 대표적인 철학자인 흄의 이론을 소개하고 있는 글이다. 흄은 지식의 근원을 경험으로 보고, 경험을 인상과 관념으로 나눈 뒤, 인상이 없는 지식은 과학적 지식이 될 수 없다고 주장하였다. 또한 인과 관계를 통해 얻은 과학적 지식이 필연적이라고 볼 수 없다고 비판하면서, 인과 관계란 시공간적으로 인접한 두 사건이 반복해서 발생할 때 갖는 관찰자의 습관적 기대에 불과하다고 말하였다. 마지막으로 흄은 과학적 지식이라 하더라도 그것이 진리인지를 확인할 수 없다는 회의적인 태도를 취했다. 흄에 의하면 우리는 감각 기관을 통해 외부 세계를 인식하기 때문에 세상의 객관적 모습은 우리의 감각과 독립적으로 존재하게 된다. 이와 같은 주장으로 인해 흄은 극단적 회의주의자라고 비판을 받기도 했지만, 이성만을 중시했던 당시 철학 사조에 반기를 들고 서양 철학사에 새로운 방향성을 제시했다는 점에서 의의가 있다는 평가를 받는다.

• 문단 요약

　⑦　경험을 중시한 흄의 기본 입장과 흄에 대한 평가

　⑭　흄이 제시한 인상과 관념에 관한 여러 개념

　⑮　과학적 탐구 방식으로서의 인과 관계에 대한 흄의 비판적 태도

　⑯　진리를 알 수 있는가의 문제에 대한 흄의 회의적 태도

　⑰　흄에 대한 비판과 흄의 경험론이 가지는 철학사적 의의

• 주제 흄의 경험론

---

⑦ 18세기 경험론을 대표하는 흄은 '모든 지식은 경험에서 나온다.'라고 주장하면서, 이성을 중심으로 진리를 탐구했던 데카르트의 합리론을 비판하고 새로운 철학 이론을 구축하려 하였다. 그러나 지나치게 경험을 중시한 나머지, 그는 과학적 탐구 방식 및 진리를 인식하는 문제에 대해서도 비판하기에 이른다. 그 결과 ㉠흄은 서양 근대 철학사에서 극단적인 회의주의자로 평가받는다.

▶ 흄은 (이성)을 중심으로 진리를 탐구했던 합리론을 비판하고, 모든 지식은 (경험)에서 나온다고 주장하였다.

⑭ 흄은 지식의 근원을 경험으로 보고 이를 인상과 관념으로 구분하여 설명하였다. 인상은 오감(五感)을 통해 얻을 수 있는 감각이나 감정 등을 말하고, 관념은 인상을 머릿속에 떠올리는 것을 말한다. 가령, 혀로 소금의 '짠맛'을 느끼는 것은 인상이고, 머릿속으로 '짠맛'을 떠올리는 것은 관념이다. 인상은 단순 인상과 복합 인상으로 나뉘는데, 단순 인상은 단일 감각을 통해 얻은 인상을, 복합 인상은 단순 인상들이 결합된 인상을 의미한다. 따라서 '짜다'는 단순 인상에, '짜다'와 '희다' 등의 단순 인상들이 결합된 소금의 인상은 복합 인상에 해당한다. 그리고 단순 인상을 통해 형성되는 관념을 단순 관념, 복합 인상을 통해 형성되는 관념을 복합 관념이라 한다. 흄은 단순 인상이 없다면 단순 관념이 존재하지 않는다고 보았다. 그런데 '황금 소금'은 현실에 존재하지 않기 때문에 그 자체에 대한 복합 인상은 없지만, '황금'과 '소금' 각각의 인상이 존재하기 때문에 복합 관념이 존재할 수 있다. 이처럼 복합 관념은 복합 인상이 없어도 존재할 수 있다. 하지만 흄은 '황금 소금'처럼 인상이 없는 관념은 과학적 지식이 될 수 없다고 말했다.

▶ 흄은 경험을 (인상)과 (관념)으로 구분하였으며, 인상이 없는 관념은 과학적 지식이 될 수 없다고 보았다.

⑮ 흄은 과학적 탐구 방식으로서의 인과 관계에 대해서도 비판적 태도를 보였다. 그는 인과 관계란 시공간적으로 인접한 두 사건이 반복해서 발생할 때 갖는 관찰자의 습관적인 기대에 불과하다고 말하였다. 즉, '까마귀 날자 배 떨어진다'라는 속담에서 '까마귀가 날아오르는 사건'과 '배가 떨어지는 사건'을 관찰할 수는 있지만, '까마귀가 날아오르는 사건이 배가 떨어지는 사건을 야기했다.'라는 생각은 추측일 뿐 두 사건의 인과적 연결 관계를 관찰할 수 없다고 주장한다. 결국 인과 관계란 시공간적으로 인접한 두 사건에 대한 주관적 판단에 불과하므로, 이런 방법을 통해 얻은 과학적 지식이 필연적이라는 생각은 적합하지 않다고 흄은 비판하였다.

▶ 흄은 (과학적 탐구 방식)으로서의 인과 관계에 대해서 비판적 태도를 보였다.

라 또한 흄은 진리를 알 수 있는가의 문제에 대해서도 회의적인 태도를 취했다. 전통적인 진리관에서는 진술의 내용이 사실(事實)과 일치할 때 진리라고 본다. 하지만 흄은 진술 내용이 사실과 일치하는지의 여부를 판단할 수 없다고 보았다. 예를 들어 '소금이 짜다.'라는 진술은 '내 입에는 소금이 짜게 느껴진다.'라

<small>우리는 감각 기관을 통해서만 세상을 인식할 수 있기 때문에 실제 소금이 짠지는 알 수 없음.</small>

는 진술에 불과할 뿐이다. 따라서 비록 경험을 통해 얻은 과학적

<small>진리를 인식하는 문제에 대한 흄의 입장</small>

지식이라 하더라도 그것이 진리인지의 여부는 확인할 수 없다는 것이 흄의 입장이다.

▶ 흄은 경험을 통해 얻은 과학적 지식이라도 그 (**진리**) 여부는 확인할 수 없다고 보았다.

마 이처럼 흄은 경험론적 입장을 철저하게 고수한 나머지, 과학

<small>흄에 대한 비판</small>

적 지식조차 회의적으로 바라보았다는 점에서 비판을 받기도 했다. 하지만 그는 이성만 중시했던 당시 철학 사조에 반기를 들고 경험을 중심으로 지식 및 진리의 문제를 탐구했다는 점에서 근

<small>흄의 경험론의 철학사적 의의</small>

대 철학에 새로운 방향성을 제시했다는 평가를 받는다.

▶ 흄은 (**과학적 지식**)조차 회의적으로 보아 (**비판**)받았으나 (**경험**)을 중심으로 진리의 문제를 탐구했다는 점에서 의의가 있다고 평가받는다.

1 **나**에서 인상은 단순 인상과 복합 인상으로 나뉘는데, 단순 인상은 단일 감각을 통해 얻은 인상을 의미하고, 복합 인상은 단순 인상들이 결합된 인상을 의미한다고 하였다. 따라서 사과를 보면서 '빨개'라고 느꼈을 때, 사과의 빨간색은 시각이라는 단일 감각을 통해 얻은 인상이므로 단순 인상에 해당한다.

오답 풀이 ① **나**에서 관념은 인상을 머릿속에 떠올리는 것을 의미한다고 하였다. 그러므로 사과의 달콤한 맛을 떠올리는 것은 관념에 해당한다고 할 수 있다.

③ 흄에 따르면 경험을 통해 얻은 지식은 그것이 과학적 지식이라 하더라도 진리인지 여부는 알 수 없다고 하였다. 따라서 사과의 색깔이 빨갛게 보이는 것은 우리의 감각 기관을 통해 인지한 사과의 색깔이 빨갛다는 의미일 뿐 사과의 실제 색은 알 수 없다고 할 수 있다.

④ 흄은 인과 관계란 시공간적으로 인접한 두 사건에 대한 주관적 판단에 불과하며, 인과 관계라고 판단되는 생각은 추측일 뿐 두 사건의 인과적 연결 관계를 관찰할 수 없다고 주장하였다. 따라서 '매일 사과를 먹으니 피부가 고와졌어.'라는 생각은 시공간적으로 인접한 두 사건에 대한 주관적 판단에 불과하기 때문에 인과적 연결 관계를 관찰할 수 없다.

⑤ 흄은 인과 관계란 시공간적으로 인접한 두 사건이 반복해서 발생할 때 갖는 관찰자의 습관적인 기대에 불과하다고 말하였다. 따라서 '매일 사과를 먹으니 피부가 고와졌어.'라는 생각은 반복되는 경험을 통해 형성된 습관적인 기대에 불과하다고 할 수 있다.

2 **라**에서 흄은 경험을 통해 얻은 과학적 지식이라 하더라도 그것이 진리인지의 여부는 확인할 수 없다고 하며 진리를 인식하는 문제에 대해 회의적인 태도를 보이고 있다. 따라서 흄이 서양 근대 철학사에서 극단적인 회의주의자로 평가받는 이유는 ⑤와 같이 경험을 통해서 얻은 지식이더라도 진리인지의 여부를 확인할 수 없다고 주장했기 때문이라는 것을 알 수 있다.

오답 풀이 ① 흄은 지식의 근원을 경험으로 보고 이를 인상과 관념으로 구분하여 설명하였으며, 인상이 없는 관념은 과학적 지식이 될 수 없다고 말하였다. ①은 인상을 갖는 경험적 지식을 중시한 말로 극단적인 회의주의적 태도와는 관련이 없다.

② 흄은 이성을 중심으로 하여 진리를 탐구하는 합리론을 비판하였지만, 이것이 극단적인 회의주의자로 평가받는 이유는 아니다.

③ 실재 세계는 인간의 의식에서 독립해서 객관적으로 존재하는 세계를 의미하는 것으로, 실재 세계의 모습이 끊임없이 변한다고 보는 것은 진리를 알 수 없다는 흄의 극단적인 회의주의자로서의 태도와는 관련이 없다.

④ 흄은 '모든 지식은 경험에서 나온다.'라고 주장하면서, 경험을 통해 얻은 과학적 지식이라 하더라도 그것이 진리인지의 여부는 알 수 없다고 하였다. 그 예로 '소금이 짜다.'라는 진술은 '내 입에는 소금이 짜게 느껴진다.'라는 진술에 불과할 뿐 이것이 진리는 아니라고 본 것이다. 이를 토대로 판단할 때 흄이 주관적 판단으로 진리를 찾을 수 있다고 보았다는 말은 잘못된 설명이며, 극단적인 회의주의자로서의 흄의 태도를 드러내는 설명으로도 적절하지 않다.

3 〈보기〉에서 '어떤 사람'은 태어나서 한 번도 빈칸의 색을 본 적이 없다고 하였다. 그럼에도 불구하고 명도표의 주변 색과의 비교를 통해 빈칸에 들어갈 색을 알아맞혔다고 하였다. 이는 눈으로 색을 보지 않고도 그 색을 머릿속으로 떠올린 것이다. 눈을 통해 느끼는 명도표의 색은 단순 인상이고, 이것을 머릿속에 떠올린 것은 단순 관념이다. 그러므로 〈보기〉의 사례는 단순 인상이 존재하지 않더라도 단순 관념이 존재할 수 있음을 보여 주는 것이라고 할 수 있다. 흄은 '단순 인상이 없다면 단순 관념은 존재하지 않는다.'라고 주장하였으므로, 〈보기〉의 사례는 이를 비판하는 근거가 된다고 할 수 있다.

유형 05 구체적 사례에 적용하기 유형

● ①

• **해제** 이 글은 다른 생명체와 차별화된 인간의 본질을 규명하기 위한 학문인 '철학적 인간학'에 대해 설명하고 있다. 철학적 인간학이 등장하게 된 배경과 철학적 인간학을 대표하는 학자인 막스 셸러, 헬무트 플레스너, 아놀드 겔렌의 입장을 소개하고 있다. 셸러는 인간은 동물과 달리 자아의식에 의해서 충동적인 욕구에 따라 행동하지 않고 스스로를 반성할 수 있다고 보았다. 한편 플레스너는 인간은 자기중심적인 삶과 일정한 거리를 둘 수 있는 '탈중심성'을 가지고 있으며, 이로 인해 스스로를 반성하고 항상 새로운 자신을 발견하고 변화시킬 수 있다고 보았다. 또한 겔렌은 인간은 신체적 한계를 갖고 태어난 결핍된 존재로, 이를 보완하기 위해 일정한 '행위'를 한다고 보았다.

• **문단 요약**

- **가** '철학적 인간학'의 탄생 목적과 핵심 내용
- **나** 인간의 본질에 대한 셸러의 입장
- **다** 인간의 본질에 대한 플레스너의 입장
- **라** 인간의 본질에 대한 겔렌의 입장

• **주제** 인간의 본질을 규명하기 위한 철학적 인간학

● **나**에서 '셸러'는 인간이 동물과 달리 '정신'을 가지고 있고, '자아의식'은 '정신' 작용의 하나라고 했다. 따라서 〈보기〉의 '희수'와 '유치원 아이들'은 모두 인간이므로, '셸러'가 말한 '정신'을 가지고 있고, 정신 작용의 하나인 '자아의식'도 가지고 있다고 할 수 있다. '자아의식'의 존재 유무는 인간과 동물의 차이이므로 ①은 적절하지 않은 내용이다.

오답 풀이 • ② 〈보기〉의 희수가 신호를 지키는 아이들을 보고 무단 횡단한 자신의 모습에 부끄러움을 느낀 것은 '셸러'의 입장에서 볼 때 '자아의식'에 의해 자신의 내면을 대상화해 스스로를 의식하게 된 사례로 볼 수 있으므로 적절한 진술이다.

③ 인간이 '탈중심성'을 가지고 있어 스스로를 반성하고 변화시킬 수 있다고 한 '플레스너'의 입장에서 볼 때, 희수가 무단 횡단을 하지 않기 위해 교통 규칙을 잘 지키려고 노력한 것은 스스로 반성하고 자신을 변화시킨 것으로 볼 수 있다. 따라서 적절한 진술이다.

④ 인간은 인간다운 삶을 보장받기 위해 문화를 창조하며 사회적 제도 역시 문화의 한 형태라고 한 '겔렌'의 입장에서 보면, 인간이 지켜야 하는 〈보기〉의 교통 규칙 또한 인간다운 삶을 보장받기 위해 만든 사회적 제도이므로 적절한 진술이다.

⑤ '겔렌'은 인간은 인간다운 삶을 보장받기 위해 제도를 만들었고, 그 제도에 다시 영향을 받아 충동을 억제하는 '행위'를 한다고 하였다. 따라서, 〈보기〉의 교통 규칙을 지킨다는 것은 인간이 만든 교통 규칙이라는 제도가 아이들에게 영향을 주어 무단 횡단을 하고 싶은 충동을 억제한 '행위'라고 볼 수 있으므로 적절한 진술이다.

유형 06 시각 자료에 적용하기 유형

● ①

• **해제** 이 글은 라면 스프를 넣은 물이 순수한 물보다 끓는 데 더 오래 걸리는 것에 의문을 제시한 뒤 용액의 끓는점과 증기압이라는 개념을 통해 그 해답을 설명하고 있는 글이다. 용액의 증기압은 용액의 농도와 온도에 따라 변하는데, 용액의 농도가 진할수록 용액의 증기압이 낮아지고, 온도가 높아질수록 용액의 증기압이 높아진다. 용액의 끓는점이 높아지는 이유는 비휘발성 용질이 녹으면서 용액의 증기압이 변하기 때문이다. 액체가 끓기 위해서는 액체의 증기압이 대기압과 같아져야 하는데, 비휘발성 용질이 녹아 있는 용액은 순수한 용매보다 증기압이 낮기 때문에 더 높은 온도가 되어야 증기압이 대기압과 같아진다. 즉, 비휘발성 용질로 인해 용액의 끓는점이 높아지는 것이다.

• **문단 요약**

- **1** 순수한 물보다 스프를 넣은 물의 끓는점이 높아지는 현상
- **2** 응축 속도와 증발 속도가 같아지는 원리와 관련 개념
- **3** 용액의 농도와 온도, 용매의 종류에 따라 증기압이 변하는 원리
- **4** 라면 스프를 넣은 물이 순수한 물보다 끓는점이 높은 이유

• **주제** 용액의 끓는점과 증기압의 관계

● 〈보기〉의 (가)는 순수한 용매이고 (나)는 용액이므로 (가)의 끓는점 ㉮는 (나)의 끓는점 ㉯보다 낮다고 할 수 있다. 3문단에서 순수한 용매만 있을 때에는 용매의 표면 전체에서 증발이 일어나고 용액은 비휘발성 용질이 차지하는 부분만큼 증발이 일어나지 않아 용액의 증기압은 순수한 용매의 증기압보다 낮아진다고 하였다. 따라서 (나)의 증기압이

(가)보다 낮으므로 (나)의 증기압 변화 곡선은 같은 온도일 때 (가)보다 아래에 위치해야 한다. 그리고 마지막 문단에서 끓는점은 액체의 증기압이 대기압과 같아지는 온도라고 제시되어 있으므로, (가)와 (나)의 증기압이 각각 대기압과 같아지는 지점이 ㉮와 ㉯가 된다고 할 수 있다.

오답 풀이 ▸ ② 증기압이 대기압과 같아지는 온도가 끓는점이므로 ㉯가 ㉮보다 높아야 하기 때문에 적절하지 않다.

③ (가)의 증기압이 (나)보다 높고, ㉮가 ㉯보다 낮아야 하는데, 그래프에는 반대로 나타나 있으므로 적절하지 않다.

④ ㉮가 ㉯보다 낮아야 하며, 같은 온도에서 (가)의 증기압이 (나)보다 높아야 하므로 적절하지 않다.

⑤ 같은 온도에서 (가)의 증기압이 (나)보다 높아야 하므로 적절하지 않다.

유형 적용

본문 31~32쪽

1 ①　　　**2** ⑤

[1~2]

- **해제** 이 글은 계와 주위의 개념 및 계의 에너지 변화를 설명하는 글로, 계를 주위와 에너지나 물질의 교환이 모두 일어나지 않는 고립계, 주위와 물질 교환 없이 에너지 교환만 일어나는 닫힌계, 주위와 물질 및 에너지 교환이 모두 일어나는 열린계로 나누어 설명하고 있다. 열역학 제1법칙에 따르면 우주의 에너지 총량은 일정하므로 계와 주위의 에너지 합 또한 일정하다는 점과, 계와 주위 사이에 에너지 교환이 있다면 계의 에너지가 감소할 때 주위의 에너지는 증가하며, 계의 에너지가 증가할 때 주위의 에너지는 감소하게 된다는 점을 설명하고 있다. 또한 가상의 실험을 통해 계와 주위의 에너지 교환, 초기 상태와 최종 상태, 경로 등을 설명하고 있다. 다만, 어떤 계의 변화가 일어나는 경로는 초기 상태에서 최종 상태로 진행하면서 거치는 일련의 상태들로 이루어져 있으며, 이 두 상태를 연결하는 경로는 무한히 많다는 점도 밝히고 있다.

- **문단 요약**
  - ㉮ '계', '주위', '경계'의 개념 및 계의 종류
  - ㉯ 계와 주위 사이의 에너지 교환
  - ㉰ 온도, 압력, 부피 등의 열역학적 변수들에 의한 계의 변화 양상
  - ㉱ 같은 상태에 있는 두 계의 에너지가 동일해지는 과정
  - ㉲ 같은 상태에 있는 계가 만들어진 과정이 다를 가능성

- **주제** 계와 주위의 에너지

㉮ 과학에서 관심을 갖는 대상을 계(system)라고 하고, 계를 제외한 우주의 나머지 부분은 주위(surroundings), 계와 주위 사이는 경계(boundary)라고 한다. 계는 주위와 에너지나 물질의 교환이 모두 일어나지 않는 고립계, 주위와 물질 교환 없이 에너지 교환만 일어나는 닫힌계, 주위와 물질 및 에너지 교환이 모두 일어나는 열린계로 나눌 수 있다.

▸ 과학에서 관심을 갖는 대상을 '(계)'라고 하고, 계를 제외한 나머지 부분은 '(주위)', 계와 주위 사이는 '(경계)'(이)라고 한다.

㉯ 열역학 제1법칙에 따르면 우주의 에너지 총량은 일정하므로, 계와 주위의 에너지 합 또한 일정하다. 계와 주위 사이에 에너지 교환이 있다면, 계의 에너지가 감소할 때 주위의 에너지는 증가하며, 계의 에너지가 증가할 때 주위의 에너지는 감소하게 된다. 계와 주위 사이에 에너지 교환이 일어날 때, 계의 에너지가 증가하면 +로, 계의 에너지가 감소하면 −로 표시한다. 한편, 계가 열을 흡수하는 과정은 흡열 과정, 계가 열을 방출하는 과정은 발열 과정이라고 하는데, 열은 에너지의 대표적인 형태이므로, 흡열 과정에 관련된 열은 +Q로, 발열 과정에 관련된 열은 −Q로 나타낼 수 있다.

▸ 열역학 제1법칙에 따라 우주의 에너지 총량은 (일정)하므로, 계와 주위의 에너지 합 또한 (일정)하다.

㉰ 계의 에너지는 온도, 압력, 부피 등의 열역학적 변수들에 의해 결정되므로, 열역학적 변수들이 같은 계들은 같은 '상태'에 있다고 할 수 있다. 〈그림〉과 같이 피스톤이 연결된 실린더가 있고, 실린더에는 보일-샤를의 법칙을 만족하는 기체가 들어 있다고 가정해 보자. 먼저, 피스톤을 고정하지 않은 채 실린더 속 기체의 압력이 P_1로 일정하도록 유지한 상태에서 실린더를 가열하여 실린더 속 기체의 온도가 T_1에서 T_2가 되도록 하면, 온도가 높아짐에 따라 실린더 속 기체의 부피는 증가하게 된다. 한편, 피스톤을 고정하여 실린더 속 기체의 부피를 일정하게 하고 실린더를 가열하면, 실린더 속 기체의 온도가 T_1에서 T_2가 되는 동안 실린더 속 기체의 압력은 P_1에서 P_2로 증가하는데, 온도가 T_2인 상태를 유지하면서 고정시켰던 피스톤을 풀면 실린더 속 기체의 압력이 P_1이 될 때까지 실린더 속 기체의 부피는 증가하게 된다.

피스톤

실린더

▲ 〈그림〉

▸ 계의 에너지는 온도, 압력, 부피 등의 (열역학적 변수)들에 의해 결정된다.

라 ⊙전자의 경우를 A, ⓒ후자의 경우를 B라고 하면, A는 T_1, P_1인 초기 상태에서 T_2, P_1인 최종 상태가 되었고, B는 T_1, P_1인 초기 상태에서 T_2, P_2인 상태를 거쳐 T_2, P_1인 최종 상태가 되었다고 할 수 있다. 그리고 두 계라 할 수 있는 A와 B가 같은 상태에 있으면, A와 B의 실린더 속 기체의 내부 에너지는 서로 같다고 할 수 있다.

▶ 열역학적 변수가 같은 계들은 같은 '(**상태**)'에 있고, 이때 두 계의 에너지는 서로 (**같다**).

마 이때 A의 초기 상태와 B의 초기 상태, A의 최종 상태와 B의 최종 상태는 각각 같지만, 초기 상태에서 최종 상태에 이르는 경로는 다르다. 따라서 두 계가 같은 상태에 있다고 해서 두 계가 만들어진 과정이 같다고 할 수는 없다. 또한 어떤 계의 변화가 일어나는 경로는 초기 상태에서 최종 상태로 진행하면서 거치는 일련의 상태들로 이루어져 있으며, 이 두 상태를 연결하는 경로는 무한히 많다.

▶ 두 계가 동일한 최종 상태에 있더라도, 이 계들의 초기 상태에서 최종 상태를 연결하는 (**경로**)는 무한히 많다.

1 **나**에서 계가 열을 방출하는 과정은 발열 과정이라고 제시되어 있다. 그리고 발열 과정에 관련된 열은 −Q로 나타낼 수 있다고 밝히고 있다. 〈보기〉에서 비커의 물에 진한 황산을 넣어서 묽은 황산 용액을 만들면, 묽은 황산 용액은 물론 비커 주위의 수조 속 물의 온도까지 높아진다고 말하며, 이는 황산이 이온으로 되면서 열이 방출되었기 때문이라고 설명하고 있다. 따라서 묽은 황산 용액이 만들어지는 과정은 발열 과정으로 볼 수 있으며, 이 과정과 관련된 열은 −Q로 표시할 것이다.

오답 풀이 ▶ ② 비커의 물에 진한 황산을 넣었으며 그로 인해 만들어진 묽은 황산 용액에서 열이 방출되었으므로 물질 및 에너지 교환이 일어났다고 할 수 있으며, 따라서 열린계에 해당한다. 고립계는 주위와 에너지나 물질의 교환이 모두 일어나지 않는 계라고 제시되어 있다.

③ 황산이 이온으로 되면서 방출한 열로 비커 속 물의 온도가 높아졌으며 이 열이 수조 속 물에도 전달되었으므로 비커 속 물의 에너지나 수조 속 물의 에너지가 모두 증가했다고 할 수 있다.

④ 황산이 이온으로 되면서 열이 방출되고 이 열이 수조 속 물에도 전달되었다고 하였으므로 수조 속의 물은 묽은 황산 용액으로부터 에너지를 흡수했다고 할 수 있다.

⑤ 경계는 계와 주위 사이를 의미하므로 비커 속의 물이나 수조 속의 물은 경계라고 하기 어렵다.

2 **다**, **라**에 따르면, ⊙은 T_1, P_1인 초기 상태에서 T_2, P_1인 최종 상태가 되었고, ⓒ은 T_1, P_1인 초기 상태에서 T_2, P_2인 상태를 거쳐 T_2, P_1인 최종 상태가 되었다. ⊙과 ⓒ은 최종 상태가 T_2, P_1인 같은 상태에 있으므로, ⊙과 ⓒ의 실린더 속 기체의 내부 에너지는 서로 같다고 할 수 있다. 한편, 그래프에서 ⓒ는 ⊙의 경우와 ⓒ의 경우의 최종 상태라 할 수 있으므로 같은 상태이다. 그러므로 실린더 속 기체의 내부 에너지도 같을 것이다.

오답 풀이 ▶ ① ⊙의 경우 실린더를 가열하여 실린더 속 기체의 온도가 T_1에서 T_2가 되도록 하면, 온도가 높아짐에 따라 실린더 속 기체의 부피는 증가하게 된다고 제시되어 있다. 따라서 ⊙의 경우 ⓐ 상태에서 ⓒ 상태가 되는 경로에서 실린더 속 기체의 부피가 증가한다.

② ⓒ의 경우 피스톤을 고정하여 기체의 부피를 일정하게 하고, 실린더를 가열하여 실린더 속 기체의 온도가 T_1에서 T_2가 되는 동안 실린더 속 기체의 압력이 P_1에서 P_2로 증가한다고 제시되어 있다. 따라서 ⓒ의 경우 ⓐ 상태에서 ⓑ 상태가 되는 경로에서 온도가 점차 높아진다.

③ ⓒ의 경우 온도가 T_2인 상태를 유지하면서 고정시켰던 피스톤을 풀면 실린더 속 기체의 압력이 P_1이 될 때까지 기체의 부피는 증가하게 된다고 설명되어 있다. 따라서 ⓒ의 경우 ⓑ 상태에서 ⓒ 상태가 되는 경로에서 실린더 속 기체의 부피가 증가한다.

④ 두 계가 같은 상태일 때, 두 계라 할 수 있는 실린더 속 기체의 내부 에너지도 같다고 할 수 있다. 따라서 ⓐ 상태에서 실린더 속 기체의 내부 에너지는 ⊙의 경우와 ⓒ의 경우가 같을 것이다.

인문 01 요청에 응하게 만들기

본문 34~35쪽

1 ④   **2** ④   **3** ⑤

① 우리는 생활하면서 다른 사람에게 어떤 행동을 요구하기도 하고 그들로부터 간섭을 받기도 한다. 요구나 부탁을 할 때 다른 사람들의 태도나 행동에 변화를 일으켜 자신의 요구에 잘 응하게 만드는 것이 중요한데, 다른 사람들의 요청이나 요구에 응하는 과정을 심리학에서는 응종이라 한다.   _{응종의 개념, 문제 1 - ① 관련}
_[1문단 요약 답] (**응종**)은 다른 사람들의 요청이나 요구에 응하는 과정이다.

② 응종을 이끌어 내기 위해 의도적으로 사용되는 몇 가지 기법들이 있는데, 한 가지 방법은 '문간에 발 들여 놓기' 기법이다. 이 기법은 작은 요구에 이어서 더 큰 요구를 하는 것이다. 이때 작은 요구와 큰 요구는 서로 연관성이 있어야 한다. 이 기법은 왜 효과가 있을까? 이는 처음에 요구를 들어주었던 자신의 행동에 대한 합리화가 일어나기 때 _{문제 2 - ④ 관련}
문에 장차 더 큰 요구를 하더라도 잘 응하게 된다는 것이다.   _{'문간에 발 들여 놓기' 기법이 효과가 있는 이유, 문제 1 - ⑤ 관련}
_[2문단 요약 답] '문간에 발 들여 놓기' 기법은 (**작은**) 요구에 이어 연관성 있는 더 (**큰**) 요구를 하는 것이다.

③ '면전에서 문 닫기' 기법도 효과가 있다. 이것은 처음에 상대방이 들어줄 것 같지 않은 큰 요구를 하고 상대방이 그 요구를 거절하면 그 다음에 작은 요구를 하는 것이다. 그렇게 되면 처음에 문을 '쾅' 하고 닫은 사람이라도 나중의 작은 요구에는 따른다는 것이다. 부탁을 하는 사람이 자신의 요구를 줄이게 되면 부탁을 받은 사람은 이제 자기가 _{'면전에서 문 닫기' 기법이 효과가 있는 이유, 문제 1 - ⑤/2 - ② 관련}
양보할 차례라는 압력을 받게 된다. 즉 작은 요구를 받아들임으로써 상대방의 처음 부 _{문제 2 - ③ 관련}
탁을 거절한 것에 대한 불편한 감정에서 벗어나게 된다.
_[3문단 요약 답] '면전에서 문 닫기' 기법은 들어줄 것 같지 않은 (**큰**) 요구에 이어 (**작은**) 요구를 하는 것이다.

④ ㉠'낮은 공' 기법이라는 것도 있다. 이 용어는 야구에서 투수의 공이 낮게 들어오다 _{용어의 유래}
가 갑자기 높아지는 것에서 비롯된 말이다. 이것은 처음에 부담이 덜한 비교적 좋은 조 _{문제 3 - ⑤ 관련}
건을 제시하여 상대방이 동의하게끔 유도한 다음, 동의가 이루어지면 부담의 양을 늘리는 것이다. 처음 조건과 나중 조건이 다른 것이다. 예를 들어 '전 품목 90% 세일'이라 _{부담이 덜한 조건} _{부담이 큰 조건}
고 해 놓고 막상 어떤 제품을 골랐을 때 "역시 안목이 높으시군요. 그 제품만 세일을 하지 않습니다."라고 둘러대는 식이다.
_[4문단 요약 답] (**낮은 공**) 기법은 부담이 덜한 것에 동의하게 한 후 부담의 양을 늘리는 것이다.

⑤ 이외에도 '그것이 전부가 아닙니다' 기법이 있다. 이 기법은 주로 물건 판매에 많이 _{문제 1 - ③ 관련}
사용되는 것으로, 처음의 요구에 상대가 반응하기 전에 매력적인 제안을 더하는 것이다. 예를 들어 판매원이 소비자에게 전기 오븐을 팔 때 제품의 장점과 가격을 설명한 후 소비자가 구입 여부를 검토하는 동안 전기 오븐을 구입하면 접시 세트를 무료로 증정 _{원래 제안에 더한 매력적인 제안}
한다고 말하는 것이다. 판매원은 처음부터 전기 오븐을 사면 접시 세트를 무료로 증정한다고 말할 수도 있었지만, 무료 증정에 대한 내용을 나중에 설명함으로써 소비자가 구매를 해야 할 당위성을 높여 준다.
_[5문단 요약 답] '그것이 전부가 아닙니다' 기법은 (**처음**)의 요구에 상대가 반응하기 (**전**)에 매력적인 제안을 더하는 것이다.

⑥ 『앞에서 살펴본 응종은 상대방을 설득하여 자신이 원하는 방향으로 행동하게 하기 _{『 』: 응종을 알아 둘 필요가 있는 이유}
위해서 필요하지만, 상대방으로부터 불필요한 설득을 당하지 않도록 스스로를 방어하기 위해서도 알아 둘 필요가 있는 개념이다.』
_[6문단 요약 답] 응종은 상대방으로부터 불필요한 (**설득**)을 당하지 않기 위해서라도 알아 둘 필요가 있다.
해제 | 이 글은 응종을 이끌어 내는 다양한 기법들을 설명하고 있다.

지문 분석하기   **주제** | 응종의 개념 및 응종을 이끌어 내는 방법

응종을 이끌어 내는 방법	'문간에 발 들여 놓기' 기법	작은 요구에 이어 큰 요구를 하는 것
	'면전에서 문 닫기' 기법	큰 요구에 이어 작은 요구를 하는 것
	'낮은 공' 기법	부담이 덜한 조건에 동의하면 부담의 양을 늘리는 것
	'그것이 전부가 아닙니다' 기법	처음의 요구에 반응하기 전에 매력적인 제안을 더하는 것

1 '낮은 공' 기법은 4문단에서 설명하고 있는데, 구체적 예가 제시되어 있을 뿐 효과를 극대화하기 위해 어떤 방법을 사용해야 하는지에 대한 정보는 제시되어 있지 않다.

오답 풀이 ▸ ① 응종의 개념이 1문단에 제시되어 있다.
② 응종을 이끌어 내기 위해 사용되는 다양한 기법들이 2~5문단에 제시되어 있다.
③ '그것이 전부가 아닙니다' 기법은 주로 물건 판매에 사용된다는 내용이 5문단에 제시되어 있다.
⑤ '문간에 발 들여 놓기'와 '면전에서 문 닫기' 기법이 효과가 있는 이유는 2, 3문단을 통해 알 수 있다.

2 〈보기〉의 실험에서 사용한 기법은 '면전에서 문 닫기' 기법에 해당한다. 첫 번째 부탁과 두 번째 부탁 사이에 연관성이 있어야 효과적인 기법은 '문간에 발 들여 놓기' 기법이므로 ④는 적절하지 않다.

오답 풀이 ▸ ① ⓐ는 2년간 청소년 범죄자들을 상담해 달라는 부탁이므로, 상대방이 들어주기 힘든 큰 요구에 해당한다.
② 첫 번째 부탁을 거절한 사람은 요구가 줄어든 두 번째 부탁에 대해 자신이 양보할 차례라는 압력을 받게 된다고 하였다.
③ 첫 번째 부탁을 거절한 사람이 두 번째 부탁을 수락하는 것은 두 번째 부탁을 수락함으로써 첫 번째 부탁을 거절한 것에 대한 불편한 감정에서 벗어날 수 있기 때문이라고 하였다.
⑤ 〈보기〉는 응종을 이끌어 내는 기법에 관한 실험이므로, ⑤와 같은 반응을 보일 수 있다.

3 '낮은 공' 기법은 부담이 덜한 비교적 좋은 조건에 동의하게끔 유도한 후 동의가 이루어지면 부담의 양을 늘리는 것이다. 처음에 저렴한 가격을 제시하는 것은 부담이 덜한 것에 동의하게 하는 것이고, 차를 구입할 의사를 밝히자 차에 에어컨을 장착할 비용이 추가된다고 말하는 것은 동의가 이루어진 후 부담의 양을 늘리는 것이다.

인문 02 삶을 지속하고자 하는 욕망, 코나투스

본문 36~37쪽

1 ③　　　**2** ⑤　　　**3** ④

① 스피노자의 윤리학을 이해하기 위해서는 코나투스(Conatus)라는 개념이 필요하다. 스피노자에 따르면 실존하는 모든 사물은 자신의 존재를 유지하기 위해 노력하는데, 이것이 바로 그 사물의 본질인 코나투스라는 것이다. 정신과 신체를 서로 다른 것이 아니라 하나로 보았던 그는 정신과 신체에 관계되는 코나투스를 충동이라 부르고, 다른 _{문제 1 - ① 관련} 사물들과 같이 인간도 자신을 보존하고자 하는 충동을 갖고 있다고 보았다. 특히 인간은 자신의 충동을 의식할 수 있다는 점에서 동물과 차이가 있다며 인간의 충동을 욕망 _{인간과 동물의 차이점, 문제 1 - ③ 관련}　　　　_{인간의 코나투스가 의미하는 것} 이라고 하였다. 즉 인간에게 코나투스란 삶을 지속하고자 하는 욕망을 의미한다.

　　(1문단 요약 답) 인간은 삶을 지속하고자 하는 욕망인 (코나투스)를 가지고 있으며, 이를 의식할 수 있다.

② 스피노자에 따르면 코나투스를 본질로 지닌 인간은 한번 태어난 이상 삶을 지속하기 위해 힘쓴다. 하지만 인간은 자신의 힘만으로 삶을 지속하기 어렵다. 인간은 다른 것들과의 관계 속에서만 삶을 유지할 수 있으므로 언제나 타자와 관계를 맺는다. 이때 타 _{타자와의 관계 형성이 필요한 이유} 자로부터 받은 자극에 의해 신체적 활동 능력이 증가하거나 감소하는 변화가 일어난 _{문제 1 - ④ 관련} 다. 감정을 신체의 변화에 대한 표현으로 보았던 스피노자는 신체적 활동 능력이 증가하면 기쁨의 감정을 느끼고, 신체적 활동 능력이 감소하면 슬픔의 감정을 느낀다고 생 _{신체적 활동 능력과 감정의 관계} 각했다. 또한 신체적 활동 능력이 감소하는 것과 슬픔의 감정을 느끼는 것은 코나투스가 감소하고 있음을 보여 주는 것, 다시 말해 삶을 지속하고자 하는 욕망이 줄어드는 것이라고 여겼다. 그래서 인간은 코나투스의 증가를 위해 자신의 신체적 활동 능력을 증 _{코나투스를 증가시키기 위한 인간의 노력} 가시키고 기쁨의 감정을 유지하려고 노력한다는 것이다.

　　(2문단 요약 답) 인간은 (타자)와의 관계 속에서 코나투스를 증가시키기 위해 노력한다.

③ 한편 스피노자는 선악의 개념도 코나투스와 연결 짓는다. 그는 사물이 다른 사물과 어떤 관계를 맺느냐에 따라 선이 되기도 하고 악이 되기도 한다고 말한다. 코나투스의 _{다른 사물과의 관계 속에서 결정되는 선과 악} 관점에서 보면 선이란 자신의 신체적 활동 능력을 증가시키는 것이며, 악은 자신의 신체적 활동 능력을 감소시키는 것이다. 이를 정서의 차원에서 설명하면 선은 자신에게 기쁨을 주는 모든 것이며, 악은 자신에게 슬픔을 주는 모든 것이다. 한마디로 인간의 선 _{문제 1 - ② 관련} 악에 대한 판단은 자신의 감정에 따라 결정된다는 것을 의미한다. _{인간이 선악을 판단하는 기준}

　　(3문단 요약 답) 코나투스의 관점에서 보면 인간은 자신의 (감정)에 따라 선악을 판단한다.

④ 이러한 생각을 토대로 스피노자는 코나투스인 욕망을 긍정하고 욕망에 따라 행동하라고 이야기한다. 슬픔은 거부하고 기쁨을 지향하라는 것, 그것이 곧 선의 추구라는 것이다. 그리고 코나투스는 타자와의 관계에 영향을 받으므로 인간에게는 타자와 함께 _{코나투스의 증가를 위한 선의 추구} 자신의 기쁨을 증가시킬 수 있는 공동체가 필요하다고 말한다. 그 안에서 자신과 타자 모두의 코나투스를 증가시킬 수 있는 기쁨의 관계를 형성하라는 것이 스피노자의 윤리 _{코나투스를 증가시키기 위해 공동체 모두가 기쁨의 관계를 형성하기, 문제 1 - ⑤ 관련} 학이 우리에게 하는 당부이다.

　　(4문단 요약 답) 모두의 코나투스를 증가시킬 수 있는 (기쁨)의 공동체를 형성해야 한다.

해제 | 이 글은 스피노자의 윤리학을 이해하기 위해 필요한 개념인 코나투스를 설명하고 있다.

주제 | 스피노자 윤리학의 코나투스 개념

지문 분석하기

	코나투스의 개념과 특성	기쁨의 공동체 형성
개념	인간이 자신의 삶을 지속하고자 하는 욕망	욕망을 긍정하고 선과 기쁨을 추구해야 함.
특징	• 타자와의 관계 속에서 증가하거나 감소함. • 인간이 선과 악을 판단하는 기준이 되기도 함.	⋮ 자신과 타자 모두의 코나투스를 증가시킬 수 있는 기쁨의 관계를 형성해야 함.

1 1문단에서 인간이 자신의 충동, 즉 코나투스를 의식할 수 있다는 점에서 동물과 다르다고 하였다.

　오답 풀이 • ① 1문단에서 정신과 신체를 서로 다른 것이 아니라 하나로 보았다고 하였다.

② 3문단에서 선은 자신에게 기쁨을 주는 모든 것이며, 악은 자신에게 슬픔을 주는 모든 것이라고 하였다.

④ 2문단에서 인간은 언제나 타자와 관계를 맺는데, 이때 타자로부터 받은 자극에 의해 신체적 활동 능력이 증가하거나 감소한다고 하였다.

⑤ 4문단에서 인간에게는 자신과 타자 모두의 코나투스를 증가시킬 수 있는 공동체가 필요하다고 하였다.

2 스피노자는 욕망을 긍정하고 욕망에 따라 행동하라고 말하고 있으나, 쇼펜하우어는 욕망을 부정하며 욕망을 절제해야 한다고 말하고 있다.

　오답 풀이 • ① 스피노자는 욕망을 부정적으로 판단하지 않았다.

② 쇼펜하우어는 인간의 욕망을 절제해야 한다고 보았다.

③ 스피노자는 삶을 지속하고자 하는 인간의 욕망인 코나투스를 긍정하였다.

④ 쇼펜하우어와 스피노자 모두 욕망이 인간의 본질이라는 관점을 취하고 있다.

3 3문단에서 인간이 선악을 판단하는 기준이 자신의 감정에 따라 결정된다고 한 점과 관련하여 선과 악이 개인에 따라 달라질 수 있다는 점을 비판할 수 있다.

　오답 풀이 • ① 1문단에서 자신을 보존하고자 하는 충동과 삶을 지속하고자 하는 욕망을 모두 코나투스로 설명하고 있다.

② 2문단에서 인간이 타자와의 관계 속에서 코나투스를 증가시키기 위해 노력한다고 설명하였다.

③ 3문단과 4문단에서 슬픔을 거부하고 기쁨을 지향하라고 하였지만 악의 감정을 슬픔으로 치유하라는 내용은 찾을 수 없다.

⑤ 4문단에서 공동체 안에서 모두의 코나투스, 즉 삶을 지속하려는 욕망을 증가시키는 기쁨의 관계를 형성하라고 하였다.

1 ⑤　　**2** ④　　**3** ②

① 세계 4대 문명인 이집트 문명, 메소포타미아 문명, 인더스 문명, 황허 문명의 발상지를 찾아보면 ⓐ네 곳 모두 북반구의 중위도에 있는 큰 강 유역이라는 공통점이 있다. <u>4대 문명 발상지의 공통점. 문제 1 - ① 관련</u> ㉠<u>엘스워드 헌팅턴</u>은 자신의 저서 《문명과 기후》에서 인간이 가장 활발하게 활동할 수 있는 최적의 기후 조건을 제시하였다. 그는 연평균 기온이 10℃를 크게 벗어나지 않으면서 월평균 기온 3.3~18.3℃, 습도 70% 이하를 유지하는 <u>인간이 활발하게 활동할 수 있는 최적의 기후 조건 문제 1 - ② 관련</u> 지역에서 인간의 신체 활동과 뇌 활동이 가장 활발하기 때문에 문명이 발생할 수 있었다고 주장한다. 그런데 세계 4대 문명 중 이집트 문명, 메소포타미아 문명, 인더스 문명 등이 발생한 지역은 현재 건조 기후 지역으로 헌팅턴이 제시한 최적의 기후 조건에서 다소 벗어나 있다. 그러나 ⓑ문명 탄생 당시에는 그 지역이 현재보다 습윤한 기후였다는 점이 연구를 통해 밝혀지 <u>현재 건조 기후 지역에서 문명이 발생할 수 있었던 이유. 문제 3 관련</u> 면서 헌팅턴의 주장이 힘을 얻게 되었다. 이처럼 헌팅턴의 연구는 최초로 기후와 문명의 상관관계를 탐구하였다는 점에서 의의가 있다. <u>헌팅턴의 연구가 지니는 의의</u>

<u>1문단 요약 답</u> (**헌팅턴**)에 따르면 인간이 활발하게 활동할 수 있는 최적의 기후 조건을 갖춘 곳에서 (**문명**)이 발생했다.

② 세계 4대 문명의 공통적 특징이자 문명의 척도라 할 수 있는 청동기의 제작과 문자의 발명, 그리고 도시의 탄생은 삶의 기본 조건인 먹을거리가 풍족해야 가능하다. <u>문명이 발생하기 위한 기본 조건 – 풍족한 먹을거리</u> 『기후 조건이 식물의 생장에 알맞고, 생활하기에 쾌적해야만 인간이 문명을 창조하기 위해 시간과 에너지를 할애할 수 있는 것이다.』 반면, <u>『 』: 쾌적한 기후가 문명 발생에 유리한 이유</u> ⓒ기후가 매우 덥거나 추운 곳에서는 농업 생산성이 떨어질 뿐 아니라, 열악한 환경에 적응하여 살아가는 데 많은 시간과 에너 <u>『 』: 문명 발생에 불리한 기후 문제 1 - ④ 관련</u> 지를 할애해야 하기 때문에 그만큼 문명의 형성이 더디게 된다.』 실제로 태양이 이글거리는 적도 부근이나 눈과 얼음으로 뒤덮인 극지방에서 고대 문명이 발생하지 않았다는 것은 문명 형성이 기후 조건과 관련 있음을 보여 준다. 이처럼 ⓓ기후는 인간의 정신과 육체 및 생산 활동에 영향을 미쳤고, 문명의 성립과 발전에도 영향을 주었다.』 <u>『 』: 기후가 인간 생활 및 문명의 성립과 발전에 미치는 영향</u>

<u>2문단 요약 답</u> (**기후**)는 인간의 생활 및 문명의 성립과 발전에 많은 영향을 주었다.

③ 한편, ⓔ기후는 문명의 시작뿐 아니라 쇠퇴와도 관련이 있다. 기후 변화로 인한 혹한, 가뭄, 홍수 등은 문명사회를 송두리째 앗아갈 만큼 파괴적이다. <u>문명의 쇠퇴에도 영향을 미치는 기후</u> 『실제로 1815년 인도네시아 탐보라 화산의 폭발은 이상 기후 현상으로 이어지면서 기록적인 재앙을 초래 <u>1800년대 유럽의 이상 기후 현상의 원인</u> 하였다. 화산 폭발과 함께 분출된 엄청난 양의 화산재와 먼지는 태양을 가려 지구의 기온을 낮추었고, 이듬해 유럽은 '여름이 사라진 해'를 맞이하게 되었다. 여름철 이상 저 <u>『 』: 기후 변화로 인해 문명이 쇠퇴한 사례. 문제 1 - ③ 관련</u> 온 현상이 길어지면서 흉작과 대기근이 뒤따랐으며, 약탈, 폭동 등의 범죄가 전 유럽을 휩쓸었다.』

<u>3문단 요약 답</u> 급격한 기후 변화는 문명의 (**쇠퇴**)를 가져올 수도 있다.

④ 이처럼 인류 문명과 역사의 흥망성쇠는 기후라는 자연 조건과 매우 밀접하게 관련되어 있다. 따라서 오늘날 무분별하게 자연을 훼손함으로써 세계 곳곳에 나타나고 있 <u>인류의 흥망성쇠와 관련된 기후</u> 는 이상 기후 현상은 결국 인류의 미래와 무관하지 않을 것이다. <u>무분별한 자연 훼손과 이상 기후 현상의 위험 경계</u>

<u>4문단 요약 답</u> (**자연**) 훼손으로 나타나는 (**이상 기후**) 현상은 인류의 미래를 위협할 수도 있다.

해제 | 이 글은 인류 문명과 역사의 흥망성쇠를 기후와 연관 지어 설명하고 있다.

주제 | 기후와 문명의 상관관계

출전 | 전국지리교사연합회, 《살아 있는 지리 교과서 1》

지문 분석하기

기후와 문명의 상관관계	헌팅턴의 연구	인간 생활에 최적의 기후 조건을 갖춘 곳에서 문명이 발생함.
	문명 탄생 및 발전의 조건	풍족한 먹을거리를 얻을 수 있고, 생활하기에 쾌적한 기후 조건에서 문명이 발전함.
	이상 기후 현상의 위험	급격한 기후 변화는 문명의 파괴로 이어질 수 있음.

1 4문단에서 무분별한 자연 훼손에 따른 이상 기후 현상을 경계하는 내용은 확인할 수 있지만 이를 막기 위한 국제 사회의 노력은 제시하고 있지 않다.

오답 풀이 ① 1문단에서 세계 4대 문명이 시작된 곳은 모두 북반구의 중위도에 있는 큰 강 유역이라는 공통점이 있음을 알 수 있다.

② 1문단에서 연평균 기온이 10℃를 크게 벗어나지 않으면서 월평균 기온 3.3~18.3℃, 습도 70% 이하를 유지하는 지역에서 인간의 신체 활동과 뇌 활동이 가장 활발하다고 하였다.

③ 3문단에서 인도네시아 탐보라 화산의 폭발 때문에 여름철 이상 기온 현상이 길어지면서 흉작과 대기근이 뒤따랐고, 약탈, 폭동 등의 범죄가 유럽을 휩쓸었다고 하였다.

④ 2문단에서 기후가 매우 덥거나 추운 곳에서는 농업 생산성이 떨어지고, 환경에 적응하여 살아가는 데 많은 시간과 에너지가 필요해 문명의 형성이 더디다고 하였다.

2 헌팅턴에 따르면 연평균 기온이 10℃를 크게 벗어나지 않는 곳에서 인간의 신체 활동과 뇌 활동이 가장 활발하다고 한다. 〈보기〉에서 야쿠츠크의 평균 기온은 영하이며, 서울은 10℃ 내외임을 확인할 수 있다. 따라서 서울이 야쿠츠크에 비해 인간의 신체 활동에 더 적합한 곳이라고 볼 수 있다.

오답 풀이 ① 델리는 25℃ 내외의 기온인 반면 로마는 15℃ 내외의 기온이므로 로마가 인류의 생활 최적 온도에 더 가깝다.

② 마닐라는 25℃ 이상의 기온인 반면 뉴욕은 10℃ 내외의 기온이므로 뉴욕이 인간이 뇌 활동을 하는 데 더 유리하다.

③ 싱가포르는 25℃ 이상의 기온인 반면 베이징은 10℃ 내외의 기온이므로 베이징이 문명 발생에 더 유리한 조건을 지녔다.

⑤ 이르쿠츠크는 0℃ 내외의 기온인 반면 런던은 10℃ 내외의 기온이므로 런던이 생산 활동에 더 유리하다.

3 1문단에서 이집트 문명, 메소포타미아 문명, 인더스 문명의 발상지가 건조 기후 지역이지만, 문명 발생 당시에는 지금보다 습윤한 기후였다고 설명하고 있다.

1 ④　　**2** ④　　**3** ⑤

① 범죄란 사회 질서를 파괴하고 타인의 육체나 정신에 고통을 주거나 재산 또는 명예에 손상을 입히는 행위로, 사회의 안녕과 개인의 안전에 해를 끼친다. 그래서 사람들은 여러 논의를 통해 범죄 발생률을 낮추려고 노력해 왔고, 그 결과 탄생한 것이 바로 '범죄학'이다. 〈범죄학의 탄생 배경〉

（1문단 요약 답）사회와 개인의 안전에 해를 끼치는 범죄의 （**발생률**）을 낮추기 위해 （**범죄학**）이 생겨났다.

② ㉠'고전주의 범죄학'은 법적 규정 없이 시행됐던 지배 세력의 불합리한 형벌 제도를 비판하며 18세기 중반에 등장했다. 〈고전주의 범죄학의 탄생 배경〉 고전주의 범죄학에서는 인간의 모든 행위는 자유 의지에 입각한 합리적 판단에 따라 이루어지므로, 〈인간의 자유 의지를 중시하는 관점〉 범죄에 비례해 형벌을 부과할 경우 개인의 합리적 선택에 의해 범죄가 억제될 수 있다고 보았다. 고전주의 범죄학의 대표자인 베카리아는 형벌을 법으로 규정해야 한다고 강조하며 〈합리적인 법적 규정의 필요성 제기〉 범죄를 저지를 경우 누구나 법에 의해 확실히 처벌받을 것이라는 두려움이 범죄를 억제할 것이라고 확신했다. 〈형벌에 대한 두려움으로 범죄를 억제하는 효과 기대〉

（2문단 요약 답）고전주의 범죄학은 합리적인 （**형벌**）을 통해 범죄를 억제하고자 하였다.

③ 19세기 중반 이후 사회 혼란으로 범죄율과 재범률이 증가하자, 범죄의 원인을 과학적으로 증명하려 한 ㉡'실증주의 범죄학'이 등장했다. 이는 고전주의 범죄학의 비과학성을 비판하며, 범죄의 원인을 개인의 자유 의지로는 통제할 수 없는 생물학적·심리학적·사회학적 요소에서 찾으려 했다. 〈인간의 자유 의지를 벗어난 범죄의 원인 탐구〉 이 분야의 창시자인 롬브로소는 범죄 억제를 위해서는 범죄자들의 개별적 범죄 기질을 도출하고 그에 따른 교정이나 교화, 치료를 실시해야 한다고 생각했다. 〈범죄자의 교정과 교화, 치료 중시〉

（3문단 요약 답）실증주의 범죄학은 범죄자의 개별적 범죄 （**기질**）에 따른 교화를 주장하였다.

④ 이러한 범죄학의 큰 흐름들은 범죄를 억제하려는 법체계와 정책의 근간이 되어 왔다. 하지만 1970년대 이후 이러한 시도들의 범죄 감소 효과에 대한 비판이 일면서, 환경에 의한 범죄 유발 요인과 환경 개선을 통한 범죄 기회의 감소 효과 등을 연구하는 ㉢'환경 범죄학'이 주목받기 시작했다. 이러한 가운데 건축학이나 도시 설계 전문가들은 범죄의 원인과 예방의 해법을 환경과 디자인에서 찾아야 한다고 주장했다. '셉테드(CPTED)'는 건축 설계나 도시 계획 등을 통해 대상 지역의 방어적 공간 특성을 높여, 〈셉테드의 개념 – 건축 설계 및 도시 계획을 통한 범죄 예방 전략〉 범죄 발생 가능성을 줄이고 지역 주민들이 안전감을 느끼도록 하여 삶의 질을 향상시키는 종합적인 범죄 예방 전략을 의미한다.

（4문단 요약 답）（**환경 범죄학**）은 환경 개선을 통해 범죄를 예방하는 관점이다.

⑤ 셉테드는 다음의 원리로 이루어진다. 우선 '자연적 감시의 원리'는 공간과 시설물에 대한 가시권을 확보하고 잠재적 범죄자의 은폐 장소를 최소화시킴으로써 〈셉테드의 원리 ①〉 내부인이나 외부인의 행동을 주변 사람들이 자연스럽게 관찰할 수 있게 만드는 것이다. 다음으로 '접근 통제의 원리'는 보행로, 조경, 문 등을 통해 사람들의 통행을 일정한 경로로 유도하여 〈셉테드의 원리 ②〉 허가받지 않은 사람들의 출입을 통제하거나 차단하는 것을 말한다. '영역성의 원리'는 안과 밖이라는 공간 영역을 조성하여 외부인의 침범 기준을 명확히 확립하는 것 〈셉테드의 원리 ③〉을 말한다. 이 외에도 공공장소 및 시설에 대한 내부인들의 활발한 사용을 유도하여 그 근방의 범죄를 감소시킨다는 '활동의 활성화 원리', 〈셉테드의 원리 ④〉 공공장소와 시설물이 처음 설계된 대로 지속적으로 유지 및 관리되어야 한다는 '유지 및 관리의 원리' 〈셉테드의 원리 ⑤〉가 있다.

（5문단 요약 답）（**셉테드**）는 다양한 원리를 적용하여 종합적으로 범죄를 예방하는 전략이다.

해제 | 이 글은 범죄를 줄이고 예방하려는 다양한 범죄학의 관점을 시간의 흐름에 따라 설명하고 있다.
주제 | 범죄학의 흐름

지문 분석하기

범죄학의 흐름	고전주의 범죄학		실증주의 범죄학		환경 범죄학
	법적 규정으로 정해진 합리적인 형벌을 통해 범죄 억제 가능	⋯▶	범죄자의 개별적 범죄 기질에 따라 교정 및 교화 또는 치료 실시	⋯▶	환경 개선을 통해 범죄 유발 요인을 제거하여 범죄를 예방

1 이 글은 범죄 발생률을 낮추기 위한 범죄학의 논의 양상을 18세기, 19세기, 1970년대 이후 등 시대의 흐름에 따라 제시하고 있다.

오답 풀이 ▶ ① 이전의 범죄학에 대한 반론을 언급하며 새로운 범죄학이 등장한 배경을 설명하고 있을 뿐이다.
② 지금까지 이루어진 범죄학의 논의를 설명하는 글로, 필자의 관점이 드러나 있다고 할 수 없으며 다른 관점과 비교하고 있다고도 할 수 없다.
⑤ 기존 이론의 단점을 보완하여 새로운 이론이 등장했음을 설명하고 있을 뿐, 이론을 절충하거나 통합하고 있는 것은 아니다.

2 실증주의 범죄학은 범죄의 원인을 생물학적·심리학적·사회학적 요소에서 찾으려 하였으며, 환경 범죄학은 범죄를 유발하는 환경적 요인을 밝히고자 했다는 점에서 두 학문 모두 범죄의 원인에 주목했다는 공통점을 가진다.

오답 풀이 ▶ ① 실증주의 범죄학은 범죄자의 교정과 교화, 치료를 중시하는 관점이다.
② 고전주의 범죄학이 비과학적이라는 비판에서 실증주의 범죄학이 시작되었다.
③ 고전주의 범죄학은 인간의 자유 의지에 입각한 합리적 판단을 중시하는 관점이다.
⑤ 실증주의 범죄학 역시 범죄의 원인을 과학적으로 증명하고자 하였다.

3 교내 외진 장소에 설치한 CCTV는 운동 시설을 이용하는 학생들의 안전을 위한 것으로, '영역성의 원리'에 해당하지 않는다. 작은 나무와 꽃들을 심은 화단을 조성하여 안과 밖이라는 공간 영역을 명확히 한 것이 '영역성의 원리'에 해당한다.

오답 풀이 ▶ ① 후문을 폐쇄하여 사람들의 통행을 일정한 경로로 유도하였다.
② 담장을 철거해 사람들의 시선을 막는 장애물을 없애 주변 사람들이 자연스럽게 관찰할 수 있는 가시권을 확보하였다.
③ 봉사 동아리를 통해 학교 환경을 지속적으로 유지 및 관리하고 있다.
④ 운동 시설을 설치하여 내부인인 학생들의 이용을 활성화하였다.

1 ③   **2** ①   **3** ⑤

① 매미의 성충이 울음소리를 내는 기간은 일생에서 몇 주 되지 않을 정도로 아주 짧다. 매미는 이 기간에 짝짓기를 하여 알을 낳고는 일생을 마감한다. 알에서 부화한 애벌레는 땅속 생활을 시작하는데, 매미가 땅속 생활을 하는 기간이 매미의 출현 주기로, 매미가 몇 주 남짓한 기간을 울기 위해 애벌레로 지내는 기간은 상당히 길다.   _{문제 2 - ② 관련}   1문단 요약 답   매미는 (성충)으로 지내는 기간보다 (애벌레)로 지내는 기간이 더 길다.

② 「북아메리카에서 볼 수 있는 '17년 매미'는 이름 그대로 17년을 출현 주기로 하며, 13년이나 7년을 주기로 출현하는 매미도 있다. 우리나라에 흔한 참매미와 유자매미의 주기는 5년이다.」 이 매미들의 주기인 5, 7, 13, 17에서 발견할 수 있는 공통점은 이 수들이 모두 소수라는 점이다.   _{매미의 출현 주기를 나타내는 수의 공통점: 소수}   2문단 요약 답   매미의 출현 주기를 나타내는 수 5, 7, 13, 17에는 (소수)라는 공통점이 있다.

③ 이에 대한 해석 중의 하나는 매미가 천적을 피하기 위해 주기가 소수가 되도록 적응해 왔다는 설이다. 매미의 주기가 소수라면 성충이 되어 땅 위로 나왔을 때 천적과 만날 가능성을 줄일 수 있기 때문이다. 예를 들어 「매미의 주기가 6년이고 천적의 주기가 2년 또는 3년이라면 매미와 천적은 6년마다 만나고, 주기가 4년인 천적과는 12년마다 만난다. 그렇지만 매미의 주기가 5년이면 주기가 2년인 천적과는 10년마다, 주기가 3년인 천적과는 15년마다, 또 4년인 천적과는 20년마다 만난다.」 즉 주기가 6년에서 5년으로 줄어들면 도리어 천적과 만나는 간격은 길어진다. 5는 1과 자기 자신만으로 나누어 떨어지는 소수이기 때문이다.   _{소수 주기의 매미가 천적과 만나는 간격이 길어지는 이유}   3문단 요약 답   소수 주기의 매미는 천적과 만날 가능성이 (적다).

④ 매미의 소수 주기를 먹이 경쟁의 관점에서 설명할 수도 있다. 「여러 종의 매미들이 동시에 출현하게 되면 먹이를 둘러싼 경쟁이 치열해지므로, 가능하면 주기가 겹치지 않는 것이 유리하다.」 예를 들어 매미의 주기가 15년과 18년이라면 두 매미가 동시에 출현하는 시기는 15와 18의 최소 공배수인 90년에 한 번씩 돌아온다. 그런데 출현 주기가 소수인 13년 매미와 17년 매미의 경우 두 매미가 동시에 활동하는 시기는 13과 17의 최소 공배수인 221년마다 한 번씩 돌아온다. 즉 매미의 주기가 줄었는데도 만나는 시간 간격은 더 길어지게 된다. 두 소수의 최소 공배수는 두 수의 곱이 되기 때문에 상대적으로 큰 수가 되며, 그만큼 매미는 치열한 먹이 경쟁을 피해 갈 수 있다.   _{소수 주기의 매미가 먹이 경쟁에서 유리한 이유}   4문단 요약 답   소수 주기는 매미가 치열한 (먹이 경쟁)을 피하는 데에도 유리하다.

⑤ 원래 매미의 주기는 소수인 경우도 있고 합성수인 경우도 있었을 것이다. 그렇지만 오랜 시간에 걸쳐 진화해 오면서 합성수 주기 매미들은 천적에게 잡아먹히거나 극심한 먹이 경쟁 때문에 도태되고, 상대적으로 유리한 조건에 있는 소수 주기 매미들이 남게 된 것이다.   _{생존에 유리한 소수 주기, 문제 2 - ⑤ 관련}   5문단 요약 답   매미는 생존에 유리한 방향으로 진화하여 (소수) 주기로 출현하게 되었다.

해제 | 이 글은 매미의 출현 주기가 소수인 이유를 수학적으로 분석하고 있다.
주제 | 매미의 출현 주기가 소수인 까닭
출전 | 박경미, 《수학 비타민 플러스》

지문 분석하기

매미의 출현 주기	출현 주기가 소수인 까닭	매미의 진화
매미가 애벌레로 땅속 생활을 하는 기간을 의미함.	소수 주기로 출현할 때 천적과 만날 가능성이 적고, 먹이 경쟁에서 유리함.	합성수 주기보다 생존에 유리한 소수 주기를 택하는 방향으로 진화함.

1 이 글에서는 매미의 출현 주기가 소수인 경우가 많은 이유를 수학적으로 분석하고 있다. 따라서 자연 현상과 숫자의 관계를 다루는 부분에서 이 글의 내용을 활용할 수 있다.

2 3문단에서 소수 주기일 때 천적과 만나는 간격이 멀어지므로 생존 경쟁에서 유리하다고 설명하고 있다.

오답 풀이 ▶ ② 1문단에서 매미가 성충으로 지내는 몇 주 남짓한 기간을 위해 애벌레로 지내는 기간이 상당히 길다고 하였다.
③ 4문단에서 치열한 먹이 경쟁을 피하기 위해 주기가 겹치지 않는 것이 유리하다고 하였다.
④ 2문단에서 우리나라에 서식하는 참매미와 유자매미는 5년을 주기로 하며 북아메리카의 매미는 17년, 13년, 7년을 주기로 한다고 설명하였다.
⑤ 5문단에서 합성수 주기 매미보다 소수 주기 매미가 생존에 유리하다고 하였다.

3 유자매미의 주기는 5년이므로 15년 매미와 15년마다 만나게 된다. 반면 13년 매미와는 65년마다 만나게 된다. 따라서 15년 매미가 13년 매미보다 먹이 경쟁을 치열하게 할 수밖에 없다.

오답 풀이 ▶ ① 참매미의 주기가 5년이므로 3년 주기의 천적과 15년마다 만난다.
② 참매미는 5년 주기이므로 17년 매미와 최소 공배수인 85년마다 한 번씩 만나게 된다.
③ 7년 매미와 13년 매미는 둘 다 소수 주기이므로 최소 공배수인 91년마다 동시에 출현한다.
④ 8년 주기의 매미는 4년 주기의 천적과 8년마다 만나게 되며, 3년 주기의 매미는 4년 주기의 천적과 12년마다 만나게 된다. 따라서 3년 주기의 매미가 8년 주기의 매미보다 4년 주기의 천적과 만나는 간격이 길다.

과학 **06** 집중 호우는 어떻게 발생할까 본문 44~45쪽

1 ④ **2** ② **3** ①

① 일반적으로 <u>1시간에 30mm 이상, 또는 하루에 80mm 이상의 비가 내릴 때,</u> 그리고 <u>연 강수량의 10%에 해당하는 비가 하루에 내릴 때,</u> 이를 '집중 호우'라고 한다. 짧은 시간 내에 어떻게 이처럼 많은 비가 내릴 수 있을까?
〔1문단 요약 답〕 짧은 시간 내에 많은 비가 내리는 것을 (집중 호우)라고 한다.

② 찬 공기가 따뜻한 공기 쪽으로 이동하면 <u>상대적으로 밀도가 낮은 따뜻한 공기는 찬 공기 위로 상승하게 된다.</u> 이때 상승하는 공기가 충분한 수분을 포함하고 있다면 공기 중의 수증기가 냉각되어 작은 물방울이나 얼음 알갱이로 응결되면서 구름이 형성된다. 이 과정에서 열이 외부로 방출된다. 이때 방출된 열은 상승하는 공기를 더 높은 고도로 상승할 수 있게 한다. 그런데 공기에 포함된 수증기의 양이 충분하지 않으면 상승하던 공기는 더 이상 열을 공급받지 못하게 되어 주변의 대기보다 차가워지고 공기가 더 이상 상승하지 못하게 된다. 만일 상승하는 공기가 매우 따뜻하고 습한 공기일 경우에는 상승 과정에서 수증기가 방출하는 열이 공기에 지속적으로 공급되면서 일반적인 공기보다 더 높은 고도에서도 계속 새로운 구름을 만들어 낼 수 있다. 『따뜻하고 습한 공기는 상승하는 과정에서 구름을 생성하고 그 구름들이 아래쪽부터 연직으로 차곡차곡 쌓이게 되어 두꺼운 구름층을 형성하게 되는 것이다.』 이렇게 형성된 구름을 적란운이라고 한다.
〔2문단 요약 답〕 따뜻하고 (습한) 공기가 상승하면서 생성되는 구름이 차곡차곡 쌓여 형성된 구름층을 (적란운)이라고 한다.

③ 일반적으로 적란운은 지표로부터 2~3km 이내에서 형성된다. 적란운에서 비가 내리면 적란운 아래에 있는 공기는 온도가 내려가 밀도가 높아지면서 밀도가 낮은 주위로 넓게 퍼져 나가게 된다. 이때 주위에 퍼진 차가운 공기가 원래의 적란운으로부터 떨어진 장소에서 다시 따뜻하고 습한 공기와 만나는 경우가 있다. 그렇게 되면 이 따뜻하고 습한 공기가 상승하면서 새로운 적란운을 만들게 된다. 이때 새로 만들어진 적란운은 기존 적란운과 떨어져 있어 각각의 적란운 바로 아래 지역에만 30분에 30mm에 못 미치는 비가 내린 후 그치게 된다. 이때 내리는 비가 바로 ㉠<u>소나기</u>이다.
〔3문단 요약 답〕 새로운 적란운이 기존 적란운과 떨어진 곳에서 만들어지면 (소나기)가 내린다.

④ 집중 호우 역시 적란운에서 발생하는데, 집중 호우를 발생시키는 적란운의 공기는 일반적인 적란운의 공기보다 그 온도와 습도가 훨씬 높다. 그래서 일반적인 적란운보다 고도가 더 낮은 곳에서부터 구름이 형성될 수 있기 때문에, <u>지표에서 수백 미터에 불과한 높이에 적란운이 형성된다.</u> 이렇게 형성된 적란운의 바닥과 지표 사이의 공간이 좁기 때문에 이 공간에 있는 공기의 양이 적다. 그래서 비가 내리더라도 차가워진 공기가 멀리 퍼지지 못한다. 이런 상황에서 매우 따뜻하고 습한 공기가 유입되면 이 공기가 상승하면서 기존의 적란운 바로 가까이에 새로운 적란운을 형성하게 된다. 이 과정이 반복되면서 기존의 적란운과 동일한 장소에 여러 개의 적란운들이 몰리기 때문에 특정한 지역에 엄청난 양의 비가 일시에 집중적으로 쏟아지게 된다. 이것이 ㉡<u>집중 호우의 메커니즘</u>이다.
〔4문단 요약 답〕 기존의 적란운과 가까운 곳에서 새로운 적란운이 형성되면 (집중 호우)가 내린다.

해제 | 이 글은 적란운의 형성으로 발생하는 소나기와 집중 호우의 메커니즘을 설명하고 있다.
주제 | 집중 호우의 메커니즘

지문 분석하기

적란운의 형성		
따뜻하고 습한 공기가 상승하면서 생성되는 구름들이 차곡차곡 쌓여 두꺼운 구름층을 형성	새로운 적란운이 기존 적란운과 떨어진 곳에 형성 ⋯	소나기
	새로운 적란운이 기존 적란운과 가까운 곳에 형성 ⋯	집중 호우

1 2문단에서 상승하는 공기가 주변의 대기보다 차가워지면 공기가 더 이상 상승하지 못하게 된다고 하였으므로 구름도 발달하기 어려움을 알 수 있다. 구름이 더 크게 발달하기 위해서는 주변 대기보다 온도가 높아야 한다.

2 소나기는 30분에 30mm에 못 미치는 비가 내린 후 그치는 것이고, 집중 호우는 일반적으로 1시간에 30mm 이상, 또는 하루에 80mm 이상의 비가 내리는 것이라고 하였으므로 소나기가 집중 호우보다 긴 시간에 걸쳐 적은 양의 비가 내리는 것이라는 설명은 적절하지 않다.

〔**오답 풀이**〕 ① 새로운 적란운이 기존 적란운과 떨어진 곳에 형성되면 소나기가 내리고, 기존 적란운과 가까운 곳에 형성되면 집중 호우가 내린다.
③ 집중 호우를 발생시키는 적란운의 공기는 일반적인 적란운의 공기보다 그 온도와 습도가 훨씬 높고, 그래서 일반적인 적란운보다 고도가 더 낮은 곳에서부터 형성된다.
⑤ 소나기와 집중 호우는 모두 적란운에서 발생하는데, 적란운은 따뜻하고 습한 공기가 상승하는 과정에서 구름을 생성하고 그 구름들이 아래쪽부터 연직으로 쌓여 형성된다.

3 4문단에서 적란운의 바닥과 지표 사이에 있는 공기의 양이 적은 것을 집중 호우의 한 요인으로 설명하였으므로, ⓐ의 바닥과 지표 사이의 공기의 양이 많을수록 집중 호우의 가능성은 낮아짐을 알 수 있다.

〔**오답 풀이**〕 ② 지표에서 수백 미터에 불과한 높이에 적란운이 형성되는 경우 집중 호우가 발생한다고 하였으므로, ⓐ의 바닥과 지표 사이의 높이가 낮다는 점은 집중 호우를 만드는 조건 중 하나임을 알 수 있다.
④ ⓒ가 만약 습기가 적고 차가운 공기라면 새로운 적란운을 형성하기 어려우므로 집중 호우 지역이 확대되지 않는다.

🔵 어휘 더 쌓기 본문 46쪽

1 (1) 초래 (2) 도태 **2** (1) 충동 (2) 흥망성쇠 (3) 전략 (4) 의의 **3** ⑤ **4** (1) 욕망 (2) 척도 (3) 기질

기술 07 평지는 빠르게, 오르막은 힘차게　　　　본문 48~49쪽

1 ①　　**2** ⑤　　**3** ③

① 자전거는 연료를 사용하거나 외부의 다른 동력 기관을 이용하지 않고 오로지 인간의 힘으로 이동하기 때문에 건강과 환경을 지키는 데 도움이 된다. 그런데 고정 기어로 움직이는 자전거는 오르막을 오르기 힘들고 평지에서도 빠른 속도로 달리는 데 한계가 있다. 이를 극복할 수 있게 하는 것이 자전거의 변속기이다. 변속기는 속도를 바꿔 주는 기계로, 정확하게는 속도와 함께 구동력을 조절하는 장치이다. 작은 힘을 증폭시켜 큰 힘을 내게 하거나 반대로 힘을 줄여서 전달하기도 한다. 그러면 자전거의 변속기는 어떤 구조로 되어 있으며, 어떤 원리로 작동하는 것일까? 자전거에는 페달과 연결된 앞쪽 기어와 뒷바퀴와 연결된 뒤쪽 기어가 있다. 뒷바퀴 쪽 기어는 크기가 다른 여러 장의 톱니바퀴로 이루어져 있는데, 앞쪽 기어의 톱니바퀴와 뒤쪽 기어의 톱니바퀴들이 맞물리면서 다양한 힘과 속도를 만들어 낸다.
　〔1문단 요약 답〕 자전거의 변속기는 속도와 함께 (구동력)을 조절하는 장치이다.

② 톱니바퀴들이 만들어 내는 다양한 힘과 속도에는 물리 법칙이 숨어 있다. 멈춰 있는 물체를 회전시키거나, 회전하고 있는 물체의 상태를 변화시키기 위해서는 토크가 필요한데, 이 토크는 회전축으로부터의 거리에 비례하여 커진다. 자전거의 경우 페달을 돌리면 앞쪽 톱니바퀴가 돌아가고 이와 체인으로 연결된 뒤쪽의 톱니바퀴도 돌아가게 된다. 같은 힘으로 페달을 돌리더라도 앞쪽 기어가 회전축으로부터 거리가 먼 뒤쪽 큰 톱니바퀴와 맞물릴 때 토크가 커지므로 더 쉽게 페달을 굴릴 수 있다. 즉 비교적 작은 힘을 들이고도 오르막을 쉽게 오를 수 있다. 반대로 앞쪽 기어가 회전축으로부터 거리가 가까운 뒤쪽 작은 톱니바퀴와 맞물릴 때는 토크가 작아지므로 페달을 굴릴 때 더 많은 힘이 들어간다.
　〔2문단 요약 답〕 (토크)는 회전축으로부터의 거리에 비례하여 커진다.

③ 그리고 자전거의 속도는 뒤쪽 톱니바퀴의 회전수에 따라 달라지는데, 뒤쪽 톱니바퀴의 크기가 작아 회전수가 커지면 속도는 빨라진다. 예를 들어 페달이 있는 앞쪽 기어의 톱니가 30개, 뒤쪽 큰 기어의 톱니가 20개, 작은 기어의 톱니가 10개라고 할 때 이들은 체인으로 물려 있으므로 페달이 있는 쪽의 기어가 한 바퀴 돌 때 뒤쪽의 큰 톱니바퀴는 1½바퀴, 작은 톱니바퀴는 3바퀴를 돌게 된다. 따라서 앞쪽 기어가 작은 톱니바퀴와 맞물릴 때가 큰 톱니바퀴와 맞물릴 때보다 회전수가 크기 때문에 속도는 더 빨라진다.
　〔3문단 요약 답〕 자전거의 (속도)는 뒤쪽 톱니바퀴의 회전수에 비례하여 빨라진다.

④ 앞뒤 쪽 기어가 체인으로 연결되지 않는 ㉠체인 없는 자전거도 있다. 체인 대신 샤프트를 이용하여 바퀴를 돌릴 수 있는 구동력을 만들어 내는 것이다. 페달을 밟으면 앞쪽 톱니바퀴가 돌면서 이와 비스듬히 맞물려 있는 샤프트가 돌게 된다. 샤프트가 돌면서 이와 맞물린 뒤쪽 톱니바퀴에 힘을 전달하므로 뒤쪽 톱니바퀴 역시 돌게 된다. 이 자전거는 체인이 없기 때문에 운행 중에 체인이 벗겨지거나 바지가 체인에 말려 들어갈 위험이 없다.
　〔4문단 요약 답〕 (샤프트)를 이용하여 구동력을 만들어 내는 체인 없는 자전거도 있다.

해제 | 이 글은 자전거 변속기에 적용된 과학적 원리를 설명하고 있다.
주제 | 자전거 변속기의 원리

지문 분석하기

앞쪽 톱니바퀴
- 뒤쪽 큰 톱니바퀴 → · 토크가 커짐. → 페달을 굴릴 때 힘이 덜 들어감. · 회전수는 작아짐. → 속도는 상대적으로 빠르지 않음.
- 뒤쪽 작은 톱니바퀴 → · 토크가 작아짐. → 페달을 굴릴 때 힘이 더 들어감. · 회전수는 커짐. → 속도는 상대적으로 빠름.

1 이 글은 자전거의 변속기에 적용된 원리를 '토크'라는 과학적 개념을 동원하여 설명하고 있다.

　오답 풀이 ▸ ② 자전거 변속기의 문제점이 제시되어 있지 않으므로 해결 방법을 모색하고 있다는 설명 역시 적절하지 않다.
　③ 자전거를 이루는 여러 장치가 제시되어 있는 것이 아니라 변속기를 이루는 각 장치가 제시되어 있는 글이므로 적절하지 않다.
　④ 5문단에서 체인 없는 자전거를 소개하고 있기는 하지만 자전거의 변천 과정이나 앞으로의 전망을 제시하고 있지는 않다.

2 동일한 힘으로 페달을 밟을 경우 자전거의 체인이 ⓑ에 걸려 있을 때보다 ⓒ에 걸려 있을 때 회전수가 크므로 자전거의 속도가 더 빠르다.

　오답 풀이 ▸ ① ⓒ에서 ⓑ로 변속기 기어를 바꾸면 회전축으로부터 거리가 먼 톱니바퀴와 맞물리는 것이므로 토크가 더 커진다. 따라서 페달을 더 쉽게 굴릴 수 있다.
　② 톱니바퀴의 크기가 커질수록 회전수는 작아지므로 ⓐ가 ⓑ에 맞물려 있을 때가 ⓒ에 맞물려 있을 때보다 회전수가 작다.
　③ 자전거의 체인이 'ⓐ - ⓑ'에 걸려 있을 때 회전축으로부터의 거리가 'ⓐ - ⓒ'에 걸려 있을 때보다 더 멀다. 따라서 토크가 더 크다는 것을 알 수 있다.

3 샤프트는 둥근 막대 모양의 부품으로 샤프트가 회전할 경우 앞뒤 쪽의 회전 속도는 동일하다. 따라서 샤프트 앞부분의 회전 속도와 샤프트 뒷부분의 회전 속도에 차이가 있다는 설명은 적절하지 않다.

　오답 풀이 ▸ ① 체인 없는 자전거는 샤프트가 앞뒤 쪽 톱니바퀴와 맞물려 있는 구조로 되어 있음을 알 수 있다.
　②, ④ 페달을 밟을 때 작용한 힘은 앞쪽 톱니바퀴에 맞물린 샤프트를 통해 전달되어 뒷바퀴를 돌게 한다.
　⑤ 체인 없는 자전거는 체인이 없기 때문에 운행 중에 체인이 벗겨지거나 바지가 체인에 말려 들어갈 위험이 없음을 알 수 있다.

기술 08 양장에서 무선철까지, 제책의 발전

본문 50~51쪽

1 ④　　　**2** ③　　　**3** ⑤

① 종이가 개발되기 전, 인류는 동물의 뼈나 양피지 등에 필요한 정보를 기록해 왔다. 하지만 담긴 정보량에 비해 부피가 방대하였고 그로 인해 보존과 가독에 어려움을 겪었다. 그런데 『종이의 개발로 부피가 줄어들면서 종이로 된 책이 주된 기록 매체가 되었고 책의 보존성과 가독성, 휴대성 등을 더욱 높이기 위한 제책 기술의 발달이 요구되었다.』
: 제책 기술의 등장 배경 문제 1 - ① 관련
1문단 요약 답 **종이**가 개발되면서 제책 기술의 발달이 요구되었다.

② 서양은 종이 책을 만들기 시작했을 때 제지 기술이 동양에 비해 미숙했고 질 나쁜 종이로 책을 제작해야 했기에 책의 내구성을 높이기 위한 기술이 필요했다.
서양에서 제책 기술이 발전한 이유
그래서 표지에 가죽을 씌우거나 나무판을 덧대는 방법을 개발했는데 이를 **양장(洋裝)**이라 한다.
: 제책 기술의 발전 과정 ①~④ 문제 1 - ② 관련
양장은 내지 묶기와 표지 제작을 따로 한 후에 합치는 방법이다. 내지는 실매기 방식을 활용해 실로 단단히 묶고, 표지는 판지에 천이나 가죽 등의 마감 재료를 접착하여 만든다.
문제 2 - ⑤ 관련
표지와 내지를 결합할 때는 책등과 결합되는 내지 부분에 접착제를 발라 책등에 붙인다.
문제 2 - ① 관련
또한 내지보다 두껍고 질긴 종이인 면지를 표지와 내지 사이에 접착제로 붙여 이어 줌으로써 책의 내구성을 높인다.
문제 2 - ③, ④ 관련
표지 부착 후에는 가열한 쇠막대로 앞뒤 표지의 책등 쪽 가까운 부분을 눌러 홈을 만들어 책의 펼침성이 좋도록 한다.
문제 2 - ② 관련
2문단 요약 답 **양장**은 책의 내구성을 높이기 위해 표지에 가죽을 씌우거나 나무판을 덧대는 방법이다.

③ 18세기 말에 유럽은 산업 혁명으로 인쇄가 기계화되면서 대량 생산을 위한 기반이 갖추어지고, 경제의 발전으로 일부 계층에만 국한됐던 독서 인구가 확대되어 제책 기술도 대량 생산이 가능한 방식으로 발전해야 했다.
산업 혁명이 제책 기술에 끼친 영향 문제 1 - ⑤ 관련
이를 위해 간편하게 철사를 사용해 매는 제책 기술이 개발되었는데 처음에는 '**옆매기**'라 불리는 기술을 사용하였다. 그러나 옆매기는 책장 넘김이 용이하지 않아 '**가운데매기**'라 불리는 중철(中綴)이 주된 방식으로 자리 잡았다.
: 철사를 사용해 매는 제책 기술 문제 1 - ③ 관련
중철은 인쇄지를 포개 놓고 책장이 접히는 한가운데 부분을 ㄷ자형 철침을 이용해 매었는데, 보통 2개의 철침으로 표지와 내지를 고정하지만 표지나 내지가 한가운데서부터 떨어지는 경우가 잦아 철침을 4개로 박기도 하였다.
중철의 문제점
중철은 광고지, 팸플릿 등 오랜 보관이 필요 없거나 분량이 적은 인쇄물에 사용해 왔으며, 중철된 책은 쉽게 펼치거나 넘길 수 있고 두루마리처럼 말아서 간편하게 휴대할 수도 있다.
중철의 장점
3문단 요약 답 대량 생산이 가능한 제책 기술이 요구되면서 **옆매기**와 **가운데매기**라 불리는 중철 방식이 개발되었다.

④ 20세기 중반에는 화학 접착제가 개발되며 **무선철(無線綴)**이라는 제책 기술이 등장했다. 이름처럼 실이나 철사 없이 화학 접착제만으로 책을 묶는 방식이다. 이 방법은 자동화가 가능해 대량 생산에 더욱 적합했고, 생산 단가가 낮아지면서 판매 가격을 낮출 수 있어 책의 대중화에 기여했다.
무선철 방식의 장점 ①　　무선철 방식의 장점 ②
그리고 1990년대에는 습기경화형 우레탄 핫멜트가 개발되면서 개발 초보다 내구성이 더욱 강화된 책을 만들게 되었다. 무선철 기술은 지금도 계속 보완, 발전하고 있으며 그로 인해 오늘날 대부분의 책은 무선철 방식으로 제작되고 있다.
4문단 요약 답 **화학 접착제**가 개발되면서 대부분의 책은 무선철 방식으로 제작되고 있다.

해제 | 이 글은 제책 기술의 발전 과정을 시대순으로 제시하고 있다.
주제 | 제책 기술의 발전 과정

지문 분석하기

제책 기술의 발전 과정	양장	옆매기, 가운데매기	무선철
	표지에 가죽을 씌우거나 나무판을 덧대는 방법	간편하게 철사를 사용해 매는 방법	실이나 철사 없이 화학 접착제만으로 책을 묶는 방식

1 무선철 방식의 제책 기술의 장점이 4문단에 제시되어 있을 뿐 단점이 언급되어 있지는 않다.

오답 풀이 ▸ ① 1문단에서 종이로 된 책이 주된 기록 매체가 되면서 책의 보존성과 가독성, 휴대성을 높이기 위해 제책 기술의 발달이 요구되었다는 내용을 통해 제책 기술의 등장 배경을 알 수 있다.
② 2문단의 양장, 3문단의 옆매기, 가운데매기, 4문단의 무선철 방식순으로 제책 기술의 발전 과정이 제시되어 있다.
③ 철사를 이용한 제책 기술로 3문단에 옆매기, 가운데매기가 제시되어 있다.
⑤ 3문단에서 산업 혁명으로 인쇄가 기계화되면서 제책 기술도 대량 생산이 가능한 방식으로 발전해야 했다는 내용을 통해 산업 혁명이 제책 기술에 끼친 영향을 알 수 있다.

2 ⓒ은 표지이고, ⓔ은 면지이다. 표지와 면지를 결합할 때는 접착제를 이용한다. 실매기는 내지를 묶을 때 사용하는 방법이다.

오답 풀이 ▸ ① ⊙은 책등이고 ⓓ은 내지이다. 표지와 내지를 결합할 때는 책등과 결합되는 내지 부분에 접착제를 발라 책등에 붙인다고 하였다.
② 표지 부착 후에는 가열한 쇠막대로 앞뒤 표지의 책등 쪽 가까운 부분을 눌러 홈을 만들어 펼침성이 좋도록 한다고 하였다.
④ ⓔ은 면지이고 ⓓ은 내지인데, 내지보다 두껍고 질긴 종이인 면지를 표지와 내지 사이에 접착제로 붙여 이어 줌으로써 책의 내구성을 높인다고 하였다.
⑤ ⓓ은 내지, ⓔ은 면지, ⓒ은 표지이다. 내지는 실매기 방식으로 묶고, 표지와 내지를 결합할 때는 면지를 표지와 내지 사이에 접착제로 붙여 이어 준다고 하였다.

3 〈보기〉에서는 오래도록 보관할 수 있도록 제작해 줄 것과 제작 비용을 절감할 것을 요구하고 있다. 실이나 철사 없이 화학 접착제로만 책을 묶는 무선철 방식은 생산 단가가 낮고, 내구성은 높아 요구 사항에 따라 문집을 제작할 수 있다.

예술 **09** 존 케이지와 우연성 음악　　　　본문 52~53쪽

1 ④　　**2** ①　　**3** ⑤

① "모든 소리는 음악이며 모든 행위는 음악이다."라는 말을 한 존 케이지는 과거의 음악 상식으로는 이해하기 힘든 음악을 창작한 예술가였다. 1938년 그는 발레의 반주 음악을 작곡하며 ㉠'프리페어드 피아노(prepared piano)'를 발명했다. 그는「나사못, 볼트, 종이, 지우개 등을 피아노 현 사이에 넣거나 피아노 해머에 부착해, 거의 들리지 않을 정도로 작은 소리가 나는 피아노를 만들었다. 케이지는 건반을 눌러 현에 끼웠던 나사못 같은 것들이 다른 현에 부딪히는 소리 역시 음악이라고 생각했던 것이다. 그의 이런 생각은 일반인에게는 잘 이해가 되지 않았지만, 음향의 모든 세계를 노출했다는 점에서 음악계로부터 획기적이라는 평가를 받았다.
1문단 요약 답 (존 케이지)는 프리페어드 피아노를 발명했는데, 음악계로부터 획기적이라는 평가를 받았다.

② 1950년대 들어 케이지는 불확정성 음악과 기보법을 시도했다. 그가 1958년 발표한 ㉡〈피아노와 오케스트라를 위한 콘서트〉는 84종의 서로 다른 기보법으로 씌어 있었다. 오케스트라 연주자는, 단음의 음표가 널려 있고 나사못, 볼트, 지우개 등의 이름이 마치 재고 목록처럼 적힌 악보 가운데 마음에 드는 것을 임의로 골라 연주하도록 되어 있었다. 지휘자는 오케스트라의 리더가 아니라 시곗바늘처럼 팔을 돌려 시간을 지시하는 역할만 했을 뿐이었다. 이처럼 똑같이 되풀이되지 않고 우연에 의존해 연주하는 음악을 '우연성 음악'이라고 한다.
2문단 요약 답 존 케이지가 발표한 〈피아노와 오케스트라를 위한 콘서트〉는 (우연)에 의존해 연주하는 우연성 음악이다.

③ 케이지가 공연한 음악회 중에서 가장 '걸작'은 1952년 매사추세츠주에서 열린 '하버드 스퀘어'라고 명명한 이벤트였다. 그는 하버드 스퀘어 중앙에 피아노를 설치했다. 굉장한 야외 연주가 있는 줄 알고 사람들이 모여들자, 케이지는 스톱워치로 시간을 재기 시작했다. 그는 피아노 뚜껑은 열었지만 건반에는 손도 대지 않았다. 군중은 연주가 시작되길 기다렸는데, 시간이 지나자 그는 뚜껑을 닫고 의자에서 일어나 인사를 하며 연주의 끝을 알렸다.
3문단 요약 답 (하버드 스퀘어) 이벤트에서 존 케이지는 전에 볼 수 없었던 연주를 선보였다.

④ 그 순간 군중 속에서 야유와 박수가 동시에 터져 나왔다. 도대체 무엇이 연주되었다는 말인가? 케이지의 해설에 의하면 피아노 뚜껑이 열리고 스톱워치로 시간을 재는 동안 그곳을 지나가는 자동차 소리, 행인의 소리, 발자국 소리 등 주위의 모든 소리가 곧 연주였다는 것이다. 과거에는 사람들이 그를 이상한 사람으로 여겼지만 의외로 청중은 그의 행위를 너그럽게 받아들였다. 케이지의 '침묵의 연주'에 소요된 시간은 4분 33초였으며, 그래서 ㉢〈4분 33초〉라는 제목이 붙었다.
4문단 요약 답 존 케이지는 주위의 모든 소리가 곧 연주였다고 해설했으며, 연주에는 《 4분 33초 》라는 제목이 붙었다.

⑤ 이 밖에도 '우연성 음악'에는 어항 곁면 유리에 오선과 높은음자리표를 그려 놓고 오선 부근에서 헤엄치는 금붕어의 움직임을 보고 연주자가 마음에 떠오르는 소리를 연주하도록 하는 것도 있었다. 이처럼 '우연성 음악'은 과거에는 볼 수 없었던 새로운 음악의 세계를 열었으며 그 중심에는 존 케이지가 있었다.
5문단 요약 답 존 케이지는 (우연성 음악)이라는 새로운 음악의 세계를 열었다.

해제 | 이 글은 존 케이지가 새롭게 창작한 우연성 음악에 대해 사례를 들어 설명하고 있다.
주제 | 존 케이지의 우연성 음악　　**출전** | 신동헌,《재미있는 음악사 이야기》

지문 분석하기

	존 케이지가 보여 준 우연성 음악의 사례		
사례	프리페어드 피아노	〈피아노와 오케스트라를 위한 콘서트〉	〈4분 33초〉
특성	기존의 악기 소리와 다른 새로운 음향의 세계를 선보임.	기존의 악보와 지휘자의 역할에서 벗어남.	생활 속의 소리를 음악의 세계로 편입시킴.

1 이 글은 기존의 음악과 다른 '우연성 음악'이라는 새로운 음악의 세계를 연 존 케이지의 예술 세계를 구체적 사례를 통해 설명하고 있는 글이다.

오답 풀이 ◦ ① 존 케이지가 우연성 음악을 우연히 발견했다는 내용은 제시되어 있지 않다.
② 우연성 음악을 시도했던 존 케이지의 창의성은 확인할 수 있지만 한계는 드러나 있지 않다.
③ 존 케이지의 음악에 대한 청중들의 태도는 이 글의 중심 내용이 아니다.
⑤ 존 케이지의 음악은 기존 음악의 세계로부터 벗어난 것으로, 그의 음악이 기존 음악과의 상생을 추구했다는 내용은 찾아볼 수 없다.

2 이 글에는 우연성 음악의 특성이 드러나는 사례가 구체적으로 제시되어 있다.

오답 풀이 ◦ ② 1문단에 '프리페어드 피아노'의 일부 부품이 소개되고 그것을 통해 소리를 내는 내용이 등장하지만 이 글 전체가 대상의 구성 요소를 제시하고 각각의 기능을 설명하는 방식으로 내용을 전개하고 있지는 않다.

3 〈보기〉에 따르면, 불확정적인 음악이란 정해진 악보를 연주하는 것에서 탈피해 즉흥적이고 창조적으로 연주되는 우연성 음악을 뜻한다. 그러므로 군중들의 반응이 불확정적이기 때문에 ㉡, ㉢이 우연성 음악이라는 진술은 적절하지 않다.

오답 풀이 ◦ ① 1문단에서 ㉠은 기존의 악기를 통해 전해지는 전형적인 소리로부터 탈피하기 위해 그동안 사용되지 않았던 재료를 악기에 부착하여 새로운 소리를 음악의 세계로 편입시키려 했던 것임을 확인할 수 있다.
② 2문단에서 ㉡은 연주자가 악보를 임의로 골라 연주하는 것이므로 정해진 악보를 반복적으로 연주했던 기존 음악의 틀에서 벗어난 것이라고 볼 수 있다.
③ 관중은 아무것도 연주되지 않았다는 점에서 야유를 보낸 것인데, 이는 정해진 악보를 정해진 악기로 연주해야 한다는 기존의 음악적 관념에 따라 공연을 평가했기 때문이라고 볼 수 있다.
④ 〈보기〉에서 존 케이지가 음악을 오선 악보와 정해진 악기 소리로부터 탈출시켜야 한다고 주장했다고 하였으므로 나사못이 현에 부딪히는 소리나 자동차 소리는 기존 음악에서는 연주에 사용되지 않았던 소리라고 할 수 있다.

예술 10 엑스레이 아트

본문 54~55쪽

1 ③   **2** ③   **3** ⑤

① 최근 예술 분야에서는 과학 기술을 이용하여 새로운 장르를 개척하려는 시도가 이루어지고 있다. 이러한 배경을 바탕으로 등장한 예술의 하나가 바로 ㉠'엑스레이 아트(X-ray Art)'이다. 엑스레이 아트는 엑스레이 사진을 활용하여 만든 예술 작품을 의미한다.

<u>엑스레이 아트의 개념</u>
[1문단 요약 답] (**엑스레이 아트**)는 엑스레이 사진을 활용하여 만든 예술 작품이다.

② 엑스레이 아트의 거장인『닉 베세이는 엑스레이를 활용하여 오브제 내부에 주목한 작품을 만들었다. <u>『』: 엑스레이 아트의 작품 사례</u> 그는 〈튤립〉이라는 작품을 통해 꽃봉오리에 감추어진 암술과 수술을 드러냄으로써, 꽃의 보이지 않는 내부의 아름다움을 탐색하였다. <u>오브제 내부</u> <u>〈튤립〉의 창작 의도</u> 또한 〈셀피〉라는 작품을 통해 현대 사회의 외모 지상주의를 비판하기도 했다. 이 작품은 자기 얼굴을 찍는 <u>〈셀피〉의 창작 의도</u> 사람의 모습을 엑스레이로 촬영한 것으로, 엑스레이로 인체를 촬영할 경우 외양이 드러나지 않는 점을 이용하여 창작 의도를 나타낸 것이다.

[2문단 요약 답] 엑스레이 아트의 거장인 닉 베세이는 (**엑스레이**)를 활용하여 오브제 (**내부**)에 주목한 작품을 만들었다.

③ 엑스레이 아트의 창작 의도를 구현하기 위해서는 오브제의 특성을 고려해야 한다. <u>창작 의도를 구현하기 위한 방법 ①: 오브제의 특성을 고려한 엑스레이 촬영</u> 이는 <u>오브제의 재질과 두께에 따라 엑스레이의 투과율이 달라지기 때문이다.</u> 이러한 <u>오브제의 특성을 고려해야 하는 이유</u> 이유로 엑스레이 아트에서는 엑스레이가 투과되지 않는 물질이 포함된 오브제를 배제하기도 하고, 역으로 이를 활용하기도 한다. 촬영을 할 때에는 오브제의 두께에 따라 엑스레이의 강도와 오브제에 엑스레이가 투과되는 시간을 조절해야 의도하는 명도의 사진을 얻을 수 있다. 또한 오브제와 근접한 거리에서 촬영해야 하는 엑스레이의 특성상, 가로 35cm, 세로 43cm인 엑스레이 필름의 크기보다 오브제가 클 경우 오브제를 여러 부분으로 나누어서 촬영한다. 한편 작품 창작 의도를 구현하는 데 <u>오브제의 모든 구성</u> <u>문제 2 – ④ 관련</u> <u>요소가 필요하지 않다면 오브제의 일부 구성 요소만 선택하여 창작 의도를 드러낼 수도 있다.</u> 그리고 오브제가 겹쳐 있을 경우, 창작 의도와 다른 사진이 나올 수 있으므로 이를 고려하여 오브제를 적절하게 배치하고 촬영 각도를 결정한다.

[3문단 요약 답] 작품의 창작 의도를 구현하기 위해서는 (**오브제**)의 특성을 고려하여 촬영해야 한다.

④ 이렇게 촬영한 엑스레이 사진은 컴퓨터 그래픽 작업을 거치는데, 창작 의도를 드러 <u>창작 의도를 구현하기 위한 방법 ②: 컴퓨터 그래픽 작업</u> 내기 위해 여러 장의 사진을 합성하기도 한다. 특히 항공기 동체와 같이 크기가 큰 대상을 오브제로 삼아 여러 날에 걸쳐 촬영할 경우, 촬영할 당시의 기온, 습도 등의 영향으로 각각의 사진들마다 명도가 다르게 나타날 수 있다. 그러므로 그래픽 작업을 통해 사 <u>진들의 명도를 보정한 뒤, 이 사진들을 퍼즐처럼 맞추어 하나의 사진으로 합성하여 작</u> <u>문제 2 – ② 관련</u> <u>문제 2 – ② 관련</u> 품을 완성한다.

[4문단 요약 답] 촬영한 엑스레이 사진은 컴퓨터 (**그래픽**) 작업을 거친다.

⑤ 엑스레이는 대상의 골격이나 구조를 노출하는 기술이라는 점에서 차가운 느낌을 주기도 한다. 하지만 이를 활용한『엑스레이 아트는 발상의 전환을 통해 감상자들에게 기존의 예술 작품과는 다른 미적 감수성을 불러일으킨다는 점에서 현대 예술의 외연을 <u>: 엑스레이 아트의 의의</u> 넓히는 데 기여하였다는 평가를 받고 있다.』 <u>문제 3 – ⑤ 관련</u>

[5문단 요약 답] 엑스레이 아트는 발상의 전환으로 (**현대 예술**)의 외연을 넓히는 데 기여하였다.

해제 | 이 글은 엑스레이 사진을 활용하여 만든 예술 작품인 엑스레이 아트를 소개하고 있다.
주제 | 엑스레이 아트의 개념과 특징

지문 분석하기

엑스레이 아트			
개념	작품 사례	창작 의도를 구현하기 위한 방법	의의
엑스레이 사진을 활용하여 만든 예술 작품	닉 베세이의 〈튤립〉, 〈셀피〉	• 오브제의 특성을 고려한 엑스레이 촬영 • 창작 의도를 고려한 컴퓨터 그래픽 작업	발상의 전환으로 현대 예술의 외연을 넓힘.

1 2문단에서 닉 베세이의 작품을 작가의 창작 의도와 연관 지어 소개하고 있다.

오답 풀이 • ① 엑스레이 아트의 발전 양상을 제시하지 않았다.

② 엑스레이 아트의 예술성을 제시하고 있으나, 전문가의 평을 근거로 엑스레이 아트의 예술성을 비판하고 있지 않다.

④ 새로운 예술 분야인 엑스레이 아트를 소개하고 있으나 문답 형식을 취하고 있지 않다.

⑤ 엑스레이 아트의 창작 방법을 소개하고 있으나 다른 예술 분야의 창작 방법과 비교하고 있지 않다.

2 엑스레이가 투과되지 않는 효과를 이용하는 것은 오브제의 재질과 두께와 관련이 있다. 버스의 측면이 보이도록 촬영한 것은 인체 골격의 다양한 모습을 보여 주기 위한 것으로, 엑스레이가 투과되지 않는 효과를 이용하기 위한 것은 아니다.

오답 풀이 • ①, ② 엑스레이 필름보다 큰 실제 버스와 사람을 오브제로 삼았기 때문에 여러 부분으로 나누어 촬영하였을 것임을 짐작할 수 있다. 나누어 촬영한 사진이 한 번에 촬영한 사진처럼 보이는 것은 컴퓨터 그래픽 작업을 통해 사진들의 명도를 보정하고 퍼즐처럼 맞추어 합성하였기 때문이라고 할 수 있다.

④ 작가는 작품의 창작 의도를 구현하는 데 오브제의 모든 구성 요소가 필요하지 않아 불필요한 부분을 배제하고 바퀴나 차체 등의 일부 구성 요소만 선택하였다고 볼 수 있다.

⑤ 물체를 투과하는 엑스레이의 특성을 이용해 일상적 시선으로는 볼 수 없는, 버스에 타고 있는 사람들의 골격을 드러내고 있다.

3 엑스레이 아트는 대상의 골격이나 구조를 노출하는 엑스레이를 활용하여, 드러나지 않는 오브제 내부에 주목하게 한다. 5문단에서 엑스레이 아트는 기존의 예술 작품과는 다른 미적 감수성을 불러일으킨다는 점에서 현대 예술의 외연을 넓히는 데 기여하였다는 평가를 받고 있다고 하였다. 따라서 엑스레이 아트는 겉으로 드러나지 않는 오브제 내부를 의도적으로 보여 주어 예술의 영역을 확장한 예술이라고 할 수 있다.

1 ⑤　　**2** ⑤　　**3** ①

① 프랑스의 법률가 몽테스키외는 동양의 유교 사회를 '법이 아닌 도덕에 의해 다스려지는 사회'라고 말했다. 동양의 유교 사회를 근대적인 법이 부재하고 백성들에게 도덕만을 강조하는, 합리성이 결여된 사회로 판단한 것이다. (문제 1 - ④ 관련) 그렇다면 유교를 통치 이념으로 삼았던 조선도 그러한 사회였을까? (화제 제시) 이 질문에 대한 답은 조선 시대의 법전인 《경국대전》에서 찾을 수 있다.

　(1문단 요약 답) 서양인들은 동양의 유교 사회를 근대적인 (**법**)이 부재한 사회로 판단하였다.

② 서양인들이 동양의 유교 사회에 근대적인 법이 부재한다고 판단한 근거 중 첫 번째는 법적 안정성이 떨어진다는 것이다. (서양인들이 동양의 유교 사회에 근대적인 법이 부재한다고 판단한 근거 ①) 경국대전이 편찬되기 전까지 조선은 왕이 바뀔 때마다 기존의 법전에 왕의 명령을 덧붙이는 방식으로 법전을 새로 편찬했다. (문제 1 - ① 관련) 이로 인해 법 조항 사이에 통일성이 없어졌고 결국 안정적인 법 집행이 어려운 지경에까지 이르렀다. (문제 1 - ① 관련) 이에 세조는 기존 법전과 왕들의 명령을 통일성 있게 정리해 나감과 동시에 우리 고유의 관습법을 반영하여 법 조항을 상세히 기록해 나갔다. 『시대가 변하더라도 크게 바꿀 필요가 없는 법을 만들겠다는 편찬 의도대로 경국대전은 조선이 왕의 절대적인 권한을 용인하지 않고 법에 의해 안정적으로 운영되는 데 그 역할을 다했다.』

　(2문단 요약 답) (**경국대전**)은 조선이 법에 의해 안정적으로 운영되는 데 큰 역할을 하였다.

③ 서양인들의 두 번째 판단 근거는 유교 사회의 법은 합목적성을 갖추고 있지 않다는 것이다. (서양인들이 동양의 유교 사회에 근대적인 법이 부재한다고 판단한 근거 ②) 경국대전 편찬에 참여한 학자 최항은 '사람은 욕망이 싹트면서 선한 바탕을 잃어버린다. 그래서 덕치를 이상으로 하되, 현실에서는 법을 수단으로 삼아야 한다.'고 말했다. 백성들을 옥죄어 오로지 상벌로만 다스리는 것은 유교의 이상에 부합하지 않는다고 생각하고 법이 덕치라는 이상을 위한 수단으로 사용되어야 한다는 것이다. (문제 2 - ⑤ 관련) 이에 따라 경국대전에는 사형을 집행할 때에는 세 차례에 걸쳐 상황을 참작할 자료가 있는지 조사하고 충분한 논의 후 형량을 조정하여 왕이 최종적인 판결을 내려야 한다는 '삼복 제도'가 명시되어 있다. (문제 1 - ② 관련) 이는 『법으로써 죄인을 처벌하는 데에만 목적을 두지 않고 법을 수단으로 하여 백성을 덕으로 다스리려는 목적을 이루고자 한 것이라 볼 수 있다.』 (『　』: 조선의 법은 합목적성을 갖추고 있음.)

　(3문단 요약 답) 경국대전의 내용을 볼 때 조선은 (**법**)을 수단으로 백성을 (**덕**)으로 다스리려는 목적을 이루고자 한 것이라 볼 수 있다.

④ 서양인들의 마지막 판단 근거는 법에 평등의 정신이 반영되어 있지 않다는 것이다. (서양인들이 동양의 유교 사회에 근대적인 법이 부재한다고 판단한 근거 ③) 철저한 신분제 사회 속에서 편찬되었음에도 불구하고 경국대전의 전체 처벌 규정 가운데 45%는 부패한 관리들에 대한 처벌 규정이다. (조선의 법에는 평등의 정신이 반영됨) 이는 지배층이라 해도 유교 이념에 어긋난 행동을 하면 처벌을 받아야 한다는 인식에서 비롯된 것으로 고려 말 지배층의 부정부패로 인한 혼란을 겪으며 얻은 교훈의 결과였다. (문제 1 - ③ 관련) 더불어 세금을 거두는 기준을 명확하게 제시하여 합리적으로 세금을 징수하도록 하고, 출산을 앞둔 관노비에게 80일간의 휴가를 주는 등 사회 복지법적인 성격을 지닌 조항도 만들어 피지배층을 고려한 법을 만들기 위한 노력을 기울였다.

　(4문단 요약 답) 경국대전은 지배층의 잘못을 벌하고 피지배층을 고려한 법으로 (**평등**)의 정신이 반영되었다.

⑤ 이상의 내용을 통해 우리는 (　㉠　) 더불어 지배층의 모범을 강조하면서 (수단) 현실적인 법을 통해 궁극적으로 덕치를 추구한 조선의 왕과 관리들의 노력 또한 확인할 수 있다. (목적)

　(5문단 요약 답) 조선은 (**근대성**)을 지닌 법으로 운영된 사회였다.

해제 | 이 글은 경국대전을 중심으로 조선이 근대성을 지닌 법으로 운영된 사회였음을 주장하고 있다.

지문 분석하기

주제 | 경국대전을 통해 본 조선의 덕치

유교 사회에 근대적인 법이 부재하다는 근거		조선의 경우에 대해, 경국대전을 중심으로 반박
법적 안정성 부족		조선은 법에 의해 안정적으로 운영됨.
합목적성 결여	◀┈▶	법을 수단으로 하여 덕치라는 목적을 이루고자 함.
평등의 정신 미반영		지배층의 잘못을 벌하고 피지배층을 고려한 법이었음.

1 2문단에서 조선은 왕이 바뀔 때마다 기존의 법전에 왕명을 덧붙이는 방식으로 법전을 새로 편찬하였고, 이로 인해 법 조항 사이에 통일성이 없어졌다고 하였다. 따라서 법을 수정하면서 통일된 법을 집행하고자 한 것은 아니다.

　오답 풀이 ▸ ① 2문단에서 경국대전이 편찬되기 전까지 왕이 바뀔 때마다 법전을 새로 편찬하여 안정적인 법 집행이 어려웠다고 하였다.

② 3문단에 제시되어 있는 '삼복 제도'는 판결의 오류를 줄이기 위한 법률 제도라고 할 수 있다.

③ 4문단에서 경국대전의 전체 처벌 규정 가운데 45%가 부패한 관리들에 대한 처벌 규정이라고 하였다. 철저한 신분제 사회였음에도 법에 평등의 정신이 반영된 것이라 할 수 있다.

④ 1문단에서 서양인들은 동양의 유교 사회를 근대적인 법이 부재하고 백성들에게 도덕만을 강조하는, 합리성이 결여된 사회로 판단하였다고 하였다.

2 3문단에서 최항은 덕치를 실현하기 위해 법을 수단으로 삼아야 한다고 하였다. 〈보기〉의 한비자는 법으로 사람들을 다스림으로써 궁극적으로 부국강병을 이룰 수 있다고 보았다.

3 조선이 근대적인 법이 부재한 사회였는지에 대한 물음이 서론에 제시되어 있으므로 결론에서는 이에 대한 답변으로 조선이 근대성을 지닌 법으로 운영된 사회였다는 내용이 들어가는 것이 적절하다.

　오답 풀이 ▸ ② 조선의 법이 서양의 법보다 체계적이라는 내용은 나와 있지 않다.

③ 조선의 법은 서양의 법을 받아들인 것이 아니라 조선의 상황에 맞게 만들어진 법이다.

④ 조선의 법이 유교 사회의 특징이 반영된 법이라고 할 수는 있으나 서론에 제기된 질문에 적절한 답변은 아니다.

⑤ 법에 평등의 정신을 반영하였으나 법을 통해 신분제 사회의 한계를 극복한 것은 아니다.

 어휘 더 쌓기　　　　　본문 58쪽

1 (1) 군중　(2) 야유　(3) 보완　**2** (1) ②, ⓒ　(2) ①, ㉠　(3) ④, ⓔ　(4) ③, ⓛ　**3** ①　**4** ①

인문 01 자연에 대한 인간의 의무

본문 62~63쪽

1 ⑤　　**2** ⑤　　**3** ⑤

① 레오폴드의 글 〈대지 윤리(The Land Ethic)〉는 오디세우스의 이야기로 시작된다. 트로이 전쟁에서 돌아온 오디세우스는 그가 없는 동안 잘못을 저질렀다고 의심되는 <u>오디세우스의 비도덕적 행위</u> 12명의 여자 노예를 아무런 재판 절차 없이 교수형에 처한다. 당시 노예는 소유주의 재산으로 간주되었기 때문에 아무도 그의 행위를 도덕적으로 문제 삼지 않았다. 그러나 레오폴드는 『모든 인간의 도덕적 지위와 권리를 인정하는 오늘날 누군가가 오디세우스 『 』: 인간의 도덕적 지위와 권리에 대한 인식 변화 와 같은 행위를 한다면 그는 당연히 도덕적 비난과 처벌을 받을 것』이라고 지적했다. 그러면서 현재 우리가 대지와 자연을 마치 오디세우스가 노예들을 대한 것과 동일한 태도로 대한다고 비판했다. <u>레오폴드의 문제 제기 – '대지 윤리'의 필요성 주장</u> 『우리는 땅을 소유물로만 간주하여 땅에 대한 특권만 누릴 뿐 땅에 대한 어떤 의무도 없다고 여긴다는 것이다.』 『 』: 땅에 대한 의무를 소홀히 하고 특권만 주장해 온 인간을 비판, 문제 1 – ③ 관련 (1문단 요약 답) 인간은 (**땅**)을 소유물로 여기며 함부로 대해 왔다.

② 레오폴드에 따르면 『땅은 얼마든지 건강할 수도, 아플 수도 있고 심지어 죽을 수도 있는 유기적 존재』이다. 『 』: 유기적 존재로서의 땅의 가치, 문제 1 – ④ 관련 또한 땅은 단순히 흙이 아니라 토양, 식물, 동물이라는 회로를 통해 흐르는 에너지의 원천이다. 『레오폴드는 이미 몇몇 동물들은 생명권을 인정받는 지위를 얻었음을 지적하면서 동물뿐 아니라 식물, 대지, 강을 포함한 생태계 전체에 이를 확대 적용해야 한다고 주장한다.』 『 』: 도덕적 지위의 적용 범위를 확대해야 한다고 주장, 문제 1 – ① 관련 즉 도덕적 지위는 인간이나 몇몇 동물만이 누리는 것이 아니라 대지와 그것을 기반으로 살아가는 모든 생물체가 공동으로 소유한다는 것이다. <u>대지 윤리의 핵심 주장</u> (2문단 요약 답) 생태계의 모든 존재가 동등한 (**도덕적**) 지위를 누릴 수 있어야 한다.

③ 이렇게 도덕적 사고의 대상을 생태계로 확대한 레오폴드는 '떡갈나무의 일생'을 예로 들어 생태계의 순환을 설명하며 생태계를 이루는 모든 요소들이 동등한 지위를 가지고 있음을 역설한다. 『여름에 벼락을 맞아 떡갈나무 한 그루가 죽음을 맞이했다. 이 나무의 일부는 말려진 후 장작으로 사용되며 나머지는 그 자리에서 썩어서 흙으로 돌아 『 』: 떡갈나무의 예를 통해 살펴본 생태계의 순환 과정 간다. 장작도 결국 불탄 후 재가 되고, 재는 퇴비가 되어 대지로 돌아간다. 이것이 다시 식물의 양분으로 쓰여 빨간 사과가 되어 나타나거나, 혹은 열심히 도토리를 심는 다람쥐 덕택에 다시 떡갈나무가 되어 나타날 수도 있다.』 이 과정에서 잘 드러나듯이 떡갈나무는 살아 있을 때는 물론 죽은 후에도 생명 공동체를 조화롭고 안정되게 유지하는 큰 역할을 한다. <u>생명 공동체의 조화와 안정에 기여하는 떡갈나무의 역할</u> 이처럼 생명 공동체를 구성하는 모든 요소들은 생태계 안에서 끝없이 순환하며 상호 의존적으로 자신이 맡은 역할을 담당한다. <u>생명 공동체 요소의 상호 의존적 역할, 문제 1 – ② 관련</u> (3문단 요약 답) 생태계의 모든 요소들은 순환을 통해 (**상호 의존적**)으로 공동체를 조화롭고 안정되게 유지한다.

④ 레오폴드에 따르면 생명 공동체는 먹이사슬, 에너지의 순환 등 나름대로의 질서를 지닌다. <u>생명 공동체가 지닌 질서</u> 『이 질서에 과도하게 간섭하여 이를 파괴하고 특히 인간에게 더욱 유용한 것으로 『 』: 생명 공동체가 지닌 질서에 간섭하는 행위의 위험성 재편하려는 모든 시도는 그르며, 무익하고, 인간을 포함한 모든 생명 공동체의 구성원들에게 엄청난 피해를 줄 뿐이다.』 생명 공동체의 질서는 나름대로 변화하지만 그 속도가 매우 느리며, 충분한 자기 규제, 자기 조절의 능력을 갖추고 있다. <u>생명 공동체가 지닌 자기 규제, 자기 조절의 능력, 문제 1 – ⑤ 관련</u> 그런데 이에 대한 인간의 개입 또는 간섭은 항상 급작스럽고 폭력적으로, 무자비하게 발생하기 때문에 생명 공동체의 자기 규제, 자기 조절의 능력을 넘어서고 공동체 전체의 파괴를 일으 <u>인간의 개입으로 생명 공동체가 파괴되는 것을 경계함, 문제 1 – ⑤ 관련</u> 킨다는 것이 레오폴드의 생각이다. (4문단 요약 답) 생명 공동체의 (**질서**)에 인간이 개입하는 것은 공동체 전체의 파괴로 이어질 수 있다.

해제 | 이 글은 생태계 전체에 동등한 도덕적 지위를 부여하는 대지 윤리의 이념을 설명하고 있다. **주제** | 레오폴드의 대지 윤리

지문 분석하기

대지 윤리의 핵심 이념	생명 공동체의 특성	인간의 태도
대지와 모든 생물체가 동등한 도덕적 지위를 누려야 함.	구성 요소들이 생태계 안에서 순환하며, 상호 의존적 역할 수행	인간의 개입이 없어야 생명 공동체의 질서가 유지됨.

---

1 4문단에서 레오폴드는 생명 공동체가 충분한 자기 조절 능력을 갖추고 있으며, 인간의 개입 또는 간섭은 생명 공동체 전체를 파괴한다고 생각하였음이 나타나 있다. 따라서 생명 공동체의 자기 조절 능력을 향상시키는 것이 중요하다는 내용은 레오폴드의 주장과 일치하지 않는다.

오답 풀이 ① 2문단에서 생명권을 인정받는 지위를 생태계 전체에 적용해야 한다고 주장했음을 알 수 있다.
② 3문단에서 생명 공동체를 구성하는 모든 요소는 상호 의존적이라고 하였다.
③ 1문단에서 우리가 특권만 누릴 뿐 땅에 대한 어떤 의무도 없다고 여긴다고 하였다.
④ 2문단에서 땅은 유기적 존재이며, 에너지의 원천이라고 하였다.

2 카이밥 고원의 사슴 개체 수를 조절하기 위해 인간이 개입하면서 생명 공동체의 질서가 파괴되어 비극적인 재앙이 발생했음을 알 수 있다.

오답 풀이 ① 사람들이 카이밥 고원을 단순히 소유물로 간주하였기 때문에 무분별한 사냥을 했다고 볼 수 있다.
② 사슴의 죽음은 생명 공동체의 파괴를 의미한다. 이것이 식량 문제를 해결하는 자연스러운 순환의 과정이라고 볼 수는 없다.
③ 생태계를 이루는 모든 요소는 동등한 지위를 가진다.
④ 처음에 카이밥 고원의 사슴 수가 급격히 줄어든 것은 인간의 사슴 사냥 때문이다.

3 생명 공동체를 구성하는 모든 요소들이 동등한 지위를 가지며 공동체의 조화와 안정을 위한 상호 의존적인 역할이 있다고 보았으므로 개별 존재의 희생과 피해를 감수해야 한다는 반응은 적절하지 않다.

오답 풀이 ① 2문단에서 땅은 아플 수도, 죽을 수도 있는 유기적인 존재라는 점을 언급하였다.
② 1문단에서 인간이 땅에 대한 의무를 이행하지 않았음을 지적하고 있다.
③ 3문단에서 생태계를 이루는 모든 요소들이 동등한 지위를 가지고 있음을 강조하고 있다.
④ 4문단에서 생명 공동체에 가하는 어떠한 인위적인 간섭도 허용해서는 안 된다는 점을 강조하고 있다.

1 ⑤　　**2** ③　　**3** ③

① 고려 말 중앙 집권 체제의 약화와 왕권의 쇠퇴 속에서 조선 왕조를 세운 신흥 사대부들은 지주층이었기 때문에 노비 노동력이 필요했다. 그러나 이들은 강력한 중앙 집권 체제의 확립을 위해 국역 대상인 양인 계층의 폭을 넓히려 하였다. 따라서 노비가 꼭 있어야 하더라도 되도록 양인을 더 많이 확보하려는 것이 새 왕조가 추구한 국역 정책의 기본 방향이었다.
〔중앙 집권 체제의 확립을 위해, 문제 1 – ⑤ 관련〕
〔1문단 요약 답〕조선 전기 국역 정책의 기본 방향은 (**양인**)을 더 많이 확보하는 것이다.

② 이처럼 국역 대상의 확보를 새 왕조 통치 체제의 발판으로 추구하면서, 법제적으로 모든 사회 구성원을 일단 양인과 천인으로 나누었다. 이들 사이에는 의무와 권리에서 차등이 있었는데 먼저 의무 면에서 양인 남자는 국역인 군역(軍役)과 요역(徭役)의 의무가 있었다. 이에 비해 천인은 군역에서 철저히 배제되었다.
〔양인과 천인의 차이 ①〕
〔2문단 요약 답〕법제적으로 모든 사회 구성원은 (**양인**)과 천인으로 나뉘었는데, (**의무**)와 권리에서 차등이 있었다.

③ 권리 면에서 양인과 천인은 신체와 생명의 보호와 같은 인간의 기본권을 공권력으로 보장받을 수 있는지에서 뚜렷이 차이가 났다. 천인인 노비는 재산으로 보아 매매·상속·양도·증여의 대상이 되었으며, 사는 곳을 옮길 자유가 없었다. 노비와 양인이 싸우면 노비가 한 등급 더 무거운 벌을 받는 것은 양·천 사이의 법적 지위의 차이를 잘 보여 준다. 그보다 권리 면에서 양·천의 가장 분명한 차이는 관직 진출권이 있느냐는 것이었다. 양인 중에도 관직 진출권이 제한된 사람이 적지 않았으나 양인은 일단 관직 진출권이 있었다. ㉠더러 노비가 국가에 큰 공로를 세워 정규 관직인 유품직(流品職)을 받기도 하였으나 이때는 반드시 양인이 되는 종량(從良) 절차를 먼저 밟아야 했다.
〔양인과 천인의 차이 ②, ③〕
〔3문단 요약 답〕양인과 천인은 인간의 기본권을 공권력으로 보장받을 수 있는지, (**관직 진출권**)이 있는지에서 차이가 났다.

④ 그러나 이러한 양·천 구분은 국가의 법적 구분이었지, 실제 사회 구성은 좀 더 복잡했다. 양·천이라는 법적 구분 아래 사회 구성원은 『상급 신분층인 양반 계층, 의관·역관과 같은 기술관이나 서얼 등의 중인 계층, 양인 중 수가 가장 많았던 평민 계층, 노비가 주류인 천민 계층으로 나뉘었다.』조선을 양반 관료 사회라고 규정하듯이 양반은 정치·사회·경제 면에서 갖가지 특권과 명예를 독점적으로 누리면서 그 아래인 중인·평민·천민과는 격을 달리했다. 이를 반상(班常)이라는 말로 표현한다. 반상은 곧 신분을 지배자와 피지배자로 나눈 것으로서, 반상의 반(班)에는 중인이 들어가지 않았지만 상(常)에는 평민부터 노비까지 포함되었다. 이러한 구분은 법적 구분과는 달리 사회 통념상으로 최고 신분인 양반의 지배자적 위치를 돋보이게 하려는 의식에서 생겼다고 하겠다.
〔『　』: 반상의 구분, 문제 1 – ③ 관련〕
〔문제 1 – ② 관련〕
〔문제 1 – ① 관련〕
〔4문단 요약 답〕실제 사회 구성원은 양반, 중인, (**평민**), 천민 계층으로 나뉘었으며, (**양반**) 계층은 다양한 특권을 누렸다.

⑤ 이처럼 국가 차원의 법적 규범인 양천제와 당시 실제 계급 관계를 반영한 사회 통념상 구분인 반상제가 서로 섞여 중세의 신분 구조를 이루었다. 중세 사회가 발전하면서 신분 구조는 양천제라는 법제적 틀에서 차츰 사회 통념상의 신분 규범이 규정 요소로 확고히 자리 잡는 방향으로 변화했다. 이는 지주제의 확대와 발전, 그리고 조선 사회의 안정과 변동을 나타내는 것이기도 하였다.
〔조선 시대 신분 구조의 변화〕
〔문제 1 – ④ 관련〕
〔5문단 요약 답〕중세의 신분 구조는 법적 규범인 (**양천제**)와 사회 통념상 구분인 (**반상제**)가 섞여 있었다.

해제 | 이 글은 조선 전기 사회의 신분 구조를 양천제와 반상제로 나누어 설명하고 있다.
주제 | 조선 전기 사회의 신분 구조

지문 분석하기

조선 전기 사회의 신분 구조	법제적 구분 양천제	양인과 천인은 의무와 권리 면에서 차등이 있었음.
	사회 통념상 구분 반상제	양반은 그 아래인 중인·평민·천민과는 격을 달리하며 갖가지 특권을 누렸음.

1 1문단에서 노비가 있어야 하더라도 양인을 더 많이 확보하려는 것이 새 왕조가 추구한 국역 정책의 기본 방향이었다고 하였으므로, 노비의 수를 최대한 늘리는 것을 우선시하였다는 내용은 적절하지 않다.

오답 풀이 ▶ ② 4문단에서 평민 계층이 양인 중 수가 가장 많았다고 하였으므로, 평민층의 수가 양반층의 수보다 더 많았음을 알 수 있다.
③ 4문단에서 조선 시대의 사회 구성원은 사회 통념상 양반, 중인, 평민, 천민 계층으로 나뉘었다고 하였다.
④ 5문단에서 신분 구조가 양천제에서 사회 통념상 구분인 반상제로 변화한 것은 지주제의 확대와 발전을 나타내는 것이라고 하였다.

2 천인이 관직을 받더라도 양인이 되는 종량 절차를 먼저 밟도록 한 것은 천인에게 관직 진출권이 없기 때문이다. 이는 천인에게 관직 진출권을 제한함으로써 양인과 천인 사이의 법적 지위와 권리의 차등을 뚜렷이 한 것으로 볼 수 있다.

3 '채수'는 역관, 의관과 같은 기술직인 중인을 양반에 발탁하려는 임금의 명령에 반대하고 있다. 이러한 채수의 견해에는 양반의 지배자적 위치를 돋보이게 하려는 의식이 반영된 것으로 추론할 수 있다.

오답 풀이 ▶ ① 벼슬의 높고 낮음과 직책의 경중을 따진 것은 양반과 중인을 구분하는 사고를 보여 주는 것으로, 반상제에 해당한다. 양인과 천인으로 나눈 것은 양천제이므로 적절하지 않다.
② 채수의 견해는 반상제를 기반으로 하고 있다. 따라서 양천제가 흔들릴 것에 대해 위기감을 느꼈다고 보는 것은 적절하지 않다.
④ '채수'가 기술직을 권장하는 대책을 세우고 시행하는 데 대해 우려를 나타낸 것은 양반들이 누려 온 독점적 권력을 중인과 나누어 가져야 할 것에 대한 불만을 표시한 것으로 보는 것이 적절하다.
⑤ 공권력으로 인간의 기본권을 보장받을 수 있는 범위는 양·천에 따라 달랐다. '채수'가 임금의 명령에 놀라움을 드러낸 것은 중인에 대한 양반의 시각이 드러난 것으로 반상의 구분에 해당하므로 적절하지 않다.

사회 03 농산물 가격은 왜 폭등과 폭락을 거듭할까 본문 66~67쪽

1 ⑤   **2** ③   **3** ⑤

① 어떤 해 가을 한 포기에 1만 2,000원을 넘었던 배춧값이 그다음 해에는 2,500원까지 떨어지기도 한다. 이렇듯 배추와 같은 농산물은 가격이 널뛰기하듯이 크게 변화하는 일이 종종 생긴다. 그렇다면 농산물 가격이 폭등과 폭락을 반복하는 현상은 왜 발생하는 것일까?
    화제 제시
1문단 요약 답 농산물의 (**가격**)은 폭등과 폭락을 반복하기도 한다.

② 농산물 가격이 폭등과 폭락을 반복하는 이유는 농산물 공급이 비탄력적이기 때문이다. 여기서 비탄력적이라는 말은 가격의 변화에 따른 수요량이나 공급량의 변화가 크지 않다는 말이다. 즉 가격이 오를 때 공산품은 즉시 공급을 늘릴 수 있는 데 반해 농산물은 자연적 제약 때문에 그것이 불가능하다. 한참을 지나서야 공급이 반응을 하는데,
    가격 변동 시 농산물은 생산 시간이 필요하여 공급량의 변화가 시차를 두고 반응함.
이번에는 공급 과잉이 되기 쉽다. 이를 오른쪽 그래프로 설명해 보자. 수요 곡선(D)과 공급 곡선(S)이 만나는 점 P는 수요량과 공급량이 일치하는 점이다. 그런데 가뭄, 태풍과 같은 외부 요인 때문에 배추의 공급량이 Q_1로 줄어들면 배추의 가격은 P_1로 크게 오른다. 그리고 배춧값 급등을 경험한 농부들이 이듬해 너도나도 배추를 심으면 공급량은 Q_2로 늘어나 가격은 P_2까지 떨어진다. 가격이 P_2로 떨어지면 공급자는 공급량을 Q_3으로 줄이게 된다. 공급량이 줄어들면 가격은 P_3까지 높아진다. 이처럼 농산물 가격의 등락을 수요-공급 곡선 위에 나타내면 거미집과 같이 돌고 돈다고 해서 ⊙'거미집 모형'이라고 부른다.
2문단 요약 답 농산물은 (**공급**)이 (**비탄력적**)이기 때문에 가격이 폭등과 폭락을 반복하는데, 이는 (**거미집 모형**)으로 설명할 수 있다.

③ 거미집 모형을 적용하기 위해서는 몇 가지 전제 조건이 필요하다. 우선 농부들이 당해 연도의 배춧값에 따라 다음 연도의 배추 생산량을 정하듯 현재의 재화 가격에 따라 후기(後期)의 생산량을 결정한다는 것이다. 다음으로 해당 재화는 외국으로부터의 수입이 불가능하며, 일정 기간(분기 또는 연간)에 생산된 물량은 그 기간에 모두 판매되어
    공급자는 당해 연도의 가격이 다음 해에도 유지된다고 전제함.
    외국으로부터 수입이 가능하면 공급량에 변화가 생기기 때문임.
재고량이 없어야 한다. 또한 해당되는 재화를 생산하는 데 장시간이 소요되어야 하며, 마지막으로 거래 당사자는 미래의 공급과 수요에 대한 합리적 예측이 불가능하다는 전제가 설정되어 있어야 한다.
3문단 요약 답 거미집 모형을 적용하기 위해서는 몇 가지의 (**전제**)가 필요하다.

④ 그렇다면 해마다 등락을 거듭하는 농산물 가격 변동에 따른 피해를 줄일 수 있는 방법은 없을까? 밭떼기를 하면 피해를 줄일 수 있다. 밭떼기란 농사를 짓기 전이나 수확을 하기 전에 농부가 유통업자와 미리 판매 계약을 하는 것으로, 밭떼기를 하면 생산물 가격이 얼마든 농부는 미리 정해진 가격에 자기 밭에서 난 생산물을 모두 넘기게 된다. 이는 농산물 가격이 크게 하락할 경우에 가격 폭락으로 생산자가 손해를 볼 수밖에 없
    문제 2 - ③ 관련
는 상황을 피할 수 있게 해 준다. 또 정부 차원에서 농산물 가격 변동으로 발생할 수 있는 피해를 줄이기 위해 대책을 마련하기도 한다. 정부가 당해 연도 초과 공급량에 대해 수매를 실시하는 것이다. 이러면 가격의 급락이나 급등에 어느 정도 대비할 수 있다.
    공급량을 조절하는 정책
4문단 요약 답 농산물 가격 변동에 따른 피해를 줄이기 위해 (**밭떼기**)를 할 수 있으며, 정부 차원에서 (**수매**)를 실시할 수도 있다.

해제 | 이 글은 농산물 가격이 폭등과 폭락을 거듭하는 이유를 거미집 모형을 통해 경제학적으로 분석하고 있다.
주제 | 폭등과 폭락을 반복하는 농산물 가격 변동의 원인과 거미집 모형

지문 분석하기

농산물 가격의 등락	등락을 거듭하는 이유 (거미집 모형)	대책
	공급 증가 → 가격 하락 → 공급 감소 → 가격 상승	• 생산자는 밭떼기를 할 수 있음. • 정부 차원에서 수매를 실시할 수 있음.

---

1 이 글은 대상을 일정 기준에 따라 나누어 설명하고 있지 않으므로 분류의 방식이 사용되고 있다는 설명은 적절하지 않다.

오답 풀이 ① 배춧값의 폭등과 폭락이라는 구체적인 예가 1문단에 제시되어 있다.
② '비탄력적', '거미집 모형', '밭떼기' 등 용어의 개념을 알기 쉽게 밝히어 독자의 이해를 돕고 있다.
③ 1문단과 4문단에서 질문을 던진 후 이에 답하는 방식이 사용되고 있다.
④ 2문단에서 농산물의 가격이 폭등과 폭락을 거듭하게 되는 과정이 순서에 따라 단계별로 제시되어 있다.

2 2017년에는 생산량이 소비량보다 많기 때문에 배춧값이 떨어졌을 것이다. 따라서 배추 수확물에 대해 유통업자와 밭떼기 계약을 한 농민은 농산물의 가격 폭락으로 손해를 보는 상황을 피할 수 있었을 것이다.

오답 풀이 ① 2015년과 달리 2016년에는 생산량보다 소비량이 많으므로 배춧값이 2016년에 더 높을 것임을 알 수 있다.
② 생산량과 소비량을 비교해 볼 때 배춧값은 2015년에는 떨어지고, 2016년에는 오르고, 2017년에는 떨어지고, 2018년에는 오르는, 등락을 반복하는 모습을 보이게 된다.
④ 정부가 농산물을 수매하여 공급량을 조절하게 되면 소비량과 공급량 사이의 차이를 줄일 수 있기 때문에 배춧값의 등락 폭을 줄일 수 있을 것임을 알 수 있다.
⑤ 2016년보다 2017년에 배추 생산량이 늘어난 것은 2016년에 올라간 배춧값이 계속 유지될 것이라는 농부들의 기대가 작용했기 때문이라고 할 수 있다.

3 부동산 가격이 오르자 건물 건축이 늘어나게 되고, 이후 건물이 완공된 시점에 공급량이 수요량을 초과하자 부동산 가격이 내려가게 되는 것은 수요량과 공급량의 불일치 때문에 가격이 변동하는 것이다. 부동산은 농산물처럼 공급량을 단기간에 조정하기 어려워 가격의 급등락이 발생하므로 거미집 모형을 적용하여 설명할 수 있다.

1 ⑤   **2** ⑤   **3** ⑤

① 소비자들은 어떤 제품이나 서비스를 선택할 때 쉽사리 결정을 내리지 못한다. 이를 테면 기능은 만족스럽지만 가격이 비싸거나, 반대로 가격은 만족스러운데 기능은 그렇지 않다거나 하는 경우를 들 수 있다. 이처럼 소비자들은 구매 과정에서 흔히 갈등을 겪게 되는데, 그중 가장 대표적인 것이 '접근-접근 갈등'이다. 이는 둘 이상의 바람직한 대안 중에서 하나만을 골라야 하는 경우에 어느 것을 선택해야 할지 결정하지 못해 발생하는 갈등이다. ㉠이때 판매자는 대안들을 함께 묶어 제공함으로써 소비자가 겪는 '접근-접근 갈등'을 해소할 수 있다.

물건의 구매 과정에서 겪는 갈등 / 구매 시 발생하는 갈등 해소 방안

[1문단 요약 답] 소비자들은 제품 구매 과정에서 (접근-접근) 갈등을 겪는데, 판매자는 (대안)을 함께 제공함으로써 이를 해소할 수 있다.

② 그런데 다른 대안들을 함께 묶어 제공받지 못한 상태에서 하나의 대안만을 선택해야 했던 경우, 소비자들은 선택하지 않은 대안에 대한 아쉬움 때문에 심리적 불편함을 느끼게 된다. 소비자들은 이러한 심리적 불편함을 없애려 하는데, 이는 인지 부조화 이론으로 설명할 수 있다. 이 이론에 따르면 사람들은 자신의 생각과 태도가 자신이 한 행동과 서로 일치하기를 바라는데, 그렇지 않으면 심리적 긴장 상태가 발생하게 된다는 인지 부조화 이론의 내용. 문제 1 – ⑤ 관련

것이다. 이런 경우 사람들은 긴장 상태를 해소하기 위해 생각과 행동을 일치시키려 한다. 그렇다면 제품을 구입한 행동과 제품 구입 후에 자신의 선택이 최선이 아닐지도 모른다는 생각 사이의 부조화는 어떻게 극복될 수 있을까?

구매 행동 후의 인지 부조화. 문제 1 – ⑤ 관련

[2문단 요약 답] 소비자는 제품을 구입한 행동과 자신의 선택이 최선이 아닐지도 모른다는 (생각) 사이의 (인지 부조화)를 겪기도 한다.

③ 인지 부조화 상태를 겪고 있는 소비자는 이를 해소하기 위해 선택하지 않은 제품의 물건을 구매한 후 겪게 되는 갈등

단점을 찾아내거나 그 제품의 장점을 무시하기도 한다. 하지만 일반적으로는 자신의 「 」: 인지 부조화를 해소하려는 노력

구매 행동을 지지하는 부가 정보들을 찾아냄으로써 현명한 선택을 했다는 것을 스스로에게 확신시킨다. 특히 자동차나 아파트처럼 고가의 재화를 구매했을 경우에는 구매 고가의 상품일수록 인지 부조화가 심함.

직후의 인지 부조화가 심화되므로 이를 해소하려는 노력도 더 크게 나타난다. 이때 광고가 중요한 역할을 한다. 소비자들은 광고를 통해 자신이 선택한 제품의 장점을 재확인하거나 새로운 선택 이유를 찾아내려고 하는 것이다.

구매 후 광고 탐색이 일어나는 이유. 문제 1 – ① 관련

[3문단 요약 답] 소비자는 인지 부조화를 해소하기 위해 (광고)를 통해 자신의 구매 행동을 지지하는 부가 정보들을 찾으려고 한다.

④ 소비자들이 구매 후에 광고를 탐색하는 것은 인지 부조화를 감소시키고자 하는 노력인데, 기업 입장에서는 또 다른 효과들을 가져오기도 한다. 구매 후 광고는 제품을 구매 후 광고 탐색에 대한 소비자의 입장

매한 소비자들에게 자신의 구매 행동이 옳았다는 확신이나 만족을 심어 주기 때문에 회사의 이미지를 높이고 브랜드 충성심을 구축하는 데 크게 기여한다. 따라서 구매 후 구매 후 광고 탐색에 대한 기업의 입장 문제 1 – ② 관련

광고는 재구매를 유도하거나 긍정적 입소문을 확산시켜 광고의 효과를 극대화할 수 있다. 따라서 기업은 제품을 판매한 이후에도 소비자와 제품의 우호적인 관계가 유지될 구매 후 광고의 효과

수 있도록 지속적으로 광고를 노출할 필요가 있다.

[4문단 요약 답] 구매 (후) 광고는 기업에게 긍정적 효과를 가져다주므로, 기업은 제품 판매 (후)에도 광고를 노출할 필요가 있다.

해제 | 이 글은 소비자가 이미 구매한 제품의 광고를 탐색하는 이유를 인지 부조화 이론으로 설명하고 있다.

주제 | 구매 후 광고 탐색이 일어나는 이유

지문 분석하기

	접근 – 접근 갈등 (구매 시 겪는 갈등)	인지 부조화 (구매 후 겪는 불편함)
원인	둘 이상의 대안 중에서 하나만을 골라야 하는 경우에 어느 것을 선택해야 할지 결정하지 못해 발생	다른 대안들을 함께 묶어 제공받지 못한 상태에서 제품을 구입한 후, 자신의 선택이 최선이 아닐지도 모른다는 생각 때문에 발생
해소 방안	판매자가 대안들을 함께 묶어 제공함으로써 해소	선택하지 않은 제품의 단점을 찾아내거나 자신이 선택한 제품의 장점을 재확인함으로써 해소 → 이미 구매한 제품의 광고를 탐색하는 이유

---

1 소비자는 자신의 구매 행위가 최선이었다는 확신이 없을 경우 자신의 생각이 행동과 일치하지 않아 심리적 긴장 상태를 겪게 되는데, 이것이 인지 부조화이다.

오답 풀이 ① 제품을 구매한 후 구매한 제품에 만족하지 못하면 인지 부조화를 겪는데, 이를 극복하기 위해 광고에 주의를 기울일 수 있음을 3문단에서 알 수 있다.

② 4문단에서 구매 후 광고는 회사의 이미지를 높이고 브랜드 충성심을 구축하는 데 크게 기여한다고 하였다.

③ 구매한 제품에 만족하는 소비자는 인지 부조화를 겪지 않을 것이므로 구매 후 광고를 탐색하려는 노력도 적극적이지 않을 것이다.

④ 소비자가 겪는 인지 부조화는 구매 행동 후 발생하는 것으로, 어떤 제품을 구매할지 결정하지 못하는 것은 구매 행위가 일어나기 전이므로 인지 부조화의 관점으로 설명하는 것은 적절하지 않다.

2 소비자가 짜장면과 짬뽕을 두고 선택을 망설이는 것은 둘 이상의 대안 중에서 하나만을 선택해야 하는 '접근-접근 갈등'의 상황인데, 두 음식을 다 먹을 수 있는 짬짜면이 메뉴로 제시되면 '접근-접근 갈등'이 해소될 수 있을 것이다.

3 갑은 A 회사의 부품 교체 광고를 접하고 자신의 구매 행동이 옳았다는 확신이나 만족을 얻게 될 것이다.

오답 풀이 ① 갑은 두 자동차 중에서 하나만 골라야 하는 상황에서 고민하고 있으므로 '접근-접근 갈등'을 겪은 것이다.

② 선택하지 않은 대안에 대한 아쉬움과 심리적 불편함이 생기는 것을 인지 부조화 이론을 통해 설명하면, 자신의 생각과 태도가 자신이 한 행동과 서로 일치하지 않았기 때문이다.

③ 인지 부조화 상태를 겪고 있는 소비자는 이를 해소하기 위해 선택하지 않은 제품의 단점을 찾아내거나 그 제품의 장점을 무시한다. ⓒ는 갑이 인지 부조화를 극복하기 위해 한 행동이다.

④ 인지 부조화 상태의 소비자는 자신의 구매 행동을 지지하는 부가 정보들을 찾아냄으로써 현명한 선택을 했다는 것을 스스로에게 확신시킨다. 그러므로 갑은 ⓓ를 통해 자신의 구매 행동에 대한 확신을 얻을 수 있다.

1 ④   **2** ③   **3** ③

① 회전하는 원판 위에 구슬을 올려놓으면 밖으로 굴러떨어진다. 구슬이 직선 운동을 하려는 관성에서 오는 '원심력' 때문이다. 그렇다면 물이 담긴 대야에 모래를 조금 넣은 후에 물이 원운동을 하도록 저어 주면 모래는 어디에 모일까? 물이 원운동을 하므로 원심력 때문에 모래가 대야 가장자리 쪽으로 몰릴 것이라고 생각하기 쉽지만, 실제로는 대야 가운데로 모여든다. _{문제 1 - ③ 관련} 물에서는 원심력이 작용하지 않는 것일까? 그렇지는 않다. 모래 대신에 마른 나뭇잎을 넣고 물을 회전시키면, 이들은 가장자리로 밀려나서 대야 가장자리 쪽으로 모이게 된다. _{화제 제시} 그러면 모래가 가운데로 모이는 이유는 무엇일까?

_{1문단 요약 답} 대야에 물을 담고 모래를 넣은 후 물이 원운동을 하도록 저어 주면 모래는 대야의 (**가운데**)로 모여든다.

② 모래의 비중은 물의 비중의 두 배 이상이므로 모래는 같은 부피의 물보다 무겁 _{문제 1 - ① 관련} 다. 아르키메데스의 원리에 따르면, 모래가 물속에서 받는 부력은 모래의 부피와 [A] 동일한 부피의 물의 무게와 같다. 물체의 무게가 부력보다 크다면 그 물체는 가라 _{문제 1 - ② 관련} 앉는데, 모래의 무게는 모래가 받는 부력, 즉 모래의 부피에 해당하는 물의 무게보 다 무거우므로 모래는 바닥으로 가라앉는다. 모래가 바닥에 가라앉은 후에 손을 넣어서 원형으로 저으면 대야의 물은 손이 도는 방향으로 회전을 시작한다. 이때 자세히 보면 수면의 높이가 변화하는 것을 알 수 있다. 원심력 때문에 물이 대야 가장자리 쪽으로 밀려가므로 가운데의 수면은 낮아지고 가장자리 쪽의 수면은 높아진다. 만약 물에 나뭇잎이 떠 있으면 그 잎이 가장자리 쪽으로 밀려나는 것을 볼 수 있을 것이다. _{원심력의 영향을 받기 때문} 동시에 바닥에 깔려 있는 모래가 가운데로 모이는 것을 보게 될 것이다. 모래가 가장자리 쪽으로 밀려가지 않고 가운데로 모인다는 것은 원심력보다 더 큰 힘이 모래에 작용 _{문제 1 - ⑤ 관련} 한다는 증거이다.

_{2문단 요약 답} 물을 저었을 때 모래가 가운데로 모이는 것은 (**원심력**)보다 더 큰 힘이 모래에 작용하기 때문이다.

③ 물의 운동을 생각해 보자. 손이 저어 주는 위쪽의 물은 빨리 회전하기 때문에 원심력이 크지만, 밑에 있는 물은 젓는 손의 영향을 덜 받기 때문에 천천히 회전하므로 작용하는 원심력의 크기가 작다. 그리고 바닥에 가까운 물은 바닥과의 마찰 때문에 회전 속도가 더 느려지고, 따라서 (㉠) 원심력을 받는다. 물에는 원심력뿐 아니라 중력이 작용하고 있다. 즉 물은 무게가 있고, 이 무게 때문에 바닥은 압력을 받는데, 수면이 높을수록 압력이 높다. 그래서 수면이 높은 가장자리 바닥이 받는 압력은 수면이 낮은 가운데 바닥이 받는 압력보다 높다. 액체나 기체는 압력이 높은 데에서 낮은 곳으로 흐르므로 바닥에 가까운 곳에서는 물이 (㉡). 이곳으로 흘러온 물은 수면으로 올라와서 원심력의 영향을 받아 가장자리로 밀려나고, 가장자리에 도착한 물은 바닥으로 내려간다. 바닥에 깔려 있던 모래는 이렇게 흐르는 물을 타고 가운데로 모이지만 모래의 비중이 크기 때문에 위로 올라가는 물을 타고 위쪽으로 올라가지 못하고 바닥의 가운데에 멈추게 되는 것이다. _{문제 1 - ④ 관련}

_{3문단 요약 답} 원심력과 중력의 영향으로 모래가 대야의 가운데로 모이고, 모래의 (**비중**)이 크기 때문에 바닥의 (**가운데**)에 멈추게 된다.

해제 | 이 글은 물과 모래가 담긴 대야에 손을 넣고 원 모양으로 저었을 때 작용하는 다양한 힘을 설명하고 있다.

주제 | 물이 담긴 대야에 손을 넣고 원 모양으로 저었을 때 그 안에 담긴 모래가 바닥의 가운데에 모이는 까닭

출전 | 최상일, 《소매치기도 뉴턴은 안다》

지문 분석하기

물에 넣은 모래가 대야의 바닥에 가라앉음.	→	물에 손을 넣고 원형으로 저음.	→	바닥에 깔려 있던 모래가 흐르는 물을 타고 가운데로 모임.	모래가 위로 올라가는 물을 타고 위로 올라가지 못하고 바닥의 가운데에 멈춤.
모래가 받는 부력이 모래 무게보다 작기 때문임.				원심력과 중력의 영향 때문임.	모래의 비중이 크기 때문임.

1 3문단에서 모래가 물 위로 올라가지 못하는 이유는 모래의 비중이 크기 때문이라고 하였다. 따라서 모래가 물 위로 올라가지 못하는 이유가 원심력 때문이라는 설명은 적절하지 않다.

오답 풀이 ▶ ① 2문단에서 모래의 비중이 물의 비중의 두 배 이상이라고 하였다.

② 2문단에서 모래의 무게가 모래가 받는 부력보다 크다고 하였다.

③ 1문단에서 물에 손을 넣어 원형으로 저으면 원심력이 발생한다고 하였다.

⑤ 2문단에서 모래가 대야 가운데로 모이는 것은 원심력보다 더 큰 힘이 모래에 작용하기 때문이라고 하였다.

2 잠수함의 공기탱크 안에 있는 물을 밖으로 내보내면 밖으로 내보내진 물의 무게만큼 잠수함의 무게가 가벼워지므로 잠수함에 작용하는 중력은 점점 커지는 것이 아니라 점점 작아지게 된다.

오답 풀이 ▶ ① ⓐ에서 잠수함이 물 위에 떠 있고 ⓑ에서 잠수함이 잠수한 것은 ⓐ와 ⓑ에 작용하는 중력의 크기가 다르기 때문이다.

② 잠수함이 물 위에 떠 있으려면 잠수함이 물에서 받는 부력이 중력보다 커야 한다.

④ [A]에서 모래가 물속에서 받는 부력은 모래의 부피와 동일한 부피의 물의 무게와 같다고 하였다. 이 내용을 잠수함에 적용시키면 잠수함이 물에서 받는 부력은 잠수함의 부피와 동일한 부피의 물의 무게와 같다고 할 수 있다.

⑤ 물 위에 떠 있는 잠수함을 가라앉히려면 잠수함의 공기탱크에 바닷물을 채워 잠수함의 무게가 부력보다 크도록 잠수함의 무게를 늘려야 한다.

3 3문단에서 회전 속도가 빠르면 원심력이 크고 회전 속도가 느릴 경우 원심력이 작다고 하였다. 따라서 바닥에 가까운 물이 바닥과의 마찰 때문에 회전 속도가 더 느리므로 더 작은 원심력을 받는다. 또한 가장자리가 가운데보다 수면이 높아 압력이 더 높기 때문에 바닥에 가까운 곳에서는 물이 가장자리에서 가운데로 흐르게 된다.

1 ⑤　　**2** ⑤　　**3** ①

① 바이러스란 스스로는 증식할 수 없고 숙주 세포에 기생해야만 증식할 수 있는 감염
성 병원체를 일컫는다. 바이러스의 개념 문제 1 – ① 관련 바이러스는 자신의 ㉠존속을 위한 최소한의 물질만을 가지고
있기 때문에 거의 모든 생명 활동에서 숙주 세포를 이용한다. 바이러스를 구성하는 기
본 물질은 유전 정보를 담은 유전 물질과 이를 둘러싼 단백질 껍질이다.
　　　　　　1문단 요약 답 (바이러스)란 숙주 세포에 기생해야만 증식할 수 있는 감염성 병원체이다.

② 『1915년 영국의 세균학자 트워트는 포도상 구균을 연구하던 중, 세균 덩어리가 녹는
『 』: 박테리오파지의 발견 과정 것처럼 투명하게 변하는 현상을 ㉡관찰했다. 뒤이어 1917년 프랑스에서 활동하던 데렐
은 이질을 연구하던 중 환자의 분변에 이질균을 녹이는 물질이 포함되어 있다는 것을
문제 1 – ① 관련 발견하고, 이 미지의 존재를 '박테리오파지'라고 불렀다.』 박테리오파지는 바이러스의
문제 1 – ① 관련 일종으로 '세균을 잡아먹는 존재'라는 뜻이다.
　　2문단 요약 답 (박테리오파지)는 바이러스의 일종으로 세균을 잡아먹는 존재라는 뜻이다.

③ 박테리오파지는 머리와 꼬리, 꼬리 섬유로 ㉢구성되어 있다. 머리는 다면체로 되어
박테리오파지의 구조 있고, 그 밑에는 길쭉한 꼬리가, 꼬리 밑에는 갈고리 모양의 꼬리 섬유가 붙어 있다. 『머
리에는 박테리오파지의 핵심이라 할 수 있는 유전 물질이 있는데, 이 유전 물질은 단백
『 』: 각 구조의 기능 질 껍질로 보호되어 있다. 꼬리는 머릿속의 유전 물질이 세균으로 이동하는 통로 역할
문제 1 – ② 관련 을 하며, 꼬리 섬유는 세균에 단단히 달라붙는 기능을 한다.』
　　문제 1 – ④ 관련　　3문단 요약 답 박테리오파지는 머리와 꼬리, (꼬리 섬유)로 구성되어 있다.

④ 박테리오파지는 증식을 위해 세균을 이용한다. 박테리오파지가 세균을 만나면 우선
꼬리 섬유가 세균의 세포막 표면에 존재하는 특정한 단백질, 다당류 등을 인식하여 복
제를 위해 이용할 수 있는 세균인지의 ㉣여부를 확인한다. 그리고 이용이 가능한 세균
일 경우 갈고리 모양의 꼬리 섬유로 세균의 표면에 단단히 달라붙는다. 세균 표면에 자
리를 잡은 박테리오파지는 머리에 들어 있는 유전 물질만을 세균 내부로 침투시킨다.
『세균 내부로 침투한 박테리오파지의 유전 물질은 세균 내부의 DNA를 분해한다. 그리
『 』: 세균 안에서 박테리오파지가 자신을 복제하는 과정 고 세균의 내부 물질과 여러 효소 등을 이용하여 새로운 박테리오파지를 형성할 유전
문제 1 – ⑤ 관련 물질과 단백질을 만들어 낸다. 이렇게 만들어진 유전 물질과 단백질이 조립되면 새로
운 박테리오파지가 복제되는 것이다.』
　　4문단 요약 답 박테리오파지는 (세균) 속에 유전 물질을 넣어 복제하는 방법으로 증식한다.

⑤ 박테리오파지에는 '독성 파지'와 '용원성 파지'가 있다. '독성 파지'는 충분한 양의 박
문제 2 – ⑤ 관련 테리오파지가 복제되면 복제를 중단하고 세균의 세포벽을 파괴하는 효소를 만든다. 그
리고 그 효소로 세균의 세포벽을 터뜨리고 외부로 쏟아져 나온다. 이와 달리 '용원성 파
지'는 세균을 ㉤이용하는 것은 독성 파지와 같지만 세균을 파괴하지는 않는다. 대신 세
균 속에서 계속 기생하여 세균이 분열함에 따라 같이 늘어난다.
　　5문단 요약 답 박테리오파지에는 (독성) 파지와 (용원성) 파지가 있다.

해제 | 이 글은 세균에 기생하는 바이러스인 박테리오파지에 대해 설명하고 있다.
주제 | 박테리오파지의 구조 및 자기 복제 과정

지문 분석하기

	바이러스		박테리오파지(바이러스의 일종)	
개념	스스로는 증식할 수 없고 숙주 세포에 기생해야만 증식할 수 있는 감염성 병원체	독성	자신의 복제가 끝나면 숙주로 삼은 세균을 파괴함.	
구성 물질	유전 물질 + 단백질 껍질	용원성	세균을 이용해 복제하지만 세균을 파괴하지는 않음.	

1 4문단에서 박테리오파지는 세균 속에서
세균의 내부 물질과 효소 등을 이용하여
새로운 박테리오파지를 형성할 유전 물
질과 단백질을 만들어 자신을 복제한다
고 하였다. 따라서 세포막 표면에 존재하
는 단백질을 복제하여 증식한다는 설명
은 적절하지 않다.

오답 풀이 ▶ ① 1문단에서 바이러스는 숙주 세
포에 기생해야만 증식할 수 있다고 하였고, 2문
단에서 박테리오파지는 바이러스의 일종이라
고 하였다.
③ 2문단에서 데렐이 환자의 분변에 이질균을
녹이는 물질이 있다는 것을 발견하고, 이를 박
테리오파지라고 불렀다고 하였다.

2 5문단에서 충분한 양의 박테리오파지가
복제되면 독성 파지는 세균의 세포벽을
파괴하는 효소를 만들어 그 효소로 세균
의 세포벽을 터뜨린다고 하였다. 따라서
세균 내부에 있는 효소가 스스로 세포벽
을 파괴하도록 박테리오파지가 유도한다
는 설명은 적절하지 않다.

오답 풀이 ▶ ① 박테리오파지가 세균을 만나면
우선 꼬리 섬유가 세균의 세포막 표면에 존재하
는 특정한 단백질, 다당류 등을 인식하여 복제
를 위해 이용할 수 있는 세균인지를 확인한다.
이에 따라 [B] 단계로의 진행 여부가 결정된다.
② 세균 표면에 자리를 잡은 박테리오파지는 머
리에 들어 있는 유전 물질만을 세균 내부로 침
투시킨다.
③ 세균 내부로 침투한 박테리오파지의 유전 물
질은 세균 내부의 DNA를 분해하여 숙주인 세
균이 제대로 기능하지 못하게 한다.
④ 세균의 내부 물질과 여러 효소 등을 이용하
여 새로운 박테리오파지를 형성할 유전 물질과
단백질을 만들어 낸다.

3 '존속(存續)'은 '어떤 대상이 그대로 있거
나 어떤 현상이 계속됨.'을 의미한다. '더
낫고 좋은 상태나 더 높은 단계로 나아
감.'은 '발전(發展)'의 의미이다.

 어휘 더 쌓기　　　　　　　본문 74쪽

1 (1) 차등　(2) 분변　**2** (1) ②　(2) ③　(3) ①
3 ①　**4** (1) ③　(2) ④　(3) ②　(4) ①

기술 07 컴퓨터를 진단하는 명령어, 핑

본문 76~77쪽

1 ③ **2** ④ **3** ③

① 컴퓨터 명령어 중 핑(Ping) 명령어는 컴퓨터 네트워크 상태를 점검, 진단하는 명령어이다. **『**핑 명령어는 네트워크 상태를 확인하려는 대상 컴퓨터 혹은 네트워크 기기에 일정 크기의 패킷을 보낸 후 대상 컴퓨터가 이에 대한 응답 메시지를 보내면 이를 수신하고 분석하여 대상 컴퓨터가 작동하는지, 대상 컴퓨터까지 도달하는 네트워크 상태가 어떠한지 파악할 수 있도록 한다.**』** 이때 전송할 수 있는 패킷의 최대 길이는 각 시스템에 따라 다른데, 최대 길이를 초과하는 데이터는 몇 개의 패킷으로 분할하여 전송된다.
[1문단 요약 답] (핑 명령어)는 컴퓨터 네트워크 상태를 점검하고 진단하는 명령어이다.

② **『**핑 명령어는 운영 체제에서 보조프로그램 안의 '명령 프롬프트'를 통해 실행할 수 있다.**』** 핑 명령어 바로 뒤에 공백을 두고 대상 컴퓨터의 IP 주소나 웹 사이트 등의 도메인 이름을 입력하는 것이다. 예를 들어, 대상 컴퓨터의 IP 주소가 123.123.123.123이면, 'ping 123.123.123.123'이라 입력 후 실행하면 결과가 출력된다. **『**출력 결과 중 위로부터 4줄은 핑 명령에 대한 대상 컴퓨터의 응답 상태를 나타낸다. '바이트=32 시간=1ms'라는 응답 메시지를 받았다면 32바이트 크기의 패킷을 보냈더니 대상 컴퓨터가 1ms(1/1000초) 만에 응답을 보냈다는 의미이다.**』** 이를 통해 대상 컴퓨터가 정상적으로 작동하고 대상 컴퓨터와의 네트워크 연결 상태도 원활하다고 판단할 수 있다.
[2문단 요약 답] 핑 명령어의 출력 결과를 통해 대상 컴퓨터의 작동 상태, 대상 컴퓨터와의 (네트워크) 연결 상태를 진단할 수 있다.

③ 만약 응답 시간이 길어졌다면 패킷 송수신에 병목 또는 지체가 발생하는 것이다. 핑 명령 수행 후 '요청 시간이 만료되었습니다.'라는 메시지가 출력됐다면, 대상 컴퓨터가 작동 불능이거나 대상 컴퓨터까지 네트워크 연결이 불가능하다는 것을 의미한다. 혹은 입력한 IP 주소, 도메인 주소가 틀렸을 수도 있다. 또한 자신의 컴퓨터에도 문제가 있을 수 있다. 혹시 자신의 컴퓨터에 문제가 있는 것으로 의심된다면 자신의 컴퓨터 IP 주소로 핑 명령을 수행하여 상태를 점검할 수 있다.
[3문단 요약 답] 핑 명령어를 통해 패킷 송수신의 (병목) 및 지체, 대상 컴퓨터의 작동 불능 등을 점검할 수 있다.

④ 핑 명령어에 대한 수신 메시지에는 TTL이라는 것이 표시된다. **『**TTL은 대상 컴퓨터에 보낸 응답 요청 패킷이 네트워크를 통해 전해져 제 역할을 수행할 수 있는 시간을 의미한다.**』** TTL은 대상 컴퓨터 및 네트워크 상태와는 무관하고, 시간을 기준으로 산출된다. TTL 값은 각 운영 체제마다 다르기 때문에 대상 컴퓨터의 운영 체제 종류와 버전도 짐작할 수 있다.
[4문단 요약 답] 핑 명령어에 대한 출력 메시지에 표시되는 (TTL)을 통해 대상 컴퓨터의 운영 체제 종류, 버전을 짐작할 수 있다.

⑤ **『**그런데 무분별한 핑 명령어의 사용은 컴퓨터 또는 웹 사이트에 치명적인 장애를 유발할 수 있다. 만약 수십 대에서 수백 대 이상의 컴퓨터에서 특정 컴퓨터 또는 웹 사이트로 집중하여 핑 명령을 실행하면 해당 컴퓨터 또는 사이트는 정상적인 작동이 불가능해진다.**』**
[5문단 요약 답] 무분별한 핑 명령어의 사용은 컴퓨터 또는 웹 사이트에 치명적인 (장애)를 유발할 수 있다.

해제 | 이 글은 핑 명령어를 소개하고, 핑 명령어의 출력 결과를 통해 확인할 수 있는 내용에 대해 설명하고 있다.
주제 | 핑 명령어의 기능과 핑 명령어의 출력 결과를 통해 판단할 수 있는 것

지문 분석하기

핑 명령어의 실행	바이트, 시간 등의 표시	대상 컴퓨터의 정상 작동, 대상 컴퓨터와의 네트워크 연결 원활	TTL을 통해 대상 컴퓨터의 운영 체제 종류, 버전을 짐작할 수 있음.
	요청 시간 만료 표시	대상 컴퓨터의 작동 불능, 대상 컴퓨터와의 네트워크 연결 불가능, IP 주소 혹은 도메인 주소 오류, 자신의 컴퓨터 오류	

1 이 글에서는 핑 명령어가 컴퓨터 네트워크 상태를 점검, 진단하는 명령어라고 개념을 설명하면서 핑 명령어의 출력 결과를 통해 대상 컴퓨터의 작동 상태, 대상 컴퓨터와의 네트워크 연결 상태 등을 판단할 수 있다고 제시하고 있다.

(오답 풀이) ① 핑 명령어의 기능을 설명하였으나 핑 명령어를 활용할 수 있는 구체적 사례를 열거하고 있지는 않다.
⑤ 핑 명령어가 등장하게 된 경위를 설명하지는 않았다. 핑 명령어를 무분별하게 사용하면 발생할 수 있는 문제점에 대해서는 제시하고 있다.

2 1문단에서 '전송할 수 있는 패킷의 최대 길이는 각 시스템에 따라 다른데, 최대 길이를 초과하는 데이터는 몇 개의 패킷으로 분할하여 전송된다.'라고 하였다.

(오답 풀이) ① 3문단에서 '자신의 컴퓨터 IP 주소로 핑 명령을 수행하여 상태를 점검할 수 있다.'라고 언급하고 있다.
② 2문단에서 '핑 명령어는 운영 체제에서 보조프로그램 안의 명령 프롬프트를 통해 실행할 수 있다.'고 언급하고 있다.
③ 1문단에서 핑 명령어를 통해 '대상 컴퓨터까지 도달하는 네트워크 상태가 어떠한지 파악할 수 있'다고 언급하고 있다.
⑤ 5문단에서 '수백 대 이상의 컴퓨터에서 특정 컴퓨터 또는 웹 사이트로 집중하여 핑 명령을 실행하면 해당 컴퓨터 또는 사이트는 정상적인 작동이 불가능해진다.'라고 언급하고 있다.

3 (나)에서 요청 시간이 만료되었다는 출력 메시지는 대상 컴퓨터가 작동 불능이거나 대상 컴퓨터까지 네트워크 연결이 불가능하다는 것을 의미한다. 패킷 송수신에 병목 또는 지체가 발생하면 응답 시간이 길어진다.

(오답 풀이) ① (가)의 출력 메시지는 32바이트 크기의 패킷을 보냈더니 대상 컴퓨터가 1ms 만에 응답을 보냈다는 의미이다. 그러므로 (가)에서 핑 명령의 대상 컴퓨터는 정상적으로 작동하고 있는 것이다.
⑤ TTL 값은 각 운영 체제마다 다르다고 하였으므로 (가), (다) 핑 명령의 대상 컴퓨터 운영 체제는 서로 다른 것이다.

1 ④　　**2** ④　　**3** ⑤

① 이산화 탄소에 의한 지구 온난화로 기상 이변이 빈번해지면서 최근 이산화 탄소 포집 및 저장 기술인 CCS(Carbon Capture & Storage) 기술이 주목을 받고 있다. CCS 기술은 화석 연료를 사용하는 화력 발전소, 제철소 등에서 발생하는 대량의 이산화 탄소를 고농도로 포집한 후 땅속에 저장하는 기술이다.
<small>CCS 기술의 개념, 문제 1 - ① 관련</small>

<u>1문단 요약답</u> **CCS 기술**은 대량의 이산화 탄소를 고농도로 포집한 후 땅속에 저장하는 기술이다.

② CCS 기술에는 '연소 후 포집 기술', '연소 전 포집 기술', '순산소 연소 포집 기술'이
<small>CCS 기술의 종류, 문제 1 - ② 관련</small>
있다. 연소 후 포집 기술은 화석 연료가 연소될 때 생기는 배기가스에서 이산화 탄소를 분리하는 방법이고, 연소 전 포집 기술은 화석 연료에 존재하는 이산화 탄소를 연소 전 단계에서 분리하는 방법이다. 순산소 연소 포집 기술은 화석 연료를 연소시킬 때 공기
<small>문제 3 - ⑤ 관련</small>
대신 산소를 주입하여 고농도의 이산화 탄소만 배출되게 함으로써 별도의 분리 공정 없이 포집할 수 있는 기술이다. 이 중 연소 후 포집 기술은 이산화 탄소 발생원에 직접 적용할 수 있는 방법으로 화력 발전소를 중심으로 실용화되기 시작하면서 CCS 기술의 핵심 분야로 떠오르고 있다. 연소 후 포집 기술은 흡수, 재생, 압축, 수송, 저장 등의 다섯 공정으로 나뉘어 진행된다.

<u>2문단 요약답</u> CCS 기술에는 연소 후, 연소 전, 순산소 연소 포집 기술이 있는데, **연소 후 포집 기술**이 핵심 분야로 떠오르고 있다.

③ 배기가스에는 물, 질소, 10~15% 농도의 이산화 탄소가 포함되어 있다. 이 배기가스는 먼저 흡수탑 하단으로 들어가서, 흡수탑 상단에서 주입되는 흡수제와 접촉하게 된다. 흡수제에는 기공(미세 구멍)이 무수히 많이 뚫려 있는데 이 기공에 이산화 탄소가 유입되면 화학 반응을 일으키면서 달라붙게 된다. 흡수제가 배기가스에서 이산화 탄소
<small>문제 2 - ② 관련</small>
만을 선택적으로 포집하면 물과 질소는 그대로 굴뚝을 통해 대기 중으로 배출된다. 흡
<small>문제 2 - ① 관련</small>
수제가 이산화 탄소를 포집할 수 있는 한계, 즉 <u>흡수 포화점에 다다르면 흡수제는 연결</u>
<small>문제 2 - ③ 관련</small>
<u>관을 통해 재생탑 상단으로 이동하여</u>, 여기에서 고온의 열처리 과정을 거치게 된다. 흡수제에 달라붙어 있던 이산화 탄소는 130℃ 이상의 열에너지를 받으면 기공 밖으로 빠져나오게 되고, 이산화 탄소와 분리된 흡수제는 다시 이산화 탄소를 포집할 수 있는 원래의 상태로 재생된 후, 흡수탑 상단으로 보내져 재사용된다. 이처럼 흡수제가 이산화 탄소를 포집하고 흡수제가 다시 재생되는 흡수와 재생 공정을 반복하면 90% 이상 고농도의 이산화 탄소를 모을 수 있게 되는데, 이렇게 모아진 <u>이산화 탄소는 이송에 편리</u>
<small>문제 2 - ⑤ 관련</small>
<u>하도록 압축기에서 압축 공정을 거치게 된다.</u> 압축된 이산화 탄소는 수송 시설을 통해 땅속의 저장소로 이송되고, 저장소로 이송된 이산화 탄소는 800m 이상의 깊이에 있는 폐유전이나 가스전 등에 주입되어 반영구적으로 저장된다.

<u>3문단 요약답</u> 연소 후 포집 기술은 흡수, 재생, **(압축)**, **(수송)**, 저장 등의 다섯 공정으로 진행된다.

④ 오늘날 CCS 기술은 지구 온난화를 막을 수 있는 가장 현실적인 대안으로 인정받고
<small>CCS 기술의 필요성, 문제 1 - ③ 관련</small>
있다. 하지만 공정을 진행하는 과정에서 많은 에너지가 소요되는 것은 극복할 과제이
<small>CCS 기술이 극복해야 할 과제, 문제 1 - ③ 관련</small>
다. 이에 따라 현재 진행되고 있는 연소 후 포집 기술의 핵심적 연구는 흡수 포화점이 향상된 흡수제를 개발하여 경제성이 높은 이산화 탄소 포집 기술을 구현하는 방향으로
<small>CCS 기술의 전망</small>
진행되고 있다. <u>4문단 요약답</u> CCS 기술은 **(경제성)**을 높이는 방향으로 연구가 진행되고 있다.

해제 | 이 글은 이산화 탄소를 처리하는 CCS 기술의 포집 및 저장 과정에 대해 설명하고 있다.
주제 | CCS 기술의 포집 및 저장 과정

지문 분석하기

CCS 기술	연소 후 포집 기술의 과정	발전 전망
이산화 탄소 포집 및 저장 기술	흡수 → 재생 → 압축 → 수송 → 저장	흡수 포화점이 향상된 흡수제를 개발하여 경제성을 높이는 방향으로 연구 진행
종류: 연소 후 포집 기술, 연소 전 포집 기술, 순산소 연소 포집 기술		

---

1 CCS 기술의 공정에 초점을 맞추어 서술하고 있는 글로, CCS 기술의 개발 과정을 설명하고 있지는 않다.

오답 풀이 ③ 4문단에서 CCS 기술이 지구 온난화를 막을 수 있는 가장 현실성 있는 대안이라고 언급하면서 그 필요성을 제시하고 있다.

2 흡수제가 이산화 탄소의 열을 흡수하는 것이 아니라 열처리 과정에서 흡수제에 달라붙어 있던 이산화 탄소가 열에너지를 공급받는 것이므로 적절하지 않다.

오답 풀이 ① 배기가스에는 물, 질소, 이산화 탄소가 포함되어 있는데, 흡수제는 이 중에서 이산화 탄소만을 선택적으로 포집하는 것이기 때문에 물과 질소는 굴뚝을 통해 그대로 배출된다.
② 흡수탑에서는 흡수제에 유입된 이산화 탄소가 화학 반응을 일으키면서 달라붙게 된다.
③ 흡수 포화점에 다다른 흡수제는 연결관을 통해 재생탑 상단으로 이동되어 재생 공정을 거치게 된다.
⑤ 포집된 고농도의 이산화 탄소는 이송에 편리하도록 압축기에서 압축된다.

3 화석 연료를 연소시킬 때 공기 대신 산소를 주입하면 고농도의 이산화 탄소만 배출되기 때문에 이산화 탄소만을 분리하는 공정을 생략할 수 있다.

오답 풀이 ① 흡수 포화점에 다다르면 흡수제는 고온의 열처리 과정을 거치게 되고 흡수제에 달라붙어 있던 이산화 탄소는 기공 밖으로 빠져나온다. 이 과정을 통해 흡수제는 다시 원래의 상태로 재생된다. 따라서 흡수 포화점이 낮아지면 흡수와 재생 공정의 반복 횟수가 늘어나게 된다.
② 흡수제에 달라붙어 있던 이산화 탄소는 130℃ 이상의 열에너지를 받아야 기공 밖으로 빠져나오게 된다. 따라서 냉각 장치가 아니라 가열 장치가 필요하다.
③ 이산화 탄소는 800m 이상의 깊이에 있는 폐유전이나 가스전 등에 주입되어 반영구적으로 저장된다.
④ 이산화 탄소는 이송에 편리하도록 압축 공정을 거친다고 했으므로, 배기가스가 배출되는 장소와 이산화 탄소를 저장하는 장소가 멀수록 이산화 탄소의 압축률을 높이는 게 유리하다.

예술 09 **2차원에서 3차원을 표현하는 방법** 본문 80~81쪽

1 ② **2** ③ **3** ⑤

① 동서양을 막론하고 회화에서 공간감을 표현하는 것은 중요하면서도 어려운 과제였다. 3차원의 공간에 존재하는 입체적인 대상을 2차원인 평면에 묘사하여 3차원의 입체감이 느껴지도록 하는 것은 쉬운 일이 아니었기 때문이다. 그래서 동서양의 회화에서는 입체감을 표현하기 위해 다양한 시도를 하였는데, 동서양에는 방법적인 차이가 있었다. **[1문단 요약 답]** 동서양 회화에서 (**입체감**)을 표현하기 위해 사용한 방법에는 차이가 있다.

② 서양 회화에서 주로 사용한 방법은 ⊙'투시 원근법'으로, 르네상스 시대에 체계화되었다. **문제 2 - ② 관련** **서양 회화에서 공간감을 표현하는 방법** **문제 2 - ① 관련** 우리의 눈앞에 수직으로 나란히 놓인 평행선은 우리의 눈에서 계속 멀어지면 결국 수평선에서 하나의 점으로 만나게 된다. 철로나 도로 등에서 쉽게 볼 수 있는 이런 시각적 현상에 서양 화가들은 오래전부터 주목해 왔는데, 르네상스 시대에 이르러 소실점으로 모여드는 평행선을 이용해 입체감을 극대화한 투시 원근법을 사용하게 되었다. **문제 2 - ⑤ 관련** 투시 원근법적인 화면 구성은 실제 우리 눈에 보이는 것과 매우 유사해서 사실적인 **문제 2 - ④ 관련** 느낌을 줄 뿐만 아니라 화면 구성에 통일성을 부여하기도 쉽기 때문에, 서양 미술에서 원근감을 표현하는 데 매우 유용하게 사용되어 왔다. **[2문단 요약 답]** 서양 회화에서 주로 사용한 방법은 (**투시 원근법**)으로, 소실점으로 모여드는 평행선을 이용해 입체감을 극대화하였다.

③ 한편, 동양 회화에서 입체감은 고원법, 평원법, 심원법 등의 방법을 통해 표현되었다. **동양 회화에서 공간감을 표현하는 방법 – 삼원법** 고원법은 밑에서 위를 올려다본 상태, 즉 산 아래에서 산의 정상을 올려다볼 때 생기는 원근감을 표현한 것으로, 경관의 웅장함과 위압감을 효과적으로 표현하는 데 이용되었다. 평원법은 대상을 수평적 시각에서 보는 것으로, 평평한 공간의 넓이감을 표현하여 자연의 광활함이 잘 느껴질 수 있도록 하는 데 유리하였다. 그리고 심원법은 위에서 아래를 내려다보는 것과 같은 느낌을 주는 표현법으로, 자연의 깊이감을 느끼게 하였다. 이와 같이 동양 회화는 서양 회화와는 다른 방법을 통해 입체감을 드러냄으로써 독특한 공간감을 표현할 수 있었다. **[3문단 요약 답]** 동양 회화에서 입체감은 고원법, 평원법, (**심원법**) 등의 방법을 통해 표현되었다.

④ 그런데 동양 회화에서는 삼원법의 특징들이 한 화면에 동시에 나타나기도 하고, 대상에 따라 시점을 달리하여 표현하기도 하였다. 이것은 '나'를 중심에 놓기보다 바라보는 대상의 특징을 보다 잘 드러내려는 사고가 반영된 것이라고 할 수 있다. 이것은 서양 **서양 회화와 구별되는 동양 회화의 특징** 회화의 투시 원근법이 관찰자의 고정된 눈을 중심으로 대상의 멀고 가까움을 표현하려 했던 것과는 분명히 다른 점이라고 할 수 있다. **문제 2 - ③ 관련** **[4문단 요약 답]** 동양 회화에서 (**삼원법**)의 특징이 한 화면에 동시에 나타나는 것은 (**대상**)의 특징을 잘 드러내기 위한 것이다.

해제 | 이 글은 동서양 회화의 차이점을 중심으로 공간감을 표현하는 여러 방법을 설명하고 있다.
주제 | 동서양 회화에 나타난 공간 표현의 특징

지문 분석하기

| 회화에서 공간감을 표현하려는 시도 | 서양 (투시 원근) | 소실점으로 모여드는 평행선을 이용해 입체감을 극대화함. | 관찰자가 중심이 됨. |
| | 동양 (삼원법) | • 고원법: 아래에서 위를 올려다볼 때 생기는 원근감 표현
 • 평원법: 수평적 시각으로 평평한 공간의 넓이감 표현
 • 심원법: 아래를 내려다보는 듯한 깊이감 표현 | 대상에 따라 시점을 달리함. |

1 이 글은 동서양 회화의 차이점을 중심으로 회화에서 공간감을 어떻게 표현하고 있는지 설명한 글이다.

오답 풀이 ① 동서양 회화에서 입체감을 표현하는 방법의 차이만 다루고 있을 뿐, 양식 전반의 차이점을 다루고 있는 것은 아니다. 또한 투시 원근법은 서양 회화에서 사용한 방법으로, 글의 일부이므로 제목으로 적절하다고 볼 수 없다.
③ 서양화의 투시 원근법을 설명하였으나, 원근을 표현하는 다른 방법들에 대해서는 설명하지 않았다.
④ 서양 회화에서 사용된 원근 표현의 중심 원리는 나타나 있지만 산수화의 과학적 원리를 중심으로 원근 표현의 전반을 설명한 것은 아니다.
⑤ 평면 위에 표현하는 3차원의 세계를 설명했다고 볼 수 있으나 이것이 미술사의 전개 과정을 중심으로 설명된 것은 아니다.

2 투시 원근법은 관찰자의 고정된 눈을 중심으로 대상의 멀고 가까움을 표현하려 한 것이므로, 관찰자의 시각을 다양하게 하여 입체감을 극대화하였다는 설명은 적절하지 않다.

오답 풀이 ① 르네상스 시대에 이르러 투시 원근법을 사용하게 되었다.
② 투시 원근법은 서양 회화에서 원근 표현을 위해 주로 사용해 온 방법이다.
④ 투시 원근법을 활용하여 화면을 구성하면 실제 우리 눈에 보이는 것과 매우 유사하게 사실적으로 표현할 수 있다.
⑤ 투시 원근법은 소실점으로 모여드는 평행선을 이용해 입체감을 극대화한 표현법이다.

3 [A]와 [B]는 고원법, 평원법, 심원법 등의 표현 방법을 복합적으로 활용하고 있으며, 이는 서양 회화와 구별되는 동양 회화의 특징이라고 할 수 있다.

오답 풀이 ① 고원법은 아래에서 위를 올려다본 것처럼 표현하는 것이다.
② 경관의 웅장함과 위압감을 효과적으로 나타내려면 아래에서 위를 올려다본 것처럼 표현해야 한다.
③ 위에서 아래를 내려다볼 때 깊이감이 잘 표현된다.
④ [A]와 [B]는 관찰자를 중심으로 표현한 것이 아니라 대상에 따라 시점을 달리하여 표현하였다.

1 ② **2** ③ **3** ④

① 근대 건축에서 **빼놓을** 수 없는 인물이 안토니오 가우디이다. 가우디는 기존 건축의 어떠한 흐름에도 얽매이지 않은 역사상 가장 창의적인 건축가였다. 그는 아이디어의
〈가우디에 대한 역사적 평가〉
원형을 자연에서 찾아 바르셀로나에 합리적이고 아름다운 건축물들을 만들어 냈다.
〔1문단 요약 답〕 (가우디)는 기존 건축의 어떠한 흐름에도 얽매이지 않은 창의적인 건축가였다.

② 그가 살았던 1900년대 바르셀로나에서는 위생적이지 못한 도시 환경을 개조하기 위해 '에이샴플라'라는 이름의 도시 계획 공모전을 열었고 바르셀로나 전체를 그림과 같이 20m 폭의 도로로 둘러싼 정사각형 모양의 주거 블록으로 채우는 획기적인 결정을 했다. 블록의 높이는 모든 건물에 빛이 45도로 내리쬘 수 있도록 6층 높이 이하로 제한했다. 이로써 도심 주택에 어느 정도 채광과 환기가 이루어졌지만 ㉠블록 모퉁이에
〈정사각형 주거 블록의 문제점〉
지어진 집은 햇빛과 바람이 잘 들지 않았다.
〔2문단 요약 답〕 1900년대 바르셀로나에서 추진된 에이샴플라는 블록 모퉁이에 지어진 집의 (채광)과 통풍 문제를 남겼다.

③ 밀라는 모퉁이에 지을 자신의 집을 가우디에게 의뢰했다. 가우디는 이 문제를 해결하기 위해 수직과 수평에 근거한 고전적인 건축의 엄격함을 벗어던지고, 자유로운 형
〈창의적인 발상을 통한 문제의 해결〉
태로 건물을 디자인함으로써 역동감과 활기가 느껴지는 자연스러운 건물을 설계했다. 그는 지붕을 햇빛 방향에 따라 비스듬하게 설계하고 옥상 난간을 반투명 철망으로 만
〈구체적인 문제 해결 방법, 문제 1 - ② 관련〉
들어 주택 안으로 빛과 바람이 최대한 들어올 수 있게 하였다. 그뿐만 아니라 철골 구조를 적절하게 이용함으로써 석조 건물의 유기적인 형태를 만들어 냄과 동시에 당시 스페인에 하나도 없었던 철근 콘크리트 건물이라는 새로운 주거 환경을 마련하였다.
〔3문단 요약 답〕 가우디는 (자유로운 형태)로 건물을 디자인함으로써 블록 (모퉁이)에 지어진 집이 가지는 문제점을 해결하였다.

④ 바르셀로나에는 카사 밀라(밀라의 집) 말고도 다양한 ㉡가우디의 건축물이 남아 있다. '뼈로 지은 집'이라는 별명이 있는 '카사 바트요'는 창문과 창살이 뼈 모양으로 디자인되어 있다. '구엘 공원'에는 자연을 돌 자체로 묘사해 놓은 '돌로 만든 세상'이 펼쳐져 있기도 하다. '사그라다 파밀리아 성당'의 기둥에는 플라타너스 나무의 모습을 덧입혔다. 이와 같은 가우디의 건축물들은 '자연은 나의 스승이다'라는 그의 말처럼 자연에서 작품의 모티프를 따와 대부분 직선이 없고 포물선과 나선 등 수학적인 곡선이 주를 이
〈가우디 건축물의 특징〉
룬다.
〔4문단 요약 답〕 바르셀로나에는 (자연)에서 (모티프)를 따온 다양한 가우디의 건축물이 남아 있다.

⑤ 그렇다고 가우디가 단순히 자연을 흉내만 낸 것은 아니다. 그는 10여 년의 세심한 관찰과 실험을 통해 다중 현수선 모형을 고안하여 중력까지 치밀하게 계산한 건축 모형을 만들었다. 그 결과 고딕 건축에서 필수적인 버팀벽 없이 날렵하고 균형 잡힌 건축물을 설계할 수 있었다. 이러한 기술력과 창의성의 결합체인 사그라다 파밀리아 성당은 거대한 조각품과 같은 예술성을 보여 준다. 그는 자연을 본뜨는 것에 그치지 않고 중력이라는 자연의 본성을 합리적으로 사고함으로써 건축에 감성을 담아낼 수 있었다.
〔5문단 요약 답〕 가우디는 자연을 본뜨는 것에 그치지 않고 자연의 (본성)을 합리적으로 사고하여 건축물을 설계하였다.

해제 | 이 글은 가우디의 건축물에 나타난 여러 가지 특징들을 분석하여 설명하고 있다.

주제 | 가우디 건축의 특징

지문 분석하기

가우디		
가장 창의적인 건축가로 평가받음.	자유로운 형태	채광 및 통풍 문제 해결
	철골 구조 이용	새로운 주거 환경 마련
	자연의 모티프 이용	곡선이 주를 이루는 건축물
	중력의 치밀한 계산	버팀벽 없이 균형 잡힌 건축물 설계

1 3문단에서 가우디는 지붕을 햇빛 방향에 따라 비스듬하게 설계하고(ㄱ) 옥상 난간을 반투명 철망으로 만들어(ㄹ) 주택 안으로 빛과 바람이 최대한 들어올 수 있게 하였다고 언급하고 있다.

2 가우디는 수직과 수평에 근거한 고전적인 건축의 엄격함을 벗어던지고, 자유로운 형태로 건물을 디자인함으로써 역동감과 활기가 느껴지는 자연스러운 건물을 설계했다고 하였다. 따라서 수직과 수평을 조화시켜 만들어 낸 역동감을 가우디 건축물에 담긴 정신으로 보는 것은 적절하지 않다.

오답 풀이 ① 가우디의 건축물에는 포물선과 나선 등 수학적인 곡선이 주를 이룬다고 하였다.
② 가우디는 대부분 자연에서 작품의 모티프를 따와 자연물의 모습을 닮은 건축물을 지었다고 하였다.
④ 가우디는 고전적인 건축의 엄격함을 벗어던지고, 자유로운 형태로 건물을 디자인하였다고 하였다.
⑤ 가우디는 10여 년의 세심한 관찰과 실험을 통해 다중 현수선 모형을 고안하여 중력까지 치밀하게 계산한 건축 모형을 만들었다고 하였다.

3 안토니오 가우디와 몬드리안의 공통점은 모티프 선정의 근거를 자연에서 찾은 것이다. 몬드리안은 나무와 바다에서 모티프를 찾았고 가우디는 자연에서 작품의 모티프를 찾았다.

오답 풀이 ① 가우디는 바르셀로나에서 활동한 것을 확인할 수 있지만 몬드리안은 어디에서 활동하였는지 확인할 수 없다.
② 몬드리안은 선과 색채를 이용해 그림을 그렸으며 가우디는 철근 콘크리트 등을 이용해 건축을 하였다.
③ 몬드리안은 예술과 과학에 공통적으로 적용할 수 있는 불변의 법칙을 찾기 위해 그림을 그렸으며 가우디는 밀라의 의뢰를 받아 카사 밀라를 설계했다.
⑤ 몬드리안은 수직과 수평으로 대상을 단순화하였지만 가우디는 수직과 수평에 근거한 고전적인 건축의 엄격함을 벗어던졌다.

통합 **11** 선조들이 선택한 지붕 곡면, 사이클로이드 본문 84~85쪽

1 ①   **2** ④   **3** ②

① 한옥 지붕의 조형미는 단연 매끄러운 곡선에 있다. 한국다운 곡선미의 대표적인 예로, 한 획을 휙 그은 서예의 부드러운 힘 같기도 하고 북소리에 맞춰 돌아가는 가락 같기도 하다. 곡선으로 휘었지만 정면에서 보면 갓을 눌러쓴 선비의 절제된 몸가짐을 보여 준다. 한옥 지붕에는 이러한 아름다움뿐만 아니라 자연환경을 고려한 선조들의 지혜 또한 담겨 있다.
한옥 지붕의 곡선에 대한 비유
〈1문단 요약 답〉 한옥 지붕에는 한국다운 곡선미뿐만 아니라 (**자연환경**)을 고려한 선조들의 지혜가 담겨 있다.

② 비가 오는 날 지붕의 주된 역할은 떨어진 빗물을 서둘러 아래로 흘려보내는 것이다. 우리나라처럼 집중 호우가 많은 곳에서 빗물을 빨리 흘려보내지 못하면 지붕으로 물이 스며들게 되고, 결국 목조가 썩어 구조적으로 안정성이 떨어질 수 있다. 『선조들은 유연한 경사면의 지붕을 만들었고, 여기에 암키와와 수키와를 번갈아 얹어 놓음으로써 비가 오면 유연한 곡면이 만든 기왓골의 곡선을 따라 빗물이 아래로 흐르도록 했다.』
『 』: 한옥의 취약점을 보완하기 위한 선조들의 지혜
〈2문단 요약 답〉 선조들은 집중 호우가 많은 우리나라의 (**날씨**)를 고려해 유연한 (**경사면**)의 지붕을 만들어 빗물을 빨리 흘려보냈다.

③ 빗물이 흘러내리는 ㉠기왓골 곡선은 사이클로이드 곡선의 형태를 띠고 있다. 사이클로이드는 바퀴라는 의미의 그리스어로, 원 위에 점을 하나 찍고 원을 직선 위에 굴렸을 때 그 점이 그리는 자취를 말한다.
한옥 지붕에 적용된 원리
〈3문단 요약 답〉 (**기왓골**) 곡선은 사이클로이드 곡선의 형태를 띠고 있다.

④ 그렇다면 기왓골 곡선에 군이 사이클로이드를 적용한 이유는 무엇일까? 직선과 사이클로이드의 경사로로 만든 미끄럼틀 위에서 동시에 공을 굴려 보는 실험을 했을 때, 직선 경사로에 놓인 공이 경사로의 길이가 짧아서 더 빨리 내려갈 것이라는 예상과 달리, 사이클로이드 경사로를 따라 내려간 공이 더 빨리 내려갔다. 이는 중력과 관련이 있다. 사이클로이드 경사로를 따라 막 출발한 초기에는 중력 가속도가 커서 빠르게 윗부분을 통과하고, 아랫부분의 완만한 지점에서는 관성으로 내려가게 된다. 즉 사이클로이드 곡선 위의 각 지점에서의 속도는 모두 다르며, 사이클로이드는 직선보다 더 먼 거리를 돌아가면서도 더 빨리 도착하게 되는 것이다. 한마디로 사이클로이드는 '직선보다 빠른 곡선'인 셈이다.
선조들이 사이클로이드를 기왓골 곡선에 적용한 이유
〈4문단 요약 답〉 (**사이클로이드**)는 직선보다 빠른 곡선이다.

⑤ 직선처럼 급하게 질러가지도, 그렇다고 너무 돌아가지도 않으면서 가장 빨리 도착점에 도달하는 가장 이상적인 경로! 선조들은 특별한 성질을 가지고 있는 사이클로이드를 단순히 멋을 내기 위한 것이 아닌, 수백 년에 걸쳐 한옥이 가진 취약점을 보완하는 과정에서 가장 적절한 모양으로 선택한 것이었다. 목조 건물이기에 비가 왔을 때 빗물이 최대한 빨리 떨어지도록 해야 했던 조상들의 지혜가 발휘된 것으로, 이는 한옥이 자연환경을 고려한 건축물이었음을 보여 주는 특징적인 사례이기도 하다.
〈5문단 요약 답〉 사이클로이드 모양을 띤 기왓골 곡선은 한옥의 (**취약점**)을 보완하기 위한 것으로 조상들의 지혜가 발휘된 것이다.

해제 | 이 글은 한옥 지붕에 적용된 원리인 사이클로이드를 구체적으로 설명하면서, 한옥이 가진 취약점을 보완하기 위하여 가장 적절한 모양을 선택한 선조들의 지혜를 강조하고 있다.
주제 | 선조들의 지혜가 담긴 한옥의 기왓골 곡선
출전 | 오혜정, 《수학 언어로 문화재를 읽다》

지문 분석하기

한옥 지붕의 기왓골 곡선 — 직선보다 빠른 곡선인 사이클로이드 형태를 띰. ┬ 집중 호우가 많은 우리나라의 날씨를 고려하여 빗물을 빨리 아래로 흘려보냄.
└ 한옥의 취약점을 보완하기 위한 것으로 조상들의 지혜가 발휘된 것임.

---

1 이 글은 한옥 지붕에 적용된 원리인 '사이클로이드'에 관해 구체적으로 설명하고 있다.

2 5문단에서 기왓골 곡선은 단순히 멋을 내기 위한 것이 아닌, 한옥이 가진 취약점을 보완하는 과정에서 가장 적절한 모양을 선택한 것이라고 하였다. 이는 기왓골 곡선이 실용성을 극대화하기 위한 것이라고 볼 수 있다. 따라서 기왓골 곡선이 실용성보다 예술성을 극대화하기 위한 것이라는 내용은 적절하지 않다.

오답 풀이 ▶ ①, ② 2문단에서 우리나라처럼 집중 호우가 많은 곳에서 빗물을 빨리 흘려보내지 못하면 목조가 썩어 위험할 수 있기 때문에 유연한 곡면 지붕을 만들었다고 하였다. 이는 우리나라의 날씨 특성을 고려한 것이면서 목조 건물의 단점을 보완하기 위한 것이다.
③ 1문단에서 한옥 지붕의 매끄러운 곡선이 한국다운 곡선미의 대표적인 예라고 하였다.
⑤ 2문단에서 기왓골 곡선을 통해 빗물이 아래로 흐르도록 하였다고 제시되어 있다.

3 4문단에서 사이클로이드 곡선 위의 각 지점에서의 속도는 모두 다르다고 하였다.

오답 풀이 ▶ ① 직선 경사로의 길이가 짧다고 하였다.
③ 직선 경사로에 굴린 공보다 사이클로이드 경사로에 굴린 공이 먼저 바닥에 닿는다.
④ 사이클로이드 경사로에서 아랫부분의 완만한 지점에서는 관성으로 내려가게 된다.
⑤ 사이클로이드 경사로를 따라 공을 굴렸을 때 초기에는 중력 가속도가 커서 빠르게 윗부분을 통과한다고 하였다. 따라서 출발 초기에 해당하는 P_1과 P_2 지점을 지날 때의 중력 가속도는 나머지 지점을 지날 때의 중력 가속도보다 크다.

 어휘 더 쌓기   본문 86쪽

1 (1) 단연 (2) 채광 (3) 모티프 (4) 원근법
2 ① **3** ① **4** (1) ③ (2) ② (3) ① (4) ④

인문 **01** 조선 시대의 타임캡슐, 조선왕조실록 　　본문 90~91쪽

1 ②　　**2** ⑤　　**3** ④

① 《조선왕조실록》은 조선 태조부터 25대 철종에 이르는 472년간의 역사를 서술한 공식 국가 기록이다. 규장각에 소장되어 있는 완질은 약 6,400만 자에 이르는 방대한 분량으로 조선의 정치, 외교, 경제, 군사, 법률, 생활 등 각 방면의 역사적 사실을 망라하고 있으며, 유네스코 세계 기록 유산으로 등록되어 그 가치를 인정받고 있다.
〔1문단 요약 답〕《조선왕조실록》은 조선의 역사를 서술한 공식 국가 기록으로, (**세계 기록 유산**)으로 등록되었다.

② 실록의 편찬 과정은 다음과 같다. 『왕이 승하하면 임시로 실록청을 설치하고 영의정 이하 주요 관리들이 실록 편찬을 집행한다.』 실록청에서는 사관들이 전 왕대에 작성한 사초(史草)와 시정기(時政記) 등을 광범위하게 수집해 실록 편찬에 착수한다. 사초는 여러 자료들 중에서 중요한 사실을 추려 작성한 초초(初草)와, 초초의 내용을 수정하고 정리한 중초(中草), 『중초를 재수정하고 문장을 통일하는 정초(正草)의 작업 과정을 거쳐 실록에 수록되었다.』 실록이 완성되면 초초와 중초는 물에 씻어 그 내용을 모두 없앴는데, 이를 세초(洗草)라고 하였다.
〔2문단 요약 답〕실록의 자료로 (**사초**), 시정기 등을 수집하였으며, 사초는 초초, (**중초**), 정초의 작업 과정을 거쳐 실록에 수록되었다.

③ 『시정기는 춘추관의 사관이 서울과 지방의 각 관청에서 시행한 업무를 문서로 보고받아 중요 사항을 기록으로 남긴 것이다.』 시정기는 매년 책으로 편집되었으며, 실록의 주요 자료로 활용되었다. 시정기의 활용으로 실록은 왕 중심의 기록에서 벗어나, 천재지변, 의녀, 코끼리 등 왕과 직접 관련이 없는 내용까지 담을 수 있었다.
〔3문단 요약 답〕업무의 중요 사항을 기록한 (**시정기**)의 활용으로 실록은 왕 중심의 기록에서 벗어날 수 있었다.

④ 조선 시대의 주요 책들은 편찬이 완료되면 왕에게 바쳤지만 실록은 예외였다. 총재관이 완성 여부만 왕에게 보고한 뒤 봉안 의식을 거행한 후 사고에 보관했다. 왕의 열람을 허용할 경우 실록 편찬을 담당하는 사관의 독립성이 보장되지 못해 역사적 진실이 왜곡될 것을 우려했기 때문이다.
〔4문단 요약 답〕실록은 사관의 (**독립성**)을 보장하기 위해 왕의 열람을 금지하였으며, 완성 후 봉안 의식을 거쳐 사고에 보관하였다.

⑤ 실록은 봉안 의식을 치른 후 서울의 춘추관과 지방의 사고에 1부씩 보관했다. 조선 전기에는 춘추관을 비롯해 충주, 전주, 성주 등 지방의 중심지에 실록을 보관했으나 지방의 중심지는 화재와 약탈의 위험이 적지 않았다. 실제로 임진왜란을 겪으며 전주 사고본을 제외한 모든 실록이 소실되자 사고를 험준한 산지로 옮기게 되었다. 임진왜란 이후 사고는 춘추관, 강화도 마니산, 평안도 영변의 묘향산, 경상도 봉화의 태백산, 강원도 평창의 오대산에 설치되었다. 그 후 춘추관 소장 실록이 불탔는데 복구되지 않아 춘추관에서는 실록을 보관하지 않게 되었고, 묘향산 사고를 전라도 무주의 적상산으로, 마니산 사고를 인근의 정족산으로 옮기면서 조선 후기에는 정족산, 적상산, 태백산, 오대산의 4대 사고가 운영되었다. 이는 조선 왕조가 끝날 때까지 그대로 지속되었다.
〔5문단 요약 답〕실록은 조선 전기에는 서울 춘추관과 지방 (**중심지**)의 사고에, 후기에는 지방 (**산지**)의 사고에 보관하였다.

⑥ 이처럼 실록의 객관성과 공정성을 유지하기 위해 제도적 장치를 마련하고 실록의 안전한 보관을 위해 분산 보관의 원칙을 철저히 지킨 ⊙우리 선조들의 지혜는, 《조선왕조실록》이라는 세계적 기록 유산을 남겨 후대의 사람들이 역사를 연구하는 데 크게 기여하였다.
〔6문단 요약 답〕실록은 (**객관성**), 공정성, 보관의 안정성이 지켜져 후대에 전해질 수 있었다.

해제 | 이 글은 《조선왕조실록》의 편찬 과정과 보관, 기록 유산으로서 실록의 가치 등을 설명하고 있다.
주제 | 《조선왕조실록》의 편찬 과정과 실록의 가치
출전 | 신병주, 《규장각에서 찾은 조선의 명품들》

지문 분석하기

실록의 편찬 과정	실록의 보관		
실록청 설치 → 자료 수집 → 초초 작성 → 중초 작성 → 정초 작성	분산 보관의 원칙	조선 전기	조선 후기
		서울 춘추관, 지방 중심지의 사고 …▶	지방 산지에 위치한 사고

1 5문단에서 임진왜란 때 전주 사고의 실록을 제외한 모든 실록이 소실된 것을 알 수 있다.

〔오답 풀이〕▶ ① 5문단에서 조선 후기에는 지방의 정족산, 적상산, 태백산, 오대산의 4대 사고가 운영되었다고 언급하고 있다.
③ 3문단에서 실록은 왕 중심의 기록에서 벗어나 왕과 직접 관련이 없는 내용까지 포함하고 있다는 내용을 확인할 수 있다.
④ 4문단에서 조선 시대의 주요 책들은 편찬이 완료되면 왕에게 바쳤지만 실록은 예외였다는 내용을 확인할 수 있다.
⑤ 3문단에서 시정기는 서울과 지방의 각 관청에서 시행한 업무를 문서로 보고받아 춘추관에서 중요 사항을 기록으로 남긴 것으로, 매년 책으로 편집했다는 내용을 확인할 수 있다.

2 5문단에서 조선 전기에는 완성된 실록을 서울 춘추관을 비롯한 지방의 사고에 분산 보관하였다고 언급하고 있다.

〔오답 풀이〕▶ ① 2문단에서 왕이 승하하면 임시로 실록청을 설치하고 영의정 이하 주요 관리들이 실록 편찬을 집행했다는 내용을 확인할 수 있다.
② 2문단에서 실록의 편찬 자료로 사초와 시정기 등을 광범위하게 수집했다는 내용을 확인할 수 있다.
③ 2문단에서 정초는 중초를 수정한 것으로, 정초의 내용이 실록에 수록되었음을 확인할 수 있다.
④ 4문단에서 실록이 완성되면 총재관이 왕에게 완성 여부만을 보고하고 봉안 의식을 거행하였음을 확인할 수 있다.

3 2문단에서 초초와 중초의 내용은 세초를 통해 없앴다는 것을 확인할 수 있지만, 시정기를 없앴다는 내용은 찾아볼 수 없다.

〔오답 풀이〕▶ ①, ③ 5문단에서 서울과 지방의 여러 사고에 동일한 실록을 분산 보관하였음을 알 수 있다.
② 4문단에서 사관의 독립성을 보장하기 위해 왕의 실록 열람을 허용하지 않았음을 알 수 있다.
⑤ 5문단에서 지방의 중심지는 화재, 약탈의 위험이 적지 않아 임진왜란 이후 지방의 사고들을 모두 산지로 옮겼다는 내용을 확인할 수 있다.

인문 02 인성론의 3가지 학설

본문 92~93쪽

1 ②　　**2** ⑤　　**3** ②

① 중국 역사에서 전국 시대는 전쟁으로 점철된 시대였다. 여러 사상가들은 혼란한 정국을 수습하기 위한 대안을 마련하고자 하였는데, 이 과정에서 그들의 이론을 뒷받침할 형이상학적 체계로서의 인성론이 대두되었다. 인성론은, 『인간의 본성은 선하다는 성선설, 인간의 본성이 악하다는 성악설, 인간의 본성에는 애초에 선과 악이라는 구분이 전혀 없다는 성무선악설 등으로 분류될 수 있다.』 맹자와 순자를 비롯한 사상가들은 인간 본성에 대한 이론적 탐구에서 더 나아가 사회적·정치적 관점으로 인성론을 구성하고 변형시켜 왔다.
인성론의 등장 배경, 문제 1 - ② 관련
『　』: 인간 본성에 대한 세 가지 관점
[1문단 요약 답] 인간 (**본성**)에 대한 이론적 탐구에서 시작한 (**인성론**)은 사회·정치적 관점에서 변형되어 왔다.

② 맹자의 성선설이 국가 공권력에 저항하기 위해 호족들 및 지주들이 선한 본성을 갖춘 자신들을 간섭하지 말라는 이념적 논거로 사용되었다면, 순자나 법가의 성악설은 군주가 국가 공권력을 정당화할 때 그 논거로서 사용되었다. 성선설에서는 개체가 외부의 강제적인 간섭 없이도 '정치적 질서'를 낳고 유지할 수 있다고 본 반면, 성악설에서는 외부의 간섭이 없을 경우 개체는 '정치적 무질서'를 초래할 뿐인 존재라고 본 것이다.
문제 2 - ④ 관련
문제 2 - ③ 관련
문제 2 - ① 관련
[2문단 요약 답] 성선설은 (**국가 공권력**)에 저항하기 위한 논거로, 성악설은 국가 공권력을 (**정당화**)하는 논거로 사용되었다.

③ 한편 ㉠고자는 성무선악설을 통해 식욕과 같은 자연적인 욕구는 인간의 본성이므로 이를 정치적·윤리적 범주로서의 선과 악의 개념으로 다룰 수 없다고 주장했다. 그는 인간의 본성을 '소용돌이치는 물'로 비유했으며, 소용돌이처럼 역동적인 삶의 의지를 지닌 인간을 규격화함으로써 그 역동성을 마비시키려는 일체의 외적 간섭에 저항하는 입장을 취하였다.
문제 3 - ② 관련
[3문단 요약 답] 고자의 (**성무선악설**)은 인간 본성을 역동적인 것으로 간주하였다.

④ ㉡맹자는, 인간의 본성을 역동적인 것으로 간주한 고자의 인성론을 비판하였다. 맹자는 살아 있는 버드나무와 그것으로 만들어진 나무 술잔의 비유를 통해, 나무 술잔으로 쓰일 수 있는 본성이 이미 버드나무 안에 있다고 보았다. 맹자는 인간이 선천적으로 지닌 이러한 본성을 인의예지 네 가지로 규정하였다. 고통에 빠진 타인을 측은히 여기는 동정심, 즉 측은지심은 인간의 의식적 노력에서 나온 것이 아니라 불쌍한 타인을 목격할 때 저절로 내면 깊은 곳에서 흘러나온다고 본 것이 맹자의 관점이었다. 다시 말해 인간은 스스로의 노력으로 본성을 실현할 수 있는 존재, 즉 타인의 힘이 아닌 자력으로 수양할 수 있는 존재라고 보았다.
버드나무 - 인간의 본성, 나무 술잔 - 본성의 발현
인간의 본성에 해당하는 것
문제 2 - ⑤ 관련
[4문단 요약 답] 맹자는 인간이 선천적으로 (**인의예지**) 네 가지의 본성을 지니고 있으며 (**수양**)을 통해 이를 실현할 수 있다고 보았다.

⑤ 이러한 맹자의 성선설을 ㉢순자는 사변적이고 낙관적이며 현실 감각이 결여된 주장으로 보았다. 선한 인간이 되기 위해서 인간은 국가 질서, 학문 등과 같은 외적인 것에 의존할 필요가 없다고 본 맹자의 논리는 현실 사회에서 국가 공권력과 사회 규범의 역할을 전적으로 부정하는 논거로도 사용될 수 있었기 때문이다. 인간에게 외적인 공권력과 사회 규범이 없는 경우를 가정한다면 『인간들은 자신들의 욕망 충족에 있어 턱없이 부족한 재화를 놓고 일종의 전쟁 상태에 빠지게 될 것이고, 그 결과 사회는 걷잡을 수 없는 무질서 상태로 전락하게 될 것』이라 본 순자는 맹자의 성선설이 비현실적일 뿐만 아니라 정치적 질서를 해칠 가능성이 있다고 생각한 것이다.
맹자의 성선설에 대한 순자의 비판
『　』: 인간에게 외적인 공권력과 사회 규범이 필요한 이유
[5문단 요약 답] 순자는 외적인 (**공권력**)과 사회 규범이 없으면 사회는 (**무질서**) 상태로 전락할 것이라 보았다.

해제 | 이 글은 인성론의 세 가지 학설을 성선설, 성악설, 성무선악설로 나누어 설명하고 있다.
주제 | 인성론의 세 가지 학설

지문 분석하기

| 인성론 | 맹자의 성선설 | 국가 공권력에 저항하는 근거로 사용 | ⟷ | 순자의 성악설 | 국가 공권력을 정당화하는 근거로 사용 | ─ | 고자의 성무선악설 | 인간 본성을 선과 악의 개념으로 다룰 수 없음. |

---

1 1문단에서 인성론의 등장 배경을, 3~5문단에서 고자의 성무선악설, 맹자의 성선설, 순자의 성악설 등 주요 사상가들의 견해를 확인할 수 있다.

오답 풀이 ① 성무선악설, 성선설, 성악설의 장단점을 비교하고 있지는 않다.
③ 인성론의 역사적 의의와 한계는 드러나 있지 않다.
④ 1문단에서 인성론이 등장한 시대적 상황은 언급되어 있으나 이에 관한 구체적 자료는 제시되어 있지 않다.
⑤ 인성론의 세 견해를 제시하고 있으나 두 견해를 절충한 새로운 이론을 소개하는 것은 아니다.

2 4문단에서 맹자는 인간을 스스로의 노력으로 본성을 실현할 수 있는 존재, 즉 타인의 힘이 아닌 자력으로 수양할 수 있는 존재라고 보았음을 확인할 수 있다.

오답 풀이 ① 성악설은 외부의 간섭이 없다면 정치적 무질서가 초래된다고 보았다.
② 국가 공권력을 정당화하는 논거로 사용된 것은 순자의 성악설이다.
③ 성무선악설은 자연적인 욕구는 인간의 본성이므로 이를 윤리적 범주로 다룰 수 없다고 주장하였다.
④ 호족들 및 지주들의 권리를 옹호하는 근거로 사용된 것은 맹자의 성선설이다.

3 미리엘 주교가 장발장이 은촛대를 훔쳤음에도 불구하고 자신이 선물로 준 것이라고 거짓을 말한 것은 장발장의 본성을 규격화하려는 행위로 볼 수 없다.

오답 풀이 ① 배고픔으로 인한 식욕은 인간의 자연스러운 욕구로서 고자가 주장한 인간의 본성에 해당한다.
③ 미리엘 주교가 장발장에게 쉴 곳을 마련해 준 것은 맹자가 주장한 측은지심에서 비롯된 행동으로 볼 수 있다.
④ 맹자의 관점에서 장발장의 선행은 장발장이 타고난 선한 본성을 실현하려는 노력으로 볼 수 있다.
⑤ 장발장이 빵을 훔친 잘못으로 체포되어 감옥에 갇힌 것은 순자의 관점에서 볼 때 악한 본성을 제어하기 위해서 필요한 사회 규범을 적용한 것이다.

1 ⑤   **2** ②   **3** ②

①『사회가 점차 복잡해지고 그 영역이 확대되어 가고 있다. 이러한 상황에서 우리는 텔레비전을 통해 간접적으로 다양한 정보를 얻는다.』 텔레비전 정보 중 특히 뉴스는 우리가 현실을 인지하고 받아들이는 데 지대한 영향을 끼친다. 이런 점에서 뉴스는 세계를 향해 열린 창 이라고 표현된다. 텔레비전 뉴스는 시청자들의 관심을 끌 만한『영상과 음성의 결합으로 생동감 넘치는 보도가 가능하며, 빠르게 전파될 수 있고, 여러 사람이 동시에 시청할 수 있다.』 이러한 현장성, 속보성, 동시성은 텔레비전 뉴스의 영향력을 끊임없이 키워 주고 있으며, 이에 따라 텔레비전 뉴스의 사회적 책임 또한 날로 커지고 있다.

『』: 사회적 변화와 텔레비전의 역할
문제 1 - ① 관련
『』: 텔레비전 뉴스의 특성
영향력, 파급력이 크기 때문에
1문단 요약 답 시청자에게 다양한 정보를 제공하는 (텔레비전 뉴스)의 영향력과 그 사회적 책임이 날로 커지고 있다.

② 그런데 텔레비전 뉴스는 신문 매체와는 다른 특성이 있다.『신문은 독자가 제목을 보고 관심 있는 뉴스만 골라서 읽고 싶은 순서대로 읽을 수 있지만, 텔레비전 뉴스는 시청자가 관심 있는 뉴스만 선택해서 보고 싶은 순서대로 볼 수 있는 여지가 적으며 방영 시간에도 제약이 있다.』 또한 텔레비전 뉴스는 뉴스를 전하는 앵커나 아나운서 등 전달자의 이미지가 시청자에게 큰 영향을 미칠 수 있는데,『앵커가 뉴스를 전달하는 순간의 어조나 어감과 같은 청각적 요소와 함께 외모와 표정 등의 시각적 요소가 메시지로 전달될 수 있기 때문이다.』 또 뉴스 전달자의 이미지는 시청자가 뉴스의 권위나 신뢰성을 판단하는 데 영향을 주기도 한다.

『』: 문제 1 - ③ 관련
시청자는 수동적 존재임.
뉴스 전달자의 태도에 영향을 받음.
『』: 문제 1 - ② 관련
뉴스 전달자에 따라 뉴스에 대한 인식이 바뀜.
2문단 요약 답 텔레비전 뉴스는 (신문) 매체와는 다른 특성이 있다.

③ 텔레비전 뉴스의 이러한 특성 때문에 ㉠뉴스를 '만들어지는' 혹은 '제작되는' 것이라고 보는 입장이 있다. 이러한 입장에서 뉴스를 통해 제공되는 현실은 드라마와 같이 일정한 제작 과정을 거쳐 의미 있는 것으로 만들어지는 것이다.『터크만은 뉴스란 이 세상의 수많은 사건과 무한한 세부 사항들 가운데 단편들을 선택하고 해석한 것이며, 따라서 뉴스는 단순한 사실들의 집합이나 사회상의 반영이 아닌 '구성된 현실'이라고 했다.』

만들어진 허구
뉴스가 주관적으로 만들어진 것이라는 것을 강조
『』: 문제 1 - ④ 관련
만들어진 것
3문단 요약 답 텔레비전 뉴스가 (제작)되는 것이라고 보는 입장이 있다.

④ 이와 반대로 ㉡텔레비전 뉴스가 사회적 현실을 가감 없이 그대로 전달할 수 있다는 입장도 있다. 이러한 입장은 텔레비전 뉴스가 드라마나 코미디처럼 가공된 세상이나 허구적 내용을 다루지 않고, 있는 그대로의 실제 세상을 다룬다는 점을 강조한다. 또한 이러한 입장에서는 텔레비전 뉴스가 객관적이고 공평하게 사회적 현실을 전하는 임무를 수행할 수 있다고 믿는다. 따라서 객관적이고 공평한 뉴스 전달을 해치는 요인들이 무엇이고 그것을 어떻게 제거할 것인가에 관심을 둔다.

뉴스가 객관적이고 공평하다는 것을 강조
제도나 장치 등에 관심을 둠.
4문단 요약 답 텔레비전 뉴스가 (현실)을 그대로 전달한다고 보는 입장이 있다.

⑤ 텔레비전 뉴스에 대한 상반된 입장은 텔레비전 뉴스를 대하는 우리의 태도를 돌아보게 한다. 우리는 텔레비전 뉴스를 통해 전달되는 현실의 모습, 해석 등을 비판적이고 주체적인 태도로 받아들여야 할 것이다.

뉴스를 받아들일 때 요구되는 태도
5문단 요약 답 텔레비전 뉴스를 (비판적), 주체적인 태도로 받아들일 필요가 있다.

해제 | 이 글은 텔레비전 뉴스의 특성과 뉴스를 바라보는 상반된 시각을 제시하며, 어떤 자세로 뉴스를 받아들이는 게 좋을지 서술하고 있다.
주제 | 텔레비전 뉴스의 특성과 뉴스를 대하는 태도를 점검할 필요성

지문 분석하기

텔레비전 뉴스의 특성	뉴스에 대한 2가지 입장		뉴스를 대하는 우리의 자세
• 현장성, 속보성, 동시성 • 내용을 선택해서 볼수 있는 여지가 적음. • 방영 시간의 제약 • 뉴스 전달자의 영향력이 큼.	주관적, 만들어진 것	객관적, 현실을 그대로 전달	비판적, 주체적인 태도가 필요함.

1 텔레비전 뉴스의 제작을 방해하는 요인은 드러나 있지 않다.

오답 풀이 ▶ ① 1문단에서 텔레비전이 현실을 인지하고 받아들이는 데 지대한 영향을 끼친다고 하였다.
② 1문단에서 텔레비전 뉴스는 영상과 음성의 결합이라고 하였으며, 2문단에서 청각적 요소와 시각적 요소가 메시지로 전달될 수 있다고 하였다.
④ 3문단에서 터크만이 뉴스를 단순한 사실들의 집합이나 사회상의 반영이 아닌 '구성된 현실'로 보았음을 확인할 수 있다.

2 〈보기〉에서 우리나라는 분단의 특수성과 민주화 과정에서 겪은 사건들 때문에 남북문제나 이념 문제에 대한 뉴스의 집중이 심하다고 하였다. 이는 뉴스가 세상의 수많은 사건 중 일부를 선택해 만들어졌기 때문이라고 볼 수 있다. 그러나 분단의 특수성과 민주화 과정의 사건들을 언급하는 것이 뉴스 전달자의 권위와 신뢰성을 약화시켜 왔다고는 볼 수 없다.

오답 풀이 ▶ ① 뉴스로서의 가치가 높다 하더라도 '보여 줄 만한' 영상이 없을 때 보도에서 배제하는 것은 뉴스가 만들어지는 것임을 의미한다고 할 수 있다.
③ 뉴스의 주제가 남북문제나 이념 문제에 집중되는 것은 뉴스에 일정한 의도가 있음을 보여 주는 것이라고 할 수 있다.
④ 〈보기〉에서 '관심을 끌 만한' 영상이 있을 때 가치 있는 뉴스로 취급할 수 있다고 하였으므로, 시청자의 관심을 끌 수 있는 생동감 있는 영상은 뉴스의 가치를 높인다고 할 수 있다.
⑤ 환경이나 노동 등의 주제가 소홀히 다뤄지는 것은 제한된 시간 내에 뉴스 방송을 해야 하기 때문에 발생하는 한계라고 할 수 있다.

3 '세계를 향해 열린 창'이라는 말은 우리가 세계에 대한 정보를 뉴스를 통해 얻고 있음을 비유한 표현이다. ㉠은 뉴스가 어떤 의도를 가지고 만들어진다고 보는 입장이므로, ㉠에서는 창의 모양이나 방향에 따라 창을 통해 접하는 세계에 대한 정보가 달라질 수 있다.

사회 04 금리를 알아야 하는 이유 본문 96~97쪽

사회 04 금리를 알아야 하는 이유 본문 96~97쪽

1 ② 2 ⑤ 3 ④

① 금리는 이자 금액을 원금으로 나눈 비율로 '이자율'이라고 한다. 자금의 수요자에게 _{금리의 개념, 문제 1 - ① 관련} 는 자금을 빌린 대가로 지급하는 비용이 발생하며, 공급자에게는 현재의 소비를 희생한 대가로 이자 수익이 생긴다. 금융 시장에서 금리는 자금의 수요자와 공급자를 연결시키는 역할을 한다. _{금리의 역할} 1문단 요약 답 │ 금리란 (이자 금액)을 원금으로 나눈 비율이며, 금융 시장에서 자금의 (수요자)와 공급자를 연결시키는 역할을 한다.

② 금리는 일반적으로 '명목 금리'와 '실질 금리'로 구분한다. 명목 금리는 금융 자산의 _{금리의 종류} 액면 금액에 대한 금리이며, 실질 금리는 물가 상승률을 감안한 금리로 명목 금리에서 _{명목 금리와 실질 금리의 개념, 문제 1 - ② 관련} 물가 상승률을 빼면 알 수 있다. 물가 상승률이 높아지면 돈의 실제 가치인 실질 금리는 낮아지고, 물가 상승률이 낮아지면 실질 금리는 높아진다. 예를 들어 1년 만기 정기 예금의 명목 금리가 6%인데 1년 사이 물가가 7% 올랐다면, 실질 금리는 −1%로 예금 가입자는 돈의 가치인 구매력에서 손해를 본 셈이다. 2문단 요약 답 │ 금리는 일반적으로 명목 금리와 (실질 금리)로 구분한다.

③ 그리고 명목 금리보다는 일정 기간 실현된 실제의 이자 수익률인 '실효 수익률'을 따 _{실효 수익률의 개념, 문제 1 - ③ 관련} 져 보아야 한다. 실효 수익률은 이자의 계산 방식에 따라 달라진다. 예를 들어 보통 '만기 1년의 연리 6%'는 돈을 12개월 동안 은행에 예치할 경우 6%의 이자가 붙는다는 의미이다. 정기 예금은 목돈인 100만 원을 납입하고 1년 뒤에 이자로 6만 원을 받지만, 매월 일정액을 불입해 목돈을 만드는 정기 적금은 계산법이 다르다. 정기 적금은 첫째 달에 불입한 10만 원은 만기까지 12개월 분 6%의 이자가 붙지만, 둘째 달에 불입한 10만 원은 11개월의 이자 5.5%만 받는다. 돈의 예치 기간이 줄면 이자도 줄어 실효 수익률 은 3.9%에 불과하다. 이런 『이자 계산의 방식은 대출 금리도 유사하다. 1년 뒤에 원금을 _{정기 예금보다 실효 수익률이 낮음.} 한 번에 갚는다면, 대출 금리가 연 6%일 경우 6만 원을 이자로 내야 한다. 하지만 원금 _{『 』: 문제 2 - ④ 관련} 을 12개월로 나누어 갚으면, 줄어든 원금만큼 매월 이자도 적어진다. 3문단 요약 답 │ 실효 수익률이란 일정 기간 실현된 실제의 (이자 수익률)로, (이자)의 계산 방식에 따라 달라진다.

④ 또 예금이나 적금의 기간이 길어서 이자를 여러 번 받는다면, 매번 지급된 이자가 _{문제 1 - ④ 관련} 원금이 되어서 이자에 이자가 붙는 복리인지, 원금에 대한 이자만 붙는 단리인지도 살펴야 실효 수익률을 알 수 있다. 여기에 이자는 금융 소득이어서 소득세 14.0%와 주민 _{문제 1 - ⑤ 관련} 세 1.4%를 내야 한다는 것도 생각해야만 실제로 내 손에 들어오는 이자 금액이 나온다. 4문단 요약 답 │ 복리인지 (단리)인지를 살펴야 실효 수익률을 알 수 있다.

⑤ 결국 돈을 어떻게 쓰고, 모으고, 굴리고, 빌릴지의 선택 상황에서 정확한 계산을 해야 손해를 보지 않는다. 현재의 소비를 늦추고 미래를 계획하는 사람이라면, 자신의 자산을 안전하게 형성할 필요가 있다. 금리에 대한 정확한 이해와 계산이 현재의 소비와 _{금리에 대한 이해의 필요성} 미래의 소비를 결정하는 중요한 기준이라는 점을 잊지 말아야 한다. 5문단 요약 답 │ (금리)는 현재의 소비와 미래의 소비를 결정하는 중요한 기준이므로 이에 대한 정확한 이해와 계산이 필요하다.

해제 │ 이 글은 금리의 개념과 종류, 실제 이자 수익률에 영향을 미치는 요인을 설명하며 금리 이해의 필요성을 언급하고 있다.

주제 │ 금리의 개념과 금리 이해의 필요성

지문 분석하기

금리의 개념	이자 금액을 원금으로 나눈 비율. = 이자율
금리를 계산할 때 고려할 사항	• 명목 금리: 금융 자산의 액면 금액에 대한 금리 • 실질 금리: 물가 상승률을 감안한 금리. (명목 금리 − 물가 상승률)
	• 실효 수익률: 일정 기간 실현된 실제의 이자 수익률. 이자 계산 방식에 따라 달라짐. (예) 정기 적금, 정기 예금의 이자 계산 방식)
	• 단리: 원금에 대한 이자만 붙음. • 복리: 이자에 이자가 붙음. • 이자 금액에 대한 세금: 소득세 14% + 주민세 1.4%

1 2문단에서 실질 금리는 명목 금리(금융 자산의 액면 금액에 대한 금리)에서 물가 상승률을 빼면 알 수 있다고 하였다.

2 3문단에서 정기 예금은 목돈을 납입하고 1년 뒤에 이자를 받는 것으로 설명하고 있다. 반면 정기 적금은 첫째 달에 불입한 돈만 만기까지 12개월 분의 이자가 붙고 둘째 달에 불입한 돈은 11개월의 이자가 붙는다고 설명하였다. 따라서 1년간 예치하는 원금 총액이 같다면 적금보다 예금의 실효 수익률이 높으므로 실제 수익은 정기 예금이 많다.

오답 풀이 ▶ ① 1문단에서 현재의 소비를 희생한 대가로 이자 수익이 생긴다고 하였으며, 2문단에서 돈의 실제 가치가 실질 금리라고 하였다. 실질 금리는 물가 상승률을 감안한 금리라고 하였기 때문에 실제 이자 수익을 기대하려면 실질 금리가 높아야 한다.

② 4문단에서 복리는 매번 지급된 이자가 원금이 되어서 이자에 이자가 붙는다고 하였다. 반면 단리는 원금에 대한 이자만 붙는다고 하였다.

③ 2문단에서 명목 금리에서 물가 상승률을 빼면 실질 금리를 알 수 있다고 하였다. 따라서 명목 금리가 높다고 하더라도 물가 상승률이 더 높다면 실질 금리는 마이너스가 되고 예금 가입자는 돈의 가치인 구매력에서 손해를 본다.

④ 3문단에서 실효 수익률을 설명하면서 이자 계산 방식은 대출 금리도 유사하다고 하였다. 1년 뒤에 원금을 한 번에 갚는 것보다 원금을 12개월로 나누어 갚으면 줄어든 원금만큼 매월 이자도 적어진다고 하였다.

3 현재 쓰고 남은 소액의 용돈을 목돈으로 만들 수 있는 방법은 정기 적금이며, 목표 금액을 형성하기 위해서 3년 만기 매월 10만 원씩 적립하는 정기 적금에 가입하면 원금 360만 원이 생긴다. 여기에 실효 수익률 9.25%를 적용하면 333,000원의 이자가 발생함을 알 수 있고, 소득세와 주민세를 제외하면 이자 금액은 281,718원이 된다. 원금에 이자를 더한 금액이 380만 원을 넘으므로 영수는 대학 입학 등록금을 충당할 수 있다.

1 ③　　**2** ⑤　　**3** ⑤

① 잉크, 마요네즈 등 우리 주변에는 콜로이드 상태의 물질이 가득하다. 어떤 물질이 분산계에 속하면 교질(膠質), 다른 말로 콜로이드라고 한다. 『분산계란 어떤 고체 입자나 액체 방울, 혹은 기포 같은 분산질이 연속적인 성질의 분산매에 흩어져 있는 상태를 말한다. 여기서 분산되어 있는 입자를 분산질, 그것을 둘러싸고 있는 것을 분산매라고 한다.』
(1문단 요약 답) (**분산질**)이 연속적인 성질의 분산매에 흩어져 있는 상태를 (**콜로이드**)라고 한다.

② 콜로이드 입자는 보통의 현미경으로 볼 수 없으며 거름종이로 거를 수 없는 입자이다. 콜로이드는 흔히 '1이 2에 분산된 상태'라고 설명하거나 '1/2'라고 나타낸다. 여기서 1과 2의 물리적 상태는 고체(S), 액체(L), 기체(G) 가운데 어느 하나이다. 그러므로 『콜로이드의 종류는 9가지가 될 수 있다. 하지만 모든 기체는 언제나 서로 쉽게 섞이기 때문에 G_1/G_2의 분산계는 따로 구분하지 않는다.』
(2문단 요약 답) 콜로이드의 종류는 (**9**)가지가 될 수 있으나 G_1/G_2의 분산계는 따로 구분하지 않는다.

③ 『잉크를 현미경으로 관찰하면 고체 색소 입자가 액체 용매에 녹아서 흩어져 있는 상태를 확인할 수 있다. 잉크는 흔히 액체라고 생각하지만 정확하게 말하면 콜로이드인 것이다.』 따라서 잉크는 『고체가 액체에 분산된 S/L, 즉 현탁액에 속한다. 액체가 고체에 분산된 L/S는 젤, 액체가 다른 액체에 분산된 L_1/L_2는 에멀션, 기체가 액체에 분산된 G/L은 액체 거품, 기체가 고체에 분산된 G/S는 고체 거품이다. 그리고 고체가 다른 고체에 분산된 S_1/S_2는 고체 상태의 에멀션으로, 이를 응집체라고 말한다. 고체가 기체에 분산된 S/G와 액체가 기체에 분산된 L/G는 각각 고체 에어로졸과 액체 에어로졸이다.』
(3문단 요약 답) 콜로이드는 현탁액, (**젤**), 에멀션, 액체 거품, 고체 거품, 응집체, (**고체 에어로졸**), 액체 에어로졸이 있다.

④ 콜로이드 용액에 빛을 비추면 빛의 진로가 뚜렷이 보이는 현상이 일어나는데, 이를 틴들 현상이라 한다. 틴들 현상은 크기가 큰 콜로이드 입자들이 가시광선을 산란시키기 때문에 일어나는 것으로, 『먼지가 가득한 극장의 영사기에서 나오는 빛이나 어두운 방에서 문틈으로 들어오는 햇빛의 진로가 보이는 것이 대표적인 예이다.』
(4문단 요약 답) 콜로이드 용액에 빛을 비추면 빛의 (**진로**)가 뚜렷이 보이는 (**틴들 현상**)이 일어난다.

⑤ 콜로이드의 성질을 이용하여 콜로이드를 정제할 수도 있는데, 이를 투석이라고 한다. 투석은 용질이나 용매는 투과시키고 콜로이드 입자는 통과시키지 못하는 투석막을 이용해 콜로이드 용액 내의 콜로이드를 분리하는 과정이다. 『녹말과 소금의 혼합물을 투석막의 일종인 셀로판지 주머니를 이용해 투석하면 콜로이드 입자인 녹말은 셀로판지 주머니 밖으로 나오지 못하고, 옥소늄 이온, 나트륨 이온, 염화 이온 등만 셀로판지 주머니 밖으로 빠져나오는 것이 그 예이다.』
(5문단 요약 답) 콜로이드의 성질을 이용하여 (**콜로이드**)를 정제하는 (**투석**)을 할 수 있다.

해제 | 이 글은 콜로이드의 개념과 종류, 특징 및 활용에 대해 설명하고 있다.
주제 | 콜로이드의 개념과 종류, 특징

지문 분석하기

콜로이드	개념	분산질이 연속적인 성질의 분산매에 흩어져 있는 상태		
	종류	• S/L: 현탁액　• G/L: 액체 거품　• S/G: 고체 에어로졸	• L/S: 젤　• G/S: 고체 거품　• L/G: 액체 에어로졸	• L_1/L_2: 에멀션　• S_1/S_2: 응집체
	특징	틴들 현상	투석: 콜로이드의 정제	

1 4문단에서 '틴들 현상은 크기가 큰 콜로이드 입자들이 가시광선을 산란시키기 때문에 일어나는 것'이라고 언급하고 있다.
오답 풀이 ② 5문단에서 투석은 콜로이드 용액 내의 콜로이드를 분리하는 과정이라고 설명하고 있다. 콜로이드 용액에서 콜로이드를 분리하는 것이 가능하다는 뜻이다.

2 크랜베리 유리는 고체가 다른 고체에 분산된 것이므로 응집체이다.
오답 풀이 ① 은이 물에 녹아 있는 은 수용액은 고체가 액체에 분산된 것이므로 S/L로 표시한다.
② 마요네즈는 물속에 기름이 분산되어 있는 것이므로 액체가 다른 액체에 분산된 상태, 즉 L_1/L_2로 표시한다.
③ 두 가지 액체 성분이 섞여 있는 스킨 로션은 액체가 액체에 분산된 것이므로 에멀션이다. 즉 콜로이드의 한 종류에 해당한다.
④ 미세한 고체 입자가 분산되어 있는 연기는 고체가 기체에 분산된 것이므로 고체 에어로졸이다.

3 비커 B의 증류수를 담은 시험관에서 녹말과 아이오딘이 만났을 때 나타나는 보라색 반응이 나타나지 않은 것은 녹말이 투과되지 못하였기 때문이다. 즉 셀로판지 주머니가 투석막으로 기능하여 콜로이드 입자가 통과하지 못하도록 한 것이다.
오답 풀이 ① 소금 주머니를 매달아 놓은 비커 A의 증류수는 콜로이드 용액이 아니다. 그러므로 빛을 비추어도 빛의 진로가 뚜렷하게 나타나지 않는다.
② 소금 주머니를 매달아 놓은 비커 A에는 소금이 녹아 있는 소금물(액체)이 담겨 있을 것이다. 액체가 다른 액체에 분산된 콜로이드 용액이 담겨 있는 것이 아니다.
③ 비커 B에 녹말 주머니를 매달아도 녹말이 녹아 나오지 않았으므로 콜로이드 용액을 만든 것은 아니다.
④ 비커 B의 증류수에는 녹말이 녹아 나오지 않았다. 그러므로 고체 입자가 액체 용매에 흩어져 있는 상태를 확인할 수 없다.

과학 06 식물이 물을 끌어 올리는 원리   본문 100~101쪽

1 ④   **2** ⑤   **3** ④

① 식물의 생장에는 물이 필수적이다. <u>식물은 잎에서 광합성을 통해 생장에 필요한 양분을 만들어 내는데, 물은 바로 그 원료가 된다.</u> _{식물의 생장에 물이 필수적인 이유, 문제 1 - ③ 관련} 물은 중력을 받기 때문에 높은 곳에서 낮은 곳으로 흐르지만, 식물은 지구 중심과는 반대 방향으로 자란다. 따라서 식물이 줄기 끝에 달려 있는 잎에 물을 공급하려면 중력의 반대 방향으로 물을 끌어 올려야 한다. 그러면 <u>식물은 어떤 힘을 이용하여 물을 끌어 올릴까?</u>_{질문을 통한 화제 제시} 식물이 물을 뿌리에서 흡수하여 잎까지 보내는 데는 뿌리압, 모세관 현상, 증산 작용으로 생긴 힘이 복합적으로 작용한다.
〔1문단 요약 답〕 식물이 물을 끌어 올릴 때에는 (**뿌리압**), 모세관 현상, (**증산 작용**)으로 생긴 힘이 복합적으로 작용한다.

② 수세미의 잎을 모두 떼어 내고 뿌리와 줄기만 남기고 자른 후 뿌리 끝을 물에 넣어 보면, 잘린 줄기 끝에서는 물이 힘차게 솟아오르지는 않지만 계속해서 올라온다. 뿌리털을 둘러싼 세포막을 경계로 안쪽은 땅에 비해 여러 가지 유기물과 무기물들이 더 많이 섞여 있어서 뿌리 바깥보다 용액의 농도가 높다. 다시 말해 『뿌리털 안은 농도가 높은 반면, 흙 속에 포함되어 있는 물은 농도가 낮다. 이때 농도의 균형을 맞추기 위해 흙 속에 있는 물 분자는 뿌리털의 세포막을 거쳐 물 분자가 상대적으로 적은 뿌리 내부로 들어온다.』_{『』: 뿌리압이 생기는 원리, 문제 1 - ② 관련} 이처럼 농도가 낮은 흙 속의 물을 농도가 높은 뿌리 쪽으로 이동시키는 힘이 생기는데, 이를 <u>뿌리압</u>이라고 한다._{뿌리압의 개념} 즉 <u>뿌리압이란 뿌리에서 물이 흡수될 때 밀고 들어오는 압력으로, 물을 위로 밀어 올리는 힘이다.</u>_{식물이 물을 끌어 올리는 힘 ①}
〔2문단 요약 답〕 (**뿌리**)에서 물이 흡수될 때 뿌리압이 발생하고, 이 힘에 의해 물이 위로 올라간다.

③ 물이 담긴 그릇에 가는 유리관을 꽂아 보면 유리관을 따라 물이 올라가는 것을 관찰할 수 있다. 이처럼 <u>가는 관과 같은 통로를 따라 액체가 올라가거나 내려가는 것을 ⓐ모세관 현상</u>_{모세관 현상의 개념}이라고 한다. <u>모세관 현상은 물 분자와 모세관 벽이 결합하려는 힘이 물 분자끼리 결합하려는 힘보다 더 크기 때문에 일어난다.</u>_{모세관 현상이 일어나는 이유, 문제 1 - ⑤ 관련} <u>따라서 관이 가늘어질수록 물이 올라가는 높이가 높아진다.</u>_{식물이 물을 끌어 올리는 힘 ② 문제 2 - ① 관련} 식물체 안에는 뿌리에서 줄기를 거쳐 잎까지 연결된 물관이 있다. 물관은 말 그대로 물이 지나가는 통로인데, 지름이 75㎛(마이크로미터)로 너무 가늘어 눈으로는 볼 수 없다. 이처럼 식물은 물관의 지름이 매우 작기 때문에 모세관 현상으로 물을 밀어 올리는 힘이 생긴다._{문제 2 - ④ 관련}
〔3문단 요약 답〕 식물체 안의 가느다란 물관에서 (**모세관 현상**)이 일어나고, 이 힘에 의해 물이 위로 올라간다.

④ 식물의 잎 뒤쪽에는 기공이라는 작은 구멍이 있다. <u>기공을 통해 공기가 들락날락하거나 잎의 물이 공기 중으로 증발하기도 한다.</u>_{기공의 역할, 문제 1 - ① 관련} 이처럼 <u>식물체 내의 수분이 잎의 기공을 통하여 수증기 상태로 증발하는 현상을 ⓑ증산 작용</u>_{증산 작용의 개념, 문제 2 - ② 관련}이라고 하고, 이때 <u>물이 주변의 열을 흡수한다.</u>_{식물이 물을 끌어 올리는 힘 ③ 문제 2 - ③ 관련} 기공의 크기는 식물의 종류에 따라 다른데 보통 폭이 8㎛, 길이가 16㎛ 정도밖에 되지 않는다. 증산 작용은 물을 식물체 밖으로 내보내는 작용으로, 물이 줄기를 거쳐 잎까지 올라가는 원동력이다. 물 분자들은 서로 잡아당기는 힘으로써 연결되는데, 이는 물 기둥을 형성하는 것과 같다. 사슬처럼 연결된 물 기둥의 한쪽 끝을 이루는 물 분자가 잎의 기공을 통해 빠져나가면 아래쪽 물 분자가 끌어 올려지는 것이다. <u>증산 작용에 의한 힘은 잡아당기는 힘으로 식물이 물을 끌어 올리는 요인 중 가장 큰 힘이다.</u>_{문제 2 - ④, ⑤ 관련}
〔4문단 요약 답〕 증산 작용에 의해 물 분자가 잎의 (**기공**)을 통해 빠져나가면서 아래쪽의 물 분자가 끌어 올려진다.

해제 | 이 글은 식물이 물을 뿌리에서 흡수하여 잎까지 끌어 올리는 세 가지 힘에 대해 설명하고 있다.

주제 | 식물이 물을 끌어 올리는 원리

지문 분석하기

식물이 물을 끌어 올리는 원리	뿌리압	농도가 낮은 흙 속의 물을 농도가 높은 뿌리 쪽으로 이동시키는 힘
	모세관 현상	물 분자와 모세관 벽이 결합하려는 힘에 의해 물이 물관을 따라 올라가는 현상
	증산 작용	식물체 내의 수분이 잎의 기공을 통하여 수증기로 증발하는 현상

1 이 글에서는 식물의 종류에 따라 물이 증산하는 양이 어떻게 다른지는 언급하고 있지 않다.

〔오답 풀이〕 ② 2문단에서 뿌리털 안과 흙 속에 포함되어 있는 물에는 농도 차이가 있고, 농도의 균형을 맞추기 위해 뿌리압이 생긴다고 하였다.
⑤ 3문단에서 모세관 현상은 물 분자와 모세관 벽이 결합하려는 힘 때문에 일어난다고 하였다.

2 4문단에서 증산 작용에 의한 힘이 식물이 물을 끌어 올리는 요인 중 가장 큰 힘이라고 하였다.

〔오답 풀이〕 ③ 3문단에서 모세관 현상은 물이 올라가거나 내려가는 것이라 하였으므로 액체인 물의 상태가 변하지 않는 것이다. 그러나 4문단에서 수분이 잎의 기공을 통하여 수증기 상태로 증발하는 것이 증산 작용이라고 하였으므로, 이는 액체에서 기체로 물의 상태가 바뀐 것이다.

3 (가)에서 모세관 현상으로 물의 상승 작용이 일어나므로 물이 사슬처럼 연결되어 있고, (나)는 모세관 현상과 증산 작용, (다)는 뿌리압, 모세관 현상, 증산 작용을 통해 식물의 물관에 있는 물 분자들이 사슬처럼 연결되어 물 기둥을 형성하고 있다.

〔오답 풀이〕 ① (가)에는 증산 작용이 일어나지 않으므로 증산 작용이 일어나는 (나)의 비닐 안쪽 면에 더 많은 물방울이 맺힌다.
② (가)는 (나), (다)와 달리 잎이 없어 증산 작용이 일어나지 않는다. 증산 작용이 식물이 물을 끌어 올리는 요인 중 가장 큰 힘이라고 하였으므로 (나)와 (다)의 물이 더 많이 줄어들 것이다.
③ (나)는 모세관 현상과 증산 작용에 의한 힘이 발생하고, (다)는 뿌리가 있어 뿌리압 현상까지 더 일어난다.
⑤ (나)와 (다)에는 잎이 있어 기공을 통해 공기가 식물의 내부로 출입할 수 있다.

 더 쌓기   본문 102쪽

1 (1) 봉안 (2) 정국 (3) 주체적 (4) 목돈 (5) 가시광선 **2** ② **3** ③ **4** (1) ③ (2) ④ (3) ② (4) ①

1 ④   **2** ②   **3** ④

① 여름휴가 기간에 바다에 나가 수영을 하다 보면 머리를 물속에 두고 수면 위로 뻗은 긴 빨대로 호흡을 하는 것을 본 적이 있을 것이다. 이때 사용되는 긴 빨대를 '스노클'이라고 하고, 이를 이용해 수중의 아름다운 모습을 감상하며 수영하는 것을 '스노클링'이라고 한다. 그런데 스노클링은 사람만 하는 것이 아니라 잠수함도 한다.

_{중심 소재의 소개} [1문단 요약 답] 사람뿐만 아니라 (**잠수함**)도 스노클링을 한다.

② 『제1차 세계 대전 중 독일 잠수함에 시달린 경험이 있는 영국은 제2차 세계 대전에서는 항공기에 레이더를 장착해 독일 잠수함을 성공적으로 공격했다.』 레이더를 통해 멀

_{『 』: 잠수함의 스노클이 개발된 배경. 문제 1 - ② 관련}

리서 수상의 잠수함을 탐지하고 빠른 속도로 접근해 잠수함을 공격했던 것이다. 이에 독일은 잠수함이 수중에 계속 머물러 있을 수 있도록, 수중에 있는 잠수함에서 수면 위로 뻗은 공기 흡입관, 즉 '스노클'을 개발해 설치함으로써 피해를 줄일 수 있었다.

[2문단 요약 답] 제2차 세계 대전 중 (**독일**)은 영국의 공격에 대비하기 위해 (**스노클**)을 개발하여 잠수함에 설치하였다.

③ 스노클 항해는 얕은 수심에서 스노클 마스트를 수면으로 내밀고 항해하는 것을 말한다. 『디젤 잠수함은 스노클 마스트를 수면으로 노출시켜 공기를 흡입한 후 이 공기로

_{『 』: 문제 2 - ④ 관련}

디젤 발전기를 가동해 전기를 발생시키고 이를 축전지에 충전한다.』 스노클 항해 시에

_{스노클 항해의 기능 ① 문제 1 - ⑤ 관련}

는 스노클 마스트를 수면 위로 올리기 때문에 육안으로 식별되기 쉽고, 디젤 발전기의

_{스노클 항해의 단점 ①. 문제 2 - ② 관련}

소음으로 인해 잠수함이 탐지될 가능성이 높아진다. 따라서 최단 시간 내에 스노클 항

해를 종료해야 한다.

_{스노클 항해의 단점 ②}

[3문단 요약 답] 잠수함은 스노클 항해를 통해 공기를 (**흡입**)하고 이 공기로 (**디젤 발전기**)를 가동해 전기를 발생시킨다.

④ 스노클 항해 시에는 최단 시간에 최대의 전력을 축전지에 충전해야 하므로 저속으

_{문제 2 - ③ 관련}

로 항해한다. 축전지에 충전되는 전기는 잠수함 추진에 소모되고 남은 전기가 충전되

_{문제 2 - ⑤ 관련}

며, 디젤 발전기의 출력이 한정되어 있기 때문에 저속으로 항해하지 않으면 축전지 충전에 많은 시간이 걸린다. 잠수함의 디젤 발전기는 공기와 연료를 연소시키기 때문에

_{문제 3 - ④ 관련}

스노클 항해 시에만 가동한다. 『발전기가 작동하면 외부 공기가 잠수함 내로 유입되고

_{『 』: 스노클 항해 시 잠수함 내의 공기 순환. 문제 1 - ③ 관련}

이산화 탄소와 같은 연소 가스는 함 외부로 배출된다. 유입된 공기는 함 내를 순환한 후 발전기로 흡입되므로,』 스노클 항해는 잠수함 내부를 환기하는 기능도 한다. 하지만 제

_{스노클 항해의 기능 ②}

한된 관을 통해 공기를 흡입하므로 함 내의 공기를 완전히 신선한 공기로 교체하기는 어렵다.

[4문단 요약 답] 스노클 항해는 잠수함 내부를 (**환기**)하는 효과가 있다.

⑤ 스노클 항해 시에는 『수면 가까이에서 항해를 하므로 거센 파도나 바람에 의해 수면

_{『 』: 스노클 항해 시 유의할 점. 문제 1 - ① 관련}

상태가 불안정할 경우, 잠수함이 흔들려 승조원들이 어려움을 겪는다. 그리고 적에게 발각될 위험이 크기 때문에 언제든지 긴급하게 잠항을 할 수 있도록 긴장감을 유지해야 한다.』 스노클 항해를 통해 잠수함은 전력을 충전하고 신선한 공기도 얻을 수 있지만 그만큼 다양한 위험을 감수해야 하는 것이다.

[5문단 요약 답] 스노클 항해 시에는 잠수함이 흔들리거나 적에게 발각될 위험이 크기 때문에 (**긴장감**)을 유지해야 한다.

해제 | 이 글은 잠수함의 스노클이 개발된 배경과 스노클 항해의 기능, 스노클 항해 시 주의할 점을 설명하고 있다.

주제 | 잠수함의 스노클 항해의 목적 및 스노클 항해 시 유의점

출전 | 최성규, 《재미있는 잠수함 이야기》

지문 분석하기

잠수함의 스노클 항해	스노클 항해 시 일어나는 일	스노클 항해의 기능	스노클 항해 시 유의점
	공기 흡입 → 디젤 발전기 가동 → 전기 발생 → 잠수함 추진 및 축전지 충전	• 전기 발생을 통한 축전지 충전 • 잠수함 내부 환기	• 수면 가까이에서 항해하므로 잠수함이 흔들릴 수 있음. • 적에게 발각될 위험이 높으므로 긴장감 유지 필요.

1 이 글에서는 잠수함 디젤 발전기의 출력이 한정되어 있고, 소음이 발생한다는 단점을 일부 찾아볼 수 있지만 이를 개선하는 방향에 대해서는 언급하고 있지 않다.

오답 풀이 • ① 5문단에서 스노클 항해 시에는 잠수함이 흔들려 승조원들이 어려움을 겪고, 적에게 발각될 위험이 커 언제든지 긴급하게 잠항할 수 있도록 긴장감을 유지해야 한다고 언급하고 있다.

② 2문단에 제2차 세계 대전 중 영국의 공격에 대비하기 위해 독일에서 스노클을 개발하였다는 내용이 제시되어 있다.

③ 4문단에서 스노클 항해 시 외부에서 들어온 공기는 함 내를 순환한 후 발전기로 흡입된다고 설명하고 있다.

⑤ 3문단에서 잠수함은 디젤 발전기를 가동하여 축전지에 전기를 충전한다고 언급하고 있다.

2 3문단의 내용을 통해 스노클 항해 시 육안으로 식별되기 쉬운 것은 디젤 발전기가 아니라 스노클 마스트임을 알 수 있다.

오답 풀이 • ① 스노클 마스트는 잠수함에서 수면 위로 뻗은 공기 흡입관으로, 바다에서 수영할 때 사용하는 스노클과 유사한 기능을 한다.

③ 4문단에서 최단 시간에 최대의 전력을 축전지에 충전해야 하므로 잠수함이 저속으로 항해해야 한다고 언급하고 있다.

④ 3문단을 통해 스노클 마스트를 수면 위로 올려 공기를 흡입한 후 디젤 발전기를 가동해야만 축전지를 충전할 수 있음을 알 수 있다.

⑤ 4문단에서 축전지에 충전되는 전기는 잠수함 추진에 소모되고 남은 전기임을 언급하고 있다.

3 4문단에서 잠수함의 디젤 발전기는 공기와 연료를 연소시키기 때문에 스노클 항해 시에만 가동한다고 언급하고 있다. 그러므로 스노클 항해를 하지 않는 수중에 있는 잠수함에서는 디젤 발전기를 가동할 경우 함 내의 공기가 급격히 줄어들고 이산화 탄소와 같은 연소 가스가 발생하기 때문에 디젤 발전기를 가동하지 않는다고 볼 수 있다.

기술 **08** 인공위성의 궤도와 자세를 바로잡으려면 본문 106~107쪽

1 ⑤　　**2** ⑤　　**3** ④

① 지구 궤도를 도는 인공위성은 <u>지구 중력의 변화, 태양으로부터 오는 작은 미립자와의 충돌 등</u>으로 궤도도 변하고 자세도 변한다. 힘이 작용하여 운동 방향과 상태가 변하
인공위성의 궤도와 자세가 변하는 원인
는 것이다. 뉴턴은 이를 작용 반작용의 법칙으로 설명할 것이다.
1문단 요약 답 │ 인공위성의 궤도 및 자세 변화는 (**작용 반작용의 법칙**)으로 설명이 가능하다.

② <u>한 물체가 다른 물체에 힘을 작용하면 그 힘을 작용한 물체에도 크기가 같고 방향은 반대인 힘이 동시에 작용한다는 것</u>이 작용 반작용의 법칙이다. 『예를 들어 바퀴가 달린
작용 반작용 법칙의 개념
의자에 앉아 벽을 손으로 밀면 의자가 뒤로 밀리는데, 사람이 벽을 미는 작용과 동시에 벽도 사람을 미는 반작용이 있기 때문이다.』이 법칙은 물체가 정지하고 있을 때나 운동
『 』: 작용 반작용 법칙의 사례, 문제 1 - ② 관련
하고 있을 때 모두 성립하며, 두 물체가 서로 떨어져 힘이 작용할 때에도 항상 성립한다.
2문단 요약 답 │ 작용 반작용의 법칙은 작용한 힘에 대해 (**크기**)가 같고, (**방향**)은 반대인 반작용 힘이 동시에 작용한다는 법칙이다.

③ 인공위성의 상태가 변하면 본연의 임무를 달성하기 위해 궤도와 자세를 바로잡아야 한다. 지구 표면을 관측하는 위성은 탐사 장비를 지구 쪽을 향하도록 자세를 고쳐야 하고, 인공위성에 전력을 제공하는 태양 전지를 태양 방향으로 끊임없이 조절해야 한다.
문제 1 - ⑤ 관련
이때 위성의 궤도와 자세를 조절하는 방법도 모두 작용 반작용을 이용한다.
3문단 요약 답 │ 상태가 변한 인공위성의 궤도와 (**자세**)를 바로잡을 때에도 작용 반작용의 법칙을 이용한다.

④ 가장 간단한 방법은 로켓 엔진과 같은 추력기를 외부에 달아 이용하는 것이다. 추력
인공위성의 궤도와 자세를 조절하는 방법①, 문제 1 - ③ / 2 - ① 관련
기는 질량이 있는 물질인 연료를 뿜어내며 발생하는 작용과 반작용을 이용하여 위성을
추력기의 원리, 문제 2 - ②, ⑤ 관련
움직인다. 위성에는 궤도를 수정하기 위한 주추력기 이외에 ㉠소형의 추력기가 각기
문제 3 - ④ 관련
다른 세 방향 (x, y, z 축)으로 여러 개가 설치되어 있는데, 이를 이용해 자세를 수정하는 것이다. 문제는 10년이 넘게 사용할 위성에 자세 제어용 추력기가 사용할 연료를 충분히 실을 수 없다는 것이다.
자세 제어용 추력기의 한계, 문제 1 - ① 관련
4문단 요약 답 │ (**추력기**)의 작용과 반작용을 이용하여 위성의 궤도와 자세를 수정할 수 있다.

⑤ 최근에는 ㉡반작용 휠을 이용한 방법도 사용되고 있다. 위성에는 추력기처럼 세 방
인공위성의 궤도와 자세를 조절하는 방법②, 문제 1 - ③ 관련　　문제 2 - ④ 관련
향으로 설치된 3개의 반작용 휠이 있어 회전수를 조절하면 위성의 자세를 원하는 방향으로 맞출 수 있다. 위성 내부에 부착된 반작용 휠은 전기 모터에 휠을 달고, 돌리는 속
문제 3 - ④ 관련
문제 2 - ① 관련
도를 높여 주거나 낮춰 주어서 위성을 회전시켜 자세를 바꾼다. 일반적으로 물체가 한 방향으로 돌 때 그 반대 방향으로 똑같은 힘이 발생한다. 반작용 휠이 돌면 위성에는 반대 방향으로 도는 힘이 발생하는데, 이 힘을 이용하는 것이다. 다만 궤도 수정과 같은
반작용 휠의 원리, 문제 2 - ⑤ 관련　　　　　　　반작용 휠의 한계, 문제 1 - ① 관련
위성의 위치 변경은 할 수 없다.
5문단 요약 답 │ (**반작용 휠**)의 회전수를 조절하여 위성의 (**자세**)를 수정할 수 있다.

⑥ 하지만 반작용 휠은 자세 제어용 추력기를 이용하는 것보다 훨씬 유리하다. 추력기
를 이용하면 연료가 있어야 하고, 그만큼 쏘아 올려야 할 위성의 무게도 증가한다. 반작
문제 2 - ② 관련　　　　　　　　　　　　　　　　　　반작용 휠의 장점
용 휠을 이용하면 필요한 것은 전기이며 태양 전지를 이용해 얼마든지 얻을 수 있다.
6문단 요약 답 │ 연료가 필요한 추력기와 달리 반작용 휠은 (**태양 전지**)로 필요한 전기를 얼마든지 얻을 수 있다는 장점이 있다.

해제 | 이 글은 작용 반작용의 법칙을 이용한 인공위성의 궤도와 자세 조절 방법을 설명하고 있다.

주제 | 인공위성의 궤도와 자세 조절 방법

지문 분석하기

작용 반작용 법칙을 이용한 인공위성의 궤도와 자세 조절 방법	추력기를 이용	• 연료를 뿜어내며 발생하는 작용과 반작용을 이용해 위성을 움직임. • 주추력기로는 궤도를, 소형 추력기로는 자세를 수정함. • 위성에 추력기가 사용할 충분한 연료를 싣기 어려움.
	반작용 휠을 이용	• 반작용 휠의 회전수를 조절해 위성의 자세를 조절함. • 궤도 수정이 불가능함. • 반작용 휠의 이용에 필요한 전기를 태양 전지를 이용해 얻을 수 있음.

1 인공위성의 상태가 변하면 궤도와 자세를 바로잡아야 한다고 하면서 그 방법에 대해 설명하고 있다. 궤도와 자세를 바로잡아야 하는 이유를 대조적인 두 상황을 비교하며 설명하고 있지는 않다.

오답 풀이 ▶ ① 반작용 휠을 이용하면 궤도 수정과 같은 위성의 위치 변경은 할 수 없고, 추력기를 이용하면 연료가 있어야 하고 그만큼 쏘아 올려야 할 위성의 무게도 증가한다고 말하고 있다.

② 바퀴가 달린 의자에 앉아 벽을 손으로 밀면 의자가 뒤로 밀리는 현상을 사례로 들어 작용 반작용의 개념에 대한 이해를 돕고 있다.

③ 인공위성의 궤도와 자세를 조절하는 방법으로 추력기를 외부에 달아 이용하는 것, 반작용 휠을 이용하는 것을 제시하고 있다.

④ 위성의 궤도와 자세를 조절하는 방법이 모두 작용 반작용을 이용하는 것이라고 말하며 그 방법을 뉴턴의 작용 반작용의 법칙과 관련지어 설명하고 있다.

2 4문단과 5문단에서 추력기와 반작용 휠 모두 반작용을 이용해 위성의 자세를 제어한다는 것을 확인할 수 있다.

오답 풀이 ▶ ① ㉠은 위성 외부에 달아 이용하며, ㉡은 위성 내부에 부착한다.

② 질량이 있는 물질인 연료를 사용하는 ㉠과 달리 ㉡은 전기를 사용하므로 ㉡을 작동하더라도 위성 전체의 질량에는 변화가 없다.

③ 물체의 회전 운동을 이용하는 것은 회전수를 조절하여 위성의 자세를 원하는 방향으로 맞추는 ㉡으로 볼 수 있다.

④ 5문단에서 위성에는 추력기처럼 세 방향으로 설치된 3개의 반작용 휠이 있다고 하였으므로, ㉠뿐만 아니라 ㉡도 세 방향으로 설치되어 있다고 할 수 있다.

3 주추력기는 위성의 궤도를 변경하는 데 사용하므로 (나)에서 (가)로 궤도 수정을 할 때에는 주추력기를 이용한다. 그리고 위성의 자세를 제어할 때에는 자세 제어용 추력기와 반작용 휠을 사용할 수 있다.

오답 풀이 ▶ ① A의 궤도와 자세가 (가)에서 (나)로 변한 것은 지구 중력의 변화, 태양으로부터 오는 작은 미립자와의 충돌 등의 원인에 따른 것이다.

1 ②　　**2** ⑤　　**3** ④

① 된장, 고추장, 김치 등 우리나라 특유의 발효 음식과 함께 생활 용기의 역할을 해 온 그릇이 있다. 흙으로 빚어 고온에서 구워 낸 도자기의 일종인 옹기가 바로 그것이다. 언제부터 옹기가 쓰였는지는 정확히 알 수 없지만, 삼국 시대 이후 그릇을 만드는 기술이 발달하면서 점차 단단하고 가벼운 도기로 옹기가 만들어지고 사용되었다. 고려와 조선 시대를 거치면서 청자, 분청사기, 백자와 같은 새로운 도자기가 만들어졌지만, 일상생활에서는 여전히 옹기가 중요한 생활 그릇으로 사용되었다.
문제 1 - ⑤ 관련
[1문단 요약 답] 옹기는 예부터 일상생활에서 중요한 (**생활 그릇**)으로 사용되었다.

② 옹기는 질그릇과 오지그릇을 통틀어 이르는 말인데, 질그릇과 오지그릇은 그릇을 굽는 방식에 따라 구분된다. 『질그릇은 유약을 입히지 않고, 가마에서 구울 때 검댕을 입혀 겉면에 윤기가 없고 짙은 회색을 띤다. 질그릇의 한 종류로 푸레그릇이 있는데, 질그릇을 구울 때 가마 아궁이에 소금을 뿌려 만드는 것으로 유약을 입힌 듯 윤택을 갖게 된다. 오지그릇은 초벌 후 오짓물을 입혀 다시 구운 그릇으로 윤이 나고 단단한 것이 특징이다.』
문제 1 - ① 관련
『 』: 옹기를 굽는 방식과 특징
[2문단 요약 답] 옹기는 (**질그릇**)과 (**오지그릇**)을 통틀어 이르는 말이다.

③ 옹기에 나타난 문양들은 옹기만의 미(美)를 보여 준다. 이는 어떤 형식이나 사고에 의해 그려진 그림이 아닌 단순한 손놀림을 이용해서 그린 문양인데, 이러한 작업을 흔히 '환을 친다'라고 말한다. 이 손가락 그림은 기물을 만들고 잿물을 입힌 후 잿물이 마르기 전에 손가락을 이용해서 그림을 그려 넣는 방법으로 표현된다. 그 내용에는 『꽃과 동물, 산 등 자연을 소재로 한 것들이 많았다. 이 중 어떤 물체의 형태를 그대로 본떠 그린 그림과는 달리 장인이 손가락 가는 대로 그리는 문양들이 있는데, 대나무잎 문양, 물결 문양, 용수철 문양 등이 대표적이다.』
『 』: 문양의 내용
장인이 손가락 가는 대로 그린 문양의 예
[3문단 요약 답] 옹기에 나타난 (**문양**)은 단순한 (**손놀림**)을 이용해서 그린 것으로 옹기만의 미(美)를 보여 준다.

④ 우리의 음식 문화와 깊은 관련이 있는 옹기는 저장성, 통기성, 방부성, 보온성, 자연 환원성의 특성을 지닌다. 옹기에 담긴 음식물이 맛있는 이유는 미생물의 활동을 조절해서 발효를 돕고 음식이 오래 보존되도록 하기 때문인데, 이는 옹기가 숨을 쉬기 때문이다. 옹기는 고운 흙으로 만든 청자나 백자와는 달리 작은 알갱이가 섞여 있는 질(점토)로 만들어지는데, 가마에서 소성될 때 질이 녹으면서 미세한 구멍이 형성된다. 이 미세한 구멍으로 공기, 미생물, 효모 등이 통과할 수 있는 것이다. 그뿐만 아니라 온도와 습도도 조절할 수 있어서 발효 식품을 썩지 않게 오랫동안 숙성 저장하는 데 가장 큰 장점을 지니고 있다. 또한 단열에도 뛰어나 여름철의 직사광선이나 겨울철의 한랭한 바깥 온도에도 적정한 온도를 유지한다. 그리고 깨어진 옹기를 땅에 버려두고 오랜 시간이 지나면 파편으로 남지 않고 흙으로 다시 돌아간다. 이렇듯 옹기는 (㉠)
[4문단 요약 답] 우리의 음식 문화와 관련이 깊은 옹기는 (**저장성**), 통기성, (**방부성**), (**보온성**), 자연 환원성의 특성을 지닌다.

해제 | 이 글은 옹기의 종류와 옹기에 그려진 문양, 옹기의 특성을 중심으로 하여 우리의 음식 문화와 깊이 관련이 있는 옹기에 대해 설명하고 있다.

주제 | 옹기의 특성과 가치

지문 분석하기

옹기	**종류**	그릇을 굽는 방식에 따라 구분: 질그릇, 푸레그릇, 오지그릇
	옹기에 그려진 문양	단순한 손놀림을 이용한 그림으로 옹기만의 미를 보여 줌. 예 대나무잎 문양, 물결 문양, 용수철 문양 등
	특성	저장성, 통기성, 방부성, 보온성, 자연 환원성

1 4문단에서 옹기에 담긴 음식이 맛있는 이유는 옹기의 미세한 구멍을 통해 옹기가 숨을 쉬기 때문이라고 하였다. 이는 미생물의 활동을 조절해서 발효를 돕고 음식이 오래 보존되도록 한다.

오답 풀이 ▶ ① 2문단에서 오지그릇은 윤이 나고 단단한 것이 특징이라고 하였다.
③ 2문단에서 질그릇과 푸레그릇은 유약을 입히지 않는다고 하였다.
④ 4문단에서 발효 식품을 썩지 않게 저장하는 데 도움을 주는 옹기의 특성은 방부성임을 알 수 있다.
⑤ 1문단에서 옹기는 새로운 도자기가 만들어져도 일상에서 여전히 중요한 그릇으로 사용되었다고 하였다.

2 〈보기〉의 초화 문양은 꽃과 풀을 그린 것으로 자연을 소재로 한 문양으로 볼 수 있으나, 용수철 문양은 장인이 손가락 가는 대로 그린 문양으로, 자연을 소재로 한 문양이라고 볼 수 없다.

오답 풀이 ▶ ① 3문단에서 옹기에 그려진 문양들은 단순한 손놀림을 이용해서 그린 문양으로, 손가락을 이용해서 그려 넣는다고 하였다.
② 3문단에서 옹기의 문양은 장인이 손가락 가는 대로 그린다고 하였으며, 이러한 작업을 '환을 친다'라고 표현한다고 하였다.
③ 3문단에서 옹기에 나타난 문양들은 옹기만의 미를 보여 준다고 하였고, 〈보기〉에서 문양의 특징이 자유분방함과 단조로움이라고 하였다. 이를 통해 〈보기〉의 문양들이 단순함과 자유분방함이라는 옹기만의 미를 드러낸다고 볼 수 있다.
④ 3문단에서 손가락 그림은 잿물이 마르기 전에 손가락을 이용해서 그린다고 하였고, 〈보기〉에서 도공은 빠르고 간결한 손놀림으로 문양을 그린다고 하였다. 이를 통해 도공은 잿물이 마르기 전에 문양을 그려야 하기 때문에 손놀림이 빠르고 간결할 것이라고 추측할 수 있다.

3 4문단에서 우리의 음식 문화와 관련이 있는 옹기는 저장성, 통기성, 방부성, 보온성, 자연 환원성의 특성을 지닌다고 하였다. 이는 발효 음식이 많은 우리나라에 가장 적합한 그릇이라 할 수 있다.

예술 10 암각화와 부조 본문 110~111쪽

1 ③ **2** ① **3** ⑤

① 울산 울주에는 한국 미술사의 첫 장을 장식하는 암각화가 있다. 이것에는 넓고 평평한 돌 위에 상징적인 기호와 사실적으로 표현된 동물들의 모습이 새겨져 있다. 한편 한국 조형 미술을 대표하는 것으로 금강역사상과 같은 석굴암의 부조상들이 있다. 이것들 또한 돌에 형상을 새긴 것이다. 이들의 표현 방법에 대해 살펴보도록 하자. [1문단 요약 답] (암각화)와 부조상은 돌에 형상을 새긴 것이라는 공통점이 있다.

② 암각화에는 선조와 요조가 사용되었다. 선조는 선으로만 새긴 것을 말하며, 요조는 형태의 내부를 표면보다 약간 낮게 쪼아 내어 형태의 윤곽선을 표현한 것이다. 이러한 점에서 요조는 쪼아 낸 면적만 넓을 뿐이지 기본적으로 선조의 범주에 든다고 하겠다. 따라서 선으로 대상을 표현했다는 점에서 암각화는 조각이 아니라 회화라고 볼 수 있다. [2문단 요약 답] (선조)와 요조는 암각화의 표현 방법이며, 선으로 표현했다는 점에서 암각화는 조각이 아닌 (회화)로 볼 수 있다.

③ 한편 조각과 회화의 성격을 모두 띠고 있는 것으로 부조가 있다. 부조는 벽면 같은 곳에 부착된 형태로 도드라지게 반입체를 만드는 것이다. 평면에 밀착된 부분과 평면으로부터 솟아오른 부분 사이에 생기는 미묘하고도 섬세한 그늘은 삼차원적인 공간 구성을 통한 실재감을 주게 된다. 빛에 따라 질감이 충만한 부분과 빈 부분이 드러나서 상대적인 밀도를 지각할 수 있게 되는 것이다. 이처럼 부조는 평면 위에 입체로 대상을 표현하므로 중량감을 수반하게 되고 공간과 관련을 맺는다. 이것이 부조에서 볼 수 있는 조각의 측면이다. [3문단 요약 답] 부조는 벽면 같은 곳에 도드라지게 (반입체)를 만드는 것으로 (조각)과 회화의 성격을 모두 띤다.

④ 이러한 부조의 특성을 완벽하게 소화하여 평면에 가장 입체적으로 승화시킨 것이 석굴암 입구 좌우에 있는 금강역사상이다. 이들은 제각기 다른 자세로 금방이라도 벽 속에서 튀어나올 것 같은 착각을 준다. 『팔이 비틀리면서 평행하는 사선의 팽팽한 근육은 힘차고, 손가락 끝은 오므리며 온 힘이 한곳에 응결된 왼손의 손등에 솟은, 방향과 높낮이를 달리하는 다섯 갈래 뼈의 강인함은 실로 눈부시다.』 [4문단 요약 답] 부조의 특성을 잘 살린 대표적인 예로 (금강역사상)이 있다.

⑤ 부조는 신전의 벽면을 장식하기 위한 목적으로 제작되기 시작했다. 그리스 신전과 이집트 피라미드 등에서는 부조로 벽면을 장식하여 신비스러운 종교적 분위기를 형성하고 있다. 이처럼 이차원적 제한성에도 불구하고 삼차원적 효과를 극대화한 부조는 제작 환경과 제작 목적에 맞게 최적화된 독특한 조형 미술의 양식이다. [5문단 요약 답] 부조는 (이차원적) 제한성에도 불구하고 (삼차원적) 효과를 극대화한 특징을 가진다.

해제 | 이 글은 조형 미술의 양식인 암각화와 부조의 표현 방법과 특징을 설명하고 있다.

주제 | 암각화와 부조의 표현 방법과 특징

지문 분석하기

- **암각화**
  - 표현 방법: 선조(선으로만 새긴 것), 요조(형태의 내부를 표면보다 낮게 쪼아 내어 형태의 윤곽선을 표현한 것)
  - 특징: 선으로 대상을 표현했다는 점에서 회화로 볼 수 있음.
  - 예 울산 울주 암각화

공통점: 돌에 형상을 새김.

- **부조**
  - 표현 방법: 벽면 같은 곳에 부착된 형태로 도드라지게 반입체를 만듦.
  - 특징: 조각과 회화의 성격을 모두 띠고 있음.
  - 예 금강역사상
  - 유래: 신전 벽면을 장식하기 위한 목적으로 제작되기 시작

1 금강역사상을 예로 들어 부조의 표현 기법에 따른 효과를 설명하고 있다.

오답 풀이 ① 작품의 감상 방법을 소재에 따라 소개하고 있지 않다.

② 4문단에서 금강역사상이 주는 느낌을 서술하고 있다고는 할 수 있지만 이를 다양한 이론에 따라 분석하고 있는 것은 아니다.

④ 암각화나 부조에 대한 전문가의 견해를 인용하고 있지 않다.

⑤ 암각화나 부조의 발전 과정을 시간에 따라 나열하고 있지 않다.

2 2문단에서 선조로 표현된 암각화는 조각이 아니라 회화로 볼 수 있다고 했는데, 회화는 이차원의 성격이므로 삼차원의 입체감과는 거리가 멀다.

오답 풀이 ② 2문단의 '요조는 형태의 내부를 표면보다 약간 낮게 쪼아 내어 형태의 윤곽선을 표현한 것이다.'에서 확인할 수 있다.

⑤ 3문단의 '부조는 평면 위에 입체로 대상을 표현하므로 중량감을 수반하게 되고 공간과 관련을 맺는다. 이것이 부조에서 볼 수 있는 조각의 측면이다.'에서 확인할 수 있다.

3 2문단에서 암각화는 돌의 표면에 선조와 요조로 표현한다고 했으므로 암각화는 배경이 되는 면에 붙여서 제작하는 것은 아니다. 반면 3문단에서 부조는 벽면 같은 곳에 부착된 형태로 도드라지게 반입체를 만드는 것이라고 하였으므로, 금강역사상은 배경이 되는 면에 붙여서 제작된 작품이라 할 수 있다.

오답 풀이 ① 3문단에서 부조에 생기는 그늘이 삼차원적인 공간 구성을 통한 실재감을 주게 된다고 하였으므로 적절한 내용이다.

③ 3문단에서 부조는 평면 위에 입체로 대상을 표현한다고 하였고, 4문단에서 금강역사상에 대해 벽 속에서 튀어나올 것 같은 착각을 준다고 하였으므로 적절한 내용이다.

④ 암각화는 회화의 특징을 가지고 있으므로 이차원적인 성질을 지니고 있다고 할 수 있으며, 부조는 삼차원적 효과를 극대화하였으나 이차원적인 제한성이 있다고 하였으므로 적절한 내용이다.

1 ①   **2** ②   **3** ③

① 컴퓨터를 구성하고 있는 여러 가지 장치 중에서 가장 핵심적인 역할을 담당하고 있는 3가지 요소는 중앙처리장치(CPU), 주기억장치, 보조기억장치이다. 보통 주기억장치로 '램'을, 보조기억장치로 'HDD(Hard Disk Drive)'를 쓴다. <u>이 세 장치의 성능이 컴퓨터의 전반적인 속도를 좌우한다고 할 수 있다.</u>
　　　　　　　컴퓨터의 전반적인 속도를 좌우하는 장치
　　　　　　　　　　　　　　　　　문제 1 – ③ 관련
[1문단 요약 답] CPU, (**주기억장치**), 보조기억장치는 컴퓨터를 구성하는 핵심 3요소이다.

② 『CPU나 램은 내부의 미세 회로 사이를 오가는 전자의 움직임만으로 데이터를 처리
『 』: 문제 1 – ④ 관련
하는 반도체 재질이기 때문에 고속으로 동작이 가능하다. 그러나 HDD는 원형의 자기디스크를 물리적으로 회전시키며 데이터를 읽거나 저장하기 때문에 자기디스크를 아무리 빨리 회전시킨다 해도 반도체의 처리 속도를 따라갈 수 없다.』 게다가 디스크의 회전 속도가 빨라질수록 소음이 심해지고 전력 소모량이 급속도로 높아지는 단점이 있다. 이 때문에 CPU와 램의 동작 속도가 하루가 다르게 향상되고 있는 반면, HDD의 동작 속도는 그렇지 못했다.
[2문단 요약 답] (**반도체**) 재질의 CPU나 램과 달리 (**자기디스크**)를 이용하는 HDD는 동작 속도가 느리다.

③ 그래서 HDD의 대안으로 제시된 것이 바로 'SSD(Solid State Drive)'이다. SSD의 용도나 외관, 설치 방법 등은 HDD와 유사하다. 하지만 <u>SSD는 HDD가 자기디스크를 사용하는 것과 달리 반도체를 이용해 데이터를 저장한다는</u> 차이가 있다. 그리고 물리
　　　　　　　SSD와 HDD의 데이터 저장 방식의 차이
적으로 움직이는 부품이 없기 때문에 작동 소음이 작고 전력 소모가 적다. 이런 특성 때문에 휴대용 컴퓨터에 SSD를 사용하면 전지 유지 시간을 늘릴 수 있다는 이점이 있다.
문제 1 – ⑤ 관련
[3문단 요약 답] (**HDD**)의 대안으로 반도체를 이용해 데이터를 저장하는 (**SSD**)가 제시되었다.

④ 『SSD는, 컴퓨터 시스템과 SSD 사이에 데이터를 주고받을 수 있도록 연결하는 부분
문제 1 – ② 관련
인 '인터페이스', 데이터를 저장하는 '메모리', 그리고 인터페이스와 메모리 사이의 데이
　　　　　　　　　　　　　　　　　문제 3 – ① 관련
터 교환 작업을 제어하는 '컨트롤러', 외부 장치와 SSD간의 처리 속도 차이를 줄여 주는 '버퍼 메모리'로 이루어져 있다.』 이 중에 주목해야 할 것이 데이터를 저장하는 메모리. 이 메모리를 무엇으로 쓰는지에 따라 '<u>램 기반 SSD</u>'와 '<u>플래시메모리 기반 SSD</u>'
　　　　　　　　　　　　　　　　　　　　SSD의 종류
로 나뉜다.
[4문단 요약 답] SSD는 (**인터페이스**), 메모리, (**컨트롤러**), 버퍼 메모리로 구성되며, 램 기반, 플래시메모리 기반 SSD로 나뉜다.

⑤ 램 기반 SSD는 매우 <u>빠른 속도를 발휘</u>하는데, 이것을 장착한 컴퓨터는 전원을 켠 후
　　　　　　　램 기반 SSD의 장점
1~2초 만에 윈도 운영 체제의 부팅을 끝낼 수 있을 정도다. 다만 램은 전원이 꺼지면 저장 데이터가 모두 사라지기 때문에 컴퓨터의 전원을 끈 상태에서도 SSD에 계속해서
　　　　　　　램 기반 SSD의 단점, 문제 3 – ③, ⑤ 관련
전원을 공급해 주는 전용 전지가 반드시 필요하다. 이런 단점 때문에 램 기반 SSD는 많이 쓰이지 않는다.
[5문단 요약 답] (**램 기반**) SSD는 빠른 속도가 장점이나, 전원이 꺼지면 (**데이터**)가 사라지는 단점이 있다.

⑥ 그래서 일반적으로 SSD는 플래시메모리 기반 SSD를 지칭한다. 플래시메모리는 <u>전원이 꺼지더라도 기록된 데이터가 보존되기 때문에 HDD를 쓰던 것처럼 쓰면 된다.</u> 그
　　　　　　　플래시메모리 기반 SSD의 장점①
리고 플래시메모리 기반 SSD를 장착한 컴퓨터는 램 기반 SSD를 장착한 컴퓨터보다 느
　　　　　　　플래시메모리 기반 SSD의 단점, 문제 3 – ④ 관련
리긴 하지만 ㉠<u>HDD를 장착한 동급 사양의 컴퓨터보다 최소 2~3배 이상 빠른 부팅 속
　　　　　　　　　　　　　　　　　　　플래시메모리 기반 SSD의 장점②
도와 프로그램 실행 속도를 기대할 수 있다.</u>
[6문단 요약 답] (**플래시메모리**) 기반 SSD는 (**램 기반 SSD**)보다 속도는 느리지만 전원이 꺼져도 데이터가 보존된다.

해제| 이 글은 HDD의 한계를 제시하고 그것을 대체할 수 있는 SSD에 대해 설명하고 있다.

지문 분석하기

주제| 보조기억장치 SSD의 특징과 종류

SSD의 특징	SSD의 구성 요소	SSD의 종류
• HDD의 대안으로 제시됨. • 반도체를 이용해 데이터를 저장함. • 작동 소음이 작고 전력 소모가 적음.	인터페이스, 메모리, 컨트롤러, 버퍼 메모리	• 램 기반 SSD: 속도 빠름. 전원이 꺼지면 데이터가 사라짐. • 플래시메모리 기반 SSD: 램 기반보다 속도 느림. 전원 꺼져도 데이터 보존됨.

---

1 2문단에서 HDD가 느린 이유에 대해 설명하고 있을 뿐 HDD의 발전 과정에 대해 설명하고 있지는 않다.

오답 풀이 ▶ ② 4문단에서 SSD가 인터페이스, 메모리, 컨트롤러, 버퍼 메모리로 이루어져 있음을 확인할 수 있다.

③ 1문단에서 CPU, 주기억장치, 보조기억장치의 성능이 컴퓨터의 전반적인 속도를 좌우함을 확인할 수 있다.

④ 2문단에서 램은 반도체를 이용하여, HDD는 자기디스크를 이용하여 데이터를 처리함을 확인할 수 있다.

⑤ 3문단에서 휴대용 컴퓨터에 SSD를 사용하면 전지 유지 시간을 늘릴 수 있다는 이점을 확인할 수 있다.

2 플래시메모리 기반 SSD를 장착한 컴퓨터가 HDD를 장착한 컴퓨터보다 속도가 빠른 이유를 묻고 있다. 2문단에서 HDD는 자기디스크를 물리적으로 회전시키며 데이터를 읽거나 저장하기 때문에 자기디스크를 아무리 빨리 회전시킨다 해도 반도체의 처리 속도를 따라갈 수 없다고 하였다. 3문단에서 SSD는 반도체를 이용해서 데이터를 저장한다고 하였으므로 HDD보다 동작 속도가 빠르다는 것을 알 수 있다.

3 5문단에서 '램은 전원이 꺼지면 저장 데이터가 모두 사라지기 때문에 ~ 전용 전지가 반드시 필요하다. 이런 단점 때문에 램 기반 SSD는 많이 쓰이지 않는다.'라는 정보를 통해 전지가 있는 〈보기〉의 메모리는 일반적으로 쓰이지 않는 램 기반의 SSD인 것을 알 수 있다.

오답 풀이 ▶ ④ 6문단 '플래시메모리 기반 SSD를 장착한 컴퓨터는 램 기반 SSD를 장착한 컴퓨터보다 느리긴 하지만'에서 확인할 수 있다.

⑤ 5문단 '램은 전원이 꺼지면 저장 데이터가 모두 사라지기 때문에 ~ 전용 전지가 반드시 필요하다.'를 통해 파악할 수 있다.

 어휘 더 쌓기   본문 114쪽

1 (1) ② (2) ③ (3) ①   **2** ①   **3** ①   **4** (1) ②
(2) ④ (3) ① (4) ③

인문 01 언어의 표현과 의미의 관계

본문 118~119쪽

1 ②　　**2** ②　　**3** ②

① 우리가 언어를 통하여 대상을 이해하거나 타인의 생각을 읽어 낼 수 있다고 보는 것은 언어가 대상을 직간접적으로 지칭하고 있다고 보기 때문이다. 여기서 지칭이란 어떤 대상을 가리키는 언어적 표현 또는 명칭을 말하며, 이러한 명칭이 특정 대상을 가리키는 것이 어떻게 가능한지에 대해 정리한 것이 지칭 이론이다.

문제 1 - ① 관련

〔1문단 요약 답〕(지칭)이란 어떤 대상을 가리키는 (언어적) 표현 또는 명칭을 말한다.

② 그런데 지칭 이론에서 지시 대상 없는 명칭의 경우 논란이 야기된다. 예를 들어 "미국의 왕은 대머리다."라는 문장에서 미국에는 왕이 없으므로 '미국의 왕'은 아무것도 지칭할 수가 없다. 이 문제에 대해 독일의 논리학자 프레게는 의미와 뜻을 구별하여 '미국의 왕'은 대응되는 지시 대상이 없기 때문에 외연을 가진 '의미'를 갖지는 않지만, 내포적 '뜻'은 지니고 있다고 하였다. 이와 달리 영국의 철학자 러셀은 지시를 좀 더 넓은 의미로 설정하였다. '미국의 왕'은 지시 대상은 없지만 '미국'과 '왕'이라는 단어의 의미를 결합하여 '미국의 왕'이라는 말이 새로운 의미를 지닐 수 있다는 것이다. 러셀은 언어 뒤에 어떤 개념이 존재한다고 가정했다.

'미국의 왕'과 같은 경우를 설명하기 위한 시도 ①, 문제 1 - ③ 관련
지시 대상이 없음
'미국의 왕'과 같은 경우를 설명하기 위한 시도 ②, 문제 1 - ④ 관련

〔2문단 요약 답〕지시 대상이 없는 명칭에 대해 프레게는 (내포적 뜻)이 있다고 하였고, (러셀)은 명칭 자체가 의미를 지닐 수 있다고 보았다.

③ 이런 문제에 관해 오그던과 리처즈는 언어 기호와 개념, 지시 대상의 관계에 대한 이해를 돕기 위해 삼각형 모양의 그림을 제시하였다. 삼각형 그림을 통해 기호, 개념, 지시 대상 간의 삼각 구도를 이해할 수 있다. 특히 AC를 점선으로 표시함으로써 기호(A)와 지시 대상(C) 간의 관계는 개념(B)을 매개로 한 간접적 관계라는 사실을 드러낸다. 이것은 기호가 지시 대상을 직접 가리키는 것이 아니라 중간에 개념을 통해 연결된다는 뜻이다.

기호가 지시 대상을 직접 지시하는 것이 아니라고 봄

〔3문단 요약 답〕오그던과 (리처즈)는 기호가 (지시 대상)을 직접 가리키는 것이 아니라 중간에 (개념)을 통해 연결된다고 보았다.

④ 오그던과 리처즈의 이러한 생각은 소쉬르의 생각을 보완한 것이다. 소쉬르에 따르면 언어는 '시니피앙'과 '시니피에'로 이루어져 있는데, 시니피앙은 '소리'에 해당하며 시니피에는 소리를 듣고 떠올리는 '개념'에 해당한다. 시니피앙과 시니피에가 결합하여 의미가 만들어진다는 것이다. 언어는 소리와 개념을 임의로 결합시키기 때문에 소리와 의미 간의 관계는 어떠한 필연성도 갖지 않은 심리적 결합으로, 자의적이다. 이때 ⓘ소리란 발화된 음이 고막에 와 닿는 물리적 음이 아니라 우리의 감각의 직관에 새겨진 음의 표상, 심리적 음이다. 따라서 기호란 사물의 순수한 심리적 측면인 개념과 음성의 순수한 심리적 측면인 소리가 서로 관계를 맺고 있는 것이며, 사물 자체는 완전히 배제된다고 할 수 있다.

문제 1 - ⑤ 관련
소리　개념
소리와 개념을 임의로 결합함, 문제 1 - ② 관련

〔4문단 요약 답〕소쉬르는 언어를 소리에 해당하는 (시니피앙)과 개념에 해당하는 (시니피에)가 결합한 것이라고 보았다.

해제 | 이 글은 지칭 이론을 소개하며 언어의 표현과 의미의 관계에 대한 여러 학자들의 견해를 설명하고 있다.
주제 | 언어 기호와 개념, 지시 대상 간의 관계

지문 분석하기

지칭 이론	명칭이 특정 대상을 가리키는 것이 어떻게 가능한지를 따짐.

지칭 대상이 없는 명칭을 설명하기 위한 시도	프레게	외연을 가진 의미는 없으나 내포적 뜻을 지니고 있음.
	러셀	언어 표현 자체가 의미를 가질 수 있음.
	오그던과 리처즈	언어 기호와 지시 대상 사이를 개념이 매개함. → 소쉬르의 생각(언어란 소리와 개념이 임의로 결합한 것)을 보완한 것

---

1 4문단에서 소쉬르는, 언어는 소리와 개념을 임의로 결합시키기 때문에 소리와 의미는 어떠한 필연성도 갖지 않은 심리적 결합이라고 하였다.

오답 풀이 ▶ ① 1문단에서 명칭이 특정 대상을 가리키는 것이 어떻게 가능한지에 대해 정리한 것이 지칭 이론이라고 하였으므로, 지칭 이론에서는 지시 대상과 대상의 명칭이 갖는 관계를 따진다고 볼 수 있다.

③ 2문단에서 프레게는 의미와 뜻을 구별하여, 지시 대상이 없는 경우 외연을 가진 의미를 갖지는 않지만 내포적 뜻은 지니고 있다고 하였다.

④ 2문단에서 러셀은 '미국의 왕'은 지시 대상이 없지만 '미국'과 '왕'이라는 단어의 의미를 결합하여 '미국의 왕'이라는 말이 새로운 의미를 지닐 수 있다고 하였다.

⑤ 4문단에서 오그던과 리처즈의 생각은 소쉬르의 생각을 보완한 것이라고 하였다.

2 ㄱ. ㉮를 '토끼'라고 부른다면 '토끼'라는 소리는 기호에 해당한다. 그리고 이 기호를 통해 머릿속에는 토끼라는 개념을 떠올릴 것이다.

ㄷ. ㉮를 '토끼오리'라고 부른다면, 이때 '토끼오리'라는 소리는 기호에 해당한다.

오답 풀이 ▶ ㄴ. ㉮를 보고 오리의 개념을 떠올릴 수 있다. 그러나 3문단에 따르면 기호와 지시 대상은 개념을 통해 연결되므로 기호가 지시 대상을 직접 가리킬 수 없다.

ㄹ. ㉮를 '오리토끼'라고 부를 수 있다. 그러나 기호를 지시 대상으로 간주할 수 없다.

3 ⓘ에서 소리란 물리적 음이 아니라 심리적 음이라고 하였다. [l]과 [r]은 물리적으로 다른 음이지만 한국인에게는 똑같은 [ㄹ]로 들린다. 이것은 한국인에게 심리적으로 같은 소리이기 때문이다.

오답 풀이 ▶ ① '달', '딸', '탈'의 의미를 이해한다는 것은 '달', '딸', '탈' 소리의 물리적 차이를 인식한 것이다.

③ 받침이 있는 글자를 읽는 데 어색한 것은 물리적·심리적 음과 상관이 없다.

④, ⑤ 중국어의 말의 높낮이 차이나 프랑스어의 무성 자음과 유성 자음은 심리적 음과 관련 있다고 볼 수 없다.

1 ⑤　　　**2** ⑤　　　**3** ②

① 망각이란 기억과 반대되는 개념으로 일종의 기억 실패에 해당한다. 기억은 외부의 정보를 기억 체계에 맞게 부호로 바꾸어 저장 및 인출하는 것으로 부호화 단계, 저장 단계, 인출 단계로 나뉜다. 심리학에서는 기억 실패가 기억의 세 단계 중 어느 단계에서 일어난다고 보느냐에 따라 망각 현상을 각기 다르게 설명한다.

1문단 요약 답 심리학에서는 기억의 세 단계 중 어느 단계에서 (**기억 실패**)가 일어나느냐에 따라 망각 현상을 각기 다르게 설명한다.

② ㉠부호화 단계와 관련하여 망각을 설명하는 입장에서는 외부 정보가 부호화되는 과정에서 정보의 일부가 생략되거나 왜곡되어 망각이 일어난다고 본다. 부호화란 외부 정보를 기억의 체계에 맞게 변환하는 과정으로, 부호에는 음운 부호와 의미 부호 등이 있다. 음운 부호는 외부 정보가 발음될 때 나는 소리에 초점을 둔 부호이고, 의미 부호는 외부 정보의 의미에 초점을 둔 부호이다. 가령 '8255'라는 숫자를 부호화할 때, [팔이 오오]라는 소리로 부호화하는 것은 전자에 해당하고, '빨리 오오.'와 같이 의미로 부호화하는 것은 후자에 해당한다. 의미 부호는 외부 정보가 갖는 의미에 집중하여 부호화하는 것이므로, 음운 부호에 비해 정교화가 잘 일어난다. 정교화는 외부 정보를 배경지식이나 상황 맥락 등의 부가 정보와 밀접하게 관련시키는 것이다. 부호화 단계에서 망각을 설명하는 학자들은 정교화가 잘된 정보가 그렇지 않은 정보보다 기억에 유리하여 망각이 잘 일어나지 않는다고 주장한다.

2문단 요약 답 부호화 단계와 관련하여 망각을 설명하는 입장은 (**부호화**) 과정에서 정보의 일부가 생략, (**왜곡**)되는 현상을 망각으로 본다.

③ ㉡저장 단계에서 망각이 일어난다고 보는 입장에서는 망각을 저장 단계에서 정보가 사라지는 현상으로 설명한다. 즉 망각은 부호화가 되어 저장된 정보 중 사용하지 않는 정보가 시간의 경과에 따라 상실된다는 것이다. 독일의 심리학자 에빙하우스는 학습을 통해 저장된 단어가 시간의 경과에 따라 망각되는 양상을 알아보는 실험을 하였다. 그 결과 학습이 끝난 직후부터 망각이 일어나기 시작해서 1시간이 지나자 학습한 단어의 약 44% 정도가 망각되었다. 이를 근거로 학자들은 망각은 저장 단계에서 일어나는 현상이며 시간의 흐름에 비례하여 나타난다고 주장하였다. 그리고 학습 직후 복습을 해야 학습 효과가 높다는 것을 강조하였다.

3문단 요약 답 저장 단계와 관련하여 망각을 설명하는 입장은 저장된 정보가 (**시간의 경과**)에 따라 (**상실**)되는 현상을 망각으로 본다.

④ ㉢인출 단계에서 망각이 일어난다고 보는 입장에서는 망각을 저장된 정보가 제대로 인출되지 못하여 나타나는 현상으로 설명한다. 즉 망각은 저장된 정보가 사라지는 것이 아니라, 이를 밖으로 끄집어내지 못해서 나타난다는 것이다. 저장된 정보를 인출해 내기 위해서는 적절한 인출 단서가 필요하다. 일반적으로 저장된 정보와 인출 단서가 밀접할 경우 인출이 잘 되지만, 그렇지 않으면 인출 실패로 망각이 일어날 가능성이 크다. 가령 '사랑'이라는 단어를 인출할 때 이와 의미상 연관이 큰 '애인'이라는 단어를 인출 단서로 사용하면 인출이 잘 되지만, 관련이 먼 '책상'이라는 단어를 인출 단서로 사용하면 인출이 잘 되지 않는다. 인출 단계에서의 망각은 저장된 정보를 인출할 만한 단서가 부족하거나 부적절해서 나타나는 현상이므로, 시간이 흐르더라도 적절한 인출 단서만 제시되면 저장된 정보가 떠오를 수 있다.

4문단 요약 답 인출 단계와 관련하여 망각을 설명하는 입장은 저장된 정보를 제대로 (**인출**)하지 못하는 현상을 망각으로 본다.

지문 분석하기

해제 | 이 글은 망각 현상을 설명하는 세 가지 관점을 소개하고 있다.

주제 | 망각이 일어나는 기억 단계에 대한 세 가지 관점

망각에 대한 3가지 관점	부호화 단계에서의 망각	부호화 과정에서 정보의 일부가 생략, 왜곡되어 발생하는 현상
	저장 단계에서의 망각	저장된 정보가 시간의 경과에 따라 사라지는 현상
	인출 단계에서의 망각	저장된 정보가 제대로 인출되지 못하여 나타나는 현상

1 1문단에서 기억 실패가 기억의 세 단계 중 어느 단계에서 일어난다고 보느냐에 따라 망각 현상을 다르게 설명한다고 언급한 후, 2~4문단에서 부호화, 저장, 인출 단계와 관련하여 망각을 설명하는 입장을 소개하고 있다.

오답 풀이 ① 이 글의 중심 내용은 망각이 일어나는 단계에 대한 세 가지 입장이지 망각을 극복하는 방법은 아니다.

② 이 글에는 부호화 단계를 비롯해, 저장 단계, 인출 단계에서 망각이 일어난다고 보는 입장이 모두 소개되어 있다.

③ 망각은 기억 실패에 해당하지만 이 글에서는 두 개념의 차이를 언급하고 있지 않다.

④ 이 글에는 망각이 일어나는 단계에 대한 세 가지 견해를 기억의 과정을 중심으로 구분하여 설명하고 있지만 이러한 기억의 과정이 갖는 공통점에 대해서는 설명하고 있지 않다.

2 2문단에 따르면 의미 부호는 외부 정보가 갖는 의미에 집중하여 부호화하는 것이므로, 음운 부호에 비해 정교화가 잘 일어난다.

오답 풀이 ③ 부가 정보는 배경지식이나 상황 맥락 등과 관련된 것이므로 의미 부호를 부가 정보라고 설명하는 것은 적절하지 않다.

④ 의미 부호가 음운 부호에 비해 정교화가 잘 되어 망각이 잘 일어나지 않을 뿐 망각되지 않는 것은 아니므로 적절하지 않다.

3 수민이 '단어를 소리로 외우지 않고 용례를 보며 의미에 집중하여 외우는 것'은 외부 정보를 의미 부호로 부호화한 것이다. '음운 부호로 부호화하는 과정'이라는 설명은 적절하지 않다.

오답 풀이 ① 기존에 알고 있는 단어와 연관 지어서 단어를 암기하는 것은 정보를 정교화한 것으로, 정교화가 잘된 정보는 기억에 유리하다.

⑤ 인출 단계에서 망각이 일어난다고 보는 입장에서는 적절한 인출 단서가 없기 때문에 저장된 정보가 제대로 인출되지 못한다고 본다. 따라서 적절한 인출 단서를 주면 기억이 떠오를 수 있음을 알 수 있다.

사회 03 관세란 무엇일까

본문 122~123쪽

1 ⑤ **2** ② **3** ③

① 관세란 관세 영역을 출입하는 물품에 대하여 징수하는 세금이다. 여기서 관세 영역
<u>관세의 개념</u>
이란 국가의 영역 전체를 말하는 것이 일반적이나 자유 지역과 같은 특수한 구역에서
<u>관세 영역은 국가의 영역 전체와 대부분 일치</u> <u>관세를 부과하지 않는 예외 지역 문제 1 - ④ 관련</u>
는 관세를 부과하지 않고 있으므로 관세 영역이 반드시 국가의 전체 영역과 일치하는
것은 아니다. 국가가 관세를 책정하고 부여하는 목적은 재정 수입을 확보하고 자국의
<u>관세의 목적, 문제 1 - ② 관련</u>
산업을 보호하는 데 있다.
　[1문단 요약 답] 관세는 (재정 수입) 확보, (자국 산업) 보호를 목적으로 (관세 영역)을 출입하는 물품에 대하여 징수하는 세금이다.
② 관세는 과세 기회(상품의 이동 방향)를 기준으로 수입세, 수출세로 나눌 수 있다.『수
<u>관세 분류의 기준 ①</u> <u>과세 기회를 기준으로 한 관세의 종류</u>
입세는 보편적인 관세 형태로서 수입되는 물품에 대해 부과한다. 수출세는 수출 상품
『 <u>수입세와 수출세의 개념</u> <u>수출세를 매기는 대상</u>
에 부과하는 관세이다.』브라질의 커피, 태국의 쌀, 쿠바의 담배 등과 같은 ㉠독점적 상
품의 경우 관세를 부과하더라도 물품을 판매하는 데 지장이 없기 때문에 수출세를 매
<u>독점 생산품은 관세를 부과해도 수요에 크게 영향을 주지 않으므로 수출세를 통해 자국의 재정 수입을 늘릴 수 있음, 문제 2 - ② 관련</u>
기기도 한다. 그러나 오늘날 수출세가 적용되는 상품은 그 숫자가 매우 적으므로 일반
적으로 관세는 수입세를 의미한다.
<u>관세는 대부분 수입세임, 문제 1 - ③ 관련</u>
　[2문단 요약 답] 관세는 (과세 기회)를 기준으로 (수입세)와 (수출세)로 나누는데, 일반적으로 관세는 수입세를 의미한다.
③ 관세는 과세 방법을 기준으로 종가세와 종량세로 나눌 수 있다.『종가세는 물품 가격
<u>관세 분류의 기준 ②</u> <u>과세 방법을 기준으로 한 관세의 종류</u> 『 <u>종가세와 종량세의 개념</u>
에 세율을 곱한 값을 세액으로 산출해 부과하는 것이고, 종량세는 물품의 수량을 기준
으로 세금을 매기는 것이다.』종가세는 물품의 시장 가격이 등락하면 이에 맞게 과세된
『 <u>종가세와 종량세의 장단점</u>
다는 장점이 있으나 수출국에 따라 세율이 달라 관세 부담에 차이가 있다는 문제가 있
다. 종량세는 과세 방법이 간단하여 행정상 편리하지만 계량하는 단위를 어떻게 정할
것인지 하는 문제, 물가가 상승해도 관세 수입은 고정되는 문제가 있다.』국가에 따라 종
가세와 종량세를 적절하게 융합하여 세액을 산출하는 혼합세를 적용하기도 하고, ㉡선
<u>종가세와 종량세를 융합</u>
택 관세를 부과하는 경우도 있다. 선택 관세는 종량세와 종가세를 정해 놓고 그중 세액
<u>종가세와 종량세 중 세액이 높은 것을 선택</u>
이 높은 쪽에 관세를 부과하는 것이다.
<u>문제 2 - ② 관련</u>
　[3문단 요약 답] 관세는 (과세 방법)을 기준으로 (종가세)와 (종량세)로 나눈다.
④ 관세는 세금을 납부할 의무를 가진 납세 의무자와 실제로 세금을 부담하는 조세 부
담자가 일치하지 않기 때문에 간접세로 분류한다. 간접세는 직접세와 달리 납세 의무
<u>ㄴ. 납세 의무자와 조세 부담자의 불일치</u>
자가 부담해야 할 금액을 조세 부담자에게 떠넘기는 전가가 일어나는데, 이는 관세에
<u>직접세와 다른 간접세의 특징</u>
서도 마찬가지이다. 세금 납부의 의무를 가진 수입업자가 도매업자에게, 도매업자는
소매업자에게, 소매업자는 소비자에게 세금을 전가하여 실제로 세금을 부담하는 조세
부담자는 소비자가 된다.
<u>관세의 조세 부담자는 소비자</u>
　[4문단 요약 답] 관세는 (납세 의무자)와 조세 부담자가 일치하지 않는 (간접세)로, 세금의 (전가)가 일어난다.
⑤ 관세는 법률이나 조약에 의거하여 징수되어야만 한다.『한 나라의 법률에 의해 정한
<u>관세 징수의 원칙, 문제 1 - ① 관련</u> 『 <u>국정 관세와 협정 관세의 개념</u>
관세율에 따라 부과하는 세금을 국정 관세, 한 나라가 다른 나라와의 조약에 의거하여
정한 관세율에 따라 부과하는 세금을 협정 관세라고 한다.』일반적으로 협정 관세는 국
정 관세보다 우선하는 것으로, 관세율이 국가의 수출입에 지대한 영향을 주는 현대 사
<u>문제 1 - ⑤ 관련</u>
회에서는 나라 간의 조약을 통해 관세율을 정하는 일이 많다.
　[5문단 요약 답] 관세는 (법률)이나 (조약)에 의거하여 징수되어야만 한다.

해제 | 이 글은 관세의 개념과 목적, 관세의 종류 등 관세에 관한 다양한 정보를 제시하고 있다.

주제 | 관세의 개념과 종류

지문 분석하기

관세	개념	관세 영역을 출입하는 물품에 대하여 징수하는 세금
	종류	·과세 기회 기준: 수입세, 수출세　·과세 방법 기준: 종가세, 종량세
	특징	납세 의무자와 조세 부담자의 불일치
	징수 원칙	법률이나 조약에 의거하여 징수

1 5문단에서 한 나라가 다른 나라와의 조약에 의거하여 정한 관세율에 따라 부과하는 세금인 협정 관세가 국정 관세보다 우선한다고 하였다.

2 보통은 수입되는 상품에 대해 관세를 부과하지만 독점적 상품의 경우 수출하는 상품에 세금을 부과하여 국가의 재정 수입을 늘릴 수 있다. 선택 관세는 종량세와 종가세 중 세액이 높은 쪽에 관세를 부과하는 것이므로 선택 관세를 부과하는 것 역시 국가 재정 수입을 늘리는 것이 목적이라고 할 수 있다.

〔오답 풀이〕 ③ 수출세와 선택 관세 모두 합리적 과세를 위한 방법이라기보다 국가의 재정 수입을 늘리기 위한 방법이라고 할 수 있다.
⑤ 수출세와 선택 관세를 매긴다고 해서 납세 의무자와 조세 부담자가 다른 문제를 해결할 수 있는 것은 아니다.

3 A 국가가 상품 C에 관세율을 12%로 적용하기로 한다면 A 국가에서 상품 C의 가격은 9천 원에 1,080원을 더한 10,080원이 된다. 그렇기 때문에 A 국가에서 상품 C의 가격은 B 국가에서 상품 C의 가격인 10,000원보다 비싸다.

〔오답 풀이〕 ① 물품 가격에 세율을 곱한 값을 세액으로 산출해 부과하는 것이 종가세이므로 A 국가가 상품 C에 관세율을 12%로 적용하기로 한다면 종가세를 채택한 것이다.
② 상품 C에 종량세가 적용되면 상품 C의 가격은 9,900원이 된다. 상품 C와 동일한 품질을 가진 A 국가의 국내 제품의 가격이 1만 원이라면 상품 C의 가격이 더 싸져 가격 경쟁력이 생긴다. 그러므로 상품 C의 제조업자는 종량세가 적용되기를 바랄 것이다.
④ 상품 C의 제조업자는 상품 C의 가격을 9천 원에 관세를 덧붙여 책정하기로 하였다. 그러므로 A 국가가 얻는 관세 수입은 상품 C의 제조업자가 아닌 상품 C를 구입하는 소비자가 내는 것이라고 할 수 있다.
⑤ A 국가가 상품 C 1개당 관세로 900원을 부과하기로 한다면 종량세를 채택하는 것이다. 종량세는 물품의 수량을 기준으로 세금을 매기는 것이므로 수입량이 같다면 관세 수입이 일정하다.

1 ④ **2** ② **3** ②

① 인간은 집단생활을 하기 때문에 분쟁이 발생할 수밖에 없다. 그래서 문제가 발생하는 것을 예방하거나 문제를 원만히 해결하기 위해 규칙을 만든다. 여러 규칙 중 사회 구성원들의 합의에 따라 만들어지고 강제성을 가진 규칙을 법이라고 한다. 이러한 법은 몇 가지 특징이 있는데 먼저 법은 국민의 자유와 권리를 보호한다. 만약 법이 없다면 권력이나 국가 기관이 멋대로 권력을 휘두를 수 있을 것이다. 또한 법은 최소한의 간섭만 한다. 만약 개인이 처리해도 되는 일까지 법이 간섭한다면 사람들은 숨이 막혀 평온하게 살기 힘들 것이다.
〔1문단 요약 답〕 사회 구성원들의 (합의)에 의해 만들어지고 (강제성)을 지닌 규칙인 (법)은 몇 가지 특징이 있다.

② 대표적인 법에는 민법과 형법이 있다. 민법은 국가 기관이 아닌, 사람들 간의 권리 관계를 다루는 법률로서 재산 관계와 가족 관계로 구성되어 있다. 근대 사회에서 형성된 민법의 원칙은 오늘날까지도 중요하게 여겨지고 있다. 중요 원칙 중 하나는 개인의 사유 재산에 대해 절대적 지배를 인정하고 국가를 비롯한 단체나 개인은 다른 사람의 사유 재산 행사에 간섭하지 못한다는 것이다. 그리고 다른 사람에게 끼친 손해는 그 행위가 위법이고 동시에 고의나 과실에 의한 경우에만 책임을 진다는 원칙도 있다. 그런데 이 원칙들은 경제적 강자가 경제적 약자를 지배하는 수단으로 악용되기도 하여 20세기에 들면서 제한이 생겼다. 그 결과 개인의 사유 재산에 대한 지배는 여전히 보장되지만 공공복리에 적합하도록 행사해야 한다는 것과 같은 수정된 원칙들이 적용되고 있다.
〔2문단 요약 답〕 사람들 간의 (권리관계)를 다루는 법률인 (민법)은 개인의 (사유 재산)에 대한 지배를 인정한다.

③ 반면, 형법은 범죄와 형벌을 규정하는 법률로서 ⊙'죄형법정주의'라는 기본 원칙이 있다. 죄형법정주의는 범죄의 행위와 그 범죄에 대한 처벌을 미리 법률로 정해 두어야 한다는 것이다. 그래서 범죄 발생 당시에는 없었던 법이 나중에 생겨도 그것을 소급해서 적용할 수 없다.
〔3문단 요약 답〕 (범죄)와 형벌을 규정하는 법률인 (형법)은 (죄형법정주의)를 기본 원칙으로 한다.

④ 형법을 위반한 범죄가 발생하면, 먼저 수사 기관이 수사를 한다. 수사를 개시하는 단서로는 고소, 고발, 인지가 있는데, 이 중 고소는 피해자가 하는 반면 고발은 제3자가 한다. 일반적으로 범죄는 수사 기관이 인지하는 것만으로도 수사를 시작할 수 있다. 하지만 명예훼손죄, 폭행죄 등은 수사를 진행했더라도 피해자가 원하지 않으면 처벌하지 않는다. 수사 결과 피의자가 죄를 범했다고 의심할 만한 충분한 이유가 있다면 구속 영장을 받아 체포해 구속한다. 만약 범죄를 실행 중인 경우는 구속 영장 없이 체포 가능한데, 이 경우 48시간 이내에 구속 영장을 신청해야 하고, 법원은 신청서가 접수된 시간으로부터 48시간 이내에 구속 영장의 발부 여부를 결정해야 한다. 수사 결과 범죄 혐의가 인정되면 검사는 재판을 청구하는데 이를 기소라고 한다. 이때 검사는 피의자의 나이, 환경, 동기 등을 참작하여 기소를 하지 않을 수 있다. 기소로 재판 절차가 시작되면 법원은 사건을 심리하여 범죄 사실이 확인된 경우 유죄를 선고한다. 유죄가 인정되면 법원이 형을 선고하고 집행 절차에 들어간다.
〔4문단 요약 답〕 (형법)을 위반한 범죄는 특정한 절차를 밟아서 처리한다.

해제 | 이 글은 법의 개념과 특징을 언급하고 법을 민법과 형법으로 나누어 설명하고 있다.
주제 | 민법과 형법의 원칙과 특징

지문 분석하기

법
- 민법 · 개념: 사람들 간의 권리관계를 다루는 법률
 · 원칙: 개인의 사유 재산에 대한 지배를 보장
- 형법 · 개념: 범죄와 형벌을 규정하는 법률
 · 원칙: 죄형법정주의(범죄의 행위와 그에 대한 처벌을 법률로 정해 두어야 함.)

1 수사를 개시한 검사가 기소를 하면 재판 절차가 시작되어 법원이 사건을 심리하게 된다. 피의자의 구속은 수사 기관이 수사 결과 피의자가 죄를 범했다고 의심할 만한 충분한 이유가 있을 때 구속 영장을 받아 체포해 구속하는 것이다.

오답 풀이 ▸ ① 1문단에서 사회 구성원의 합의에 따라 만들어진 '법'은 강제성을 가진 규칙이라는 것을 확인할 수 있다.
② 1문단에서 법은 최소한의 간섭만 한다고 하였으므로 개인이 처리해도 되는 일에 법이 간섭하는 것은 바람직하지 않다는 것을 확인할 수 있다.
③ 4문단에서 범죄는 수사 기관이 인지하는 것만으로도 수사를 시작할 수 있음을 확인할 수 있다.
⑤ 2문단에서 개인의 사유 재산에 대한 지배는 여전히 보장되지만 공공복리에 적합하도록 행사해야 한다는 것과 같은 수정된 원칙이 적용되고 있음을 확인할 수 있다.

2 죄형법정주의는 범죄의 행위와 그 범죄에 대한 처벌을 미리 법률로 정해 두어야 한다는 원칙으로, 법률이 없으면 처벌할 수 없다. 따라서 '법률이 없으면 범죄도 없고 형벌도 없다'는 말이 죄형법정주의와 관련이 있다고 볼 수 있다.

3 ④는 고소, ⑤는 체포, ⑥는 기소이다. 일반적으로 범죄는 수사 기관이 인지하는 것만으로도 수사를 시작할 수 있다고 하였으므로 명예훼손죄와 폭행죄 역시 피해자의 고소가 없어도 사건을 수사할 수 있다. 하지만 수사를 진행했더라도 피해자가 원하지 않으면 처벌을 할 수 없다.

오답 풀이 ▸ ① 고소는 피해자가 한다.
③ 범죄를 실행 중인 경우 구속 영장 없이 체포가 가능한데, 이 경우 48시간 이내에 구속 영장을 신청해야 한다. 그리고 법원은 신청서가 접수된 시간으로부터 48시간 이내에 구속 영장의 발부 여부를 결정해야 한다.
④ 검사는 피의자의 나이, 환경, 동기 등을 참작하여 기소를 하지 않을 수 있다.
⑤ 재판에서 심리를 담당하는 주체는 법원인 반면, 범인의 기소 여부는 검사가 결정한다.

과학 05 도넛과 머그잔이 같은 도형이다? **본문 126~127쪽**

1 ④ **2** ② **3** ④

① 옛날 쾨니히스베르크라는 도시에 프레겔강이 흐르고 있었는데, 〈그림 1〉처럼 이 강에는 두 개의 섬이 있고, 7개의 다리가 놓여 있었다. 어느 날 한 시민이 "이 모든 다리를 빠짐없이 단 한 번씩만 건널 수 있는 방법은 없을까?"라는 문제를 내걸었는데, 이 문제를 처음으로 해결한 사람은 수학자 오일러였다.
<small>문제 1 - ③ 관련</small>
<small>1문단 요약 답</small> 쾨니히스베르크의 다리 문제를 처음으로 해결한 사람은 수학자 (**오일러**)였다.

② 『몇 개의 선과 그 끝점으로 이루어져 있고 전체가 연결되어 있는 도형에서 어떤 점에
<small>「 」: 짝수점과 홀수점의 의미</small>
모인 선의 수가 짝수일 때 그 점을 짝수점이라 하고, 홀수일 때는 홀수점이라 한다.』 오일러는 연구를 통해 홀수점의 개수가 0개일 때는 어느 짝수점에서 출발해도 같은 점에서 한붓그리기가 끝나며, 홀수점의 개수가 2개일 때는 한 홀수점에서 출발하여 다른 홀수점에서 한붓그리기가 끝나게 된다는 것을 증명했다. 즉 어느 도형에서 선을 한 번도
<small>한붓그리기가 가능한 도형의 특징. 문제 1 - ② 관련</small>
떼지 않으면서 모든 선을 한 번씩만 지나는 한붓그리기가 가능하려면 홀수점이 0개이거나 2개여야만 한다는 것이다. 이를 '오일러의 정리'라고 한다.
<small>2문단 요약 답</small> 오일러에 따르면 (**홀수점**)의 개수가 (**0개**) 또는 2개일 때 (**한붓그리기**)가 가능하다.

③ 오일러는 프레겔강으로 분할되는 쾨니히스베르크의 네 지역을 A, B, C, D라는 점으로 생각하고, 이 네 지역을 연결하는 다리들을 각 점을 연결하는 선이라고 생각했다. 그
<small>문제 1 - ⑤ 관련</small>
러면 〈그림 2〉와 같은 도형을 그릴 수 있는데, 이 도형의 경우 네 개의 점이 모두 홀수점이므로 한붓그리기가 불가능하다. 따라서 모든 다리를 빠짐없이 단 한 번씩만 건널 수 있는 방법은 없다는 결론에 이를 수 있는 것이다.
<small>3문단 요약 답</small> 쾨니히스베르크의 다리 문제에서 홀수점의 개수는 (**4개**)이므로 한붓그리기가 불가능하다.

④ 도형의 크기나 복잡성에 상관없이 도형을 구성하는 점들의 연속적 위치 관계에만
<small>문제 1 - ④ 관련</small>
주목한 오일러의 새로운 발상은 위상 수학의 출발점이 되었다. 위상 수학에서는 도형
<small>문제 1 - ① 관련</small>
을 이리저리 변형하였을 때 불변하는 기하학적 성질 등을 연구한다. 가령 고무찰흙으
<small>위상 수학의 연구 내용</small>
로 만들어진 머그잔은 자르거나 이어 붙이거나 구멍을 뚫지 않고도 길이와 모양만을
<small>위상 변환의 규칙</small>
변형하여 도넛처럼 만들 수 있다. 위상 수학에서는 이러한 변환을 '위상 변환'이라 하
고, 위상 변환을 통해 만들 수 있는 도형들을 '위상적 동형'의 관계에 있다고 한다. 일상
<small>위상적 동형의 의미</small>
생활 속에 있는 여러 도형들도 위상적 동형의 관계를 갖는데, 도형에 뚫려 있는 구멍의 수만으로도 위상적 동형을 쉽게 찾을 수 있다. 『구멍이 하나도 안 뚫려 있는 공, 벽돌, 접
<small>「 」: 위상적 동형의 예</small>
시 등이 하나의 위상적 동형이고, 구멍이 하나만 뚫려 있는 도넛, 머그잔, 빨대 등도 하나의 위상적 동형이다.』
<small>4문단 요약 답</small> 위상 수학에서 (**위상 변환**)을 통해 만들 수 있는 도형들을 (**위상적 동형**)의 관계에 있다고 한다.

해제 | 이 글은 오일러의 정리를 바탕으로 하여 위상적 동형 관계에 있는 도형에 대해 설명하고 있다.
주제 | 위상 수학의 출발점과 특징

지문 분석하기

	오일러의 정리		위상 수학
개념	홀수점의 개수가 0개 혹은 2개일 때 한 붓그리기가 가능함.	⋯▶	• **위상 수학**: 도형을 연속적으로 변형하여 불변적 성질을 알아냄.
특징	도형의 크기나 복잡성에 상관없이 도형을 구성하는 점들의 연속적 위치 관계에만 주목함.		• **위상 변환**: 도형을 자르거나 이어 붙이거나 구멍을 뚫지 않고 길이나 모양만을 변형하는 것 • **위상적 동형**: 위상 변환을 통해 같은 형태로 만들 수 있는 도형

---

1 오일러는 도형의 크기나 복잡성에 상관없이 도형을 구성하는 점들의 연속적 위치 관계에만 주목하여 오일러의 정리를 완성하였다.

오답 풀이 ① 새로운 발상을 담은 오일러의 정리는 위상 수학의 출발점이 되었다.
② 오일러는 홀수점의 개수가 0개이거나 2개일 때 한붓그리기가 가능하다는 것을 증명하였다.
③ 오일러는 한붓그리기를 통해 프레겔강의 모든 다리를 빠짐없이 단 한 번씩만 건널 수 있는 방법은 없다는 결론에 이를 수 있었다.
⑤ 오일러는 강으로 분할되는 도시의 네 지역을 A, B, C, D라는 점으로 생각하고, 이 네 지역을 연결하는 다리들을 각 점을 연결하는 선이라고 생각해 문제를 해결하였다.

2 네 지역 A, B, C, D에 (가)의 그림처럼 3개의 다리가 놓여 있다면 A, C, D에는 1개의 선이, B에는 3개의 선이 모이므로 홀수점은 4개가 된다. 그리고 (나)와 같이 두 개의 다리가 더 건설되면 A, C에 모이는 선은 2개, B, D에 모이는 선은 3개가 되므로 홀수점과 짝수점이 각각 2개가 된다. 한붓그리기가 가능하려면 홀수점이 0개이거나 2개여야 하는데, 홀수점의 개수가 4개에서 2개로 줄었으므로 (가)와 달리 (나)에서는 한붓그리기가 가능해진다.

3 도넛은 구멍이 하나만 뚫려 있는 도형이지만 ⓒ는 구멍이 두 개 뚫려 있는 도형이므로 위상적 동형이 아니다. 따라서 ⓒ는 위상 변환으로 도넛 모양을 만드는 것이 불가능하다.

오답 풀이 ① 빨대는 구멍이 하나이므로 ⓐ와 위상적 동형이다.
② ⓑ와 ⓓ는 모두 구멍이 없으므로 위상적 동형이다.
③ ⓐ는 구멍이 하나이고, ⓑ는 구멍이 없으므로 위상적 동형이 아니다. 따라서 ⓐ의 위상을 변환하더라도 ⓑ를 만들 수는 없다.
⑤ ⓒ의 가운데를 수직으로 한 번만 자르면 구멍이 하나인 도형 2개를 만들 수 있고, 각각의 도형은 ⓐ와 위상적 동형이 될 수 있다.

1 ④   **2** ③   **3** ④

① 「냉수 속 얼음은 1시간을 넘기지 못하고 모두 녹아 버리지만 북극 해빙은 10℃가 넘는 한여름에도 다 녹지 않고 바다에 떠 있다.」 왜 해빙의 수명은 냉수 속 얼음보다 긴 걸까?
[1문단 요약 답] 북극(**해빙**)은 냉수 속 얼음과 달리 한여름에도 다 녹지 않는다.

② 해빙의 수명이 긴 이유를 알기 위해서는 냉수 속 얼음에 작용하는 열에너지의 전달에 관한 두 가지 원리를 살펴볼 필요가 있다. 첫째, 열에너지는 온도가 높은 곳에서 낮은 곳으로 전달되는데, 이 때문에 온도가 다른 물체들이 서로 접촉하면 '열적 평형'을 이루려고 한다. 예를 들어 3℃인 냉장고 속에 얼음이 든 냉수를 오랜 시간 동안 두면, 냉수와 얼음의 온도는 모두 3℃가 되어 얼음이 모두 녹아 버릴 것이다. 둘째, 열에너지는 두 물체 사이의 접촉면을 통해서만 전달되며, 접촉면이 클수록 전달되는 열에너지의 양은 커진다. 앞서 말한 상황에서는 얼음이 냉수와 더 많이 맞닿을수록 전달되는 열에너지도 커진다.
[2문단 요약 답] 해빙의 수명이 긴 이유는 물속 얼음에 작용하는(**열에너지**)의 전달과 관련이 있다.

③ 그러면 얼음이 모두 녹아 물로 변하는 데에는 시간이 얼마나 걸릴까? 이를 알아내기 위해서 「3℃로 유지되는 냉수 속에 정육면체인 얼음 하나를 완전히 잠기게 해서 공기와 접촉할 수 없는 상황을 설정해 보자. 실험 결과 한 변의 길이가 1㎝인 정육면체 얼음이 완전히 녹는 시간은 약 2시간이다.」 한편, 「같은 냉수 속에 한 변의 길이가 1㎝인 정육면체 얼음 8개를 담근다고 해 보자. 이때에도 얼음이 완전히 녹는 데에 걸리는 시간은 여전히 약 2시간이다. 왜냐하면 각각의 얼음 주변을 물이 완전히 둘러싸고 있어 각각의 얼음이 접촉한 면적은 모두 같으며, 각각의 얼음의 부피는 동일하기 때문이다.」
[3문단 요약 답] 얼음이 물과 접촉하는(**면적**)이 같고, 얼음의(**부피**)가 동일하면 녹는 시간은 동일하다.

④ 그런데 「한 변의 길이가 1cm인 정육면체 8개를 붙여 한 변의 길이가 2cm인 정육면체 하나로 만들 경우에는 어떻게 될까? 총 부피는 8㎤로 같지만, 물과 접촉한 정육면체 얼음의 총 면적이 달라지므로 그 결과도 달라진다. 한 변의 길이가 1cm인 정육면체 얼음 8개가 각각 물에 잠겨 있다고 할 때의 물에 접촉하는 얼음의 총 면적은 48㎠이지만, 이것을 붙여 각 변의 길이를 2cm로 만든 정육면체 얼음이 물과 접촉하는 총 면적은 24㎠이다. 물과 접촉하는 면적이 절반으로 줄었기 때문에 같은 시간 동안 물에서 얼음으로 전달되는 열에너지의 양도 반으로 줄어들게 된다. 따라서 이 얼음이 다 녹는 데 필요한 시간은 (⊙   ).
[4문단 요약 답] 얼음이 물과 접촉하는 면적이 좁아지면 전달되는(**열에너지**)의 양이 줄어 녹는 시간이 길어진다.

⑤ 이를 북극 해빙에 적용해 보자. 이때 해빙은 정육면체이며 공기와 접촉하지만 공기와 열에너지를 교환하지 않는다고 가정하자. 해빙은 바다 위에 떠 있기에 물에 잠긴 정육면체 얼음과 달리 바닥 부분만 바닷물과 접촉하고 있다. 이는 정육면체의 여섯 면 중 한 면만 닿는 것이기 때문에, 같은 부피의 해빙은 물에 잠긴 정육면체 얼음덩어리보다 녹는 시간이 6배 오래 걸린다. 북극 해빙이 쉽게 녹지 않는 또 다른 이유는 부피와 면적 간의 관계 때문이다. 얼음이 녹는 시간은 부피가 클수록 길어지고 물에 닿는 면적이 클수록 짧아짐을 알 수 있다. 여기서 길이가 L배 커지면 면적은 L², 부피는 L³만큼 비례하여 커진다는 '제곱-세제곱 법칙'을 적용하면 얼음이 녹는 시간은 L배만큼 길어짐을 알 수 있다. 북극 해빙의 면적은 수천만㎢가 넘지만 부피는 이보다 계산하기 어려울 정도로 매우 크기 때문에 해빙이 녹는 시간은 그만큼 늘어나는 것이다.
[5문단 요약 답] 좁은(**접촉면**)과 거대한(**부피**)의 영향으로 북극 해빙은 잘 녹지 않는다.

해제 | 이 글은 북극 해빙이 한여름에도 잘 녹지 않는 이유를 설명하고 있다.

지문 분석하기

주제 | 북극 해빙이 잘 녹지 않는 이유

| 해빙이 잘 녹지 않는 이유 | 열적 평형 | + | 얼음이 녹는 시간과 접촉면, 부피의 관계 | ⋯▶ | 북극 해빙은 한 면만 바다와 접촉하고 있으며, 부피가 매우 커서 녹는 시간이 길어짐. |

---

1 이 글은 열에너지의 전달에 관한 원리, '제곱-세제곱 법칙'에 따른 물체의 면적과 부피 간의 관계를 바탕으로 하여 '북극 해빙은 왜 쉽게 녹지 않는가'라는 질문의 답을 찾아내고 있다.

2 얼음이 물과 접촉하는 면적이 좁을수록 전달되는 열에너지의 양은 줄어들고, 얼음이 녹는 시간은 길어진다. 5문단에서 정육면체의 여섯 면 중 한 면만 물과 접촉한 정육면체 얼음은 물에 잠긴 같은 부피의 정육면체 얼음보다 녹는 시간이 6배 오래 걸린다고 하였으므로, 같은 부피에 접촉 면적이 절반으로 줄어들었다면 녹는 시간은 2배로 늘어날 것임을 추론할 수 있다.

3 〈보기〉에서 코끼리의 무게와 부피는 육상 동물 중 가장 크기 때문에 생산하는 열에너지도 가장 많음을 추론할 수 있다. 이렇게 생산된 열에너지를 방출하려면 그에 적합한 피부 면적이 필요하다. 하지만 코끼리의 부피는 피부 면적에 비해 매우 크기 때문에 체온을 유지하기 위해서는 귀를 펄럭여 공기와 접촉하는 면적을 늘릴 수밖에 없다. 따라서 코끼리가 귀를 펄럭이는 이유는 열에너지 방출에 필요한 피부 면적이 충분하지 않기 때문이다.

오답 풀이 ▶ ③ 더운 지역에 사는 코끼리는 다른 지역에 사는 코끼리보다 열에너지를 많이 갖고 있어서 체온을 일정하게 유지하기 위해서는 더 많은 열을 방출해야 하므로 다른 지역에 사는 코끼리보다 귀의 면적이 더 커야 함을 추론할 수 있다.

⑤ 〈보기〉를 통해 몸에서 만들어 내는 열에너지는 동물의 무게와 부피에 비례함을 알 수 있다. 따라서 평균보다 몸무게가 많이 나가는 코끼리는 일반적인 코끼리보다 몸의 열에너지가 많을 것이므로 귀를 펄럭거리는 횟수가 더 많을 것이다.

어휘 더 쌓기   본문 130쪽

1 (1) 필연성 (2) 맥락 (3) 과세 (4) 혐의 **2** (1) 연속적 (2) 망각 (3) 발부 (4) 지장 **3** ②

기출 07 환경을 생각하는 새로운 연료, 수소

본문 132~133쪽

1 ③   **2** ②   **3** ④

① 전통적으로 사용해 온 화석 연료에는 대부분 탄소가 포함되어 있어서, 이 연료가 산소와 반응하게 되면 환경에 유해한 이산화 탄소가 부산물로 발생하게 된다. _{화석 연료 사용의 문제점} 그래서 탄소를 포함하지 않는 새로운 연료를 찾게 되었는데, 그중 하나가 바로 수소이다. 물을 전기 분해하면 수소와 산소로 나뉘는데, 이것을 역으로 이용하여 수소와 산소를 결합하면 이 두 물질이 반응하면서 물이 만들어지고, 이때 많은 전기 에너지가 방출된다. 따라서 수소 에너지는 유해한 부산물을 남기지 않는 환경친화적인 에너지로 주목받게 된 것이다. _{수소 에너지의 장점}

[1문단 요약 답] 수소 에너지는 화석 연료와 달리 유해한 (**부산물**)을 남기지 않아 (**환경친화적**)인 에너지로 주목받고 있다.

② 이처럼 수소를 산소와 화학 반응시켜 전기를 생성하는 에너지 변환 장치를 '연료 전지'라고 한다. _{연료 전지의 개념} 『일반적인 전지가 외부에서 생산한 전기를 화학 에너지로 보관하고 있다가 필요할 때 전기 에너지로 전환하여 사용하는 것과 달리, 연료 전지는 직접 화학 반응을 일으켜 전기를 발생시키는 장치이다.』 _{『 』: 일반 전지와 연료 전지의 차이점, 문제 1 – ② 관련} 기본적인 연료 전지의 구조는 전극이 각각 음극(−극)과 양극(+극)을 구성하고, 그 사이에 전해질이 채워져 있다. _{연료 전지의 구조, 문제 1 – ① 관련} 『연료 전지에 주입된 수소는 음극에서 수소 이온과 전자로 분해되는 산화 반응이 일어나는데, 분해된 수소 이온은 전해질막을 통과하여 양극으로 이동하고 전자는 외부 회로를 통해 양극으로 전달된다. 양극에서는 수소 이온과 전자가 공기 중의 산소와 만나 물을 생성하는 환원 반응이 일어나는데, 이 두 반응 때문에 생긴 양극과 음극의 전위차에 의하여 전기가 발생한다.』 _{『 』: 연료 전지에서 전기가 만들어지는 과정, 문제 1 – ④ 관련}

[2문단 요약 답] 연료 전지는 (**수소**)와 산소를 화학 반응시켜 전기를 생성하는 에너지 변환 장치이다.

③ 연료 전지는 수소와 산소가 공급되는 한 반영구적으로 사용할 수 있으며 발전 효율도 높다. _{연료 전지의 장점} 하지만 수소는 자연 상태 속에서는 단일 물질로 존재하지 않고 화합물의 형태로만 존재하기 때문에 먼저 수소를 분리해야 하는 어려움이 있다. 수소를 분리하기 위해 높은 온도에서 천연가스와 수증기를 반응시키는 방법을 많이 사용하는데, 이 과정 _{수소 분리의 어려움} 에서 상당한 양의 에너지가 소비된다. 또한 수소를 상온에서 기체 상태로 저장하려면 매우 큰 연료 탱크가 필요하기 때문에 부피를 줄이기 위해서는 액체 상태로 저장해야 한다. 그런데 수소의 끓는점이 영하 253℃로 굉장히 낮기 때문에 액체 상태를 유지하기 위해서는 많은 냉각 비용도 필요하다. _{수소 보관의 어려움} 따라서 수소가 화석 연료를 대체할 경제성을 갖기 위해서는 이러한 문제들을 해결하기 위한 연구와 노력이 계속되어야 한다.

[3문단 요약 답] 수소가 (**화석 연료**)를 대체할 (**경제성**)을 갖기 위해 연구가 더 필요하다.

해제 | 이 글은 환경친화적인 수소 에너지를 소개하며, 수소를 이용해 전기를 발생시키는 연료 전지의 원리와 해결 과제를 설명하고 있다.

주제 | 수소 에너지 소개 및 연료 전지의 원리와 해결 과제

지문 분석하기

수소 에너지 부상 배경		연료 전지		해결 과제
화석 연료의 문제점	**수소 에너지**	**구조**	두 개의 전극 + 전해질	• 수소를 분리하는 과정에서 상당한 양의 에너지가 소비됨.
환경에 유해한 이산화 탄소가 부산물로 발생함.	유해한 부산물을 남기지 않음.	**작동 원리**	산화 반응과 환원 반응 때문에 생긴 전위차에 의해 전기 발생	• 수소를 액체 상태로 유지하기 위해 많은 냉각 비용이 필요함.

1 이 글은 연료 전지 개발에 토대가 된 과학 이론을 언급하고 있지 않다.

오답 풀이 ▶ ① 2문단에서 전극이 각각 음극과 양극을 구성하고, 두 전극이 전해질에 의하여 분리되는 연료 전지의 구조를 언급하고 있다.

② 2문단에서 일반적인 전지는 외부에서 생산한 전기를 화학 에너지로 보관하고 있다가 필요할 때 전기 에너지로 전환하여 사용하는 반면, 연료 전지는 직접 화학 반응을 일으켜 전기를 발생시키는 장치라고 언급하고 있다.

⑤ 3문단에서 수소가 화석 연료를 대체할 경제성을 갖기 위해서는 많은 에너지 소비, 비싼 냉각 비용 등의 문제를 해결해야 한다고 언급하고 있다.

2 −극에서 분해된 수소 이온은 전해질막을 통과하여 +극으로 이동한다.

오답 풀이 ▶ ① 연료 전지에 주입된 수소는 −극에서 수소 이온과 전자로 분해되는 산화 반응이 일어나고, +극에서는 수소 이온과 전자가 공기 중의 산소와 만나 물을 생성하는 환원 반응이 일어난다.

③ 전기를 지속적으로 생산하려면 연료 전지에 계속 수소를 주입해 주어야 한다.

④ 수소 이온과 전자가 산소와 만나도록 산소가 포함된 공기를 계속 주입해야 한다.

⑤ 산화 반응과 환원 반응으로 인한 −극과 +극의 전위차에 의해 전기가 발생한다.

3 높은 온도에서 천연가스와 수증기를 반응시키는 것은 수소를 분리하기 위한 과정으로, 많은 에너지가 필요하기 때문에 수소의 에너지 효율을 높였다고 보기 어렵다.

오답 풀이 ▶ ① 연료 전지를 이용하려면 산소가 필요한데, 우주에서는 산소를 구하기 어려우므로 액체 산소를 싣고 간 것이라고 추론할 수 있다.

② 수소의 부피를 줄이기 위해서는 기체보다 액체 상태를 유지하는 것이 유리하다.

③ 연료 전지에서는 물이 부산물로 발생하기 때문에 우주선에서 이 물을 이용할 수 있다.

⑤ 수소의 끓는점이 영하 253℃로 낮기 때문에 액체 수소를 보관하기 위해서는 이 온도를 유지할 수 있는 냉각 장치가 필요하다고 할 수 있다.

1 ⑤　　**2** ⑤　　**3** ④

① 최근 컴퓨터로 하여금 사람의 신체 움직임을 3차원적으로 인지하게 하여, 이 정보를 기반으로 인간과 컴퓨터가 상호 작용하는 다양한 방법들이 연구되고 있다. 리모컨 없이 손짓으로 TV 채널을 바꾼다거나 몸짓을 통해 게임 속 아바타를 조종하는 것 등이 바로 그것이다. 이때 컴퓨터가 인지하고자 하는 대상이 3차원 공간 좌표에서 얼마나 멀리 있는지에 대한 정보가 필수적인데 이를 '깊이 정보'라 한다.
깊이 정보의 개념
〔1문단 요약 답〕 '깊이 정보'란 인지하고자 하는 대상이 (**3차원 공간 좌표**)에서 얼마나 (**멀리**) 있는지를 나타낸 정보이다.

② 깊이 정보를 획득하는 방법으로 우선 수동적 깊이 센서 방식이 있다. 이는 사람이 양쪽 눈에 보이는 서로 다른 시각 정보를 결합하여 3차원 공간을 인식하는 것과 비슷한 방식으로, 두 대의 카메라로 촬영하여 획득한 2차원 영상들로부터 깊이 정보를 추출하는 것이다. 하지만 이 방식은 두 개의 영상을 동시에 처리해야 하므로 시간이 많이 걸리고, 또한 한쪽 카메라에는 보이지만 다른 카메라에는 보이지 않는 부분에 대해서는 정확한 깊이 정보를 얻기 어렵다. 두 카메라가 동일한 수평선상에 정렬되어 있어야 하고, 카메라의 광축도 평행을 이루어야 한다는 제약 조건도 따른다. 그래서 최근에는 능동적 깊이 센서 방식인 TOF(Time of Flight) 카메라를 통해 깊이 정보를 직접 획득하는 방법이 주목받고 있다. 「TOF 카메라는 LED로 적외선 빛을 발사하고, 그 신호가 물체에 반사되어 돌아오는 시간 차를 계산하여 거리를 측정한다. 한 대의 TOF 카메라가 1초에 수십 번 빛을 발사하고 수신하는 것을 반복하면서 밝기 또는 색상으로 표현된 동영상 형태로 깊이 정보를 출력한다.」
문제 3 - ① 관련
〔2문단 요약 답〕 깊이 정보를 획득하는 방법에는 (**수동적**) 깊이 센서 방식과 (**TOF 카메라**)를 이용한 능동적 깊이 센서 방식이 있다.

③ ㉠TOF 카메라는 기본적으로 빛을 발사하는 조명과, 대상으로부터 반사되어 돌아오는 빛을 수집하는 두 개의 센서로 구성된다. 그중 한 센서는 빛이 발사되는 동안만, 나머지 센서는 빛이 발사되지 않는 동안만 활성화된다. 전자는 A 센서, 후자는 B 센서라 할 때 TOF 카메라가 깊이 정보를 획득하는 과정은 다음과 같다. 먼저 조명이 켜지면서 빛이 발사된다. 동시에, 대상으로부터 반사된 빛을 수집하기 위해 A 센서도 켜진다. 일정 시간 후 조명이 꺼짐과 동시에 A 센서도 꺼진다. 조명과 A 센서가 꺼지는 시점에 B 센서가 켜진다. 만약 카메라와 대상 사이가 멀어서 반사된 빛이 돌아오는 데 시간이 걸려 A 센서가 활성화되어 있는 동안에 A 센서로 다 들어오지 못하면 나머지 빛은 B 센서에 담기게 된다. 결국 대상으로부터 반사된 빛이 A 센서와 B 센서로 나뉘어 담기게 되는데 이러한 과정이 반복되면서 대상과 카메라 사이가 가까울수록 A 센서에 누적되는 양이 많아지고, 멀수록 B 센서에 누적되는 양이 많아진다. 이렇게 A, B 각 센서에 누적되는 반사광의 양의 차이를 통해 깊이 정보를 얻을 수 있는 것이다.
〔3문단 요약 답〕 TOF 카메라는 두 개의 센서에 (**누적**)되는 (**반사광**)의 양의 차이를 통해 깊이 정보를 얻는다.

④ TOF 카메라도 한계가 없는 것은 아니다. 적외선을 사용하기 때문에 태양광이 있는 곳에서는 사용하기 어렵고, 보통 10m 이내로 촬영 범위가 제한된다. 하지만 실시간으로 빠르고 정확하게 깊이 정보를 추출할 수 있기 때문에 다양한 분야에서 응용되고 있다.
TOF 카메라의 한계. 문제 3 - ②, ⑤ 관련　TOF 카메라의 장점
〔4문단 요약 답〕 TOF 카메라도 한계가 있으나 빠르고 정확하게 (**깊이 정보**)를 추출할 수 있어 여러 분야에서 응용되고 있다.

해제 | 이 글은 깊이 정보를 획득하는 방법을 수동적, 능동적 깊이 센서 방식으로 나누어 설명하고 있다.

주제 | 깊이 정보를 획득하는 방법

지문 분석하기

수동적 깊이 센서	• 원리: 두 대의 카메라로 촬영해 얻은 2차원 영상들로부터 깊이 정보 추출 • 단점: 시간이 오래 걸림. 대상이 두 대의 카메라에 모두 보이지 않으면 정확한 깊이 정보 획득이 어려움.
능동적 깊이 센서	• 원리: LED로 빛을 발사하고, 빛이 반사되어 돌아오는 시간 차를 계산해 깊이 정보 획득 • 단점: 태양광이 있는 곳에서는 사용하기 어려움. 10m 이내로 촬영 범위가 제한됨.

1 이 글의 1문단에는 깊이 정보의 개념이 제시되어 있으며, 2문단에는 수동적, 능동적 깊이 센서에 의한 깊이 정보 획득 방법이, 3문단에는 능동적 깊이 센서 방식이 사용된 TOF 카메라를 통해 깊이 정보를 획득하는 방법이 설명되어 있다.

오답 풀이 ▶ ② 깊이 정보를 측정하는 카메라로 TOF 카메라만 설명하고 있을 뿐 다른 카메라에 대한 설명은 찾아볼 수 없다.
③ 1문단에 깊이 정보를 활용한 예가 제시되어 있기는 하지만 그 가치와 의의에 대해 서술한 부분은 찾아볼 수 없다.

2 카메라와 물체 사이의 거리가 0이면 반사광이 돌아오는 시간이 없으므로 반사광이 돌아오는 데 걸리는 시간인 t2도 0이다. 그런데 t3는 A 센서의 활성화 시간이고 이는 조명의 활성화 시간인 t1과 동일하다. 따라서 t2와 t3가 같아진다는 진술은 적절하지 않다.

오답 풀이 ▶ ① t2는 반사광이 돌아오는 데 걸리는 시간이므로 카메라와 물체 사이의 거리가 멀어지면 길어진다.
② t1과 t2가 같다면 반사광은 t1과 t3의 종료 시점부터 센서에 담기게 되는데, 이때 활성화되는 센서는 B 센서이다. 따라서 t4 동안 B 센서에만 담긴다.
③ B 센서는 조명과 A 센서가 꺼지는 시점에 켜진다. 따라서 t1의 종료 지점에서 B 센서가 활성화된다.
④ t2는 반사광이 돌아오는 데 걸리는 시간, 즉 반사광이 센서에 도달하기까지 걸리는 시간이다. 따라서 이때는 모든 센서가 반사광을 감지할 수 없다.

3 손과 몸의 상하좌우 움직임은 2차원적인 것이고 앞뒤 움직임은 3차원적인 것이다. TOF 카메라는 깊이 정보를 측정하는 기계이므로 3차원 공간 좌표에서 이루어지는 손과 몸의 앞뒤 움직임도 인지할 수 있다.

오답 풀이 ▶ ③ TOF 카메라는 대상으로부터 반사된 빛을 통해 깊이 정보를 측정하므로 빛 흡수율이 높은 대상은 깊이 정보를 획득하기 어렵다.

1 ④　　**2** ③　　**3** ⑤

① 한 화가의 그림을 제대로 이해하기 위해서는 그가 그려 낸 그림만 보아서는 안 되고, 그가 왜 그 그림을 그리게 되었는지, 화풍의 진행 과정 속에 어떤 사연이 있는지를 알아야 한다. 특히 서구의 미술 사조나 당시의 화풍을 그대로 따르지 않았던 이중섭의 <u>그림과 관련된 화가의 생애 전반을 살펴볼 필요성</u> 그림은 더욱 그러하다. 이중섭이 우리 민족의 흔적을 되찾아 내는 방식으로 그림을 그 <u>독창적·민족적 → 이중섭 그림의 가치</u> 렸다는 점을 이해하기 위해서는 그의 생애를 함께 살펴볼 필요가 있다. <u>문제 2 - ② 관련</u>
（1문단 요약 답） 이중섭의 그림을 제대로 이해하기 위해서는 그의 （**생애**）를 함께 살펴볼 필요가 있다.

② 1916년 평안남도 평원군에서 태어난 이중섭은『평양 종로보통학교와 오산고등보통 학교를 거쳐 일본의 도쿄제국미술학교와 동경문화학원에서 유학을 한다.』동경문화학 　　　　　　　　　　『 : 당시로서는 상당한 수준의 미술 공부를 하였음. 원에 다니던 중 아내가 될 야마모토 마사코를 만나게 되고 1945년 한국에서 결혼식을 　　　　　　　　　　　문제 2 - ① 관련 올린다. 그러나 이중섭의 삶은 너무도 가난했다. 결혼을 하고 얼마 되지 않아 둘째까지 생겼는데, 6·25 전쟁이 일어나 집은 폭격으로 무너지고 남쪽으로 피난을 다녀야 했다. <u>시대적 상황 + 개인적 가난</u> 이중섭은 가족의 생계를 위해 막일을 하기도 하고, 언 밭에 버려진 배춧잎을 주워 끼니 를 때우기도 했다. （2문단 요약 답） （**일본**）유학 시절 만난 아내와 결혼한 이중섭은 가난한 생활을 이어 갔다.

③ 이런 열악한 환경 속에서도 그는 그림을 그리기를 포기하지 않았다. 유화 물감 몇 개만 가지고도 그림을 그렸고, 물감이 모자랄 때에는 페인트를 섞어 그렸다. 페인트를 섞어 그린 그림은 뜻하지 않은 효과를 냈는데, 종이의 표면을 미끄러지는 붓의 속도가 <u>그림을 그리려는 열망과 의지, 문제 2 - ④ 관련</u> 매우 빨라져 선의 탄력과 추상적 즉흥성이 배가된 것이다. 그의 대표작〈흰 소〉에서 확 <u>문제 3 - ① 관련</u> 인할 수 있듯이 이런 효과는 야수파적인 그림을 즐겼던 이중섭의 개성을 극대화시켰으 <u>문제 3 - ② 관련</u> 며, 그만의 독창적인 스타일로 인정받고 있다. （3문단 요약 답） 종이에 （**페인트**）로 그린 그림은 이중섭의 （**개성**）을 극대화하였다.

④ 또한 이중섭은 도화지를 살 돈조차 없게 되자 미군들이 피는 담뱃갑 은박지를 얻어 　　　　　　　　　　　문제 2 - ④ 관련 그 위에 못이나 이쑤시개로 그림을 그리고 물감으로 선을 채웠다. 이런 방식은 고려 시 대의 상감 기법에 해당하는 것으로, 이중섭이 고미술에 정통했으며 서구의 화풍이나 <u>도자기의 표면을 파내고 도료를 채워 그림을 그리는 전통 기법</u>　　　<u>이중섭의 개성적 면모</u> 경향을 따르려던 당시 화단의 모습과는 달랐음을 보여 준다. 은지화 중 군동화에서는 　　　　　　　　　　　　　　　　　　　　　　　　문제 2 - ④ 관련 가족에 대한 절절한 그리움과 소통에 대한 바람을 느낄 수 있는데, 가족이 떠나고 홀로 남은 그의 심정이 반영된 것이라 할 수 있다. 당시 전쟁을 피해 부산에 도착한 이중섭의 가족은 정부의 난민 소개 정책에 따라 제주도로 이주하였으나, 얼마 안 가 아내 마사코 <u>문제 2 - ⑤ 관련</u> 가 아이들을 데리고 일본으로 돌아가면서 이중섭 홀로 남게 된 것이다. （4문단 요약 답） （**은지화**）는 상감 기법이 적용된 것으로, （**고미술**）에 정통한 이중섭의 면모를 확인할 수 있다.

⑤ 은지화〈가족에게 둘러싸여 그림을 그리는 화가〉를 보면 동글동글한 얼굴과 장난기 　　　　　　　<u>가족을 그리워하며 그린 작품</u>　　　　문제 3 - ④ 관련 어린 아이들의 자세, 무엇엔가 집중하고 있는 아이들의 해맑은 모습이 보인다. 이는 세 상을 너무 심각하게만 보지 말고 아이들처럼 걱정을 날려 버릴 것을 권하는 이중섭의 마음이 반영된 것이다. 고통과 고난, 좌절이 많은 삶 속에서도 세상을 향한 그의 따뜻한 생각과 소망이 담겨 있다고 할 수 있다. 　　　　　　　　　　문제 3 - ③ 관련 （5문단 요약 답） 이중섭은 불우한 삶에도 불구하고 （**세상**）을 긍정적으로 바라보았다.

해제 | 이 글은 이중섭의 작품을 그의 생애와 연관 지어 설명하고 있다.
주제 | 이중섭의 생애와 작품

지문 분석하기

이중섭의 가난한 생애와 작품 활동	이중섭의 작품관
• 물감이 모자라 페인트를 섞어 사용함. 　→ 선의 탄력과 추상적 즉흥성이 배가됨. **예**〈흰 소〉 • 도화지를 살 돈이 없어 담뱃갑 은박지에 못 등으로 그림을 그리고 물감을 채움. 　→ 은지화. 고려 시대 상감 기법을 적용한 것으로 작가의 개성이 드러남.	긍정적이고 따뜻함. **예**〈가족에게 둘러싸여 그림을 그리는 화가〉

1 이 글은 이중섭의 그림을 이해하기 위해 서는 그의 생애를 살펴볼 필요가 있다고 밝힌 후, 이중섭의 생애를 서술하고 있다. 이 과정에서 그가 그린 작품들의 기법을 그의 생애와 연관 지어 설명하고 있다.

오답 풀이 ▶ ③ 종이에 페인트로 그린 그림, 은 박지에 못이나 이쑤시개로 그린 그림 등 이중섭 의 그림에 사용된 기법들을 소개하고 있는 것은 맞지만, 그 기법들을 대조하고 있는 것은 아니다. ⑤〈가족에게 둘러싸여 그림을 그리는 화가〉가 해맑은 아이들의 모습을 소재로 하고 있음은 알 수 있지만, 그것의 상징적 의미를 분석하고 있 는 것은 아니다.

2 이중섭은 아내와 아이들이 일본으로 떠 나자 그들에 대한 그리움을 그림으로 표 현하였다.

오답 풀이 ▶ ① 2문단에서 동경문화학원에 다 니던 중 아내가 될 야마모토 마사코를 만나게 되었다고 하였다. ② 1문단에서 이중섭은 우리 민족의 흔적을 되 찾아 내는 방식으로 그림을 그렸다고 하였으며, 이는 4문단에서 고려 시대의 상감 기법에 해당 하는 은지화의 그림 기법으로 드러나고 있다. ⑤ 4문단에서 전쟁을 피해 부산에 도착한 이중 섭의 가족은 정부의 난민 소개 정책에 따라 제 주도로 이주하였다고 하였다.

3 1문단과 4문단에서 그가 서구의 화풍이 나 경향을 따르던 당시 화단의 모습과는 다른 면모를 보였음을 확인할 수 있다. [B]를 그린 방식은 고려 시대의 상감 기 법에 해당하는 것으로, 오히려 우리 민족 의 흔적을 되찾아 내는 방식이라 할 수 있다.

오답 풀이 ▶ ① 3문단에서 종이에 페인트를 사 용할 경우 종이의 표면을 미끄러지는 붓의 속도 가 매우 빨라 선의 탄력과 추상적 즉흥성이 한 층 배가 된다고 하였다. ② 3문단에서〈흰 소〉는 이중섭의 독창적인 스 타일을 드러내는, 그의 개성이 잘 드러난 그림 이라는 것을 알 수 있다. ③ 5문단에서 이중섭의 그림에는 세상을 향한 그의 따뜻한 생각과 소망이 담겨 있다고 하였다.

1 ④ **2** ③ **3** ④

① 지휘자와 오케스트라가 작곡가의 악보를 소리로 바꾸는 과정에서 '음악 해석'이라
_{문제 2-④ 관련}
는 것이 이루어진다. 지휘자는 자신의 음악적 관점을 리허설을 통해 전달하고, 여러 가
지 몸짓과 표정으로 감정을 표현하거나 음악의 느낌을 단원들에게 전달해 연주를 이끌
어 낸다. 그 순간 지휘자는 음악을 해석하고 있는 것이다. 작곡가가 아무리 악보를 정교
_{문제 1-③/2-⑤ 관련}
하게 작성한다 해도 연주자들에게 자신이 의도한 음악을 정확하게 전달해 낼 수 없다.
_{문제 2-② 관련}
_{다양한 음악 해석이 이루어지는 원인}
이것이 바로 '악보의 불완전성'이며 이는 다양한 음악 해석의 원인이 된다.
_{1문단 요약 답} 지휘자와 오케스트라가 작곡가의 악보를 (소리)로 바꾸는 과정에서 (음악 해석)이 이루어진다.

② 그럼 베토벤의 〈교향곡 5번〉이 지휘자의 관점에 따라 얼마나 다르게 연주될 수 있
는지 살펴보자. 베토벤 〈교향곡 5번〉 1악장 도입부의 '따따따딴~'이라는 네 개의 음은
베토벤의 운명이 문을 두드리는 소리라고 해서 흔히 '운명의 동기'라고 불린다. 운명의
동기가 나타나는 1악장 첫 페이지에 베토벤은 '알레그로 콘 브리오' 즉 '빠르고 활기 있
_{문제 1-⑤ 관련}
게' 연주하라고 적었다. 그리고 그 옆에는 정확한 템포를 지시하기 위해 2분 음표를 메
트로놈 108로 연주하라고 적어 놓았다. 1악장은 2/4박자의 곡이므로 2분 음표의 템포
는 곧 한 마디의 템포인 셈인데, 한 마디를 메트로놈 108의 속도로 연주한다는 것은 연
주자들에게 매우 빠른 템포이다. _{2문단 요약 답} 지휘자의 (관점)에 따라 동일한 곡도 다르게 연주될 수 있다.

③ 하지만 「정확하고 무자비하기로 유명한 지휘자 토스카니니는 정확하게 베토벤이 원
_{「 」: 음악 해석의 사례 ① 토스카니니, 문제 1-④ 관련}
하는 템포 그대로 운명의 동기를 연주한다. 그리고 운명의 동기를 반복적으로 구축하
며 운명이 추적해 오는 것 같은 뒷부분도 사정없이 몰아친다. 그의 해석으로 베토벤 음
악의 추진력은 더욱 돋보인다.」 _{3문단 요약 답} 지휘자(토스카니니)는 악보를 정확하게 연주하는 것을 중시하였다.

④ 반면 「음악을 주관적으로 해석하기로 유명한 푸르트벵글러는 베토벤이 적어 놓은 메
_{「 」: 음악 해석의 사례 ② 푸르트벵글러, 문제 1-④ 관련}
트로놈 기호에 별로 신경을 쓰지 않았다. 그의 지휘로 재탄생한 운명의 노크 소리는 매
우 느린 템포로 연주된다. 그럼에도 불구하고 한 음 한 음 힘 있고 또렷하게 표현된 그
소리는 그 어느 노크 소리보다 가슴을 울리는 웅장함을 담고 있다. 두 번째 노크 소리의
여운이 끝나기가 무섭게 시작되는 '운명의 추적' 부분에서도 푸르트벵글러는 이 작품에
대한 독특한 시각을 보여 준다. 그는 여기서 도입부의 느린 템포와는 전혀 다른 매우 빠
른 템포로 음악을 이끌어 가면서 웅장하게 표현된 운명의 동기와는 대조적으로 긴박감
넘치는 운명의 추적을 느끼게 하여, 베토벤 음악이 지닌 웅장함과 역동성을 더욱 잘 부
각시키고 있다.」 _{4문단 요약 답} 지휘자(푸르트벵글러)는 악보 너머의 음악적 느낌에 충실하게 지휘하였다.

⑤ 그렇다면 악보에 충실하고자 했던 토스카니니와 악보 너머의 음악적 느낌에 더 충
_{문제 1-② 관련}
실하고자 했던 푸르트벵글러 중 누가 옳은 것일까? 음악에서는 틀린 음을 연주하는 것
_{문제 1-① 관련}
이외에 틀린 것이란 없다. 틀린 것이 아니라 다른 것이다. 여러 가지 '다름'을 허용하는
_{음악 해석의 의의}
것이야말로 클래식 음악을 더욱 생동감 넘치는 현재의 음악으로 재현하는 원동력이
된다. _{5문단 요약 답} (다름)을 허용하는 음악 해석은 클래식 음악을 현재의 음악으로 재현하는 원동력이다.

해제 | 이 글은 지휘자에 따라 같은 악보라도 다르게 연주될 수 있음을 사례를 들어 설명하고 있다.
주제 | 지휘자의 음악 해석의 의미

지문 분석하기

음악 해석 → 원인 악보의 불완전성 → 사례 • 토스카니니: 악보에 충실 • 푸르트벵글러: 주관적으로 해석 → 의의 클래식 음악을 현재의 음악으로 재현

1 4문단에서 푸르트벵글러가 음악을 주관적으로 해석하는 것으로 유명하다고 언급하고 있다.

오답 풀이 ① 5문단에서 음악에서는 틀린 음을 연주하는 것 이외에 틀린 것이란 없다고 하였다. 즉 음악의 연주에서는 틀린 음이 존재할 수 있다.
② 3문단에서 악보대로 정확하게 연주하고자 했던 토스카니니의 사례가 제시되어 있으며, 5문단에서도 '악보에 충실하고자 했던 토스카니니'라는 내용을 확인할 수 있다.
③ 1문단에서 지휘자는 자신의 감정을 표현하고 음악의 느낌을 단원들에게 전달하는 순간 음악을 해석하고 있는 것이라고 언급하고 있다.
⑤ 2문단에서 베토벤 〈교향곡 5번〉 1악장의 악보에 빠르고 활기 있게 연주하라고 기록되어 있음을 알 수 있다.

2 1문단에서 '작곡가가 아무리 악보를 정교하게 작성한다 해도 연주자들에게 자신이 의도한 음악을 정확하게 전달해 낼 수 없다.'고 하였다. 이 때문에 다양한 음악 해석이 이루어진다고 하였으므로 음악 해석이 불필요하다는 진술은 적절하지 않다.

오답 풀이 ① 베토벤 〈교향곡 5번〉 1악장을 지휘한 지휘자 토스카니니와 푸르트벵글러의 사례를 통해 동일한 곡이라도 지휘자마다 연주자에게 다른 요구를 할 수 있음을 알 수 있다.
⑤ 1문단에서 지휘자는 동작이나 표정을 통해 감정을 표현하거나 음악의 느낌을 단원들에게 전달해 연주를 이끌어 낸다고 하였다.

3 호른으로 연주해야 한다고 주장한 지휘자들은 악보 너머의 음악적 느낌에 더 충실하고자 한 것이다. 악보에 충실한 음악 해석을 중요시한 지휘자들은 베토벤이 악보에 적어 놓은 그대로 바순으로 연주해야 한다고 주장했을 것이다.

오답 풀이 ⑤ 이 글의 글쓴이는 지휘자의 음악 해석이 중요하다고 하였다. 그리고 틀린 음을 연주하는 것 이외에는 틀린 것이 없다고 하였으므로 바순과 호른 중 어떤 악기로 연주해도 그 지휘자의 연주가 틀렸다고는 생각하지 않을 것이다.

통합 11 GPS가 위치를 파악하는 원리 　　　　　본문 140~141쪽

1 ①　　　**2** ⑤　　　**3** ②

① 우리는 GPS(Global Positioning System)를 이용해 자신의 위치 정보를 알 수 있다. 그렇다면 GPS는 어떻게 위치 정보를 파악하는 것일까? 현재 지구를 도는 약 30개의 GPS 위성은 일정한 속력으로 정해진 궤도를 돌면서, 자신의 위치 정보 및 시각 정보를 (질문을 통한 화제 제시) 담은 신호를 지구로 송신한다. 이 신호를 받은 수신기는 위성에서 신호를 보낸 시각과 자신이 신호를 받은 시각의 차이를 근거로, 위성 신호가 수신기까지 이동하는 데 걸린 시간을 계산하여 위성과 수신기 사이의 거리를 구한다. 『위성이 보낸 신호는 빛의 속력 으로 이동하므로, 신호가 이동하는 데 걸린 시간(t)에 빛의 속력(c)을 곱하면 위성과 수 『: 문제 3 - ⑤ 관련 신기 사이의 거리(r)를 구할 수 있다. 이를 식으로 표시하면 'r = t × c'이다.
(1문단 요약 답) 신호가 이동하는 데 걸린 시간에 (**빛의 속력**)을 곱하면 위성과 수신기 사이의 (**거리**)를 구할 수 있다.

② 그런데 상대성 이론에 따르면 대상이 빠르게 움직일수록 시간은 느리게 흐르고, 대
(GPS 수신기의 위치를 파악할 때 사용되는 원리 ①)
상에 미치는 중력이 약해질수록 시간은 빠르게 흐른다. 실제로 위성은 지구의 자전 속
『: 문제 2 - ⑤ 관련
력보다 빠르게 지구 주변을 돌고 있기 때문에 지표면에 비해 시간이 느리게 흘러, 위성
문제 2 - ② 관련
의 시간은 하루에 약 7.2μs(마이크로초)씩 느리게 된다. 또한 위성은 약 20,000km
문제 2 - ① 관련
이상의 상공에 있기 때문에 중력이 지표면보다 약하게 작용해 지표면에 비해 시간이 하루에 약 45.8μs씩 빨라지게 된다. 그 결과 ⊙GPS 위성에 있는 원자시계의 시간은 지 표면의 시간에 비해 매일 약 38.6μs씩 빨라진다. 이러한 차이는 하루에 약 11km의 오 차를 발생시킨다. 이를 방지하기 위해 GPS는 위성에 탑재된 원자시계의 시간을 지표면 의 시간과 일치하도록 조정하여 위성과 수신기 사이의 거리를 정확하게 구하게 된다.
(2문단 요약 답) (**위성**)의 시간이 지표면의 시간보다 빠르기 때문에 일치하도록 조정하여 위성과 수신기 사이의 정확한 거리를 구한다.

③ 이렇게 계산된 거리는 수신기가 자신의 위치를 파악하는 데 활용되는데, 이때 삼변
위성과 수신기 사이의 거리
측량법이 사용된다. 삼변 측량법은 세 기준점 A, B, C의 위치와, 각 기준점에서 대상 P
(GPS 수신기의 위치를 파악할 때 사용되는 원리 ②)　　　　　문제 3 - ② 관련
까지의 거리를 이용하여 P의 위치를 측정하는 방법이다. 가령, 〈그림〉과 같이 평면상의 A(0, 0)에서 거리가 5만큼 떨어진 지점에, B(4, 0)에서 거리가 3만큼 떨어진 지점에, C(0, 3)에서 거리가 4만큼 떨어진 지점에 P(x, y)가 있다고 하자. 평면상의 한 점에서 같은 거리에 있는 점을 모두 연결하면 원이 된다. 그러므로 A를 중심으로 반지름이 5인 원, B를 중심으로 반지름이 3인 원, C를 중심으로 반지름이 4인 원을 그리면 세 원이 교 차하는 지점이 하나 생기는데, 이 지점이 바로 P(4, 3)의 위치가 된다. 이때 세 개의 점 A, B, C를 GPS 위성으로 본다면 이들의 좌표 값은 위성의 위치 정보이고, P의 좌표 값 은 GPS 수신기의 위치 정보가 된다.
(3문단 요약 답) (**삼변 측량법**)을 활용하면 위성과 수신기 사이의 거리를 통해 수신기의 위치를 구할 수 있다.

④ 그러나 실제 공간은 3차원 입체이기 때문에 GPS 위성으로부터 동일한 거리에 있는 점들은 원이 아니라 구(球)의 형태로 나타난다. 그 결과 세 개의 GPS 위성을 중심으로 하는 세 개의 구가 겹치는 지점은 일반적으로 두 군데가 된다. 하지만 이 중 한 지점은
문제 3 - ④ 관련
지구 표면 가까이에 위치하게 되고, 나머지 한 지점은 우주 공간에 위치하게 된다. GPS 수신기는 이 두 교점 중 지구 표면 가까이에 있는 지점을 자신의 현재 위치로 파악하게 된다.
(4문단 요약 답) 실제 공간에서는 두 개의 교점이 생기는데, 수신기는 이 중 지구 표면 (**가까이**)에 있는 지점을 자신의 현재 위치로 파악한다.

해제 | 이 글은 GPS가 위치를 파악하는 원리를 설명하고 있다.

주제 | GPS가 위치를 파악하는 원리

지문 분석하기

GPS가 위치를 파악하는 원리	상대성 이론 고려 → 시간의 오차를 조정하여 위성과 수신기 사이의 정확한 거리를 구함.	…	삼변 측량법 활용 → 위성의 위치와 위성과 수신기 사이의 거리를 이용해 수신기의 위치를 파악	…	두 교점 중 지구 표면 가까이에 있는 지점을 자신의 현재 위치로 파악

1 이 글은 GPS에서 수신기의 위치를 파악 할 때 사용되는 원리인 상대성 이론과 삼 변 측량법의 원리를 설명하고 있다.

2 위성의 시간은 이동 속력으로 인한 시간 의 변화로 지표면의 시간에 비해 하루에 약 7.2μs씩 느려지고, 중력으로 인한 시 간의 변화로 하루에 약 45.8μs씩 빨라진 다. 즉 GPS 위성에는 시간을 빠르게 하 는 요소와 느리게 하는 요소가 모두 작용 하는데, 시간이 빨라지는 이유는 중력으 로 인해 시간이 빨라지는 영향이 더 크기 때문이다.

3 삼변 측량법은 세 기준점 A, B, C의 위치 와, 각 기준점에서 대상 P까지의 거리를 이용하여 P의 위치를 측정하는 방법이 다. 따라서 삼변 측량법으로 P_x의 위치를 측정하려면 P_1, P_2, P_3의 위치와, 각각에 서 P_x까지의 거리를 알아야 하는 것이지 P_1, P_2, P_3 사이의 거리를 알아야 하는 것 은 아니다.

오답 풀이 • ① $r_1 < r_2$, $r_2 = r_3$이므로, P_1~P_3 중 P_x와 가장 가까운 곳에 있는 것은 P_1이다.
③ P_1~P_3에서 P_x로 보낸 신호에는 위치 정보와 시각 정보가 담겨 있으므로, 이 신호를 분석하 면 P_1~P_3에서 신호를 보낸 각각의 시각을 알 수 있다.
④ 실제 공간은 3차원 입체이기 때문에 GPS 위 성으로부터 동일한 거리에 있는 점들은 원이 아 니라 구(球)의 형태로 나타난다. 그 결과 세 개 의 GPS 위성을 중심으로 하는 세 개의 구가 겹 치는 지점은 일반적으로 두 군데가 된다.
⑤ 위성이 보낸 신호는 빛의 속력으로 이동하므 로, 신호가 이동하는 데 걸린 시간에 빛의 속력 을 곱하면 위성과 수신기 사이의 거리를 구할 수 있다. 따라서 P_1과 P_x 사이의 거리를 빛의 속 력으로 나누면 P_1에서 보낸 신호가 P_x에 도달하 는 데 걸린 시간이 된다.

 어휘 더 쌓기　　　　　본문 142쪽

1 (1) 경향　(2) 템포　(3) 여운　(4) 오차　**2** (1) ②
(2) ⑤　(3) ⑤　**3** (1) ①　(2) ③　(3) ②　(4) ④

그림·사진 자료 출처

독해 실전 1회

본책 47쪽	비 오는 도시 풍경 _셔터스톡, Christian Mueller
본책 59쪽	엑스레이로 촬영한 사진 _셔터스톡, wonderisland
	공항 수화물 검색 _게티이미지뱅크

독해 실전 2회

본책 75쪽	전주이씨족보 _국가문화유산포털
본책 81쪽	정선, 〈금강전도〉 _국가문화유산포털
	정선, 〈인왕제색도〉 _국가문화유산포털
본책 87쪽	사그라다 파밀리아 성당 _게티이미지뱅크

독해 실전 3회

본책 103쪽	은행 금고 _셔터스톡
본책 115쪽	뉴턴 _셔터스톡
	작용과 반작용 _셔터스톡

독해 실전 4회

본책 131쪽	화물선과 항구 _셔터스톡, nattanan726
본책 143쪽	우주정거장 _셔터스톡, 3Dsculptor
	잠수함 _셔터스톡